HISTOIRE DE LA

LITTÉRATURE FRANÇAISE

CHEZ LE MÊME ÉDITEUR :

Histoire de la littérature française, XIXe et XXe siècle
par Pierre BRUNEL
et Yvonne BELLENGER, Daniel COUTY,
Philippe SELLIER, Michel TRUFFET,
et, pour la littérature négro-africaine, Jean-Pierre GOURDEAU

HISTOIRE DE LA LITTÉRATURE FRANÇAISE

Du Moyen Âge au XVIIIe siècle

PAR

PIERRE BRUNEL
PROFESSEUR A LA SORBONNE

ET

YVONNE BELLENGER,
AGRÉGÉE DES LETTRES, PROFESSEUR A L'UNIVERSITÉ DE REIMS,
DANIEL COUTY,
AGRÉGÉ DES LETTRES, MAÎTRE-ASSISTANT A L'UNIVERSITÉ DE ROUEN,
PHILIPPE SELLIER,
AGRÉGÉ DES LETTRES, PROFESSEUR A L'UNIVERSITÉ DE PARIS V,
MICHEL TRUFFET,
AGRÉGÉ DES LETTRES, MAÎTRE DE CONFÉRENCES A L'UNIVERSITÉ DE NANTERRE

Bordas

COUVERTURE : « Jeune femme écrivant », *Héroïdes* d'Ovide. Ms du XVe s. Ph. © Bibl. Nat., Paris – Arch. Photeb. Maquette : Gilles Vuillemard.

Documentation iconographique réunie par IMMEDIATE 2

ISBN 2-04-016654-8

LE MOYEN ÂGE

L'expression Moyen Age désigne traditionnellement une période intermédiaire qui sépare l'Antiquité des Temps modernes. La tradition fait commencer cet âge en 476, lors de la chute du dernier empereur romain d'Occident, et le fait finir en 1453, quand les Turcs s'emparent de Constantinople. Ces repères commodes ne doivent pas nous induire à considérer dix siècles comme un bloc historique homogène, absolument distinct de ce qui le précède et le suit.

A l'époque où l'Empire s'effondre, le christianisme a triomphé. Puissance morale, capable de résister aux invasions barbares, il maintient une certaine unité idéale contre la dislocation politique et le morcellement territorial qui caractérisent une époque où le grand commerce périclite et où l'administration impériale disparaît. Pendant tout le Moyen Age, il restera la force morale et culturelle appliquée à maintenir une part essentielle de la culture antique, à compenser les antagonismes nationaux, à orienter et à canaliser les énergies. Mais la relative unité religieuse de cette longue période ne peut cacher les évolutions, les heurts, qui conduisent les historiens, et particulièrement ceux de la littérature, à distinguer les moments divers d'une progression.

Le haut Moyen Âge

Schématiquement, on peut appeler « haut Moyen Age » la période de troubles et de gestation qui va du ve au xe siècle : des structures politiques se dessinent; dans les anciennes provinces romaines, des langues se dégagent du latin qui a résisté aux bouleversements.

A la suite des invasions des tribus germaniques — Francs, Ostrogoths, Wisigoths et Vandales —, une première réunification du territoire gaulois est accomplie par Clovis, roi franc de la dynastie mérovingienne, qui se convertit au catholicisme en 496. Après sa mort, la puissance des rois mérovingiens diminue : ils cèdent peu à peu le véritable pouvoir aux maires du palais, hauts fonctionnaires préposés à la surveillance des nobles. L'énergie et l'habileté des derniers maires, Charles Martel et Pépin le Bref, déterminent un changement de dynastie : Pépin est couronné en 754.

Son fils Charlemagne (742-814), empereur d'Occident en 800, semble restaurer la grandeur passée; malgré quelques progrès dans l'administration et un début de renaissance intellectuelle, son œuvre est fragile. Après sa mort, l'Empire est morcelé, l'autorité royale est mise en péril par de nouvelles invasions, celles des Hongrois, des Sarrasins et surtout des Normands.

L'époque féodale

Le Moyen Age proprement dit, défini par des institutions politiques, des idéaux moraux et culturels, des formes littéraires capables de transmettre et d'approfondir ces idéaux, de magnifier ces institutions, s'étend du XIe au XIIIe siècle. C'est « l'âge féodal », qui atteindra un véritable épanouissement : une langue maîtrisée et enrichie permet d'exprimer et de favoriser les conquêtes d'une civilisation sûre d'elle-même, fondée sur l'alliance de la foi chrétienne, de l'idéal chevaleresque et des institutions de la féodalité.

Les structures féodales de la société, qui atteignent leur apogée au début du XIIe siècle et qui régissent la pensée et les mœurs, ont commencé à se dessiner dès la chute de l'Empire romain. Les détenteurs de la puissance militaire et de la richesse, incapables d'assurer directement l'exploitation de leurs vastes domaines, devaient concéder partiellement le bénéfice de leurs terres à ceux qui s'engageaient personnellement à les servir en échange de leur protection. Le lien établi entre le bénéfice de la terre et l'engagement est à l'origine des institutions féodo-vassaliques qui se mettent en place après la mort de Charlemagne. Le « vassal », par l' « hommage » et la « foi », s'engage auprès d'un « seigneur », son « suzerain »; il reçoit un « fief », une terre dont il

L'adieu des guerriers en route pour la croisade (Mervillier).

tire sa subsistance. Ces fiefs deviennent rapidement héréditaires et, au lieu d'être la conséquence de l'engagement, ils en deviennent la cause; le service vassalique n'est plus qu'une sorte de loyer. Malgré ses avantages, un tel système n'assure pas le bon fonctionnement du pouvoir central. Les rois, théoriquement placés au sommet de la hiérarchie, sont privés de leur souveraineté sur l'ensemble du territoire par leurs grands vassaux, maîtres de véritables principautés rivales où ils exercent sans contrôle réel, servis par leurs propres vassaux, un pouvoir presque absolu. L'un des grands desseins de la politique royale au Moyen Age, qu'il s'agisse des souverains capétiens ou des Valois, a été de rétablir contre les grands féodaux un État cohérent et fort.

Ces difficultés politiques n'entravent pas, aux XIe et XIIe siècles, un renouveau économique qui assure la prospérité des villes et favorise la vie luxueuse de la noblesse. L'Église sait aussi profiter des circonstances pour multiplier et orner les édifices voués au culte, pour dispenser son enseignement dans les villes. Consciente d'être, par-delà les oppositions nation[illegible] sitaire des valeurs partagées par l'[illegible] chrétien, elle favorise les grandes entr[illegible] d'unification spirituelle, par la diffusion [illegible] culture dans les écoles et surtout les universit[illegible] par l'appel aux armes contre les menaces de l'Islam. Les Croisades ([1]) sont encouragées par la Papauté; elles ne doivent pas seulement reconquérir les lieux saints d'Orient, elles empêchent partiellement que la féodalité ne se déchire en guerres intestines. L'entreprise — coloniale à bien des égards — canalise des forces tumultueuses et exalte la mystique chevaleresque.

Convulsions

Les XIVe et XVe siècles sont souvent considérés comme le temps du déclin de la civilisation médiévale. Il est certain que les grands idéaux, les mythes vivifiants du XIIIe siècle ne correspondent plus guère aux réalités. La détermination de quelques souverains énergiques et particulièrement de Philippe le Bel (1285-1314) renforce le pouvoir royal aux dépens de la féodalité et même de la Papauté. Le calcul politique l'emporte sur le mirage chevaleresque. Les ravages de la guerre de Cent ans et le marasme économique sont encore moins favorables à l'enrichissement des idéaux passés, mais, dans une littérature de plus en plus ouverte aux événements, commence à se manifester un sentiment national que la plus haute figure du relèvement militaire, Jeanne d'Arc, incarne admirablement.

Louis XI (1423-1483) achève la restauration de l'unité nationale. Le « terrible roi » vainc définitivement la féodalité. La politique a eu raison des prestiges de l'aventure, les historiens succèdent aux poètes ([2]).

1. On en distingue traditionnellement huit : 1096-1099; 1147-1149; 1189-1192; 1202-1204; 1217-1221; 1228-1229; 1248-1254; 1270.

2. Pour les XIVe et XVe siècles, voir notre chapitre : « Le déclin d'un monde et l'essor de la littérature historique », p. 54.

BIBLIOGRAPHIE

ÉTUDES : Marc BLOCH, *La société féodale*, Albin Michel, coll. « L'évolution de l'humanité », 1968 (indispensable). — J. HUIZINGA, *Le déclin du Moyen Age*, Payot, 1961 (contestable, mais vivifiant).

LES CONDITIONS DE LA CRÉATION ET DE LA DIFFUSION LITTÉRAIRES LES PREMIERS TEXTES

Avant d'aborder la présentation des principales productions littéraires de la longue période appelée Moyen Age, il faut souligner, sinon lever, certaines des difficultés qui attendent le lecteur. De nombreux facteurs contribuent à faire de la littérature médiévale un domaine particulier. La langue utilisée par nos premiers écrivains n'est pas simple; d'abord émiettée en dialectes, en constante évolution pendant cinq siècles, elle exige de qui ne veut pas se satisfaire d'une lecture approximative ou fautive un sérieux effort d'apprentissage. Les conditions dans lesquelles apparaissent et se répandent beaucoup d'œuvres ont de quoi surprendre le lecteur non averti : jugera-t-il justement des textes fixés par l'imprimerie mais qui, lors de leur apparition, n'existaient qu'en fonction de la voix qui les disait, de la musique qui les accompagnait? Renoncera-t-il à chercher l'individu derrière une parole qui s'est voulue, dès l'origine, anonyme, publique, simple instrument d'une société en quête d'elle-même?

Beaucoup de nos critères sont à réviser, beaucoup de tentations à repousser, lorsqu'il s'agit d'apprécier les écrits médiévaux, et d'abord un préjugé tenace : la littérature du Moyen Age n'est pas l'enfance de la littérature, les balbutiements d'une langue incertaine au service d'un art naïf. Elle est tout au contraire la manifestation savante et concertée d'une authentique volonté esthétique, celle d'établir et d'approfondir dans l'univers du langage la rencontre de l'homme et du monde.

La langue médiévale

La romanisation qui suivit la conquête romaine entraîna l'expansion de la langue latine sur le territoire de la Gaule. Des langues latines, devrait-on dire, en distinguant la langue correcte des écrivains enseignée dans les écoles du « sermo quotidianus », la langue couramment parlée par les militaires et les marchands. Vainqueur des parlers indigènes, le latin résista à la dislocation de l'Empire au ve siècle et aux invasions barbares. Après une période de bilinguisme, les parlers germaniques introduits par les Francs s'effacèrent. Mais, alors que le latin classique souffrait des troubles d'une époque peu propice au maintien de la culture, le latin parlé, soumis aux influences celtiques et germaniques, connut une évolution rapide. Il s'altéra si considérablement qu'au Concile de Tours (813), les évêques désireux de garder le contact avec les fidèles laïques recommandèrent d'utiliser la langue vulgaire, le « roman », dans les sermons.

De la même époque (842) date le premier document que nous possédions sur la langue qui allait devenir la nôtre. Charles le Chauve et Louis le Germanique, fils de Louis le Pieux, décidés à mettre fin à leurs dissensions, se rencontrèrent à Strasbourg. L'historien Nithard, qui relate ces événements en latin, a conservé les textes des serments en langue vulgaire prononcés devant les troupes à cette occasion.

Une série de causes complexes, ethniques et politiques entre autres, fit évoluer cette langue romane vulgaire qui prit des formes différentes suivant les régions.

Si l'on s'en tient au territoire français, on distingue la langue d'oc (« oc », du latin « hoc », signifie oui), parlée dans le Sud (Limousin, Auvergne, bassin de la Garonne, bassin du Rhône), de la langue d'oïl (du latin « hoc ille ») parlée dans le Nord. Mais si l'usage littéraire des parlers d'oc a très vite constitué une langue provençale assez homogène, les premiers textes français apparaissent au contraire dans des dialectes différents tels que le picard, le wallon, le lorrain, le bourguignon, l'anglo-normand, le francien. Ce dernier dialecte, en usage dans le domaine royal de l'Ile-de-France devait l'emporter avec le temps. Sans doute grâce à l'affermissement du pouvoir central, mais aussi parce que les auteurs étaient conscients de la nécessité d'une unification linguistique. Les écrivains ont réagi contre les provincialismes et ont imposé peu à peu l'usage parisien.

On appelle ancien français la langue de l'époque féodale telle qu'on peut la lire, avec ses variantes dialectales, dans la littérature poétique, romanesque et théâtrale du XIe au XIIIe siècle. Cette langue au vocabulaire plus concret qu'abstrait, à la musicalité nuancée grâce au grand nombre de voyelles et de diphtongues qui la caractérise, a conservé une déclinaison à deux cas, sujet et objet. Enrichie et assouplie par l'usage littéraire, elle devient à la fin du XIIe siècle un instrument parfaitement adapté aux expressions variées d'une culture brillante.

Avec la disparition progressive de la déclinaison à deux cas finit l'ancien français. La langue modifie ses structures; l'importance de l'ordre des mots s'accroît ainsi que le rôle des articles et des pronoms. Le lexique s'élargit grâce à de nombreux emprunts au latin. Mais ce moyen français, comme on l'appelle, devait lui aussi évoluer considérablement au cours des XIVe, XVe et XVIe siècles.

Les premiers textes littéraires

Les *Serments de Strasbourg* échangés le 14 février 842 ne sont qu'un document linguistique. Les premiers textes écrits en langue vulgaire sont rares et dispersés. La *Séquence de sainte Eulalie*, écrite en 881, le fragment d'homélie sur Jonas, la *Vie de saint Léger* au Xe siècle, la *Vie de saint Alexis* au XIe, montrent que les premières œuvres que nous ayons conservées sont d'inspiration religieuse, probablement destinées à la récitation publique devant la masse inculte des fidèles. Elles se bornent à reprendre, en les adaptant, des sources latines. Pourtant, un véritable souci esthétique ne tarde pas à apparaître dans ces productions pieuses, comme l'atteste la *Vie de saint Alexis*.

En cent vingt-cinq strophes de cinq décasyllabes assonancés, ce poème retrace la vie de l'ascète Alexis au IVe siècle. Fils unique d'un grand seigneur de Rome, Alexis consent à un brillant mariage. Mais son cœur est à Dieu et, dès le soir des noces, il renonce à la vie facile et heureuse qui l'attend, s'enfuit, distribue ses biens aux pauvres. Il reviendra à Rome, inconnu, et se fera héberger sous l'escalier de sa propre demeure sans révéler son identité. Cette existence misérable et sainte dure dix-sept ans. Lorsqu'il sent venir la mort et alors qu'une voix sortie d'une église proclame qu'un saint va entrer dans la gloire de Dieu, Alexis consigne sur un parchemin l'histoire de sa vie.

Non sans raideur dans l'expression, mais ave beaucoup d'émotion, l'auteur anonyme de c beau poème a su jouer du contraste entre l'hé roïsme serein d'Alexis et les sentiments humain de sa famille. Il met au point un genre, le réci hagiographique, dont le succès sera durable.

Mais si intéressante et prometteuse qu'ell soit, cette littérature reste liée aux production latines contemporaines dues aux écrivains éru dits, les clercs. Il faut attendre la fin du XIe siècl pour que se manifeste une authentique créatio en langue vulgaire, dégagée des traditions cléri cales. L'apparition de l'épopée et du lyrism était partiellement préparée par certaines forme de littérature latine, on peut se demander pour tant si cette brusque éclosion n'est pas la suite d tentatives profanes dont nous aurions perdu le traces. Il est fort possible qu'une tradition oral ait permis la création de nos premiers chefs d'œuvre.

Auteurs et publics

Nous savons qu'à côté des clercs formés pa l'Église, qui avaient accès, grâce aux biblio thèques monastiques, à la culture antique e religieuse, existaient d'autres créateurs qu s'adressaient à des publics fort divers.

Serment de Strasbourg prononcé par Lou Le Germanique : « Pro deo amur et pr christian poblo et nostro commun salvemen d'ist di in avant, in quant deus savir et podi me dunat, si salvarai eo cist meon fradr Karlo... »
« Pour l'amour de Dieu et pour le commu salut du peuple chrétien et le nôtre, de c jour en avant, autant que Dieu m'en donn savoir et pouvoir, je défendrai mon frèr Charles... ».

Les ménestrels sont d'abord — à la fin de l'époque mérovingienne, probablement — des écrivains liés à un seigneur et qui composent pour le plaisir de leur maître des œuvres généralement divertissantes. Il semble qu'ils soient assez rapidement passés du rôle de créateur à celui d'exécutant. Mais la condition d'écrivain gagé, entretenant les goûts et les rêves des cours aristocratiques, sera maintenue pendant tout le Moyen Age.

Les jongleurs s'adressaient à un public beaucoup plus vaste et composite : aristocratique dans les châteaux, populaire sur les places de foire ou les routes de pèlerinage. Hommes de spectacle à la vie errante, acrobates et montreurs de bêtes, les jongleurs interprétaient aussi des compositions littéraires, chansons ou vastes narrations épiques. Ceux d'entre eux qui avaient pu s'initier au savoir pouvaient eux-mêmes enrichir leur répertoire de poèmes écrits en fonction des goûts de leurs publics. Ceux-là méritent le nom de trouvères (c'est-à-dire de trouveurs, de créateurs). Mais si tous les jongleurs ne sont pas trouvères, tous les trouvères ne sont pas jongleurs. Ainsi, les nobles cultivés qui composent de difficiles et raffinés poèmes d'amour confient-ils la plupart du temps l'interprétation de leurs œuvres à des exécutants talentueux.

Ces quelques précisions, toutes schématiques qu'elles sont, nous permettent d'entrevoir quelles précautions il faut prendre pour apprécier une œuvre médiévale. Ses origines, cléricales ou profanes, la condition sociale de son auteur, quand on peut la conjecturer, sa diffusion, large ou restreinte, orale ou écrite, sont autant de données qui peuvent nous aider à comprendre non seulement sa forme, mais son esprit. Encore faut-il bien voir que, très souvent, nous parlons improprement de l'auteur d'une œuvre ou de l'écrivain médiéval. Beaucoup des textes que nous connaissons sont éloignés de leur version première. Ils ont été remaniés par des copistes soucieux d'y ajouter leur touche personnelle ou désireux de les adapter aux goûts d'un public nouveau. Ils ont été parfois continués par des auteurs dont les intentions n'étaient pas celles de leurs prédécesseurs. Voilà des usages qui peuvent nous surprendre mais que n'ignoraient pas les créateurs. Il nous faut les accepter comme eux.

© Ach. E. B.

Jongleurs en activité. On voit que les activités de ces hommes de spectacle n'étaient pas seulement littéraires; ici, l'un jongle pendant que l'autre joue de la musique. (B. N. Paris).

BIBLIOGRAPHIE

PROBLÈMES DE LANGUE : G. RAYNAUD DE LAGE, *Introduction à l'ancien français*, S. E. D. E. S. 1959; *Manuel pratique d'ancien français*, Picard, 1964. — Lucien FOULET, *Petite syntaxe de l'ancien français*, Champion, 1963.

HISTOIRE DE LA LITTÉRATURE MÉDIÉVALE : J. BÉDIER et P. HAZARD, *Littérature française*, Larousse, 1955. — Pierre LE GENTIL, *La littérature française du Moyen Age*, A. Colin, collection U 2, 1968 (excellent ouvrage, dense et nuancé).

ÉTUDE D'ENSEMBLE : P. Y. BADEL, *Introduction à la vie littéraire du Moyen Age*, Bordas, collection « Études », 1969 (excellent ouvrage où sont abordés les principaux problèmes que pose la littérature médiévale).

LES CHANSONS DE GESTE

Des premières productions de notre littérature, l'une des plus abondantes est épique. Dès la fin du XIe siècle apparaissent les chansons de geste (1), longs poèmes narratifs destinés à la récitation publique. Leur diffusion, d'abord exclusivement orale, était assurée par des jongleurs qui en étaient les auteurs, les adaptateurs ou simplement les interprètes. Ces œuvres chantent les hauts faits de héros carolingiens ennoblis — ou inventés — par la légende. A une société féodale éprise de prouesses guerrières, fondée sur des relations fragiles de loyauté et d'honneur entre vassaux et suzerains, animée d'une foi conquérante capable de soutenir une entreprise comme la première Croisade, il fallait donner une image idéale où elle pût se reconnaître et se fortifier. Aussi nos premiers créateurs s'effacent-ils derrière leur sujet. Beaucoup de chansons sont anonymes, « bien public » pourrait-on dire, et l'art très direct qui les caractérise, les multiples remaniements qui les ont adaptées aux goûts d'un public varié, mais fidèle, pendant trois siècles, confirment que cette littérature répondait aux désirs d'une collectivité et non au besoin d'expression d'un individu.

La forme des chansons de geste n'obéit pas à des règles très strictes. La longueur des poèmes que nous avons conservés varie considérablement, de 2 000 à 20 000 vers. Ces vers sont le plus souvent des décasyllabes coupés 4 + 6, mais on trouve aussi des chansons écrites en alexandrins et en octosyllabes. La caractéristique essentielle des poèmes épiques est le groupement des vers en unités musicales de longueurs variables, les *laisses*. Celles-ci sont construites sur la même assonance (1), ou, dans les chansons les plus tardives, sur la même rime, et correspondent très souvent à des unités narratives. Cette forme, très souple, suffisait à structurer des poèmes conçus pour être chantés publiquement, mais n'offrait guère de résistance aux multiples variantes que chaque récitant pouvait leur apporter.

1. Le mot *geste* est issu du pluriel neutre latin *gesta*, qui signifie *actions*, *exploits*.

1. L'assonance n'exige que l'identité de la dernière voyelle tonique des vers, quelles que soient les consonnes qui l'entourent. Ainsi, les mots *hastive*, *ire*, *eschines*, *maldie*, assonent.

LES MANUSCRITS. LE PHÉNOMÈNE LITTÉRAIRE

Des nombreuses chansons de geste qui devaient exister aux XIIe et XIIIe siècles, une centaine de poèmes nous ont été transmis par des copies manuscrites qui proposent souvent plusieurs versions d'une même chanson. Copies? Le mot est faible, il s'agit plutôt de remaniements et même, comme le disait Joseph Bédier, de « remaniements de poèmes déjà remaniés »... car si les remanieurs ne prétendaient pas créer une œuvre nouvelle, ils ne se privaient pas de rajeunir une langue en évolution, devenue inintelligible à leur public, ni de modifier la versification (les versions les plus anciennes sont assonancées, les plus récentes rimées). Ils ajoutaient des détails à l'action, allant parfois jusqu'à l'interpolation d'épisodes nouveaux qui alourdissaient l'original : telle version de la *Chanson de Roland* (manuscrit d'Oxford) compte 4 002 vers assonancés, telle autre (manuscrit de Venise) 6 012 vers d'abord assonancés, rimés ensuite, une troisième (autre manuscrit de Venise) 8 880 vers en laisses rimées. Ils n'hésitaient pas à dénaturer l'esprit du vieux texte en développant des thèmes à la mode, ceux de la courtoisie par exemple. Il n'est pas invraisemblable que certains de ces remaniements aient eu d'heureuses conséquences. Ces pratiques expliquent que le succès de l'épopée ait duré trois siècles, plus même si l'on considère les mises en prose du XVe siècle, véritables romans qui annoncent les versions populaires colportées jusqu'au XIXe siècle.

Notre lecture des œuvres épiques éditées à partir des manuscrits que nous avons conservés ne doit pas nous égarer, elle ne rend pas pleinement compte du véritable phénomène littéraire dont nos textes sont les vestiges. Les poèmes que nous feuilletons, sur lesquels nous concentrons notre attention de lecteurs solitaires, étaient les soutiens d'une communication orale et publique. Ils étaient psalmodiés par des jongleurs qui accompagnaient leur récitation, proche d'une mélopée, des sons de leur vielle. C'est d'un véritable spectacle qu'il s'agissait, probablement étendu sur plusieurs journées : ainsi s'expliquerait la présence dans les textes de passages où l'on fait le point de la situation, autant pour rappeler aux auditeurs fidèles les événements dont ils ont déjà pris connaissance que pour mettre au fait les nouveaux venus.

Les jongleurs s'adressaient à des publics très divers, puisqu'ils exerçaient leur art aussi bien dans les salles des châteaux, à l'occasion des fêtes, que sur les places publiques, lors des foires ou des grands pèlerinages. Quelques textes nous montrent des chanteurs attachés à la personne d'un noble qu'ils divertissaient. Si l'on en croit Wace [1] dans son *Roman de Rou*, le divertissement pouvait devenir excitation au combat : l'auteur fait allusion à un certain Taillefer qui chantait les prouesses de Roland lors de la bataille d'Hastings (1066) afin de soutenir l'ardeur des troupes normandes [2].

Chevaliers donnant l'assaut.
Cette représentation stylisée traduit bien le désordre du combat, la violence des heurts entre les guerriers. (The Pierpont Morgan Library.)

Il ne faut pas méconnaître ces conditions de diffusion si l'on veut comprendre plusieurs des caractères des œuvres épiques et ne pas se laisser aveugler par des préjugés esthétiques que l'habitude du livre a fortement établis.

1. Voir le chapitre *Le roman aux XIIe et XIIIe s.* « La matière de Bretagne ».

2. Il faut se garder de dater la chanson d'après ce qui n'est vraisemblablement qu'une supposition poétique. Cette référence prouve seulement qu'à l'époque où écrivait Wace, entre 1155 et 1170, le poème et son héros étaient célèbres.

CARACTÈRES DES CHANSONS DE GESTE

« Plaist-vus oïr de granz batailles e de forz esturs? [1]... » L'acte épique par excellence, c'est l'acte guerrier. C'est « l'estur champel », la bataille rangée, qui permet aux vertus du chevalier de s'épanouir. Au service de son suzerain, souvent contre l'ennemi de toute la société féodale et chrétienne, le Sarrasin, il dépense son courage et sa force. Les combats que relatent les chansons se déroulent tous selon un processus presque immuable : la rencontre des deux armées (ou pour mieux dire, des faibles forces chrétiennes et des multitudes païennes); la description plus ou moins rapide d'équipements effrayants; les assauts enfin, à la lance puis à l'épée. Dans la mêlée, quelques gros plans isolent les personnages les plus importants en des combats singuliers qui résument la rencontre. Autour de ce motif central, d'autres motifs traditionnels permettent des variations : l'adoubement d'un jeune chevalier, l'histoire des armes et des chevaux conquis lors de combats passés.

Le héros épique semble lui aussi doué de vertus traditionnelles qu'on retrouve avec le même éclat d'une chanson à l'autre : force surhumaine qui lui permet de porter ces coups d'épée qui tranchent l'adversaire en deux et abattent le cheval; courage sans égal qui lui fait endurer la faim, les souffrances physiques et morales, puisque sa vaillance reste entière malgré les blessures, malgré

1. « Vous plaît-il d'entendre conter de grandes batailles et de farouches combats?... » (1er vers de la *Chanson de Guillaume*).

la mort de ses compagnons. Mais des héros qui incarnent le même idéal absolu doivent se distinguer; aussi les auteurs insistent-ils sur des caractéristiques individuelles propres à impressionner un public populaire : la barbe fleurie de Charlemagne, le « curt nes » (1) de Guillaume, le « tinel » (2) de Rainouart. D'une manière plus subtile, les poètes ont su varier le dosage des qualités et des faiblesses, évitant ainsi que leurs principaux personnages ne soient un même résumé artificiel des vertus les plus sublimes : le preux Roland, le sage Olivier, le truculent Guillaume ne sont pas interchangeables. Les plus vaillants ne sont pas à l'abri des défaillances et leurs belles qualités, lorsqu'elles servent leur démesure ou leur révolte, peuvent devenir néfastes; l'adversaire même, abominable sectateur de Mahomet et des faux dieux, s'il est souvent présenté sous le plus mauvais jour, ne manque pas toujours de grandeur.

L'éclat des destins individuels ne doit pas nous aveugler. Le héros épique n'est qu'un élément, élu pour sa perfection, d'une collectivité dont l'existence est en jeu. Avec Charlemagne, avec Guillaume, c'est la « dulce France » et tout le monde chrétien qui luttent, souffrent et finissent par vaincre. Faut-il s'étonner alors qu'à ces forces humaines pourtant gigantesques nos vieux poètes aient ajouté le secours des forces divines? Le recours au merveilleux, chrétien d'abord, puis féerique sous l'influence romanesque, est un caractère non négligeable de notre épopée.

Oral, adapté à la mémoire auditive, l'art des jongleurs préfère la vigueur à la nuance. Les facilités, les invraisemblances que relève le lecteur attentif, échappaient à un public qui ne pouvait retenir que l'essentiel et dont le chanteur obtenait vite la complicité émue. Car c'est ce que vise cet art : l'adhésion totale des publics les plus divers. Aussi tend-il inévitablement au schématisme, au pathétique. Rien de plus émouvant à cet égard que la mort des héros, leur solitude pleine d'angoisse entre la terre jonchée de morts et l'au-delà céleste que le sacrifice leur ouvre. Mais cette émotion recèle une leçon : la souffrance est noble et rédemptrice lorsqu'on la subit pour son suzerain et pour Dieu; leçon qui perdrait beaucoup de son efficacité à n'être dispensée qu'en termes intellectuels.

Que cette souffrance pour Dieu et pour le suzerain soit un thème privilégié de l'épopée ne doit pas nous étonner. En effet, les qualités chevaleresques incarnées par les héros de nos chansons ne sont pas sans ambiguïté, de nombreux poèmes le montrent. Exercées contre l'ordre féodal, elles sont dangereuses. La lutte des forces chrétiennes contre l'Islam « canalisait » et garantissait moralement l'exercice de vertus brutales. L'exaltation de cette lutte constitue une part essentielle de la matière épique, elle apporte dans l'imaginaire une résolution des conflits inhérents au système féodal et milite pour l'entreprise qui pouvait les résoudre dans la réalité : la croisade. D'ailleurs, si la plupart des événements retracés par les chansons sont anciens, historiques ou légendaires, si les personnages qu'elles mettent en scène vivaient à l'époque carolingienne, la croisade fut la seule aventure contemporaine de nos textes jugée digne d'alimenter l'épopée. Ne témoignait-elle pas, pour peu qu'on l'embellît, de la vigueur de l'idéal chrétien et chevaleresque que magnifiaient les légendes?

1. Le nez court.
2. La massue.

LES ORIGINES DE L'ÉPOPÉE FRANÇAISE

Puisqu'on reconnaît dans les chansons de geste postérieures au début du XIe siècle des événements et des personnages des VIIIe, IXe et Xe siècles, il faut se demander comment on est passé de l'histoire à la légende poétique. C'est ouvrir le débat — faut-il dire la querelle? — des origines de l'épopée française.

Les diverses hypothèses émises depuis plus d'un siècle proposent, avec des variantes, deux types d'explication.

Le courant « traditionaliste » veut rattacher les épopées aux événements qu'elles célèbrent. Des « cantilènes », poèmes lyrico-épiques, selon Gaston Paris (1), ou des récits en vers de caractère informatif, selon M. Menéndez Pidal (2), transmis oralement, se seraient développés, modifiés avec le temps, jusqu'à devenir les chansons que nous connaissons. Continuateurs des théoriciens romantiques, les traditionalistes insistent sur

1. *Histoire poétique de Charlemagne*, 1905.
2. *La chanson de Roland et la tradition épique des Francs*, Paris, 1960, traduction de I. M. Cluzel.

le caractère collectif et populaire de la création épique : « La grandeur poétique et l'unité d'inspiration s'obtiennent grâce à l'apport de plusieurs auteurs anonymes dont la collaboration successive est animée des mêmes mobiles idéaux. » (Menéndez Pidal).

A cette tendance « sociologique » qui s'efforce de mettre en évidence une tradition spirituelle et esthétique, s'oppose la thèse dite « individualiste » que Joseph Bédier soutint le premier (1). Il constate que l'esprit de nos textes est celui du XIe siècle : idéal féodal et mystique de la croisade, et il pense que la qualité des meilleurs poèmes suppose des créateurs conscients, géniaux, que de tardifs remanieurs n'ont pu complètement trahir. A ces artistes, il a fallu des sources : Bédier pense les trouver parmi les légendes locales entretenues dans les sanctuaires qui jalonnaient les « routes vénérables » des grands pèlerinages ou qui avoisinaient les foires célèbres. « Au commencement était la route « : au bord de la route, des religieux soucieux de l'éclat de leurs maisons et désireux de propager l'esprit de croisade, sur la route, parmi les pèlerins, des jongleurs pleins de talent, capables d'organiser les éléments disparates et obscurs qu'on leur fournissait pour créer une œuvre belle et cohérente... Si le rôle accordé par Bédier aux monastères est contestable, ses arguments d'ordre esthétique restent vigoureux.

Des médiévistes contemporains, en tenant compte de l'influence que la littérature latine médiévale ou la liturgie ont pu exercer sur les jongleurs, préfèrent à un choix hasardeux la conciliation. L'œuvre véritable, construite, porteuse d'un idéal cohérent, marquée d'un style, est assurément le fruit d'un talent unique. Mais il n'est pas moins vrai que le créateur a besoin d'un matériau — des légendes ou des écrits antérieurs plus ou moins satisfaisants —, d'un outil déjà éprouvé et maniable — sa langue, les technique de son art. Il suffit à la gloire de l'auteur de notre plus ancien texte, la *Chanson de Roland*, d'avoir écrit un admirable poème, il n'a pas créé le décasyllable épique ni la laisse monoassonancée...

UN CHEF-D'ŒUVRE : LA « CHANSON DE ROLAND »

Ses origines mystérieuses

La plus ancienne et la plus belle de nos chansons de geste nous a été transmise par un manuscrit célèbre, conservé à Oxford. Ses 4 002 décasyllabes sont répartis en 291 laisses assonancées. Le dialecte anglo-normand du manuscrit ne nous permet pas de juger le dialecte original du poème, car, malgré sa qualité et son ancienneté, le texte d'Oxford n'est qu'une copie, parfois fautive. Nous pouvons seulement dire que ce manuscrit repris par les éditions les plus accessibles au public présente la version la moins déformée de ce que fut la chanson originale.

On date le manuscrit d'Oxford du deuxième quart du XIIe siècle, il est beaucoup moins facile de dater le poème dont il est la copie. De nombreux indices, caractères linguistiques, faits de civilisation, esprit du texte surtout, permettent seulement de le situer vers la fin du XIe siècle, dans l'atmosphère de la première croisade. Il est tout aussi difficile d'attribuer la *Chanson de Roland* à un auteur. Le dernier vers du poème semble apporter une indication :

> Ci falt (1) la geste que Turoldus declinet.

Mais qui est Turold? A supposer qu'on puisse s'entendre sur un personnage, et diverses identi-

1. *Les légendes épiques*, 1908-1913 et 1914-1921.

1. Finit.

L'olifant. Cor dit de Roland.

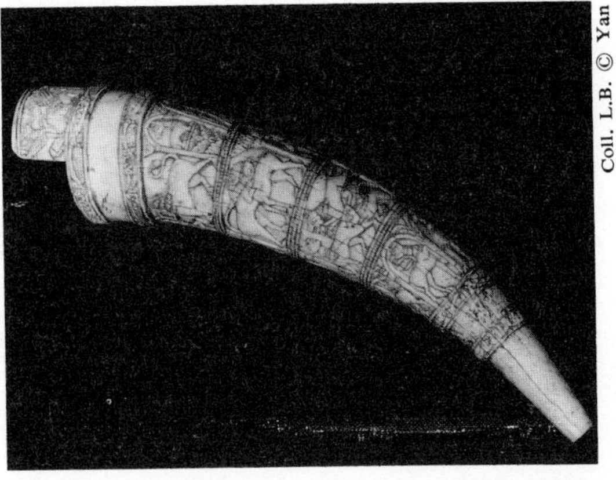

Coll. L.B. © Yan

fications ont été proposées, le problème reste entier car on ne peut donner un sens précis aux mots *geste* et *declinet*. Il faut se contenter d'hypothèses. Le mot *geste* signifie-t-il *chanson* ou *chronique* dont on s'inspire? Faut-il traduire le verbe *declinet* par *traduit*, *copie*, *met en vers*, *déclame*, *termine?* Et Turold est-il auteur, copiste ou simple jongleur interprète? Une seule certitude : nous possédons un texte, anonyme et infidèle peut-être, mais admirable, cela doit suffire au lecteur.

La geste

Après sept ans de victoires en Espagne, l'empereur Charlemagne n'a plus qu'une cité à vaincre, Saragosse, tenue par le roi sarrasin Marsile. Celui-ci, jouant sur la lassitude des Francs, offrira à l'empereur de riches présents et de nobles otages qui témoigneront de sa volonté de se rendre et de se convertir si les chrétiens rentrent en France. En fait, le païen a seulement l'intention d'éloigner l'armée franque qui le menace. Une ambassade rapporte ces propositions à Charlemagne qui prend conseil auprès de ses barons. Roland rappelle que Marsile a déjà trompé les Francs et refuse de négocier, mais Ganelon son parâtre ([1]) et les autres barons, séduits par la paix, emportent la décision de l'empereur. On enverra donc un ambassadeur auprès du roi Marsile. L'entreprise est dangereuse : Ganelon, que Roland fait désigner pour cette mission, laisse éclater sa colère et jure de tirer vengeance de ce qu'il considère comme une menace.

Ganelon est un baron noble et fier, mais, habilement interrogé par Blancandrin, l'ambassadeur païen, il se laisse emporter par sa rancœur; puisque l'obstacle à la paix désirée par les deux partis est Roland, qu'il périsse. C'est ce qui est décidé à l'issue d'une entrevue dramatique avec le roi Marsile. Ganelon fera désigner Roland à l'arrière-garde des troupes franques quittant l'Espagne, et les Sarrasins l'attaqueront au passage des cols.

La félonie réussit. Roland n'a garde de refuser le poste dangereux. Accompagné des douze pairs et de vingt mille guerriers, il rencontre l'immense armée sarrasine à Roncevaux. Pressé par son compagnon Olivier de sonner du cor pour avertir l'empereur, Roland, soucieux de sa gloire, préfère engager le combat avec ses modestes troupes. La bataille dont l'issue funeste est annoncée par l'auteur est un épisode inoubliable; riche en couleurs et en mouvements, le récit vaut plus encore par l'émotion qu'il suscite. Les Francs, vainqueurs lors du premier assaut, meurent l'un après l'autre, ils ne sont bientôt plus que quelques dizaines. Roland, alors, que l'héroïsme et la souffrance ont lavé de tout orgueil, sonne de l'olifant afin que Charlemagne puisse venger ultérieurement l'extermination de son arrière-garde et que le sacrifice des douze pairs ne devienne pas un désastre pour la chrétienté. Puis les trois héros majeurs de la bataille meurent : Olivier le sage, le compagnon fraternel, réconcilié avec Roland; l'archevêque Turpin, aussi charitable prêtre que redoutable massacreur de païens; Roland, enfin, après avoir rassemblé les cadavres de ses compagnons, expire, non sous les coups de l'ennemi en fuite, mais les tempes rompues par l'effort qu'il fit en sonnant du cor. Il fait d'émouvants adieux à Durandal, son épée qu'il ne peut briser, à l'empereur, à la France et c'est le visage tourné vers l'Espagne qu'il meurt en tendant son gant vers Dieu... Saint Gabriel et saint Michel emportent l'âme du martyr en paradis.

1. Beau-père.

Le poème aurait pu s'achever là, sur la passion de Roland. Quelques critiques pensent même qu'il devrait en être ainsi, du moins que quelques laisses relatant la vengeance de Charlemagne et le châtiment du traître Ganelon suffisaient pour conclure. Le texte d'Oxford intercale entre la mort du preux et cette conclusion obligée un épisode qui peut paraître imprévu ([1]).

Alors que Charlemagne a taillé en pièces et noyé dans l'Èbre les troupes païennes en fuite, alors que Marsile, blessé par Roland à Roncevaux, se désespère dans Saragosse et que ses gens détruisent leurs idoles, apparaît l'émir Baligant, chef de toute la « païennerie », que Marsile avait appelé à l'aide sept ans auparavant... Certes, cette arrivée est bien soudaine, mais n'était-il pas nécessaire que la déplorable défaite des Pyrénées fût rachetée par un choc « au sommet » entre les forces de la Chrétienté et celles de l'Islam? Ce choc sera fatal aux païens. Le sens et l'issue de la bataille apparaissent dans le combat singulier qui oppose Baligant à Charlemagne. Celui-ci, réconforté par l'archange Gabriel, tue son adversaire. Le soldat de Dieu est vainqueur. Saragosse est prise par les Francs, la reine Bramidoine, épouse de Marsile, emmenée captive à Aix.

C'est là que s'achève le poème, là que meurt la belle Aude, sœur d'Olivier et fiancée de Roland, lorsqu'elle apprend la disparition du héros, là que se déroulent le procès et le châtiment de Ganelon. Alors que le conseil de Charlemagne inclinait à la clémence, Thierry, un jeune chevalier, s'offre comme champion de l'empereur et vainc Pinabel, un parent du traître; celui-ci meurt, ignominieusement écartelé.

Mais cette fin est la promesse de nouvelles épreuves : saint Gabriel, messager de Dieu, appelle Charles à de nouveaux combats....

De l'histoire à l'épopée

Un fait historique a inspiré le poète. A la demande d'un chef sarrasin révolté contre l'émir de Cordoue, Charlemagne avait organisé

1. Les critiques qui nient l'unité de la *Chanson de Roland* pensent que l'épisode de l'émir Baligant a été introduit lors des divers remaniements du texte.

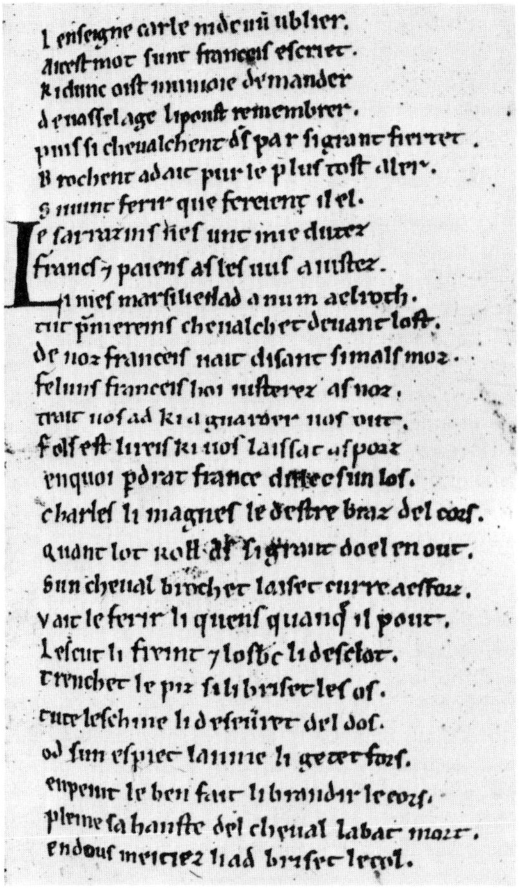

La *Chanson de Roland* dans le manuscrit d'Oxford. On lit à partir du L majuscule : « Li nies Marsilie, il ad num Aelroth Tut premereins chevalchet devant l'ost »
« Le neveu de Marsile s'appelle Aelroth; il chevauche tout le premier, devant l'armée ».

une expédition en Espagne. Après avoir franchi les Pyrénées, l'armée des Francs fut arrêtée devant Saragosse. Une révolte des Saxons contraignit Charles à rentrer rapidement. Alors qu'il repassait les Pyrénées, le 15 août 778, son arrière-garde fut surprise par des Basques et exterminée. Si l'on en croit un texte postérieur à l'événement, la *Vita Karoli* d'Eginhard (830), Roland, duc de la marche de Bretagne, aurait péri dans ce combat.

Mais du sénéchal Eggihard, d'Anselme, comte du Palais, morts aux côtés de Roland selon la même source, il n'est pas question dans la *Chanson.* En revanche, si l'archevêque Turpin est connu de l'Histoire, il n'est mort qu'en 789 ou en 794, bien après Roncevaux... Quant à Olivier et à Ganelon, on les cherche en vain dans les chroniques; tout porte à croire qu'ils ont été inventés pour les besoins de l'intrigue.

Ce n'est donc pas le rappel fort infidèle d'un événement historique qui fait l'intérêt de la *Chanson de Roland*, mais la signification qu'a su lui donner un poète en le faisant servir à l'illustration de héros exemplaires. Par ses soins, la surprise de l'arrière-garde est devenue une action capitale pour le sort de la Chrétienté et son récit est avant tout le poème du sacrifice héroïque magnifiant l'esprit de croisade, l'exaltation des valeurs féodales au service des valeurs chrétiennes. Son mérite essentiel est d'avoir su, à partir d'une intention militante et d'une intrigue banale, créer des situations et surtout des personnages vrais, engagés dans un drame moral que leurs réactions humaines, trop humaines parfois, ont noué. C'est parce qu'ils sont aussi des hommes que les meilleurs d'entre eux deviennent des modèles d'héroïsme, voire de sainteté.

Les personnages

Ainsi de l'orgueilleux Roland. Son outrance le perd et perd avec lui les plus beaux représentants de la chevalerie franque, met en péril la puissance de la Chrétienté. Mais cette faiblesse est rachetée par le sacrifice du héros, par sa tendresse devant ses compagnons massacrés, par son humilité devant la vraie dimension du combat lorsqu'il décide d'appeler Charlemagne. Rédemptrice, la souffrance fait un saint de l'outrecuidant chevalier qui meurt conscient de sa double allégeance, à son suzerain et à Dieu.

Olivier, le frère d'armes, n'est pas moins attachant. A l'orgueilleuse âpreté de Roland, il oppose la lucidité :

> Kar vasselage par sens nen est folie;
> Mielz valt mesure que ne fait estultie.
> (vers 1724-25) [1]

mais sens n'étouffe pas vasselage, la sagesse n'exclut pas le courage; Olivier voulait que Roland appelât à l'aide avant le combat; quand celui-ci est engagé, le preux ne songe plus qu'à bien frapper et à bien mourir. En inventant ce personnage pour illustrer le thème traditionnel du compagnonnage guerrier, le poète a créé l'une des plus belles figures de chevalier du Moyen Age.

1. Car ce n'est pas folie que vaillance doublée de sens;
Mieux vaut la mesure que la témérité.

Autre création admirable et combien symbolique surtout : l'archevêque-chevalier Turpin. Il incarne parfaitement — et vigoureusement! — l'esprit de la croisade, la « foi agissante » qui animera plus tard tant de moines-soldats.

Charlemagne est peut-être le plus étonnant; vieil homme capable de tendresse et de lassitude, il est aussi l'élu de Dieu, le chef à la vie « peineuse » qui regroupe autour de lui toutes les forces de l'Occident chrétien.

Reste Ganelon. Ce n'est pas une caricature de traître : le personnage est estimé des Francs, courageux; mais, las de combattre et irrité par l'attitude de Roland, il ne sait pas mesurer ses réactions, il se laisse aveugler par la haine et ne voit plus que sa vengeance n'atteint pas un homme, mais son suzerain et toute la Chrétienté. L'horreur de son crime, c'est qu'il lèse Dieu en entravant ses desseins.

L'art du poète

Ce sont donc des psychologies d'êtres humains et non des attitudes stéréotypées de modèles idéaux qui déterminent l'action. Mais ces psychologies ne sont pas patiemment dévoilées par de subtiles analyses qui, en interrompant l'action, l'éclaireraient. Au lecteur, à l'auditeur plutôt, de déduire, de comprendre; l'auteur concentre son effort sur les actes. Plus dramatique que narratif, son art excelle à rendre les tensions d'une situation, d'un dialogue, et ne décrit, sans complaisance, que l'essentiel : armements, couleurs, mouvements, aperçus significatifs de paysages :

Halt sunt li pui et li val tenebrus (1)

L'usage modéré mais nécessaire du merveilleux chrétien — interventions de l'archange Gabriel, prodiges accompagnant le massacre de Roncevaux — rappelle discrètement que les volontés et les forces des hommes ne sont pas seules en jeu, sans jamais entraver ces volontés ni ces forces, sans jamais dégrader l'émotion du public en étonnement de mauvais aloi.

Des contraintes mêmes du genre oral, l'auteur a su faire des beautés. Les constructions symétriques, les rappels de situations, les répétitions deviennent autant d'incantations tragiques qui aggravent l'attente en angoisse, qui entraînent l'adhésion sensible et morale des auditeurs aux souffrances des héros et à la cause sacrée qu'ils défendent.

Telle que nous pouvons la lire grâce au manuscrit d'Oxford, la *Chanson de Roland*, quels que soient ses antécédents, quelles que soient les discussions érudites qui la cachent parfois en voulant l'éclairer, est incontestablement le chef-d'œuvre d'un art déroutant mais parfaitement sûr de ses moyens et de ses fins.

LE CLASSEMENT DES CHANSONS DE GESTE. LES CYCLES

Pour classer l'ensemble des chansons que nous avons conservées, deux systèmes sont possibles. L'un, chronologique, montre que les plus anciens poèmes sont généralement les plus beaux et permet de suivre les altérations de l'esprit épique sous l'influence du roman courtois et même de la littérature historique jusqu'au XVe siècle.

L'autre tient compte des sujets et ordonne la quasi-totalité de nos textes en trois cycles, ou gestes. Dès la fin du XIIe siècle, c'est ce classement qui était proposé par les jongleurs :

N'ot que trois gestes en France la garnie;
Du roi de France est la plus seignorie,
Et l'autre après bien est droiz que gel die
Est de Doon a la barbe fleurie...
La tierce geste qui molt fist a proisier
Fu de Garin de Monglane le fier (2).

En fait, à l'origine, les auteurs écrivaient librement leurs poèmes, sans souci de les insérer dans un ensemble. Mais le succès du genre a entraîné des trouvères à multiplier les hauts faits des personnages les plus séduisants, à leur inventer des « enfances » et des « vieillesses », à chanter

1. Hauts sont les monts, les vallées ténébreuses.

2. BERTRAND DE BAR-SUR-AUBE, auteur de *Doon de Mayence*.
« Il n'y eut que trois gestes en la riche France; la plus noble est celle du roi, l'autre, il est juste que je le dise, est celle de Doon à la barbe fleurie... La troisième geste qui fut si appréciée est celle du fier baron de Monglane. »

Adenet le Roi : *Berthe aux grands pieds*. Le réalisme et le fantastique qui caractérisent certaines chansons inspirent la miniature (B. N. Paris.)

les exploits de leurs compagnons ou de leur parents imaginaires. Ainsi se sont constitués les cycles, autour d'un personnage central ou d'une idée, non sans artifice, puisque les chansons regroupées ont été composées par des auteurs différents à des époques différentes. Il est bien évident que ces cycles ne sont pas des modèles de cohérence, bien que des copistes tardifs, en rassemblant les textes, aient tenté avec plus ou moins de bonheur d'éliminer les disparates qu'ils y relevaient.

Le cycle de Charlemagne

La personnalité de Charlemagne, ses prouesses, les grands événements qui marquèrent sa vie de l'enfance à la vieillesse, font l'unité de la première geste, la plus « seignorie », la plus noble. Les chansons retracent les principales batailles, en Italie, en Saxe, en Espagne, que menèrent l'empereur et ses pairs.

Berthe aux grands pieds (la mère de Charlemagne), *Mainet* (le petit Charlemagne) relatent les mésaventures de Berthe et du jeune Charles qui doit lutter contre les bâtards Rainfroi et Heldri pour conquérir son trône.

Le pèlerinage de Charlemagne est l'une de nos plus anciennes chansons.

Désireux de voir si le roi Hugon de Constantinople l'emporte sur lui en majesté, Charlemagne part avec ses pairs en pèlerinage à Jérusalem où ils se font offrir des reliques. Ils se dirigent ensuite vers Constantinople où ils sont reçus par Hugon. Dans leur chambre, Charlemagne et ses pairs, échauffés par le bon vin, se mettent à *gaber*, c'est-à-dire à se vanter d'extraordinaires prouesses. Mis en demeure d'accomplir leurs *gabs* par Hugon qui les avait fait espionner, les Francs réussissent l'impossible grâce aux saintes reliques qu'ils transportent. Puis Charlemagne fait constater qu'il porte mieux la couronne que son hôte.

Ce court poème vaut surtout par sa drôlerie; sans doute n'est-il pas dénué d'intentions parodiques.

La *Chanson de Roland*, *Aspremont*, *Otinel*, *Fiérabras*, rappellent les luttes des Francs contre les Sarrasins, *Les Saisnes*, les luttes contre les Saxons, *Aiquin*, la conquête de la Bretagne par Charlemagne.

Le cycle de Doon de Mayence

Ce n'est pas un personnage, mais un thème général qui fait l'unité du deuxième cycle, dit de Doon de Mayence : celui de la guerre féodale. Bien que les poèmes retracent avec éclat et sympathie les exploits de barons révoltés — souvent à juste titre — contre leur seigneur, ce sont en définitive les principes de la hiérarchie féodale qui sont défendus contre l'orgueil et la démesure des héros. Fort heureusement, Dieu intervient pour ramener ceux-ci dans le droit chemin et leur repentir exemplaire efface leurs excès criminels.

Gormont et Isembart est la plus ancienne chanson du cycle. Un fragment de 661 octosyllabes et des récits romanesques permettent de reconstituer l'histoire du renégat Isembart qui, victime d'une injustice de son roi, passe au service du païen Gormont. Déchiré, il porte la guerre sur sa terre natale et meurt en se repentant.

Raoul de Cambrai, *Girard de Roussillon*, *La chevalerie Ogier*, *Renaud de Montauban* (l'histoire des quatre fils Aymon) mettent aux prises de vaillants chevaliers avec leurs voisins ou leur roi. Lésés dans leur droit, les héros ne songent qu'à se venger et trop souvent se laissent emporter par la « desmesure ». Après de longues luttes qui ne réussissent qu'à endeuiller les deux camps, à affaiblir la Chrétienté, les barons abandonnent leur vie de violence. Une juste célébrité reste attachée à ces poèmes souvent très longs, aux intrigues complexes, qui n'exaltent l'orgueil féodal que pour mieux en montrer les limites et les dangers.

Le cycle de Garin de Monglane

Dans le troisième cycle, nous retrouvons une figure centrale, celle de Guillaume au « curt nes ». Il faut probablement l'identifier au Guillaume, comte de Toulouse, qui s'illustra contre les Sarrasins lors des campagnes qui permirent la création, en 803, de la marche d'Espagne ([1]). Ce guerrier se fit moine et fonda une abbaye où il mourut saintement. Aux chansons qui rappellent les hauts faits de ce personnage se sont ajoutés des poèmes consacrés à ses aïeux, à ses frères, à ses neveux. C'est donc tout un lignage que glorifie le cycle. Mais, comme pour la geste de Charlemagne, l'ordre de composition des poèmes ne correspond pas au classement « biographique » adopté tant bien que mal par les manuscrits rassemblant tardivement nos poèmes.

La *Chanson de Guillaume* est un texte ancien, composite ([2]), que ne transmettent pas les manuscrits cycliques. Elle paraît être une version archaïque de *La chevalerie Vivien* et d'*Aliscans*.

Vivien, le neveu de Guillaume, combat avec ses faibles troupes le roi sarrasin Déramé à Larchamp près de la mer. Les Français sont écrasés sous le nombre. Vivien envoie Girart, son cousin, demander secours à Guillaume. Il reste avec vingt hommes face aux païens. Il est bientôt seul contre la multitude, blessé, torturé par la faim et la soif que le flot salé ne peut étancher. Vivien va mourir fidèle à la promesse qu'il fit jadis de ne jamais reculer d'un pied devant l'ennemi. Cependant, Guillaume, prévenu par Girart, marche vers Larchamp; il y trouve les Sarrasins qu'un vent contraire retenait au rivage. La bataille s'engage. Seul Guillaume survit et parvient à revenir dans son château de Barcelone. Là, son épouse Guibourc a réuni trente mille hommes et elle pousse Guillaume à se venger, dans une très belle scène où elle fait passer l'honneur du lignage avant son amour conjugal :

Mielz voil que moergez en l'Archamp sur mer
Que tun lignage seit per tei avilé (vers 1325-26) ([3]).

A Larchamp, les Sarrasins attendaient toujours un vent favorable pour partir avec leur butin. Une nouvelle bataille s'engage, bientôt il ne reste des trente mille Français que Guillaume et le petit Guiot, le frère de Vivien, âgé de quinze ans. Mais ces deux survivants gagnent la bataille, Guiot tue Déramé.

Limitée à moins de deux mille vers, la *Chanson de Guillaume* est certainement, après la *Chanson de Roland*, la plus belle de nos épopées, la plus vigoureuse en tout cas. La mort de Vivien est le sommet d'un art violent mêlant aux évocations les plus sublimes des descriptions d'un réalisme sauvage.

Le couronnement de Louis est aussi l'un de nos plus anciens poèmes épiques. On peut dire qu'il appartient à la fois au cycle du roi et au cycle de Guillaume, puisqu'on y voit celui-ci prendre la relève de l'empereur et protéger son faible fils, Louis, contre ses ennemis de l'intérieur et de l'extérieur, barons usurpateurs et Sarrasins. Après Charlemagne, Guillaume devient le champion de la Chrétienté et le garant de l'ordre féodal.

Le preux ne sera pas récompensé par son ingrat souverain. Il faudra qu'il conquière lui-même ses terres; c'est le sujet du *Charroi de Nîmes* et de *La prise d'Orange*. Ces conquêtes se font aux dépens des Sarrasins; ainsi l'intérêt personnel s'inscrit-il dans l'idéal épique. Ces deux chansons sont remarquables par l'humour, voire le comique qu'elles mêlent aux thèmes traditionnels. Elles contribuent à faire de Guillaume un personnage haut en couleur, beau héros chevaleresque certes, mais plus humain

Manuscrit de *Garin de Monglane*, XVe siècle. (B. N. Paris.)

1. Guillaume au « nez court » est le héros principal du cycle, mais c'est un ancêtre imaginaire, Garin de Monglane qui lui donne son nom.
2. Pris dans sa totalité, le manuscrit est incohérent. Il faut considérer qu'il est fait de deux chansons mises bout à bout : une *Chanson de Guillaume* (vers 1 à 1980) et une *Chanson de Rainouart* (vers 1981 à la fin).
3. « Je préfère que vous mouriez à l'Archamp sur mer plutôt que de vous voir avilir votre lignage. »

peut-être qu'un Vivien ou un Roland à la fascinante pureté.

La chevalerie Vivien, les *Aliscans* reprennent en les développant les faits relatés dans les deux parties de la *Chanson de Guillaume*. *Le moniage Guillaume* rappelle que le héros renonça au monde... sans se départir pourtant de son caractère violent, de sa truculence qui s'accommodent assez mal avec les habitudes monacales. Avant de mourir saintement, le preux vaincra une fois de plus les Sarrasins et secourra le roi Louis.

Aux trois cycles traditionnels dont nous venons de mentionner les principales chansons, on peut ajouter une geste de la croisade. S'inspirant plus ou moins librement de l'actualité, la *Chanson d'Antioche*, la *Chanson des Chaitifs* (1), *Le chevalier au cygne* glorifient les exploits des troupes chrétiennes, et particulièrement ceux de Godefroy de Bouillon.

L'ÉVOLUTION DU GENRE. SA POSTÉRITÉ

C'est au prix de divers remaniements, nous l'avons signalé, que l'épopée a pu survivre pendant trois siècles. Ces remaniements ont adapté les vieux textes aux goûts nouveaux du public et, dès la fin du XIIe siècle, le genre épique s'est altéré. L'influence du roman courtois fut des plus déterminantes. Au merveilleux chrétien on a substitué la féerie. Dans un univers qui était presque exclusivement viril, on s'est attaché aux figures féminines : la version d'Oxford de la *Chanson de Roland* consacre quelques vers à la mort de la belle Aude; plusieurs centaines relatent le même épisode dans une version plus tardive. D'autre part, les classes privilégiées préfèrent bientôt lire ou se faire lire des textes subtilement agencés. Cette nouvelle forme de diffusion exige une composition, une expression plus recherchées qui nuisent à la sobriété de nos vieux textes.

Ce sont surtout ces formes altérées qui furent adaptées à l'étranger, dans la *Karlamagnus Saga* scandinave, dans les *romances* espagnols, dans les versions franco-italiennes qui annoncent l'*Orlando innamorato* (1) de Boiardo, l'*Orlando furioso* (2) de l'Arioste, où il est difficile de retrouver l'esprit de nos épopées.

La poésie épique française perd tous ses caractères originaux au XVe siècle, lorsqu'elle est mise en prose à la demande des grands seigneurs : le cycle des barons révoltés rencontra un vif succès, pour peu qu'on trahît l'esprit des œuvres, et les dérimeurs à gages ne s'en privaient pas, ce cycle servait les désirs et la « propagande » des grands rivaux du roi de France. Les ducs de Bourgogne en particulier firent dérimer de nombreux textes qui prirent l'allure de chroniques romanesques. Sous des formes nouvelles, ces romans devaient faire les délices du public populaire jusqu'au XIXe siècle et le Romantisme remettra à la mode nos vieux héros : qu'on relise *La légende des siècles*...

Il ne faut pas s'étonner de cette fidélité si mal comprise : les chansons de geste exaltaient une pureté chevaleresque, un idéal féodal que seuls les XIe et XIIe siècles ont approchés, mais qui sont restés des mythes vivaces pendant tout le Moyen Age.

1. *Roland amoureux* (1495).

1. Des captifs.
2. *Roland furieux* (1532).

BIBLIOGRAPHIE

QUELQUES TEXTES : Joseph BÉDIER, *La chanson de Roland*, Piazza, 1938 (édition et belle traduction du texte d'Oxford). — Gérard MOIGNET, *La chanson de Roland*, Bordas, 1969 (les notes et l'introduction qui accompagnent le texte et sa traduction sont très utiles). — Duncan MCMILLAN, *La chanson de Guillaume* (2 vol.), Picard, 1950.

QUELQUES ÉTUDES : Joseph BÉDIER, *Les légendes épiques*, Champion 1908-1913 (4 vol.). — Italo SICILIANO, *Les origines des chansons de geste*, 1951 (analyse brillante des diverses théories proposées pour résoudre l'irritant problème des origines). — Jean RYCHNER, *La chanson de geste, essai sur l'art épique des jongleurs*, Droz, 1955 (étude des techniques de composition dans les chansons de geste). — Jean FRAPPIER, *Les chansons de geste du cycle de Guillaume d'Orange*, S. E. D. E. S. 1955-1965 (2 vol.) (études et analyses détaillées des principales chansons du cycle). — Rita LEJEUNE, *Les chansons de geste et l'Histoire*, Liège, 1958. — Pierre LE GENTIL, *La chanson de Roland*, Hatier, coll. « Connaissance des lettres », 2e éd., 1967 (synthèse des divers problèmes posés par le texte. Belles et sensibles études de l'œuvre).

LA POÉSIE LYRIQUE AUX XIIe ET XIIIe SIÈCLES

L'un des thèmes essentiels de toute notre littérature, l'amour, ne retenait guère l'attention des auteurs des premières chansons de geste. Il constituait pourtant, dès la fin du XIe siècle, le sujet privilégié d'une ample production poétique, lyrique au sens propre du terme, puisque la création littéraire était inséparable de la composition musicale.

Des courants divers traversent cette production complexe. Le plus notable, d'inspiration aristocratique, est généralement qualifié de « courtois », il inaugure un culte de la femme d'abord célébré par les poètes du Midi de la France, repris ensuite par ceux du Nord qui le modifient quelque peu. L'importance esthétique et civilisatrice de ce courant ne doit pas nous faire négliger une autre poésie, aux formes moins compliquées et dont l'esprit est étranger, voire opposé, à l'idéologie courtoise. Si cette poésie n'est pas véritablement populaire, comme on pourrait le penser, elle témoigne d'une longue tradition où l'amour est l'objet d'une émotion sincère plutôt que le sujet de raffinements intellectuels.

LE COURANT COURTOIS. LA « FIN'AMOR »

Le courant généralement qualifié de « courtois » est, par ses conséquences esthétiques et civilisatrices, le plus important. Il est illustré aux XIIe et XIIIe siècles par le développement d'une poésie « subjective », aristocratique, raffinée dans ses formes comme dans son contenu.

Pour comprendre l'apparition de cette littérature d'art encouragée par de grands seigneurs, poètes eux-mêmes ou mécènes généreux, il faut considérer la naissance dans la France du Sud, et bientôt du Nord, d'un nouvel art de vivre qui adoucit les mœurs de la société féodale. La richesse des plus puissants seigneurs qui ont pu rassembler autour d'eux terres et gens favorise une vie de cour luxueuse où se succèdent les fêtes, où l'on rivalise en dépenses de prestige, où, surtout, les femmes occupent une place éminente. La courtoisie, c'est d'abord, au sens le plus large, le savoir-vivre à la « court », le raffinement et l'élégance des relations mondaines. On ne confondra pas ce type de relations sociales avec l'amour courtois, ou plus exactement la « fin'amor » provençale qui définit un type nouveau de relations sentimentales entre hommes et femmes, élaboré en véritable doctrine par plusieurs générations de poètes : les troubadours au sud de la Loire, les trouvères au nord (1), mais on comprendra que la vie courtoise favorise ce nouvel amour, si elle ne suffit pas à l'expliquer.

Dès la fin du XIe siècle — le premier troubadour, Guillaume IX d'Aquitaine, est né en 1071 — apparaissent les premiers poèmes lyriques s'inspirant de cette doctrine amoureuse qui semble déjà constituée. Ils sont écrits dans une langue littéraire appartenant au domaine d'oc et conçus pour le chant. Les poètes provençaux ont perfectionné leur idéal et leur art jusqu'au XIIIe siècle. Mais dès le début de ce siècle, leur inspiration décline; usure? Peut-être, ruine surtout d'une société qui les soutenait, à la suite de la Croisade contre les Albigeois (2). Mais les trouvères du Nord, rencontrant des conditions

1. *Troubadour* est issu de *trobar*, du latin *tropare :* composer des *tropes*, c'est-à-dire des airs de musique. En langue d'oïl, *tropare* aboutit à *trouver;* le poète est appelé *trouvère*.

2. Ordonnée par le pape Innocent VIII en 1209, commandée par Simon de Montfort, cette croisade sauvage dirigée contre la secte des Cathares entraîna l'affaiblissement de la civilisation provençale.

de vie courtoise favorables, protégés par de grandes dames comme Aliénor d'Aquitaine (1) et ses filles, étaient en mesure de développer encore l'art des grands troubadours. Vers le milieu du XIIe siècle, ils leur avaient emprunté leurs formes d'expression, les thèmes qui les inspirent et les attitudes spirituelles qu'elles supposent, tout en modifiant quelque peu la tradition que, d'une manière générale, ils simplifiaient.

Il n'est guère facile de définir brièvement ce que les troubadours entendaient par « fin'amor ». Se fier aux codes qui furent rédigés, tel l'*Ars Amandi* écrit par André le Chapelain à la fin du XIIe siècle, serait s'enfermer dans une théorie qui n'est pas toujours représentative de l'esprit des poètes, tout en nuances.

Ce que chante d'abord leur poésie, c'est la nécessité de l'amour, il est la valeur absolue qui rend la vie possible en la transfigurant :

> Tant ai al cor d'amor
> De joi et de doussor
> Per que.l gels me sembla flor... (2)

Cet amour est adultère, il s'adresse à une femme mariée que le poète a librement choisie pour sa beauté et sa valeur, c'est-à-dire ses qualités d'âme. Plus ou moins conventionnellement, la dame élue est de condition supérieure à celle de l'amant, aussi le service d'amour ressemble-t-il souvent au service féodal; la Dame est assimilée au seigneur. Si la « fin'amor » s'oppose à l'amour conjugal, c'est que l'époux possède (1) l'épouse, il a des droits sur elle et n'a pas à la mériter à force d'attente, de fidélité discrète, de souffrances, épreuves qui sont des joies pour le « fin'amant ». Celui-ci consacre à sa Dame un véritable culte conduisant à l'ascèse des sens et de l'esprit : il veut être courtois, fidèle, loyal, bon poète aussi, afin que l'éloge de l'aimée soit plus précieux. En fait, cet amour idéalisé n'est pas purement platonique, la rigoureuse discipline que s'impose l'amant désire sa récompense, mais on voit quel ennoblissement, quel enrichissement spirituel cette discipline apporte à l'homme. Les trouvères ont conservé les grands principes de la doctrine des troubadours en accusant certains de ses traits, la Dame est pour eux beaucoup plus lointaine, presque inaccessible, et l'amour qu'ils lui portent est d'autant plus respectueux qu'il leur paraît plus hardi. Ils intègrent plus nettement les valeurs chevaleresques aux valeurs courtoises, la prouesse guerrière est un mérite supplémentaire du parfait amant.

1. Petite-fille de Guillaume IX d'Aquitaine, elle épouse en 1137 Louis le Jeune qui divorce en 1152, puis Henri Plantagenêt qui devient roi d'Angleterre en 1154.
2. « J'ai tant d'amour au cœur, de joie et de douceur, que la glace me semble fleur » (Bernard de Ventadour).

1. Au Moyen Age, le terme est à peine métaphorique, le mariage est plus une affaire d'intérêt — la dot! — que de sentiments.

L'ART DES TROUBADOURS ET DES TROUVÈRES

La situation supérieure de la dame exigeait que l'amant ne parlât d'elle qu'en termes voilés; la discrétion s'imposait aux poètes et imposait à leur art une expression stylisée capable de dire l'essentiel et de taire le particulier. Aussi l'amie n'est-elle désignée que par un énigmatique nom poétique, le « Senhal » : « Belhs cavaliers » (Beau chevalier), « Melhs que Domna » (Mieux que Dame); sa beauté et sa valeur ne sont-elles évoquées que par des formules générales. Les poètes risquaient ainsi de tomber dans l'abstraction, leurs sentiments sincères pouvaient devenir les thèmes obligés d'un jeu artificiel. Les meilleurs d'entre eux ont su parer à ces dangers.

La *canzo* (chanson d'amour, chanson courtoise) par laquelle les poètes expriment leurs sentiments et rivalisent en raffinements d'expression est un genre poétique très souple : quatre à six strophes répètent un schéma librement construit et s'accompagnent de la même mélodie. Mais cette souplesse invite à la virtuosité, les théoriciens des *Leys* (2) *d'amors* (1356) définissent de multiples possibilités strophiques, des formules de rimes compliquées. Le langage est médité, les troubadours distinguaient le « trobar leu » (composition « simple ») qui refuse les trop grandes subtilités stylistiques au profit de la clarté et de la sobriété, du « trobar clus » (composition « fermée, hermétique ») où le raffinement des concepts s'exprime par un vocabulaire ambigu, dans une métrique compliquée à plaisir. Une variété de cette poésie hermétique, le « trobar ric » (composition « riche ») s'attache à l'extrême correction du langage, à la perfection formelle. Les trouvères n'ont guère retenu ces

2. Lois.

recherches parfois excessives, préférant au brillant une plus discrète harmonie.

La tendance au formalisme ne doit pas nous rebuter, il faudrait juger cette poésie dans sa totalité, ne pas condamner un trop subtil agencement conceptuel et verbal sans écouter comme il s'accorde à la complexité d'une musique élégante. N'oublions pas que l'art des troubadours consiste à « trobar bos motz et gais sons » (1). Malheureusement, si les *chansonniers* qui recueillent les poèmes conservent plusieurs mélodies d'accompagnement, le système de notation employé est très difficile à interpréter.

D'autres formes poétiques sont utilisées par les troubadours et par les trouvères qui les imitent. Le *sirventes (serventois)* était peut-être, à l'origine, une parodie de *canzo;* poème de circonstance, il traite divers problèmes d'actualité sur un ton souvent satirique ou moralisant. La *chanson de croisade* encourage au combat contre les infidèles. La *chanson pieuse*, composée sur le modèle et souvent sur la mélodie des chansons courtoises, honore Dieu et la Vierge. Les *débats (tenso)* rapportent une discussion entre deux personnages; les points de doctrine amoureuse y sont à l'honneur. Le *jeu-parti (partimen)* est une variété artificielle de débat : deux solutions d'un problème sont défendues par deux poètes qui font alterner leurs arguments. Ces derniers genres supposent un public éclairé, capable de goûter les subtilités d'une idéologie qu'il connaissait parfaitement.

Quelques troubadours

Guillaume IX d'Aquitaine (1071-1127). Ce grand seigneur débauché nous a laissé onze chansons. Certaines sont fort gaillardes, mais quelques poèmes expriment déjà délicatement les idées maîtresses de la *fin'amor.*

Marcabru (aurait écrit de 1130 à 1148). Malgré le réalisme vigoureux d'une partie de son œuvre, on le considère comme le père du *trobar clus.* Il est l'auteur d'une admirable chanson de croisade : *Le chant du lavoir.*

Jaufré Rudel (écrit de 1130 à 1170). La légende rapporte qu'il tomba amoureux de la comtesse de Tripoli qu'il n'avait jamais vue. Il se croisa pour elle et mourut dans les bras de sa dame désespérée. Cette belle tradition s'inspire du thème central de ses œuvres : l'*amor de lonh* (l'amour lointain).

Bernard de Ventadour (entre 1150 et 1200). Le plus apprécié des troubadours. La simplicité de l'expression, la sincérité de l'inspiration font de lui le plus émouvant poète de l'amour.

Lettrine d'un chansonnier provençal du XIIIe siècle. (B. N. Paris.) Dans ces volumes sont conservées les œuvres des divers troubadours.

Bertran de Born (1140-1210?). Il passa sa vie à guerroyer avant de se faire moine. Aussi la guerre est-elle un thème aussi important que l'amour dans son œuvre. Il excelle dans la célébration des combats et des pillages... et nous laisse un témoignage intéressant des mœurs féodales.

Arnaud Daniel (né vers 1150). « Il miglior fabbro » (le meilleur ouvrier) selon Dante. Il pratique avec virtuosité le *trobar clus* et le *trobar ric.* C'est un « extrémiste » de l'esthétique et de l'idéal amoureux.

Autre lettrine représentant un chevalier (B. N. Paris.)

1. « Composer belles paroles et gaies mélodies. »

Quelques trouvères

Chrétien de Troyes (écrit entre 1164 et 1190). Ce très grand écrivain (cf. le chapitre sur le roman) est l'auteur des deux plus anciennes chansons d'amour en langue d'oïl que nous possédions.

Gace Brulé (dernier quart du XIIe siècle, premier quart du XIIIe). Ce trouvère a vécu à la cour de Marie de Champagne, il chante la passion irrésistible qui met l'amant au désespoir en des poèmes d'une technique excellente.

Conon de Béthune (1150?-1220?). Se croisa deux fois. Amoureux timide, ce grand seigneur est l'auteur de deux très belles chansons de croisade.

Thibaut de Champagne (1201-1253). Ce grand seigneur batailleur est à bon droit l'un des plus célèbres poètes courtois. Héritier fidèle de la tradition, sa sincérité et son talent renouvellent les inévitables lieux communs dont il use avec grâce.

A ces trouvères, il faut ajouter les représentants d'une tendance nouvelle née dans la bourgeoisie du Nord. Celle-ci, riche et soucieuse d'imiter les cours seigneuriales, organise des confréries littéraires, les « Puys », qui protègent et récompensent les poètes. Ces derniers ne cultivent pas seulement les rêveries amoureuses traditionnelles; dans un genre original, le *congé*, à l'occasion d'adieux à leur ville et à leurs relations, ils expriment directement, avec humour, des sentiments familiers et émouvants.

L'apparition du lyrisme personnel : *les congés* de Jehan Bodel. Recueil de poésies de la fin du XIIIe siècle. (Arsenal, Paris.)

Jean Bodel d'Arras, *Baude Fastoul*, *Adam de la Halle* chantent la vie quotidienne. Dans leurs *congés*, la poésie tend à devenir véritablement « personnelle ».

Colin Muset. Champenois, d'abord fidèle aux thèmes courtois, il donne libre cours à son tempérament et chante les joies et les misères de sa condition errante de poète en quête de mécènes.

UN AUTRE ASPECT DE LA POÉSIE MÉDIÉVALE : LES GENRES « OBJECTIFS »

Au lyrisme « subjectif » qui emprunte les formes délicates de la chanson courtoise s'oppose, aux XIIe et XIIIe siècles, une poésie de caractère « objectif », narratif et dramatique, développant des thèmes étrangers à la *fin'amor*.

Petit poème strophique à refrain, la *chanson de toile*, dite aussi *chanson d'histoire*, n'est pas l'hommage d'un homme à sa Dame, mais un bref récit animé de dialogues. On y parle d'amour, mais il s'agit de l'élan spontané d'une âme naïve de jeune fille ou des plaintes d'une jeune femme mariée contre son gré. Rien de plus gracieux, de plus émouvant que les compositions anonymes que nous avons conservées. *Gaiete et Oriour*, *Belle Doette*, *Belle Yolande* sont de jolies chansons dont la rédaction assez tardive témoigne sans doute d'une tradition antérieure à la lyrique courtoise; tradition associant le chant à la danse. Mais s'il est permis de penser que le genre a des origines lointaines et « folkloriques », on reconnaît dans maintes pièces l'influence, au moins esthétique, du courant courtois.

L'*aube*, en quelques strophes avec refrain, chante la douleur de deux amants, à l'issue d'une nuit de joie, lorsque le veilleur annonce le lever du jour qui doit les séparer. Comme la *chanson de toile*, l'*aube* paraît être un genre ancien, mais rapidement influencé par l'art des troubadours et des trouvères qui l'ont inclus dans leur répertoire.

La *pastourelle* était-elle, à l'origine, un genre « populaire »? Telle que nous la connaissons, elle ressemble plutôt à un divertissement de poètes aristocratiques qui ne dédaignaient pas de prendre le contre-pied des théories courtoises en peignant les tentations les moins nobles de l'homme. Le poème met en scène la tentative de séduction d'une jeune et jolie bergère par un chevalier peu scrupuleux; malgré ses promesses, ses violences, celui-ci ne parvient pas toujours à ses fins. Ce genre, largement exploité par les troubadours puis par les trouvères, vaut par son pittoresque, mais il est indéniable qu'il doit beaucoup aux recherches formelles d'artistes raffinés.

Telle qu'elle affleure dans les *chansons de toile*, la tradition lyrique « folklorique » n'explique pas l'apparition du courant courtois à la fin du XIe siècle, elle en est beaucoup plus influencée qu'elle ne l'influence. Peut-être a-t-elle contribué à faire de la femme et de l'amour les sujets privilégiés de la poésie. Il faut chercher ailleurs les origines de l'art et de la doctrine des troubadours. Dans la poésie médiolatine, dans le renouveau liturgique du XIe siècle, dans la poésie arabe qui développe des thèmes analogues à ceux des troubadours et qui a pu être connue de ces derniers par l'intermédiaire de l'Espagne, dans la religion des Cathares? Il est bien difficile de choisir entre ces hypothèses.

L'INFLUENCE DE LA POÉSIE COURTOISE

Le rayonnement de l'art et de l'idéal des troubadours ne s'est pas seulement exercé en France. En Catalogne, en Italie, on cultive très tôt la *fin'amor* en langue provençale. Les poètes de la péninsule ibérique s'inspirent des thèmes occitans. Les *Minnesänger* (1) rivalisent avec les poètes français et provençaux qu'ils connaissent fort bien. En Italie encore, mais dans la langue nationale, l'idéalisme courtois, enrichi de préoccupations philosophiques, inspire le *dolce stil nuovo* de Cavalcanti (1) et de Dante, nourrit le pétrarquisme par l'intermédiaire duquel il inspirera nos poètes du XVIe siècle.

Surtout, l'idéal courtois que suppose la *fin'amor* des poètes a marqué durablement notre conception de la femme et les relations que nous entretenons avec elle; huit siècles après son élaboration, il reste l'un des fondements de notre civilisation.

1. Littéralement « Chanteurs d'amour », poètes courtois allemands des XIIe et XIIIe siècles.

1. Guido Cavalcanti, poète italien ami de Dante 1300).

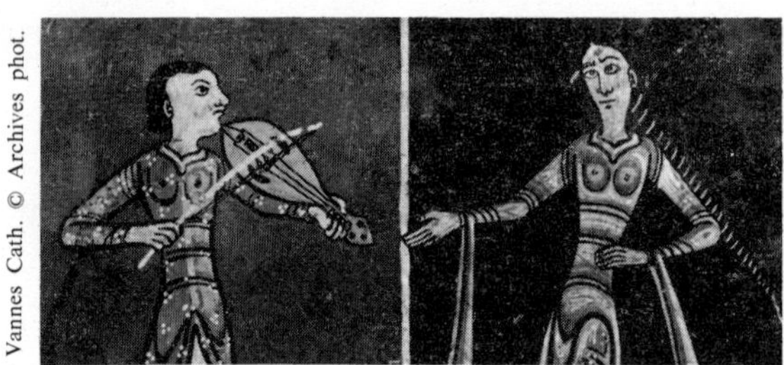
Vannes Cath. © Archives phot.

BIBLIOGRAPHIE

ÉDITIONS COURANTES : Albert PAUPHILET, *Poètes et romanciers du Moyen Age,* Gallimard, coll. « Bibliothèque de la Pléiade », 1952. — Guillaume PICOT, *La poésie lyrique au Moyen Age* (t. I et II). Nouveaux classiques Larousse, 1965. — André MARY, *Anthologie poétique française,* Moyen Age (t. I), Garnier-Flammarion nº 153, 1967.

ÉDITIONS SAVANTES : I. M. CLUZEL et L. PRESSOUYRE, *Les origines de la poésie lyrique d'oïl et les premiers trouvères,* Nizet, 1962. — Pierre BEC, *Nouvelle anthologie de la lyrique occitane du Moyen Age,* Aubanel, 1970.

ÉTUDES : A. JEANROY, *Les origines de la poésie lyrique en France,* Paris, 1925 (3e édition) (ouvrage un peu vieilli). — H. I. MARROU, *Les troubadours,* Paris, Le Seuil, 1971. — Michel ZINK, *La pastourelle, poésie et folklore au Moyen Age,* Bordas, 1972.

DISCOGRAPHIE : Archiv Produktion (14 117 APM), II, *Das zentrale Mittelalter, A, Troubadoure, Trouvere und Minnesanger.* — *Chansons des troubadours, La lyrique occitane au Moyen Age* (Gérard Levot), studio SM, 1981, 301043.

RUTEBEUF

Parmi les poètes du XIIIe siècle, il convient de réserver une place éminente à Rutebeuf dont l'œuvre, par la multiplicité de ses formes et de ses intentions, reflète admirablement la complexité d'une époque riche en accomplissements et en découvertes. Auteur de fabliaux, de poèmes que nous dirions « engagés », qui traitent avec passion des affaires universitaires et religieuses, homme de théâtre, Rutebeuf est surtout, avec Jean Bodel et Colin Muset, le créateur d'une poésie « personnelle » qui, renonçant aux mirages de l'idéalisme aristocratique, exprime directement, mais avec beaucoup d'art, la précarité d'une vie d'homme.

De l'homme, de sa personnalité et de sa vie, on ne sait que ce qu'on peut déduire avec prudence de la cinquantaine d'œuvres qui nous est parvenue et qui fut probablement composée entre 1250 et 1285. Rutebeuf a vécu à Paris et connaissait bien le monde universitaire. Son existence devait être celle, fantaisite et aléatoire, d'un jongleur professionnel, pratiquant un peu tous les genres pour plaire et monnayant son talent sans pour autant consentir à des infidélités morales de mercenaire (1).

Le poète « engagé »

Une grave crise secoua les universités au XIIIe siècle. Une âpre lutte opposait les maîtres « séculiers » aux « réguliers » des ordres mendiants — Dominicains et Franciscains — qui tentaient de s'implanter dans l'enseignement avec la bénédiction du pape. La querelle la plus vive éclata à Paris entre 1252 et 1259, quand un maître séculier, Guillaume de Saint-Amour, après qu'il eut, dans un traité, violemment pris à partie les frères mendiants, fut condamné par le pape et banni.

1. Nous ne retenons ici que l'œuvre proprement poétique de Rutebeuf; d'autres aspects de l'écrivain apparaîtront dans les pages consacrées aux fabliaux et à la naissance du théâtre en France.

Rutebeuf entra dans cette querelle aux côtés des amis de Guillaume. Dans ses poèmes concernant l'Université de Paris ou dirigés contre les moines (*Discorde de l'université et des Jacobins; Les ordres de Paris*, par exemple), le poète met sa verve satirique au service d'un « clan », et il devait y trouver son avantage, mais il exprime aussi ses sentiments personnels. La véhémence qui le porte à flétrir la cupidité, l'hypocrisie et la lâcheté n'est certes pas empruntée, c'est la passion du pauvre hère et du chrétien sincère qui sait que la société trahit les idéaux évangéliques et que cette trahison est la source de toutes les misères humaines.

Ah! Jésus-Christ...
La loi que tu nous as apprise
Est si vaincue et entreprise... (1)

1. « Ah! Jésus-Christ... La loi que tu nous as apprise est tellement bafouée, tellement affaiblie... » *(Le dit de Sainte Église)*.

Début du manuscrit de la célèbre *complainte Rutebeuf* qui devint récemment un succès de Joan Baez sur une musique de Léo Ferré (B.N. Paris).

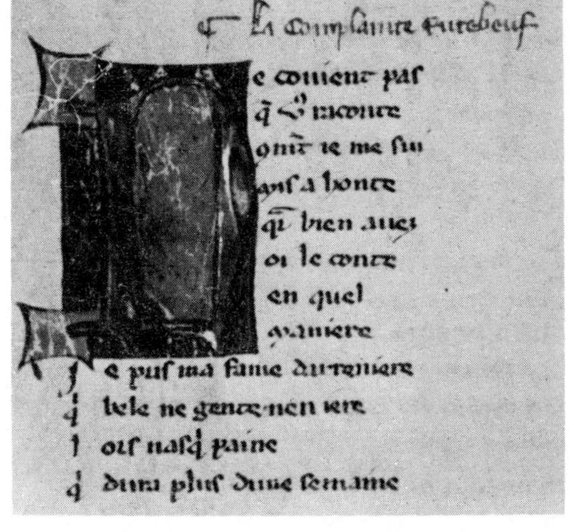

Dans les poèmes concernant la croisade [1], nous reconnaissons le même polémiste de talent qui, peut-être, trouve son profit à soutenir une cause, mais une cause à laquelle il adhère sincèrement. La propagande de Rutebeuf pour la croisade, à une époque où l'ardeur des princes et des chevaliers s'était fort refroidie, emprunte souvent une forme satirique qui n'épargne personne : ni les moines — victimes favorites de l'auteur — accusés de conserver l'argent rassemblé pour secourir la Terre Sainte, ni les nobles qui se divertissent dans les tournois et s'attachent aux biens terrestres quand ils devraient songer à leur salut. Mais peut-être la pitié l'emporte-elle sur la vindicte dans ces vers dénonçant l'aveuglement égoïste des humains et la véhémence n'est-elle que la passion de sauver.

La « povreté » de Rutebeuf

Plus encore que la dénonciation polémique et apitoyée des faiblesses du siècle, c'est l'aveu de la détresse personnelle de l'auteur qui nous touche et fait de lui le premier grand lyrique de notre littérature, préfigurant François Villon. *Le mariage Rutebeuf, La complainte Rutebeuf, La griesche d'hiver, La griesche d'été, La povreté Rutebeuf, La repentance Rutebeuf,* nous révèlent un homme terrassé par la misère :

Je ne sais par ou je coumance,
tant ai de matière abondance
Pour parleir de ma povretei... [2]

1. Il s'agit des croisades prêchées entre 1260 et 1280.
2. « Je ne sais par où commencer pour parler de ma pauvreté, tant la matière est abondante » (*La povreté Rutebeuf*).

Un homme qui connaît et juge sévèrement son insouciance, qui maudit la « griesche », le jeu de dés ennemi de son maigre bien : « Li dé m'ocient... » [1]; un homme mal marié, que les soucis ménagers accablent, abandonné par ses amis que le vent de l'infortune emporte...

Une âme complexe surtout, que l'amertume et l'humiliation portent à la dérision de soi, mais que l'humour sauve, un humour qui serait vraiment « la politesse du désespoir » n'était la foi qui soutient l'auteur, l'attente de jours meilleurs,

L'espérance de l'endemain
Ce sont mes festes,

ou l'espérance d'une bienheureuse éternité.

Cette révélation d'une douloureuse intimité s'accomplit dans des poèmes aux formes extrêmement soignées, que nous dirions difficiles si la maîtrise de l'auteur n'en avait fait des chefs-d'œuvre de naturel et de simplicité. « Rimer me faut », dit-il, comme si l'emportement de la création était une nécessité intérieure, l'usage de la parole — et les jeux sur la parole dont l'auteur ne se prive pas — une libération. Est-ce à dire que le poème est l'exercice pur et simple de la sincérité? Ne peut-on y reconnaître plutôt la substitution au mythe impersonnel du parfait amant courtois, que cultivâient troubadours et trouvères, le mythe individuel de l'homme aux prises avec sa condition?

Avec Rutebeuf, la poésie ne cesse pas d'être un art, difficile et exigeant, qui sollicite toute l'habileté et la patience d'un écrivain savant, mais elle devient l'expression éclairante du dénuement et de l'obscurité d'un destin.

1. « Les dés me tuent » (*La griesche d'hiver*).

BIBLIOGRAPHIE

ŒUVRES : Edmond FARAL et Julia BASTIN, *Œuvres complètes de Rutebeuf*, 2 vol., Picard, 1959-1960. — Albert PAUPHILET, *Poètes et romanciers du Moyen Age*, Gallimard, coll. « Bibliothèque de la Pléiade », 1952. — Germaine LAFEUILLE, *Rutebeuf,* Seghers, coll. « Poètes d'hier et d'aujourd'hui », n° 24, 1966 (étude de l'œuvre et large choix de textes « rajeunis »). — *Poèmes de l'infortune et poèmes de la Croisade,* trad. et études par J. Dufournet, Paris, Champion, 1979.

LE ROMAN AUX XIIe ET XIIIe SIÈCLES

L'évolution des mœurs de la société féodale, le nouvel art de vivre des grandes cours seigneuriales qui permirent à la poésie lyrique de se développer expliquent aussi l'apparition dans la France du Nord d'un nouveau genre littéraire : le roman (1).

Ce roman est généralement dit « courtois ». Cette appellation révèle les origines et l'esprit de cette littérature nouvelle; mais elle ne doit pas nous cacher l'extrême variété des thèmes, influences et intentions qui façonnèrent le roman médiéval depuis sa genèse, au milieu du XIIe siècle, jusqu'à son accomplissement, au milieu du XIIIe. Suscité par la société des cours, il répond aux aspirations d'une aristocratie raffinée, disposant de loisirs, soucieuse d'encourager un art qui soit à la fois l'expression embellie d'un idéal de vie et l'occasion d'une évasion par le rêve.

Aux genres qui l'ont précédé et qui continuent d'exister parallèlement à lui, le roman courtois emprunte des thèmes et des techniques, mais en les perfectionnant, en les adaptant à des exigences nouvelles. Il ne renie pas la prouesse exaltée par les chansons de geste, mais il la discipline en la faisant participer de qualités moins rudes : l'amour chanté par la poésie lyrique, la générosité, la politesse et l'élégance des mœurs. Dans un univers féerique favorisant la rêverie, le roman peint avec exactitude le décor et les formes de la vie aristocratique. Ainsi les lecteurs se trouvent-ils agréablement dépaysés et justifiés dans leur désir d'appartenir à une élite idéale.

Fragment d'un manuscrit de *Li romans de Troie* de Benoît de Sainte Maure. (Arsenal, Paris.)

Sa forme même fait du roman courtois un genre réservé à cette élite : à la psalmodie publique des chansons de geste succède la lecture méditative, à la vigueur généreuse et simplificatrice, la nuance subtile, aux laisses assonancées, les couplets d'octosyllabes à rimes plates (1) qui annoncent la formule plus souple encore de la prose, définitivement adoptée à la fin du XIIIe siècle.

1. Le mot « roman » désigne d'abord la langue vulgaire par opposition au latin, puis tout écrit rédigé dans cette langue, puis, par une progressive restriction de sens, un récit d'aventures.

1. Où les vers de même rime se succèdent deux par deux.

LE ROMAN ANTIQUE

Dans la genèse du roman courtois, une première série de créations s'impose par le succès qu'elle rencontra et par le témoignage qu'elle apporte sur le renouveau intellectuel de l'époque qui l'a suscitée. Si l'on peut parler d'une Renaissance du XIIe siècle, c'est en grande partie grâce aux romans « antiques », inspirés de l'histoire et des mythes gréco-latins, composés en langue vulgaire par des clercs cultivés qui surent trouver protection et encouragements dans les grandes cours seigneuriales.

Les romans d'Alexandre (XIIe siècle). Le premier texte « antique » est un *Alexandre* écrit par Albéric de Pisançon. Il ne reste de l'œuvre qu'une centaine d'octosyllabes groupés en laisses. Mais l'ouvrage connut un vaste succès et fut remanié, augmenté plusieurs fois. *Le roman d'Alexandre*, de la fin du XIIe siècle, rédigé en vers de douze syllabes (d'où le nom d'alexandrins qui leur sera donné ultérieurement) est un vaste ensemble qui mêle à la description fabuleuse du monde de nombreux récits de batailles et des épisodes amoureux où le merveilleux païen tient une large place.

Le roman de Thèbes (anonyme, vers 1150). *La Thébaïde* du poète latin Stace (61-96) a servi de modèle à cette œuvre qui relate en 10 230 vers les luttes fratricides de Polynice et Étéocle, les fils d'Œdipe.

Énéas (anonyme, vers 1160). 10 156 vers content les aventures du Troyen Énée. L'auteur s'inspire très librement de Virgile et d'Ovide : à l'un, il emprunte la trame de son récit, à l'autre, les thèmes et les techniques des développements amoureux auxquels il semble se complaire.

Le roman de Troie (vers 1165). Un clerc érudit, Benoît de Sainte-Maure, est l'auteur de ce volumineux roman (plus de 30 000 vers!). Il ignore Homère et se réfère à des compilateurs latins. Fidèle encore aux grands thèmes épiques, il est séduit par l'exotisme que son sujet lui permettait de cultiver, et montre un goût prononcé pour les intrigues amoureuses qu'il multiplie.

Piramus et Tisbé (anonyme); *Narcisus* (anonyme, deuxième moitié du XIIe siècle). Ces œuvres, plus courtes, inspirées des *Métamorphoses*, confirment l'influence prédominante d'Ovide sur les clercs de l'époque. L'auteur latin ne leur fournissait pas seulement des sujets, mais des modèles d'analyse sentimentale.

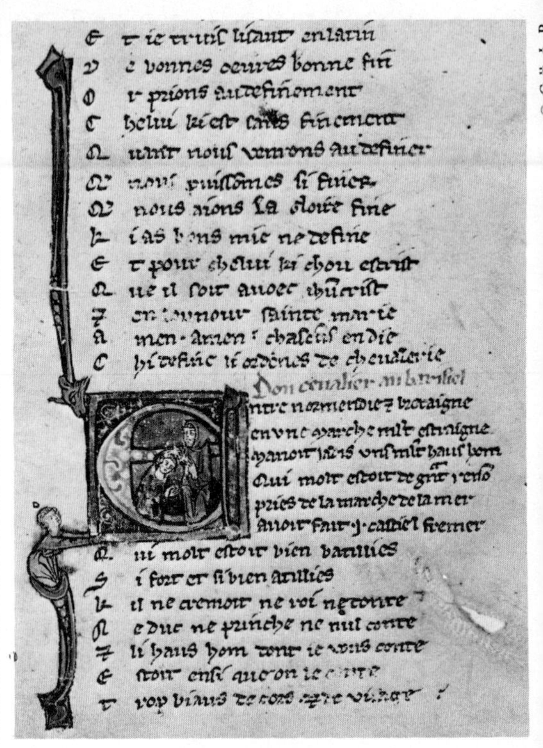

Lettrine du *Roman de Troie* où sont représentés avec précision deux personnages de l'œuvre. (B. N. Paris.)

Peu sensibles aux anachronismes, les clercs romanciers adaptent les légendes dont ils s'inspirent à la civilisation pour laquelle ils écrivent. Les héros « antiques » sont de preux chevaliers, leurs exploits guerriers sont dignes des chansons de geste, et leur conduite est celle d'aristocrates touchés par le nouvel art de vivre, élégante et fastueuse. Surtout, ils sont amoureux. Leur amour, pourtant, n'est pas la source de joie et de perfection que chantent troubadours et trouvères. Souvent fatal et désespéré, il voue les amants à la mort. Il n'en constitue pas moins, avec le merveilleux féerique qui l'accompagne fréquemment, l'une des données nouvelles d'une littérature qui sert de transition entre les œuvres épiques dont elle se souvient et les romans proprement courtois qu'elle prépare par son esprit et sa forme.

Car le roman antique n'a pas seulement emprunté aux lettres anciennes des personnages et des thèmes, mais des « recettes » littéraires, tout un art du dialogue, du récit, de la description, de l'analyse psychologique. Imitateurs trop zélés, les premiers auteurs n'ont pas toujours su dominer le métier qu'ils venaient d'apprendre. Du moins ont-ils permis à leurs successeurs d'élaborer sur d'autres thèmes un art plus réfléchi et plus personnel.

LA MATIÈRE DE BRETAGNE

Les romans antiques ne préparèrent pas seuls les chefs-d'œuvre des grands romanciers courtois. A l'époque où l'on se délectait des hauts faits et des amours des héros grecs, existait un vaste ensemble légendaire, la « matière de Bretagne [1] », auquel les maîtres que sont Marie de

1. C'est-à-dire de la Grande-Bretagne.

France, Béroul, Thomas et Chrétien de Troyes devaient emprunter l'essentiel de leurs sujets. Quand, comment, par qui la légende du roi Arthur et de ses compagnons fut-elle diffusée en France? Telles sont les données principales d'un problème complexe qui divise les érudits médiévistes.

Une tradition écrite, savante, est attestée par Geoffroy de Monmouth dans son *Historia Regum Britanniae* (1136). Douze livres de prose latine, exploitant des données antérieures, retracent l'histoire magnifique des rois bretons, descendants du Romain Brutus. Parmi ces personnages, plus légendaires qu'historiques, le roi Arthur occupe une place privilégiée. Sa valeur chevaleresque, sa générosité font de lui le souverain d'une cour raffinée. L'œuvre de Geoffroy, malgré ses allures historiques, n'est qu'une mystification. Elle fut « translatée » en français en 1155 et offerte à Aliénor d'Aquitaine par un clerc normand, Wace (1). Le *Roman de Brut* (Brutus) ou la *Geste des Bretons*, n'était pas la première traduction de l'œuvre de Geoffroy, mais elle fut la plus lue. En plus de 15 000 octosyllabes, Wace transforme la pseudo-chronique en un véritable roman. Il multiplie les descriptions et les analyses psychologiques, il fait état de détails absents chez Geoffroy, telle l'institution de la Table Ronde qui réunit dans une idéale égalité les plus éminents chevaliers d'Arthur, il souligne les mœurs courtoises de la cour du grand roi où prouesse et amour sont les vertus complémentaires des parfaits chevaliers.

Écrivain épris de réalisme, Wace laissait à ses successeurs un art de la description riche et concrète qu'ils ne manquèrent point d'exploiter. Il leur léguait particulièrement, sous des apparences d'authenticité, un cadre brillant, la cour arthurienne, où la nouvelle chevalerie pourrait parfaire ses vertus. Mais ce n'est pas à son œuvre que les romanciers de la deuxième moitié du XIIe siècle ont emprunté les sujets de leurs livres. Ils disposaient par ailleurs, si l'on croit leurs témoignages concordants, d'un vaste répertoire de légendes, « fables » que répandaient des conteurs bretons auxquels Wace lui-même fait allusion, non sans dédain. La nature et l'origine de ces fables, les conditions de leur diffusion — sans doute orale et écrite — assurée par des jongleurs venant de Grande-Bretagne ou d'Armorique sont l'objet de vifs débats entre spécialistes. Une chose est sûre : la mythologie celtique offrait aux romanciers un univers féerique propice aux aventures merveilleuses, la trame et les héros de ces aventures. Mais ils ont traité cette matière mythologique avec lucidité, l'interprétant de façon très personnelle, l'adaptant à l'idéal de leurs lecteurs.

MARIE DE FRANCE

La plus ancienne femme de lettres de notre littérature n'est pas à proprement parler une romancière. Auteur d'un *Isopet* (recueil de fables) et de la traduction d'un livre latin, le *Purgatoire de saint Patrice*, elle s'illustra surtout par la composition de lais, courtes nouvelles en vers, empruntées pour la plupart à la matière de Bretagne.

Nous savons bien peu de choses de cet écrivain :

Marie ai non si sui de France (2),

dit-elle dans son *Isopet*, sans doute pour rappeler ses origines, alors qu'elle vivait près de la brillante cour d'Henri II et d'Aliénor d'Aquitaine en Angleterre. On lui prête une culture étendue : elle savait le latin, l'anglais, connaissait Ovide, les romans antiques et les contes des jongleurs bretons. On s'accorde à situer son activité littéraire entre 1160 et 1190, les lais ayant probablement été écrits avant 1170.

Qu'est-ce qu'un lai? L'origine du genre est très controversée. Le mot est d'origine celtique. Vraisemblablement, il désigne d'abord une composition musicale exécutée par les jongleurs sur leur petite harpe, la « rote », puis un chant, toujours accompagné par la harpe, destiné à célébrer une aventure merveilleuse. Par extension de sens, le mot finit par désigner le récit de cette aventure. C'est de cette dernière forme que Marie de France s'est inspirée lorsqu'elle mit « en rimes et en vers » les lais qu'elle avait entendu conter. Tel qu'elle l'a utilisé, le lai narratif en octosyllabes peut être défini par rapport au roman comme une nouvelle.

1. Wace est aussi l'auteur du *Roman de Rou* (Rollon), une histoire des ducs de Normandie, qu'il commença en 1160. Né à Jersey vers 1100, il fut protégé par Henri II d'Angleterre.
2. « Je me nomme Marie et je suis de France ».

« Marie ai non si sui de France » (lignes 7 et 8) dans un recueil d'anciennes poésies françaises. (Arsenal, Paris.)

Les douze lais de Marie de France sont des compositions d'importance variable, allant de 118 à 1 184 vers, exploitant des données diverses. Mais, qu'on distingue les lais franchement « féeriques » *(Lanval, Yonec, Guigemar)* des lais plus « réalistes » *(Eliduc, le Laostic)*, qu'on tente même un classement par sujets, on se rend compte que le thème commun à tous les textes est l'amour et les conflits, moraux ou sociaux, qu'il fait naître. Marie de France connaît certainement les théories occitanes et se plaît parfois à de subtiles études doctrinales, mais elle évite toujours l'abstraction. Aux débats d'école, elle préfère l'étude psychologique d'êtres humains. L'amour qu'elle dépeint, qu'elle analyse, est un sentiment naturel, spontané, qui échappe aux classifications théoriques parce qu'il engage véritablement, totalement, le bonheur et l'honneur de héros prêts au sacrifice.

Cette passion, souvent tragique, peut excuser les amants qui transgressent les lois sociales, elle ne fascine pas Marie au point de lui faire abandonner tout jugement; sa lucidité, sa sensibilité de femme la poussent à sanctionner cruellement les fautes de ses héros, vantardise, ingratitude ou perfidie, à leur faire payer, souvent très cher, le bonheur auquel ils parviennent.

Mais le conflit psychologique qui attire l'auteur est d'abord l'objet d'analyses nuancées de sentiments. Marie ne prétend pas fonder une éthique de l'amour courtois. Quitte à négliger le récit des événements — aventures et prouesses —, elle s'attache surtout à la peinture poétique des décors et des âmes. Rien ne convenait mieux à ce dessein que le genre étroit — certains diraient étriqué, peut-être — du lai narratif. De ses origines, il conserve l'atmosphère enchantée : les fées aiment les chevaliers *(Lanval)*, les hommes deviennent loups-garous *(le Bisclavret)*; la sensibilité d'une femme y a mêlé la douleur terrestre, c'est assez pour que les conventions s'effacent et qu'apparaisse la plus émouvante poésie.

« TRISTAN ET ISEUT »

La légende

De tous les thèmes de la littérature médiévale, l'amour tragique de Tristan et Iseut est sans doute celui dont la fortune aura été la plus grande et la plus durable. Peu après son apparition en France, toute l'Europe l'exploite ; huit siècles plus tard, deux noms devenus symboliques suffisent à évoquer l'admirable mythe d'un amour fatal, irréductible aux mesquines conventions humaines. Ce qui a survécu dans la mémoire publique, grâce à de multiples interprétations littéraires, musicales (*Tristan und Isolde*, l'opéra de Wagner), cinématographiques même (*L'éternel retour* de Jean Cocteau), ce sont les données essentielles, anonymes, d'une légende. On ne confondra pas celle-ci avec les romans, différents dans leur forme et leur esprit, qu'elle a inspirés et qui nous l'ont conservée.

Joseph Bédier a reconstitué pour le public moderne le beau conte « d'amour et de mort » [1].

Après de merveilleuses prouesses — luttes contre le géant Morholt, contre le dragon d'Irlande —, l'orphelin Tristan, neveu du roi de Cornouailles Marc, a conquis, afin que son oncle l'épouse, Iseut, la blonde princesse irlandaise.

Sur le bateau qui les amène en Cornouailles, l'erreur d'une servante décide du destin des deux jeunes gens : ils boivent un philtre préparé par la mère de la princesse. Ce « vin herbé » devait unir

1. Le récit dont nous rappelons ici les grandes lignes a été reconstitué par J. Bédier à partir des fragments français des *Tristan* et de leurs imitations étrangères (Voir ci-dessus).

Marc et Iseut par le plus profond amour. Désormais, Tristan et la belle aux cheveux d'or s'aimeront malgré les lois, malgré les hommes, malgré eux-mêmes.

Le roi Marc épouse Iseut. Divers stratagèmes lui cachent les amours coupables de sa femme et de son neveu. Il finit pourtant par les surprendre, aidé par des barons félons. Condamnés, les deux amants échappent miraculeusement aux supplices infamants qu'on leur réservait et vont vivre dans la profonde forêt du Morrois, dans un affreux dénuement que l'amour illumine. Ils y seront surpris par Marc, un jour qu'ils reposaient côte à côte, mais vêtus et séparés par l'épée de Tristan. Leur chaste attitude émeut le roi qui part sans les éveiller en laissant son épée et son anneau de noces. Touchés par la clémence de leur seigneur, en proie aux remords, sermonnés par le sage ermite Ogrin, les deux amants décident de se séparer. Iseut est rendue à Marc et Tristan s'exile en Armorique.

Là, il épouse une autre Iseut, « aux blanches mains ». Mais il ne peut oublier son amour pour la reine, moins encore le partager. Plusieurs fois, il rentre en Cornouailles, déguisé en lépreux, en fou, pour de brèves et pathétiques retrouvailles avec la femme aimée.

Au cours d'un combat, Tristan est blessé à mort. Seule la reine Iseut pourrait le guérir. Un messager va la chercher; il convient avec Tristan d'un signal : au retour de son voyage, en vue des côtes d'Armorique, il hissera une voile blanche s'il ramène Iseut, noire si la reine n'a pu l'accompagner.

Iseut la blonde arrive trop tard, Tristan est mort, trompé par son épouse jalouse qui lui a annoncé que la voile du navire était noire. La reine expire sur le corps de son amant. Marc fait enterrer côte à côte les deux martyrs d'amour. Du tombeau de Tristan, une ronce jaillit et s'enfonce dans celui d'Iseut. Ainsi demeure, aussi vivace que la ronce, leur amour plus fort que la mort.

On ne sait presque rien de la genèse de cette légende, qui unit à des données celtiques évidentes des éléments populaires internationaux et des souvenirs de l'Antiquité gréco-latine. On s'interroge sur la manière dont elle a été introduite en France. Fut-ce par un récit breton ou par un poète français dont le talent aurait unifié des données diverses dans un roman aujourd'hui disparu? Tout ce que nous possédons, outre quelques poèmes épisodiques du XIIe siècle (1) et les remaniements en prose de la légende exécutés aux XIIIe et XVe siècles, ce sont deux textes fragmentaires, l'un de Béroul, l'autre de Thomas. A partir de ces débris de romans et des imitations d'Eilart d'Oberg et de Gottfried de Strasbourg, il est possible de reconstituer deux versions du roman de *Tristan et Iseut*, l'une dite « commune », l'autre « courtoise ».

Béroul et la version « commune »

Nous avons conservé du roman de Béroul (écrit vers 1160?) un fragment d'environ 4 500 vers (2) rapportant les épisodes centraux de la légende. L'imitation allemande d'Eilart d'Oberg (1180-1190?), la *Folie Tristan* de Berne (1180?) permettent de reconstituer les épisodes disparus du roman. Cette version de la légende est dite « commune » ou « non courtoise » : son caractère rude, parfois archaïque, ne permet guère, en effet, d'y relever l'influence de la civilisation nouvelle. Aux délicatesses de la vie courtoise, à

1. Un lai de Marie de France, *Le chèvrefeuille;* deux versions d'un même épisode de la légende, les *Folies Tristan*, conservées à Berne et à Oxford, qui relatent un retour du héros déguisé en fou à la cour du roi Marc.

2. On pense que les 3 000 premiers vers sont de Béroul, les 1 500 suivants d'un continuateur inconnu.

Miniature d'un roman de *Tristan* du XIVe siècle. (B. N, Paris.) Des serviteurs présentent des bassins d'eau aux souverains.

la casuistique sentimentale de la *fin'amor*, Béroul préfère la peinture, parfois sauvage, d'une passion coupable mais irrésistible. On est frappé par l'attrait qu'exercent les héros malheureux sur l'auteur qui place leurs amours pécheresses sous la protection de Dieu. C'est qu'à ses yeux Tristan et Iseut sont innocents, victimes du philtre, capables de remords lorsque celui-ci, après trois ans, devient sans effet.

Le texte de Béroul suscite une émotion très directe. Elle tient probablement aux conditions de diffusion de l'œuvre qui ont déterminé sa forme. Béroul était vraisemblablement un jongleur s'adressant à des auditoires divers, il ne pouvait adopter une structure de récit trop subtile, ni développer des thèmes peu connus du public populaire. Son art est avant tout le moyen d'une participation aux souffrances des héros, et non l'instrument d'analyses psychologiques ou idéologiques fouillées.

Thomas et la version « courtoise »

Les fragments conservés du roman de Thomas (1170?), la *Folie Tristan* d'Oxford (1190?), l'imitation de Gottfried de Strasbourg (1210?) constituent la version courtoise de la légende. Thomas d'Angleterre, ainsi nommé parce qu'il a dû vivre à la cour d'Henri Plantagenêt et d'Aliénor, était un romancier cultivé, sans doute un clerc, possédant les techniques de la rhétorique médiévale et soucieux de morale. Il nous reste 3 000 vers de son roman, répartis en divers épisodes consacrés aux dernières aventures et à la mort des héros.

Peut-être moins sensible que Béroul au drame de Tristan et d'Iseut, il exploite ce que leur passion a de symbolique, il s'efforce de donner aux souffrances des amants un sens fidèle aux conceptions courtoises de l'amour. Aussi modifie-t-il les données primitives de la légende, parfois bien gênantes! L'effet du philtre est illimité, car la magie devient symbole; les épisodes brutaux sont éliminés; les réactions des personnages sont l'occasion d'analyses détaillées de sentiments, de monologues subtils. Son art s'adresse à un public aristocratique averti, capable de reconnaître dans le déroulement d'une tragédie l'illustration d'un idéal qui lui est cher.

Quoi qu'on puisse penser des tentatives plus ou moins courtoises de Thomas et de Béroul, il faut reconnaître que les données essentielles de la légende, et particulièrement le philtre fatal, sont étrangères à la pure doctrine de la *fin'amor*. L'amour conçu comme destin s'oppose à l'amour librement choisi du troubadour; mais, moins intellectuel, il comporte peut-être plus de vérité humaine — et quelle vérité que la mort à laquelle il aboutit! Aussi conserve-t-il à travers toutes les interprétations qu'il a subies son pouvoir fascinant.

CHRÉTIEN DE TROYES

Nous ne savons presque rien de ce grand écrivain. Les dédicaces de ses œuvres nous apprennent qu'il fut successivement au service de Marie de Champagne et de Philippe d'Alsace, ce qui nous permet de situer son activité littéraire entre 1164 et 1190 [1]. Son nom indique qu'il était originaire de Troyes, ou qu'il résida dans cette ville où se tenait la brillante cour de Champagne.

Ce sont encore les œuvres, et elles seules, qui révèlent en partie la personnalité de leur auteur. Il possède indéniablement la culture et les techniques littéraires d'un clerc, ce qui ne signifie pas qu'il fut homme d'église. Écrivain de cour, il a lié son activité aux besoins intellectuels et esthétiques d'une élite aristocratique qui lisait ses romans et même les commandait. Chrétien est parfaitement conscient de la valeur de l'œuvre littéraire : elle ne permet pas seulement de servir un idéal, elle doit assurer à son auteur gloire et immortalité. Aussi l'écrivain prend-il soin de se nommer, voire comme dans le prologue de *Cligès*, de rappeler les titres de ses écrits.

Des œuvres ainsi revendiquées, des imitations d'Ovide et un conte de *Marc et Iseut la blonde* ont disparu. Outre les grands romans, il nous reste un *Philomela* inspiré des *Métamorphoses* d'Ovide et deux chansons d'amour qui font de Chrétien le plus ancien trouvère connu [1]. Ces

1. Marie de Champagne, fille du roi de France Louis VII et d'Aliénor d'Aquitaine, épouse le comte Henri Ier de Champagne en 1164. Philippe d'Alsace, comte de Flandre, meurt devant Acre en 1191.

1. On attribue aussi à Chrétien un conte édifiant : *Guillaume d'Angleterre*.

écrits, vraisemblablement les premières expériences littéraires de l'auteur, s'inspirent des thèmes en vogue à l'époque : classiques et provençaux. C'est à la tradition celtique que ce poète courtois et humaniste empruntera la matière et le cadre de ses grands romans; mais en l'interprétant très librement, dans un sens original, adapté aux désirs de ses lecteurs et à ses propres soucis esthétiques et moraux.

Cinq œuvres remarquables font de Chrétien de Troyes le plus grand romancier du Moyen Age et, à beaucoup d'égards, le véritable fondateur du genre romanesque ([1]).

« *Érec et Énide* » *(1170?)*

Érec, chevalier d'Arthur, conquiert vaillamment la belle Énide et l'épouse. Mais, tout à son amour, le preux néglige les armes. Ses compagnons l'accusent de « récréantise » ([2]). Énide s'afflige de la réputation qu'on fait à son mari; un jour, une plainte lui échappe, surprise par Érec. Fâché, doutant peut-être secrètement des sentiments de son épouse, le chevalier décide de partir à l'aventure. Seule Énide l'accompagnera, elle chevauchera devant lui et devra rester silencieuse quels que soient les périls menaçant le couple. La jeune femme enfreindra heureusement cette loi et aidera Érec à surmonter des dangers de plus en plus grands.

Tant d'épreuves partagées, surmontées par l'amour et la prouesse, réconcilient les deux époux. Érec peut alors triompher dans une dernière aventure, la « joie de la cour ». En rompant un enchantement maléfique, la prouesse du chevalier, mise au service d'autrui, rétablit le bonheur de tout un pays.

Une lecture superficielle pourrait faire passer *Érec et Énide* pour un roman à tiroirs, simple succession d'aventures brillantes. Ce serait méconnaître la réelle unité de l'œuvre qui tient à l'étude d'un conflit psychologique et au sens que Chrétien entend donner à sa résolution.

Les deux époux vivent une insupportable contradiction : leur amour est en grande partie fondé sur la prouesse d'Érec, mais il empêche cette prouesse de s'exercer. Cette contradiction ne peut être surmontée que par l'engagement total et commun des deux amants dans des aventures de plus en plus dangereuses, exigeant toujours plus de dévouement et de courage.

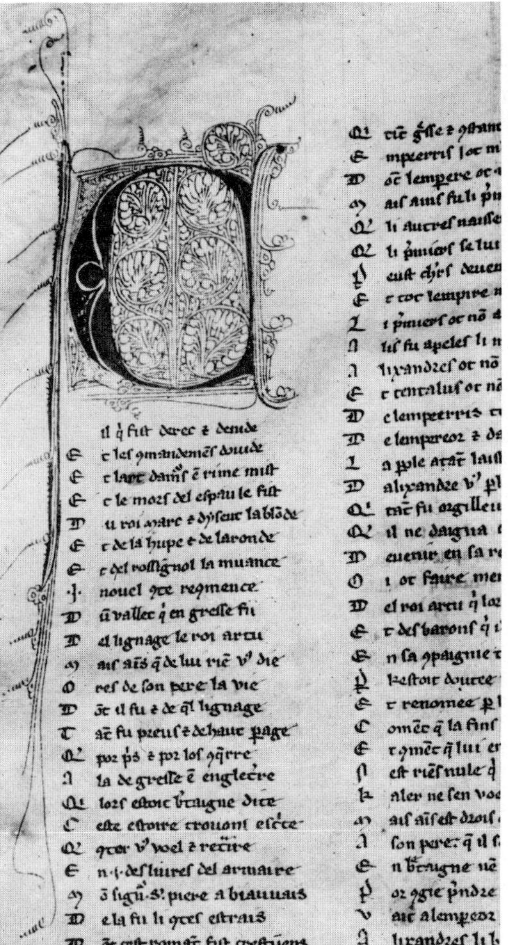

Le début de *Cligès* (manuscrit du XIIIe siècle, B. N. Paris) où Chrétien énumère les poèmes qu'il a composés auparavant : « Cil qui fist d'Erec et d'Enide Et les commandements d'Ovide Et l'art d'amors en rime mist... »

Ainsi l'amour s'approfondit-il à travers la prouesse, et l'équilibre entre la passion et les devoirs chevaleresques se rétablit-il pour le plus grand bien de la société. La dernière aventure, la « joie de la cour », est, à cet égard, exemplaire, elle manifeste le dépassement de soi auquel sont parvenus les parfaits amants, la joie personnelle reconquise rayonne sur autrui.

L'originalité du roman réside peut-être dans cet effort de l'auteur pour unir trois données souvent incompatibles jusqu'alors, l'amour, le mariage, la vie sociale. Effort qui néglige heureusement l'exposé dogmatique d'une thèse pour s'exercer sur la peinture nuancée d'un drame intime vécu par des héros aux personnalités riches et émouvantes.

1. De ces romans vastes et complexes nous ne pouvons donner ici qu'une analyse extrêmement sommaire qui ne retient que les situations et les thèmes essentiels.
2. Le « récréant » est celui qui, oubliant sa condition de chevalier, se déshonore en renonçant à la prouesse.

« *Cligès* » *(1176?) : un anti-Tristan?*

La première partie du roman est consacrée aux parents de Cligès, le prince grec Alexandre et la belle Soredamors qu'unit, à la cour du roi Arthur, un amour délicat et timide, complaisamment analysé par Chrétien.

Cependant, en Grèce, Alis, le frère cadet d'Alexandre, est monté sur le trône. De retour dans son pays, Alexandre accepte cette usurpation pourvu qu'Alis ne se marie point et laisse la couronne à Cligès.

Alis ne tiendra pas parole; après la mort des parents de Cligès, il décide d'épouser Fénice, la fille de l'empereur d'Allemagne. Mais Fénice est jeune et belle, Cligès est un adolescent accompli : un regard suffira pour les lier à jamais. Nous retrouvons la situation de Tristan et Iseut, Fénice aime le neveu de celui qu'elle doit épouser. Mais elle refuse cette situation, l'idée de se partager entre deux hommes lui est intolérable :

Qui a le cuer si ait le cors (v. 3263)
(Que celui qui a le cœur ait aussi le corps!)

La magicienne Thessala, gouvernante de Fénice, accomplit ce vœu. Un philtre abuse Alis qui ne possède son épouse qu'en songe. Pour permettre aux deux jeunes gens de s'aimer sans recourir à la fuite qui les déshonorerait, un autre philtre fait faussement mourir Fénice. Dans une tour flanquée d'un jardin féerique, les deux amants s'appartiennent secrètement. Lorsqu'ils seront découverts, la rage étouffera Alis fort à propos. Grâce à la magie, honneur et bonheur sont saufs. Fénice et Cligès peuvent se marier.

Dans ce singulier roman où s'accumulent les artifices, où se mêlent les thèmes exotiques et arthuriens, l'auteur montre clairement son intention de réinterpréter, parfois dans les moindres détails, la légende de *Tristan et Iseut*. A l'amour déterminé par la fatalité magique, il oppose l'amour fondé par un choix libre sur la jeunesse et la beauté. Fénice — qui se réfère constamment à Iseut, son modèle négatif — refuse le partage infamant entre deux hommes, refuse la fuite déshonorante. L'amour, si profond qu'il soit, ne doit pas être source de scandale, transgresser les exigences de la morale individuelle et sociale. Par un curieux retournement, c'est un philtre, comme dans la légende de Tristan, qui permet à Chrétien de résoudre les difficultés de son sujet. De les résoudre ou de les contourner? Les solutions qu'il propose sont magiques, imaginaires. L'humour, dont l'auteur égaie son œuvre, semble prouver qu'il n'était pas dupe du procédé. Ne faut-il pas, cependant, prendre au sérieux ce que la facilité du conte recèle d'idéal et d'exemplaire?

On sera sensible à l'exigence morale que défend Chrétien contre certaines tendances de la mode courtoise. On le sera plus encore peut-être, à l'approfondissement psychologique dont témoigne le roman de Cligès. Beaucoup plus que dans *Érec et Énide*, Chrétien s'attache à pénétrer et à exposer la vie intérieure de ses personnages. Il perfectionne un procédé de l'*Enéas* (voir page 30) et du *Tristan* de Thomas, celui du monologue analytique ou délibératif. Mais, avec lui, la technique littéraire devient la preuve de l'autonomie morale de héros qui refusent de se laisser aveugler et dominer par leurs sentiments, et qui entendent agir librement, conformément à leur volonté.

Cette miniature représente Lancelot dans la charrette après qu'il eut accepté ce mode de transport infamant pour retrouver sa dame.

« *Le chevalier à la charrette* » *(entre 1177 et 1181). L'honneur à l'épreuve de l'amour*

Lancelot part en quête de Guenièvre sa Dame, l'épouse du roi Arthur, emmenée par Méléagant au royaume de Gorre d'où nul étranger ne revient. Il hésite à peine à se couvrir d'infamie en montant dans la charrette — transport déshonorant pour un chevalier — qui doit le conduire vers la maîtresse de son cœur. Parfait amant idolâtre, il résiste aux tentations, surmonte de redoutables épreuves dont le « pont de l'épée », étroit et tranchant comme une lame, avant d'arriver au royaume maudit où Méléagant retient la reine et de nombreux sujets d'Arthur. Après avoir vaincu Méléagant, sans le tuer, Lancelot peut enfin voir sa Dame qui l'accueille avec froideur : n'a-t-il pas hésité — de deux pas! — à monter dans la charrette d'infamie? La prouesse du héros qui délivre la reine et les sujets d'Arthur est cependant récompensée. Mais Lancelot demeure prisonnier. Il ne quittera Gorre, clandestinement, que pour participer à un tournoi que la reine préside. Celle-ci qui croit le reconnaître exige qu'il se conduise « au pis ». Le chevalier accepte de passer pour un couard.

Guenièvre, enfin sûre des sentiments du chevalier, commande « au mieux » et Lancelot triomphe avant de regagner sa prison.

C'est là que Chrétien a arrêté la composition de son roman. Geoffroy de Lagny l'achèvera : Lancelot, délivré, rentre à la cour d'Arthur où il tue Méléagant.

Il est paradoxal qu'après avoir fait l'apologie du mariage et la critique de Tristan, Chrétien ait illustré un thème opposé à ses vues personnelles, exaltant l'adultère et la soumission de l'amant à la Dame. Était-ce pour obéir, comme il le laisse entendre, à sa protectrice, Marie de Champagne, et fut-il incapable de traiter complétement un sujet qu'il réprouvait?

Ce qui est sûr, c'est que Chrétien, malgré qu'il en eût, a été séduit par ses personnages. Le portrait de Lancelot est trop exemplaire pour avoir été tracé avec répugnance. Par la recherche de la femme aimée, recherche soumise aux conventions de la courtoisie, c'est la quête de lui-même qu'accomplit le chevalier, à travers les périls, les tentations, l'humiliation et la gloire. C'est au prix du dépassement de soi que Lancelot parvient à forcer les portes de l'autre monde, non seulement pour délivrer sa Dame et conquérir son propre bonheur, mais pour le bien de tous les humains retenus au royaume de Gorre. Une fois de plus, chez Chrétien, l'exploit individuel répand ses bienfaits sur la communauté.

Avec Lancelot, la sympathie de l'artiste, sinon l'adhésion du moraliste, a porté à sa perfection l'image médiévale du parfait amant que des sentiments proches du mysticisme élèvent au-dessus de la mesure humaine.

« Yvain » ou « Le chevalier au lion » (entre 1177 et 1181)

Après de fantastiques événements, Yvain, chevalier du roi Arthur, épouse la fière Laudine qu'il a rendue veuve. Mais il ne veut pas être de ceux que l'amour détourne de la chevalerie. Il obtient de son épouse un « congé » d'un an pour exercer sa prouesse de tournoi en tournoi, en compagnie de son ami Gauvain. Hélas! Le chevalier oublie le terme fixé par sa Dame. L'amour qu'elle lui portait est devenu haine. Désespéré, Yvain sombre dans la folie. Guéri par une femme en danger, le chevalier la délivre des entreprises du comte Allier et continue son errance. Il sauve un lion qu'attaquait un serpent; reconnaissant, le fauve s'attache à ses pas. Yvain est devenu le « chevalier au lion »... Aidé par le fidèle animal, le chevalier, d'exploit en exploit, s'affirme comme le protecteur des femmes en détresse. Il se décide enfin à affronter son épouse. Grâce à la fidèle suivante Lunette qui avait favorisé son mariage et qu'il a sauvée, par la suite, du bûcher, Yvain obtient le pardon de sa Dame, et tous deux renouent le plus parfait amour.

La prouesse peut-elle, paradoxalement, détruire l'amour qu'elle a fait naître? A travers les aventures d'Yvain et de Laudine, Chrétien, en inversant ses données, revient au problème qu'il posait dans *Érec et Énide*. C'est la prouesse d'Yvain, et l'ivresse qu'elle lui procure, qui lui font oublier son amour. Mais cette prouesse, affirmée par le jeu, enfermée dans l'univers brillant et factice des tournois, est vaine. C'est au contraire la prouesse utile, exercée dans le monde réel, mise au service des opprimés, qui permet au chevalier de retrouver son âme pour reconquérir enfin l'amour de son épouse, récompense obligée d'une valeur devenue exemplaire.

En illustrant ce problème, Chrétien atteint la perfection de son art. Mêlant au merveilleux poétique l'observation réaliste, au drame la comédie légère, à l'émotion l'ironie, il fait preuve d'une maîtrise psychologique jamais atteinte. Dans ce roman, nous retrouvons toutes les qualités qui nous séduisaient dans les œuvres antérieures, cette lucidité et cette générosité qui tracent par l'étude de situations dramatiques et poétiques les grandes lignes d'une morale originale, refusant les excès de la mode, mais adaptée aux désirs d'une élite.

Mais cette morale optimiste est toute profane. Pourtant, des valeurs dominantes de son temps, Chrétien n'a pas voulu négliger les plus hautes, celles du sacré. Dans un dernier roman que la mort de l'auteur a laissé inachevé, il a tenté de les intégrer à l'idéal trop mondain de la chevalerie courtoise.

Vers une chevalerie nouvelle : « Perceval » ou « Le conte du Graal » (après 1181)

Malgré les précautions de sa mère, le naïf Perceval suit sa vocation chevaleresque. De bons conseils, de rudes épreuves font de lui un chevalier émérite. Accueilli un jour par un roi infirme, il assiste au mystérieux cortège de la lance qui saigne et du « Graal », un vase précieux. Trop discret, le jeune chevalier n'ose interroger son hôte sur le sens de

Les chevaliers de la Table Ronde : la vision du Graal (XVe siècle). (B. N. Paris.)

cette cérémonie. Le lendemain, il quitte le château déserté et apprend que sa mère est morte de chagrin. L'action chevaleresque sera-t-elle la voie de l'oubli et du rachat? Alors qu'il séjourne à la cour du roi Arthur, une demoiselle hideuse révèle à Perceval sa faute : que n'a-t-il parlé lorsqu'il assistait au cortège du Graal! Il est maintenant trop tard pour secourir le roi infirme et sauver le royaume désert...

Pourtant, alors que Gauvain et les autres chevaliers d'Arthur décident de tenter des aventures redoutables, Perceval choisit de réparer l'irréparable : il part en quête du Graal. Un Vendredi saint, il aura la révélation de ses péchés, il entreverra une dimension nouvelle de l'action, le service de Dieu.

Le roman qui relate ensuite les aventures toutes terrestres de Gauvain n'est pas terminé et nous ignorons ce qu'il advient de Perceval.

L'inachèvement de ce vaste roman rend son interprétation difficile. Pourtant, sans qu'on puisse juger la conclusion qu'entendait donner Chrétien aux aventures de Perceval, son intention d'illustrer un idéal chevaleresque renouvelé, fondé en grande partie sur des valeurs religieuses, semble incontestable. Avec Perceval, la quête chevaleresque change d'ordre. L'épanouissement social et individuel du jeune homme naïf n'est qu'une étape, la perfection mondaine doit être dépassée par le perfectionnement spirituel. Aussi Perceval n'hésite-t-il pas à se vouer à l'impossible. La quête du Graal devient l'itinéraire initiatique qui doit conduire le héros à recouvrer la grâce.

En unifiant des thèmes chrétiens et des données païennes que lui fournissait une mystérieuse légende, l'auteur n'a pas seulement écrit un grand roman, il a créé un mythe. Quoique inachevée, son œuvre contenait les éléments d'un message que le XIIIe siècle devait entendre et magnifier (1).

Chrétien de Troyes et l'art du roman

Parfaitement conscient de son métier d'écrivain, Chrétien de Troyes s'est plu à souligner les données essentielles de sa création romanesque. Nous distinguerons donc avec lui, dans chacune de ses œuvres, la « matière », c'est-à-dire la source livresque ou légendaire dont il s'inspire, la « conjointure », c'est-à-dire l'effort d'organisation esthétique de la source grâce auquel le romancier se distingue de ses maladroits prédécesseurs, le « sen » enfin, c'est-à-dire l'esprit de l'œuvre, sa signification morale. Ne disons pas la thèse, car Chrétien, si soucieux de didactisme qu'il fût, a fort bien senti que la fidélité à la vérité psychologique était plus efficace que la raideur dogmatique, que le plaisir de conter une belle histoire devait parfois l'emporter sur le désir d'édifier.

On a vu comme l'ensemble de l'œuvre est nuancé. Aucune idéologie, aucune mode ne contraignent vraiment l'auteur. Il est lui-même, séduit par les exigences individuelles de la courtoisie, mais soucieux de l'accomplissement social de ses héros, attiré par les beautés du merveilleux breton, mais sensible aux réalités du siècle, moraliste exigeant, mais ouvert à la vie plutôt que zélateur d'une éthique rigide et artificielle.

Cette liberté intellectuelle du créateur est servie par la remarquable habileté et l'originalité du technicien. La « peine » que, de son propre aveu, Chrétien consacre à la rédaction de ses œuvres lui a permis de dépasser les modèles dont il pouvait s'inspirer. Ce n'est pas seulement la qualité de la composition, de la « conjointure » qui nous frappe dans ses romans, mais la vivacité des dialogues, la variété des descriptions, la fluidité des vers surtout : Chrétien a su briser la mécanique monotone des couplets d'octosyllabes, sa parole épouse librement les mouvements d'une analyse délicate, les heurts d'un monologue fiévreux...

Ses qualités assurèrent à Chrétien de Troyes une gloire rapide. Dès la fin du XIIe siècle et pendant le XIIIe, il fut considéré comme un maître et suscita de nombreux émules.

1. Voir ci-dessous le cycle du Graal, p. 39 et suiv.

LA DIVERSITÉ ROMANESQUE AUX XIIe ET XIIIe SIÈCLES

Il serait injuste de ne pas mentionner quelques-unes des œuvres qui, sans égaler les romans de Chrétien de Troyes, témoignent de l'ampleur et de la diversité de la création romanesque aux XIIe et XIIIe siècles.

Éracle ; Ille et Galeron (Gautier d'Arras, XIIe siècle). Ces deux romans ont été écrits par un écrivain de cour, rival de Chrétien, soucieux de vérité psychologique et peu attiré par le merveilleux.

Ipomédon, Protesilaus (Huon de Rotelande); *Partonopeus de Blois* (anonyme, XIIe siècle). Ces quelques titres, parmi d'autres, montrent la fécondité du courant « classique » et exotique illustré par les romans antiques et le *Cligès* de Chrétien de Troyes.

Floire et Blancheflor (vers 1170). C'est le type du roman « idyllique » : un amour d'enfance contrarié finit par triompher grâce à la loyauté des jeunes héros, à leur persévérance.

Aucassin et Nicolette (début du XIIIe s.). Cette œuvre charmante illustre le même thème, mais dans une forme originale, quasi dramatique, la « chantefable », où alternent les parties en vers à chanter (le manuscrit nous a conservé la musique) et les parties en prose à « fabler » (à réciter).

La poésie qui se dégage de l'amour des deux jeunes gens n'exclut pas une certaine satire des thèmes courtois.

La châtelaine de Vergi (deuxième moitié du XIIIe siècle). Cette courte nouvelle renoue avec les thèmes de l'amour tragique illustrés par Marie de France. La révélation d'un amour tenu secret entraîne la mort de deux amants.

L'escoufle ; Guillaume de Dole ; Le lai de l'ombre (Jean Renart, XIIIe siècle). Ces trois œuvres assurent à Jean Renart une place éminente parmi les successeurs de Chrétien de Troyes. Son souci du réel l'amène à laisser apparaître ce qu'il y a de brutalement humain derrière les conventions raffinées de l'idéalisme courtois.

LE CYCLE DU GRAAL

Les continuateurs de Chrétien de Troyes

Dans son dernier roman, *Perceval*, Chrétien frayait à la chevalerie une voie nouvelle. Mais l'œuvre inachevée n'offrait qu'une signification incertaine, les aventures des deux principaux héros, Perceval et Gauvain, inaccomplies, restaient obscures. Divers continuateurs s'efforcèrent de mener l'œuvre à son terme. Deux romanciers anonymes s'intéressèrent successivement à Gauvain et à Perceval; deux autres poètes, Gerbert de Montreuil et Manessier, terminèrent l'œuvre, chacun de leur côté, au début du XIIIe siècle.

Mais c'est Robert de Boron, à la fin du XIIe siècle, qui fit définitivement évoluer le sens de la légende utilisée par Chrétien en précisant sa valeur religieuse. S'inspirant probablement d'écrits monastiques, d'évangiles apocryphes, il consacre un premier ouvrage en vers, *L'estoire du Graal* (ou *Joseph d'Arimathie*), au mystérieux Graal qu'il identifie au plat dont s'est servi le Christ lors de la Cène et dans lequel Joseph d'Arimathie aurait recueilli le sang du Crucifié. Puis il conte le transfert de la relique en Occident. Un second ouvrage, *Merlin*, rend compte de la création de la Table Ronde et parachève la synthèse entreprise par Robert de Boron entre les thèmes chrétiens et les mythes celtiques, entre l'univers évangélique et le monde arthurien.

Une nouvelle étape, dont l'importance esthétique est considérable, est franchie lorsqu'au début du XIIIe siècle on récrit en prose les œuvres en vers de Robert de Boron complétées alors par un *Perceval* (1). On aboutit ainsi à la constitution d'un véritable cycle unifiant des données disparates dans un mythe cohérent.

Le « Lancelot Graal »

Le cycle du *Perceval* en prose n'était qu'une étape. Il fut dépassé par la création d'un cycle plus vaste, plus cohérent, plus ambitieux aussi : le *Lancelot Graal*. Cette véritable somme spirituelle développe la biographie de Lancelot —

1. Ce *Perceval* est peut-être la reprise d'un poème perdu de R. de Boron, adapté aux aspects nouveaux de la légende. A la même époque, un autre roman en prose, *Perlesvaux* (Perceval), conte comment Perceval rétablit par l'épée la foi chrétienne en Bretagne.

amorcée dans *Le chevalier à la charrette* de Chrétien — et joint aux thèmes mondains et féeriques que cette biographie illustrait le mythe du Graal dont la portée mystique était désormais fixée.

Ce vaste ensemble en prose se divise en cinq parties.

L'histoire du Saint Graal, *Merlin* reprennent en les développant les données apportées par Robert de Boron.

Lancelot retrace la brillante carrière du jeune homme éduqué par une fée, armé chevalier par le roi Arthur, conquis à jamais par la reine Guenièvre. L'amour coupable de Lancelot est la source de sa prouesse; c'est grâce à lui qu'il est devenu le meilleur chevalier du monde, discret, dévoué et généreux. Autour du couple adultère, l'auteur multiplie les personnages, entrelace les aventures, exploite la richesse féerique de l'univers arthurien. A beaucoup d'égards, cette œuvre pourrait apparaître comme l'apologie courtoise de l'amour du parfait chevalier pour sa Dame, l'illustration exemplaire des valeurs mondaines de la chevalerie.

Mais *La queste del Saint Graal* qui suit le *Lancelot* ruine les valeurs que ce roman exaltait.

Le roman nous présente d'abord l'attente et l'arrivée d'un chevalier parfait, Galaad, le fils de Lancelot; il vient à bout d'épreuves redoutables qui le promettent au plus haut destin. Puis l'apparition du Saint Graal aux chevaliers de la Table Ronde les détermine à se disperser en quête de la sainte relique. Cette quête entraîne les preux dans des aventures symboliques où leurs mérites sont impitoyablement jugés. Chaque épisode est allégorique, possède une « sénéfiance » (une signification) que de saints ermites s'empressent de révéler aux héros. Le terme des épreuves est la vision de Dieu, elle est réservée aux plus purs des chevaliers touchés par la grâce : Galaad, image chevaleresque du Christ, Perceval et Bohort. Alors que Lancelot, l'adultère, malgré ses mérites et son repentir, ne connaît qu'une révélation partielle et que Gauvain, qui s'entête et s'épuise en de vaines aventures mondaines, est écarté et humilié. Le roman s'achève par la sainte mort de Galaad et de Perceval, tandis que le troisième élu, Bohort, revient auprès du roi Arthur.

Tout en reprenant les données de la légende arthurienne, cet admirable récit s'inspire de l'idéologie monastique qui veut faire du Christ le modèle de l'homme (1). Il ne s'agit même plus

1. On s'accorde à voir dans *La quête* l'influence de la mystique cistercienne.

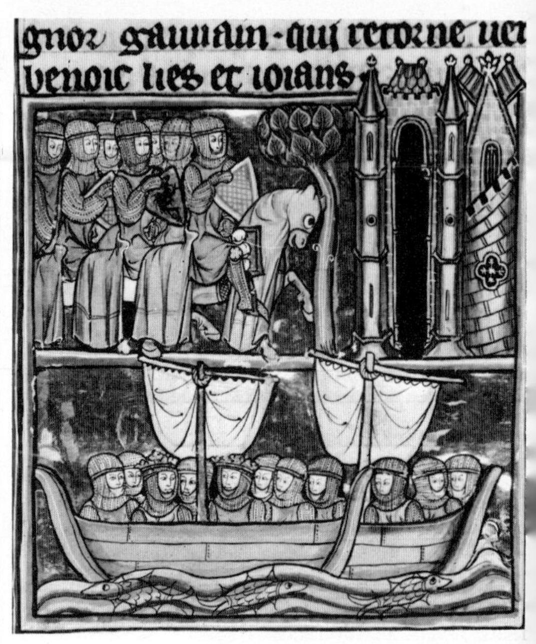

« *L'estoire de Merlin* » (miniature d XIIIe siècle). Représentation simultanée d chevaliers sur leurs montures et en mer

de concilier les valeurs chevaleresques et courtoises avec les valeurs religieuses, mais bien d'exalter celles-ci pour condamner celles-là La leçon que reçoit Lancelot d'un ermite montr bien que la prouesse est vaine si elle n'est pa soutenue par la grâce : « Car bien sachiez qu en ceste queste ne vos puet votre chevalerie rien valoir, se li Sainz Esperiz ne vos fet la voie e toutes les aventures que vos troverez » (1).

L'apologie de la chevalerie « célestienne » opposée à la chevalerie « terrienne » proposai un idéal sans doute trop ambitieux... Les survivants de *La queste*, de retour à la cour d'Arthur ne s'en souviendront pas. Le dernier ouvrage d cycle, *La mort le roi Artu* (la mort du roi Arthur) nous ramène dans un monde aux dimension humaines, trop humaines.

Lancelot retombe dans son péché, son amour pou la reine ignore toute prudence. Les deux amant seront surpris, la reine condamnée au bûcher. Lancelot parvient à la sauver, mais tue les frères d Gauvain qui lui voue dès lors une haine mortelle C'est tout l'univers arthurien fondé sur la fraternit

1. « Sachez bien qu'en cette Quête, toute votre chevalerie ne vous servira de rien si vous n'êtes pas condui par le Saint-Esprit dans toutes les aventures que vou rencontrerez. »

qui se déchire. De tragiques combats opposent Arthur et Gauvain à Lancelot en Gaule, cependant que Mordred, l'infidèle neveu du roi, s'empare de son royaume. Gauvain, blessé à mort par Lancelot, périt; Arthur et Mordred s'entretuent. Guenièvre, Lancelot et Bohort achèvent leur vie sous l'habit religieux, sauvés par le repentir.

Sombre roman, ce « crépuscule des héros » (J. Frappier), bien qu'il relate la disparition de l'idéal univers arthurien, n'est pas désespéré. N'assure-t-il pas la rédemption finale des héros réprouvés de *La quête du Graal?* Il est l'épilogue sage d'une trilogie romanesque qui, après avoir illustré l'idéal d'une vie mondaine pécheresse mais disciplinée *(Lancelot)*, désigne aux hommes un chemin presque impraticable de perfection ascétique *(La quête du Graal)*, et propose finalement une leçon réaliste qui condamne le péché mais n'exclut pas la grâce *(La mort le roi Artu)*.

L'ensemble des œuvres du cycle paraît donc extrêmement cohérent, et s'il est difficile d'admettre qu'il est dû à un auteur unique, on peut penser avec J. Frappier qu'il a été constitué entre 1215 et 1230 par une équipe obéissant aux volontés d'un « architecte » unique ([1]).

On ne peut méconnaître la grandeur de l'entreprise qui a rassemblé la vaste matière de Bretagne autour des thèmes essentiels de la culture médiévale : la prouesse, la courtoisie, la foi. Avec le *Lancelot Graal* s'achève pour un temps la grande création romanesque. Non que le genre tombe en défaveur, bien au contraire, mais, de remaniements en remaniements, les grandes œuvres s'altèrent, perdent leur force. Le *Tristan* en prose de la deuxième moitié du XIIIe siècle témoigne de cette décadence. Après 1250, aucun chef-d'œuvre ne vient rompre la monotonie des remaniements ou de romans divers, plus sensibles aux prestiges souvent faciles de l'aventure qu'à l'approfondissement des grandes doctrines morales ([2]).

1. Les auteurs et l'architecte des œuvres sont inconnus; « Maître Gautier Map » dont il est question dans *La quête* et dans *La mort le roi Artu* ne saurait être pris en considération.
2. Le *Roman de la Rose* est une exception qui mérite une étude particulière.

BIBLIOGRAPHIE

EXTRAITS DE ROMANS MÉDIÉVAUX : Jean FRAPPIER, *Les romans courtois*, Classiques Larousse, 1943. — Albert PAUPHILET, *Poètes et romanciers du Moyen Age*, Gallimard, coll. « Bibliothèque de la Pléiade », 1952.

MARIE DE FRANCE : *Les lais de Marie de France*, édités par Jean Rychner, Champion, 1966; *Les lais deMarie de France*, traduits par Paul Tuffrau, Piazza, 1959. — Ernest HOEPFFNER, *Les lais de Marie de France*, Nizet, 1959 (étude détaillée de l'œuvre. Les premiers chapitres sont consacrés aux romans antiques et à la matière de Bretagne). — E. SIENAERT, *Les lais de Marie de France. Du conte merveilleux à la nouvelle psychologie,* Champion, 1978.

Tristan et Iseut : BÉROUL, *Le roman de Tristan,* édité par Ernest Muret, Champion, 1957. — THOMAS, *Les fragments du roman de Tristan,* édité par B. H. Wind, Droz, 1960. — Joseph BÉDIER, *Le roman de Tristan et Iseut* (reconstitution de la légende), Piazza, 1922. — André MARY, *Tristan et Iseut,* Livre de Poche, n° 1306. — J.-C. PAYEN, *Tristan et Iseut. Les « Tristan » en vers,* édition et traduction, Champion-Garnier, 1980.

CHRÉTIEN DE TROYES : *Érec et Énide,* édité par Mario Roques, Champion, 1953; traduit par René Louis, Champion, 1954; *Cligès,* édité par Alexandre Micha, Champion, 1957; traduit par A. Micha, Champion, 1957; *Le chevalier à la charrette,* édité par M. Roques, Champion, 1958; traduit par J. Frappier, Champion, 1962; *Yvain,* édité par M. Roques, Champion, 1960; *Le conte du Graal,* édité par W. Roach, Droz, 1956; traduit par Lucien Foulet, Nizet, 1970; *Les romans de la Table Ronde,* extraits traduits par Jean-Pierre Foucher, Livre de Poche, n° 1998, 1970. — Jean FRAPPIER, *Chrétien de Troyes,* Hatier, « Connaissance des Lettres », 1968 (excellente étude de l'homme et de l'œuvre). — Simone GALLIEN, *La conception sentimentale de Chrétien de Troyes,* Nizet, 1975.

LE CYCLE DU GRAAL : *La queste del Saint Graal,* édité par A. Pauphilet, Champion, 1949; *La mort le roi Artu,* édité par Jean Frappier, Droz, 1964. — Traductions de *La queste del Saint Graal* : A. BÉGUIN et Y. BONNEFOY, Le Seuil, 1965, E. BAUMGARTNER, Champion, 1979.

LA LITTÉRATURE COMIQUE

Si les écrivains du Moyen Age ont su exalter et édifier leurs lecteurs, ils ont aussi voulu les faire rire, et grassement; s'ils ont su satisfaire leurs aspirations idéales, ils n'ont pas hésité à flatter leur grossièreté qui peut sembler provocante. Tout en proposant à leur public une image conventionnelle du monde, ils n'ont pas négligé de lui rappeler que la rude réalité existe. Le succès des fabliaux et des contes d'animaux constituant le *Roman de Renart* témoigne de la saine lucidité d'une civilisation qui n'est pas dupe de la noblesse de ses efforts, qui avoue en riant que la glorification de la Vierge, de la Dame et du preux n'abolit pas l'existence des femmes légères, des cocus et des vilains...

LES FABLIAUX

Si l'on s'en tient à l'étymologie, les fabliaux (1) sont de courts récits de fiction... Il est difficile de définir avec précision ces compositions brèves, en octosyllabes à rimes plates, destinées à la récitation publique. On distinguera ces « contes à rire en vers » (J. Bédier) des contes moraux et des lais narratifs courtois auxquels ils empruntent parfois des thèmes et des intentions. La verve, le ton plaisant du récit, le réalisme des situations et le refus du merveilleux qui caractérisent les fabliaux permettent d'éviter les confusions.

Nous possédons quelque cent cinquante textes, composés entre 1170 et 1340. Beaucoup sont anonymes, mais d'obscurs jongleurs, de grands poètes comme Jean Bodel ou Rutebeuf, des grands seigneurs, même, comme Philippe de Beaumanoir n'ont pas dédaigné d'attacher leur nom à un genre qui n'était certainement pas aussi « indigne » et « populaire » qu'on a parfois voulu le croire.

1. Diminutif de fable, le terme appartient au dialecte picard; la tradition l'a retenu de préférence au mot, du dialecte de l'Ile-de-France, *fableau*.

« Contes à rire », les fabliaux rient de tous, san distinction bien nette de classe sociale, d'âg ou de sexe. S'ils maltraitent particulièremen la femme et l'homme d'église, en soulignan la rouerie, la légèreté perverse de l'une, la gour mandise et la paillardise de l'autre, ils se gaussen aussi du paysan stupide, du riche bourgeois e n'épargnent ni le clerc ni le chevalier. Les fa bliaux rient de tout, sans retenue : adultère obscénité, scatologie, quiproquos et mauvai jeux de mots leur offrent d'inépuisables ressources Mais ils rient franchement. Ironiques et mêm grondeurs parfois, ils ne sont pas à propremen parler satiriques; la bonne humeur, la malic ne cèlent pas d'arrière-pensées indignées o réformatrices.

Surtout, les meilleurs fabliaux sont de fidèle croquis de mœurs, même si l'exactitude du cou d'œil tolère le grossissement caricatural d trait. Leurs auteurs n'inventent pas plus leur personnages que leurs décors : ils observent et il décrivent. A peine outré, le réel leur suffit c'est qu'ils n'ont d'autre ambition que de conte de bonnes histoires dans une langue drue et crue, libre de toute convention esthétique.

La vache au prêtre. Un paysan entend dire par son curé que Dieu rend au double ce qu'on lui offre. Aussi s'empresse-t-il d'offrir au prêtre, Blérain, sa vache. Le curé, fort cupide, la reçoit avec joie et l'attache à Brunain, sa propre vache. Mais Blérain entraîne Brunain jusqu'à l'étable du paysan. On imagine la joie de celui-ci qui voit s'accomplir la parole du religieux.

Un fabliau « moral » : *La housse partie* (1). Un riche bourgeois a cédé tous ses biens à son fils afin que celui-ci épouse une jeune fille noble. Il vit depuis à la charge de son fils, de sa bru et de son petit-fils qui a appris le sacrifice de son grand-père. Un jour, la dame du logis, fort orgueilleuse, exige de son mari qu'il chasse le vieillard. Celui-ci, cruellement déçu, demande qu'on lui donne au moins une couverture. Son petit-fils prend une housse de cheval qu'il coupe par le milieu. Aux reproches de ses parents, il répond qu'il garde une moitié de la housse pour le jour où lui-même chassera son père... La leçon porte et le vieillard est prié de rester à la maison.

LE « ROMAN DE RENART »

Origine et composition du roman

Malgré son titre, le récit des aventures de Renart, le goupil (1), n'est pas une composition cohérente. Le terme « roman » désigne un ensemble de poèmes disparates, appelés « branches », composés par des auteurs différents à des dates différentes s'échelonnant de 1175 à 1250 environ. Rapidement, des collections de ces branches furent constituées. Elles regroupent divers épisodes de la vie de Renart selon des classements aussi arbitraires les uns que les autres, aussi peu respectueux de la chronologie de leur composition que de la logique de leur enchaînement. Au total, plus de 25 000 octosyllabes à rimes plates content plaisamment les faits et les méfaits du goupil et de ses compagnons, constituant ce qu'on a appelé une sorte d'épopée animale. Tous les efforts, aux résultats encore provisoires, de la critique ont porté sur la mise en ordre de cette vaste et chaotique matière.

Les origines du roman retinrent d'abord l'attention. A ceux qui voulaient voir, dans les diverses branches, la simple mise en forme de contes populaires oraux d'origine germanique, ou puisés dans le folklore universel, on opposa le travail créateur des trouvères cultivés du XIIe siècle. Les sources livresques dont ces derniers ont pu s'inspirer ne manquent pas. La littérature latine médiévale n'ignorait pas les contes d'animaux. Des recueils de fables continuaient la tradition antique de Phèdre et d'Ésope. Plus précisément, des poèmes latins mettaient en scène le loup et le goupil : l'*Ysengrimus*, écrit vers 1152 par le Flamand Nivard, présente des personnages, Reinardus le goupil, Ysengrimus le loup, et des épisodes où l'on reconnaît sans peine des modèles exploités apparemment par les auteurs des premières branches.

Ce qui est sûr, c'est qu'un poète de talent dont on ne connaît que le nom, Pierre de Saint-Cloud, fut le premier, vers 1175, à conter en français :

> ... la guerre...
> Entre Renart et Isengrin
> Qui moult dura et moult fu dure (2).

Il traita ce sujet nouveau dans les branches II et Va qu'on s'accorde à lui attribuer (3).

Pierre de Saint-Cloud nous montre d'abord le goupil en action. Renart s'est introduit dans l'enclos d'un riche fermier, Constant de Noues. Chantecler, le coq, somnole sur un tas de fumier; Renart veut le happer et échoue. Il recourt alors à la ruse. Chantecler se souvient-il de son père Chanteclin qui chantait si fort les yeux fermés? Inquiet, Chantecler veut cependant prouver qu'il peut faire de même : il ferme un œil, chante et se fait prendre par Renart qui l'emporte vers le bois. Les gens de la ferme poursuivent le goupil et l'invectivent. Il serait piquant, suggère le coq, que Renart défie ses poursuivants.

> N'est si sage qui ne foloit :
> Renart qui tot le mont decoit
> Fu deceüz a cele foiz (4).

1. Rappelons qu'à l'origine, Renart est un nom propre, le nom commun désignant l'animal est goupil (du latin *vulpecula*, diminutif de *vulpes*); le succès de l'œuvre explique que le nom propre ait remplacé le nom commun.

1. « La couverture partagée ».
2. « La guerre entre Renart et Isengrin, qui fut si dure et dura si longtemps. »
3. On voit que le classement des branches ne tient pas compte de la chronologie.
4. « Il n'est si sage qui ne fasse folie : Renart qui trompe tout le monde fut trompé cette fois. »

La guerre de Renard et Ysengrin. (B. N. Paris.) Dans cette représentation, comme dans celle qui figure ci-dessous, on voit bien (vêtements, armes, attitudes) à quelle parodie du monde chevaleresque les aventures animales se prêtent.

Le goupil ouvre la gueule pour répondre à Constant de Noues et le coq s'envole...

Déçu, Renart tente de s'emparer d'une mésange, en vain. Il fait alliance avec Tibert, le chat, qu'il n'ose attaquer; il veut attirer celui-ci dans un piège, mais le chat trop rusé l'y pousse. Délivré, Renart trompe Tiécelin, le corbeau, qui lui abandonne un fromage, mais ne se laisse pas dévorer.

En quatre courts épisodes, proches encore des fables ésopiques, Pierre de Saint-Cloud nous a présenté Renart, le trompeur trompé, lorsqu'il s'attaque à plus faible que lui. Il nous a montré sa ruse et sa gloutonnerie. Il va ensuite l'opposer à son adversaire par excellence : le sot et brutal Isengrin.

Continuant son chemin, Renart entre par mégarde dans la tanière du loup Isengrin, heureusement absent. Le goupil courtise Hersent la louve, dévore ses provisions et souille ses louveteaux. De retour au logis, Isengrin entend châtier l'impudent. Une poursuite s'engage, au terme de laquelle Renart fera subir à la louve les derniers outrages. La colère d'Isengrin clôt la branche.

La branche V a est le complément logique de la branche II. Le loup passe sa rage sur sa malheureuse épouse, puis décide avec elle d'en appeler à la justice du roi, Noble le lion. Devant la cour réunie, Isengrin dénonce Renart. Noble soumet le cas à ses barons : au chameau, savant légiste, à Beaucent le sanglier, à Brun l'ours. Tiécelin le corbeau, Tibert le chat, rappellent leurs mésaventures. Grimbert le blaireau fera comparaître le goupil devant la cour.

Isengrin et les ennemis de Renart ourdissent un complot afin de tuer le goupil, mais celui-ci ne manque pas d'amis (Rousselet l'écureuil, la marmotte, la taupe, etc.). Il ne tombera pas dans l'embuscade tendue par ses adversaires.

Avec ces premières aventures, le roman était né. Renart et Isengrin apparaissaient avec des caractères définis, dans une situation dramatique propre aux rebondissements qu'il suffisait de développer comme on avait développé en cycles certains épisodes épiques.

On n'y manqua point. Un rapide succès couronna l'entreprise de Pierre de Saint-Cloud, et des imitateurs plus ou moins doués la poursuivirent. Une quinzaine de branches furent composées entre 1175 et 1205 et réunies dans un premier recueil au début du XIIIe siècle. Ce premier ensemble constitue le véritable *Roman de Renart*.

Valeur et signification du roman. Sa postérité

Presque tous les personnages de ce poème héroï-comique sont des animaux, mais qui parlent et agissent en hommes, obéissent à des règles empruntées au monde féodal du XIIe siècle. On devine le parti esthétique et moral que les meilleurs auteurs du roman ont pu tirer d'une telle ambiguïté. Sans renoncer au plaisir de dépeindre et d'animer des bêtes en respectant leurs instincts vrais ou supposés ainsi que leur milieu naturel, la rude et poétique campagne avec ses âpres paysans, ils ont su parodier sans lourdeur la société humaine et jusqu'à ses moyens d'expression artistique : l'histoire de Renart n'est-elle pas le geste d'un baron révolté, relatant les péripéties d'une guerre féodale? On ne peut que se réjouir de ce mélange de fantaisie et de réalisme.

Animaliers et psychologues, les trouvères les plus anciens et les plus doués ne se départissent point d'un sourire ironique; ils entendent amuser leur public, sans plus. La désinvolture qu'ils montrent à l'égard des valeurs les plus respectées : prouesse, courtoisie, justice, religion

La cour de Noble le roi.

même, ne signifie pas qu'ils ridiculisent l'idéal de leur temps : leur joie, saine et bienfaisante, démythifie sans doute, elle ne condamne pas.

Les continuateurs du XIIIe siècle seront moins bien inspirés. A la joie du conteur succède trop souvent la gravité du moraliste ou l'acrimonie du satirique. Il semble que la riche matière des aventures de Renart s'épuise. Pourtant, la fin du siècle voit un renouvellement du genre. Rutebeuf écrit entre 1260 et 1270 *Renart le Bestourné* (1), un anonyme flamand compose vers 1295 le *Couronnement de Renart* et, après 1328, un clerc de Troyes condamne son époque dans *Renart le contrefait*. Mais ces auteurs délaissent la composition de branches alertes pour rédiger des œuvres plus vastes dans lesquelles l'ambition didactique l'emporte sur toute autre considération.

LE RIRE MÉDIÉVAL

Au lecteur enthousiaste des épopées et des romans courtois, la littérature comique des XIIe et XIIIe siècles pose un problème. Faut-il admettre que ceux qui appréciaient la finesse et l'élégance de l'univers chevaleresque aient pu aussi se réjouir de la grossièreté d'un univers réel encore très rude? Oui, si l'on voit bien que le rire médiéval naît avant tout de la franche observation du monde comme il va, qu'il est acquiescement à la réalité — donc aux turpitudes qui n'excluent pas les plus purs élans — et non profanation d'une image idéale.

L'admirateur de Roland et de Perceval peut être déconcerté par les fabliaux et l'épopée parodique de Renart, il ne peut nier la valeur littéraire et documentaire de ces créations qui complètent la vision chevaleresque et courtoise du monde beaucoup plus qu'elles ne la contestent.

1. Renart le contrefait.

B. N. Paris © Coll. L. B.

BIBLIOGRAPHIE

TEXTES : Robert GUIETTE, *Fabliaux et contes,* Club du meilleur livre, Collection Astrée, 1960 (adaptation en français moderne, précédée d'une bonne introduction). — Gilbert ROUGER, *Fabliaux,* Gallimard, 1978, coll. « Folio ». — *Le roman de Renart,* édité par Mario ROQUES, Champion, 1948-1963. — *Le roman de Renart,* édité par J. DUFOURNET, Garnier-Flammarion, 1970. — R. BOSSUAT, *Le roman de Renart,* Hatier, 1971. — Philippe MÉNARD, *Les fabliaux, contes à rire du Moyen Age,* P. U. F., 1983.

LA LITTÉRATURE DIDACTIQUE RELIGIEUSE ET PROFANE

Il ne serait pas exagéré de dire que toute littérature, au Moyen Age, est didactique. Nous l'avons vu, la poésie lyrique, l'épopée, le roman, sous des formes diverses, proposent à leurs lecteurs une morale, déterminent plus ou moins explicitement un style de vie. Parallèlement à ces genres bien définis s'est développée une importante production littéraire, aux caractères formels imprécis, qui constitue une somme éparse des valeurs morales et des connaissances théoriques et pratiques de la civilisation médiévale. C'est cette production disparate que nous appellerons didactique ou édifiante.

On ne s'étonnera pas qu'une littérature intimement liée, dès son origine, à la religion ait continué de dispenser un enseignement se réclamant de la foi chrétienne. Mais entretenir la ferveur religieuse des hommes ne suffisait pas. Si odieux et méprisable que puisse être ce bas monde, il y faut pourtant vivre. Divers écrits profanes proposèrent donc à leurs lecteurs morale et connaissances pratiques conformes aux exigences de la vie quotidienne dans le siècle.

Les vies de saints

L'hagiographie à laquelle nous devons l'apparition de nos premiers monuments littéraires n'a cessé de se développer au Moyen Age, malgré le succès des grands genres profanes. Si l'on excepte une *Vie de sainte Thaïs* et une *Vie de saint Thomas Becket*, composées vers 1200, aucune œuvre marquante ne mérite d'être particulièrement signalée. Le phénomène hagiographique pris dans son ensemble est en revanche très significatif. Tel que nous pouvons l'observer à travers les nombreuses traductions de la compilation de Jacques de Voragine, la *Légende dorée* (1), il constitue un intéressant et non négligeable témoignage de la faveur dont les vies de saints, riches en leçons consolantes et propices aux naïfs émerveillements, ont joui pendant tout le Moyen Age.

1. Les traductions de cet ouvrage se multiplient dans la deuxième moitié du XIIIe siècle.

Les exemples et les contes dévots

En insérant dans leurs sermons — par souci pédagogique — de brèves anecdotes empruntées aux légendes pieuses, les prédicateurs médiévaux favorisèrent la composition d'exemples pittoresques où une grande leçon morale profite de l'intérêt que suscite une narration habilement menée.

Les contes pieux sont de la même veine. Le didactisme use de tous les prestiges de l'art littéraire pour exposer, sous forme de séduisantes paraboles, les plus salutaires leçons. Le plus connu de ces contes, le *Chevalier au barisel* (XIIIe siècle), exalte ainsi la vertu de pénitence à l'aide d'une émouvante affabulation.

Un chevalier, pécheur endurci, qu'un ermite a confessé, refuse les pénitences que celui-ci lui propose. Il accepte finalement, par moquerie, une pénitence « facile » : emplir d'eau un barillet que lui confie le prêtre. Lorsque le chevalier se rend à la fontaine, pas une goutte ne pénètre dans le « barisel ». Obstiné, le chevalier tente par tous les moyens d'emplir le petit baril. En quête de toutes les eaux du monde, il erre misérablement jusqu'à ce qu'une seule larme de repentir fasse déborder le miraculeux barillet.

Les miracles narratifs

Le culte marial, vivace aux XIIe et XIIIe siècles, favorisa la composition de nombreux miracles, récits merveilleux dans lesquels on voit de très simples personnages — souvent même des criminels ou des pécheurs endurcis — sauvés par l'intervention de la Vierge Marie qu'ils n'ont cessé de vénérer avec une touchante naïveté.

Parmi les recueils de ces miracles, celui de Gautier de Coinci, prieur de Vic-sur-Aisne (début du XIIIe siècle), est particulièrement remarquable. Artiste adroit et enthousiaste, Gautier conte, sans trop d'artifice, d'émouvantes légendes qui montrent bien quelle confiance ingénue et fervente les hommes d'un siècle dur avaient dans l'indulgence de la mère de Dieu. En plusieurs milliers de vers narratifs et lyriques, c'est une touchante leçon d'espoir transmise à un public qui en avait grand besoin.

Les « Vers de la mort » d'Hélinand de Froidmont

Des divers écrits spirituels qui foisonnent aux XIIe et XIIIe siècles, les *Vers de la mort*, écrits par le moine Hélinand de Froidmont vers 1295, sont sans doute l'exemple le plus frappant et le plus puissant. Avec une férocité inégalée, ce poème en douzains d'octosyllabes sur deux rimes (strophe probablement inventée par Hélinand et adoptée ensuite par de nombreux poètes) met en scène la mort, émissaire du poète, chargée de rappeler à ses amis qu'il ne faut songer qu'au salut de l'âme.

Le didactisme profane

Lorsque nous parlons de didactisme profane, il ne s'agit pas de tentatives pour élaborer une morale véritablement laïque, dégagée des principes religieux, mais des compléments apportés à ces principes, de la transmission d'une sagesse pratique adaptée aux besoins du monde.

Les *proverbes*, dont les recueils sont nombreux au Moyen Age, contiennent les formes les plus élémentaires de cette sagesse. On les empruntait aux traditions populaires, à la Bible, mais aussi aux anciens *(Distiques de Caton, Moralités des philosophes)*. En outre, de véritables traités de savoir-vivre et de savoir-aimer sont élaborés : *Enseignement des princes*, *Chastoiement des dames* (Robert de Blois, XIIIe siècle). Parfois, moins confiants en l'homme, les auteurs préfèrent la critique aux encouragements : la *Bible* de Guiot de Provins fustige amèrement la société du début du XIIIe siècle.

On voulut aussi initier les lecteurs aux sciences et à la philosophie. Les *Bestiaires*, *Lapidaires* et *Plantaires* sont des ouvrages de sciences naturelles, mais qui font une large place aux légendes merveilleuses et aux commentaires moraux. La mentalité médiévale, profondément symbolique, aimait voir dans chaque animal, dans chaque pierre, le symbole d'une vertu ou d'un vice ; aussi, dans ces ouvrages, l'édification morale l'emporte-t-elle sur l'information scientifique.

La tentation était grande de rassembler dans un livre unique, tout le savoir humain, toute la « sapience » d'une civilisation : un Florentin cultivé, que la vie politique agitée de sa cité contraignit à l'exil en France, y céda. Brunetto Latini (Brunet Latin), reconnaissant l'universalité de la langue française, écrivit, entre 1260 et 1270, une encyclopédie didactique : Le *Trésor*. Destinée aux laïcs, cette somme de connaissances essaie de ne rien oublier des mystères du monde : la géographie, la physique, l'histoire naturelle voisinent avec l'histoire des hommes, les lois de la rhétorique, la médecine et la politique. L'infinie curiosité et la sagesse de l'auteur font de ce livre un document du plus haut intérêt.

L'ensemble de la littérature morale et didactique peut paraître décourageant au lecteur moderne. Elle n'a certainement pas la haute qualité des grandes créations d'art que sont l'épopée ou le roman. Pourtant, elle participe avec ces dernières d'une même volonté : établir une sagesse mesurée qui permette aux hommes de mener une vie équilibrée par les exigences de la foi et les nécessités pratiques.

BIBLIOGRAPHIE

TEXTES : La littérature didactique et morale du Moyen Age est assez peu accessible au grand public. On trouvera néanmoins des textes significatifs dans : Albert PAUPHILET, *Jeux et sapience du Moyen Age*, Gallimard, coll. « Bibliothèque de la Pléiade », 1951 (outre divers écrits didactiques, on trouvera dans ce volume d'importants extraits du *Trésor* de Brunet Latin). — Albert PAUPHILET, *Poètes et romanciers du Moyen Age*, Gallimard, coll. « Bibliothèque de la Pléiade », 1952. — Jacques de VORAGINE, *La légende dorée*, Garnier-Flammarion, no 132 et no 133, 1967.

LA NAISSANCE DU THÉÂTRE LE DRAME RELIGIEUX ET PROFANE

De la religiosité médiévale, le théâtre est certainement le produit le plus paradoxal : issu de la liturgie, il renouvelle une tradition antique que les sévères pères de l'Église avaient condamnée. Mais les besoins catéchistiques d'une Église soucieuse de toucher les êtres les plus frustes, le caractère spectaculaire du culte firent naturellement évoluer certains aspects du rite catholique vers la représentation d'épisodes de l'histoire sainte se prêtant à une mise en œuvre dramatique. La langue vulgaire ne tarda point à remplacer le latin, des « auteurs » professionnels exploitèrent les sujets édifiants : le théâtre proprement dit était né.

Les origines du drame profane sont plus obscures. Faute d'éléments précis pour en juger, on peut seulement constater que dès le XIIIe siècle, grâce à un talent aussi varié que celui d'Adam de la Halle, un genre neuf, hésitant encore, est en train de se constituer.

LE THÉÂTRE RELIGIEUX

Ses origines

Au texte des offices religieux, dès le IXe siècle, étaient venus s'ajouter de courts commentaires chantés, appelés *tropes.* Certains de ces tropes comprenaient un échange de questions et de réponses et constituaient l'embryon de véritables scènes dramatiques. Ainsi évoquait-on, par exemple, lors de l'office de la Résurrection, la rencontre des saintes femmes avec l'Ange au tombeau du Christ.

A partir de ces courtes scènes, un véritable drame liturgique put se développer. Des auteurs anonymes créèrent le *Drame de Pâques*, puis le *Drame de Noël* qui évoquait la nativité. Intégré au culte, ce drame était écrit en latin et joué par les prêtres dans le chœur de l'église. A la fin du XIe siècle pourtant, le *Sponsus*, qui met en scène la parabole des Vierges sages et des Vierges folles, fit partiellement appel à la langue vulgaire plus propre à l'édification des fidèles.

Le « Jeu d'Adam »

Dès le XIIe siècle, un drame semi-liturgique, écrit en français, manifeste l'avènement d'un véritable théâtre qui sort de l'église et plante ses décors encore rudimentaires sur le parvis ou dans le cloître. Le *Jeu d'Adam* est le plus ancien témoignage de ce genre nouveau.

Écrit en français avec indications scéniques en latin, ce jeu comprend trois parties. La première et la plus longue relate la chute d'Adam et d'Ève, chassés du Paradis terrestre pour avoir cédé aux tentations du démon. La seconde, très courte, représente le meurtre d'Abel. La troisième, mutilée par le temps, était constituée d'un défilé de prophètes annonçant la venue du Rédempteur.

L'auteur anonyme de ce jeu fait déjà preuve de véritables qualités de dramaturge. Contraint de respecter à la lettre les textes sacrés, il a su douer ses personnages de vie authentique.

Le « Jeu de saint Nicolas »

Au début du XIIIe siècle, Jean Bodel, un jongleur professionnel d'Arras, à qui nous devons des poèmes lyriques et une chanson de geste, écrivit un autre drame semi-liturgique : le *Jeu de saint Nicolas.*

Une suite de scènes épiques nous présente le roi d'Afrique convoquant ses vassaux pour livrer bataille aux chrétiens. Le destin de ceux-ci s'accomplit sur

Une lettrine ornant le manuscrit du *Jeu de Robin et Marion* d'Adam de la Halle.

scène, ils sont défaits et meurent glorieusement. Un seul survivant est fait prisonnier alors qu'il implorait une statue de saint Nicolas. Le roi païen veut mettre le saint homme à l'épreuve : il fait annoncer à tous qu'il laissera ses trésors sous la seule sauvegarde de la statue de saint Nicolas. Dans une taverne — qui ressemble fort à celles que Jean Bodel pouvait observer à Arras — trois voleurs boivent, se querellent et jouent aux dés. Ils vont voler le trésor et reviennent à la taverne pour de nouvelles beuveries agitées. Dans le palais du roi, le chrétien est menacé de mort, mais, conseillé par un ange, il prie saint Nicolas. Celui-ci intervient auprès des voleurs qui restituent le trésor et la statue. Le chrétien est sauvé, le roi et ses hommes, touchés par le miracle, se convertissent.

Cet excellent drame qui s'inspire sans doute des jeux dramatiques « scolaires » écrits en latin pour glorifier le bon évêque Nicolas, est complexe. Sa représentation suppose une mise en scène très élaborée : les divers lieux de l'action sont simultanément représentés par des objets symboliques qui déterminent plusieurs décors dans lesquels les acteurs se déplacent. Surtout, l'œuvre de Jean Bodel combine des tons et des genres fort différents; au pathétique de l'épopée et au merveilleux de l'hagiographie s'associe un comique allègre, fondé sur le réalisme des situations et du langage. Sans doute Jean Bodel voulait-il édifier son public, il l'a aussi fait rire; avec lui, le théâtre se dégage sensiblement de la tradition liturgique.

Le « *Miracle de Théophile* »

Le *Miracle de Théophile*, écrit vers 1260 par le grand poète Rutebeuf (1), est plus fidèle à l'esprit religieux. Cette œuvre très courte — moins de 700 vers — adapte à la scène le genre des miracles narratifs si fécond aux XIIe et XIIIe siècles.

Victime de l'injustice de son évêque, le clerc Théophile, par l'intermédiaire du magicien Salatin, renie Dieu et vend son âme au diable. Ainsi retrouve-t-il ses biens terrestres. Mais l'apostat est torturé par les remords. Une émouvante prière obtient l'intercession de la Vierge qui arrache à Satan le pacte signé par Théophile.

L'œuvre est relativement simple. Elle exige une mise en scène simultanée, mais ne fait jamais intervenir plus de deux personnages à la fois. En fait, les longs monologues lyriques — à la versification parfois acrobatique — l'emportent sur les dialogues dramatiques. La sensibilité du « pauvre Rutebeuf » lui a fait préférer à une suite d'actions, une succession de situations psychologiques — désespoir, fureur blasphématoire, repentir — propres à l'expression poétique d'une personnalité déchirée.

LE THÉÂTRE PROFANE

Il ne semble pas que les imitations scolaires du théâtre antique — de Plaute et de Térence en particulier — aient exercé une influence directe sur la naissance du théâtre profane en France. Peut-être a-t-on adapté les formes dramatiques mises au point par le théâtre religieux à des genres traditionnels tels que le congé lyrique (1) ou la pastourelle (2). Les premières grandes œuvres profanes, dues à Adam de la Halle (dit aussi Adam le Bossu), permettent de le supposer.

Adam de la Halle est né vers le milieu du XIIIe siècle à Arras. Trouvère lettré, musicien de talent, il dut mener dans sa ville une existence

1. Voir page 25.

1. Voir plus haut, p. 27.
2. Voir page 25.

assez besogneuse, soumise aux aléas du mécénat, avant de passer au service du comte d'Artois. Il mourut à Naples vers 1288.

Le *Jeu de la feuillée* fut vraisemblablement composé vers 1276, alors qu'Adam quittait Arras, sa femme et ses amis pour aller achever ses études à Paris. Très libre d'allure, l'œuvre est fort difficile à définir.

On peut y distinguer trois parties. Dans la première, Adam qui prend congé de ses connaissances arrageoises, conte les désillusions que lui a apportées son mariage.

La seconde partie constitue la pièce proprement dite : un défilé de personnages réels et imaginaires, médecin, moine, fées, permet à l'auteur d'exercer sa verve satirique contre les vices et les ridicules de ses contemporains, un « dervé » (un fou) prenant à son compte les traits les plus hardis.

Des scènes réalistes de taverne forment la troisième partie, conclusion du jeu.

« La caractéristique de cette pièce, c'est le caprice » (J. Bédier), le caprice d'une revue satirique où se mêlent le réalisme et le rêve fantastique sans souci d'intrigue. Liée à l'actualité, l'œuvre est devenue, dans certaines de ses scènes, très obscure; sa composition trop lâche peut passer pour une faiblesse dramatique; mais on ne peut qu'être séduit par la verve qui anime les dialogues, touché par la férocité — masquant quelle amertume? — de l'écrivain. Les libertés excessives qu'Adam de la Halle a prises avec les exigences de la scène tiennent sans doute à l'absence de tradition théâtrale, elles viennent aussi du genre lyrique dont le jeu s'inspire, le *congé*, qu'à la même époque, mais dans un autre registre, le poète a pratiqué.

Le *Jeu de Robin et Marion* a été écrit vers 1285. Cette pièce transpose un autre genre lyrique, la pastourelle. Nous y retrouvons le trio traditionnel, Robin le berger, Marion sa promise et le chevalier qui tente de séduire la belle par de galantes propositions. Traitée avec humour et réalisme, cette situation conventionnelle a permis à Adam de la Halle d'exploiter son double talent de poète et de musicien; aux dialogues, il a mêlé des chants et des danses, créant ainsi la formule des divertissements de cour qui seront si appréciés quatre siècles plus tard.

Même si l'on ajoute aux importantes œuvres religieuses et profanes que nous venons d'énumérer quelques monologues dramatiques mimés comme le *Dit de l'herberie* de Rutebeuf ou une très courte pièce comme le *Courtois d'Arras* (anonyme) qui adapte la parabole de l'enfant prodigue, nous constatons que la production dramatique des XIIe et XIIIe siècles est assez réduite.

Mais, si hésitante que soit cette production — qui ne nous est peut-être pas parvenue tout entière —, elle est fort prometteuse. A mesure qu'elle se dégage des contraintes du culte ou des conventions des genres narratifs, elle affirme des qualités proprement spectaculaires que les auteurs des XIVe et XVe siècles sauront exploiter avec succès.

Arch. E. B. © B. N. Paris.

Chanson d'Adam de la Halle.

BIBLIOGRAPHIE

TEXTES : Albert PAUPHILET, *Jeux et sapience du Moyen Age,* Gallimard, coll. « Bibliothèque de la Pléiade 1951. — Adam de la HALLE, *Le jeu de la feuillée*, édité et traduit par Jean Rony, Bordas, 1969.

LA SOMME D'UNE CULTURE DÉCHIRÉE LE « ROMAN DE LA ROSE »

Au XIIIe siècle, la civilisation médiévale semble atteindre son apogée. Sous le règne de Louis IX (1226-1270) qui, symboliquement, unit les qualités de l'administrateur, du chevalier et du saint, les tentatives les plus hardies de l'art et de la pensée paraissent aboutir à l'équilibre de la perfection. Le *Lancelot-Graal* (voir page 39) mêle les divers courants de la prouesse, de la courtoisie et du mysticisme, cependant que saint Thomas d'Aquin, dans sa *Somme théologique* en latin (vers 1260), couronne apparemment l'effort de la pensée cléricale en conciliant la philosophie et la foi, Aristote et la Bible.

En fait, cet équilibre est souvent fragile ou même dangereux. Dans l'ordre de l'art, bien préservé, il tend à devenir immobilité satisfaite : dans bien des romans et des poèmes, on ressasse les mêmes thèmes consacrés, des valeurs difficilement acquises ne sont plus l'objet que d'artificiels et gratuits raffinements techniques. Dans l'ordre de la pensée, en revanche, l'équilibre de la foi et de la raison est menacé. Malgré les ambitieux travaux des théologiens, l'esprit du siècle est en proie au doute. Les querelles qui agitent l'Université à propos de l'aristotélisme le montrent bien. Albert le Grand, Thomas d'Aquin (1) entendaient éliminer les contradictions qui existaient entre la philosophie et la religion, les tenants des philosophes arabes héritiers de la pensée grecque, tel Averroès (2), acceptaient au contraire ces contradictions et avaient inventé la doctrine de la double vérité : celle de la Révélation et celle de la philosophie, de la raison naturelle...

C'est dans ce climat incertain qu'il faut replacer, afin de le bien comprendre, l'un des chefs-d'œuvre de la littérature médiévale, le *Roman de la rose*. Composé par deux auteurs d'esprit et de formation différents, il tient à la fois du véritable roman, magnifiant la pensée courtoise, et de l'encyclopédie didactique. Ce livre « double », par sa forme et son contenu, constitue, avec ses certitudes et ses ambiguïtés, une véritable « somme » de la culture et de l'art du XIIIe siècle.

1. Albert le Grand, théologien dominicain (1193-1280), fut le maître de saint Thomas d'Aquin (1225-1274).
2. Averroès (Ibn Rochd), médecin et philosophe arabe né à Cordoue (1126-1198).

La première partie du roman (Guillaume de Lorris)

Les 4 000 premiers octosyllabes du *Roman de la rose* furent écrits vers 1230 par un poète dont on ne connaît que le nom, Guillaume de Lorris. A l'en croire, c'est pour plaire à sa Dame qu'il composa son livre, en relatant un rêve qu'il aurait fait à l'âge de vingt ans.

Ce songe conduit Guillaume, l'Amant, près d'un mur où sont peints d'affreux personnages qui semblent interdire le passage vers un merveilleux jardin, le verger de Déduit (Plaisir). Dame Oiseuse introduit l'Amant qui participe à une joyeuse danse en compagnie de Beauté, Richesse, Courtoisie, Jeunesse... Puis il visite le jardin et, percé par les flèches que lui décoche Amour, devient amoureux de la Rose. Le dieu Amour promet le succès à l'amant à condition qu'il respecte ses dix commandements, véritable code de la courtoisie. Aidé par Espérance, Doux Penser, Doux Parler et Doux Regard, l'Amant entreprend la difficile quête de la Rose. Malgré les obstacles dressés par Danger, Honte, Peur, Malebouche et Jalousie, malgré les sermons de Raison qui voudrait le détourner de son amour, l'Amant parvient à donner un baiser à la Rose... Finalement, Jalousie décide d'enfermer la Rose et Bel Accueil, allié de l'Amant, dans un donjon gardé par les ennemis de l'Amant. Le poème se termine sur les plaintes de celui-ci...

Inachevé, ce roman prétendument autobiographique emprunte aux romans courtois un schéma traditionnel : celui de la quête amoureuse dans un univers merveilleux. Mais les personnages et les aventures cèdent la place aux allégories. Le procédé de personnification qui permet de faire agir et parler des sentiments ou des entités morales n'était pas nouveau, l'Antiquité et le Moyen Age l'avaient déjà utilisé. Il est systématisé par Guillaume de Lorris qui y trouve un excellent instrument d'analyse psychologique, capable de donner de la vie intérieure une représentation vivante, dramatique, très nette sinon très nuancée.

Ce procédé implique une lecture du texte à trois niveaux; lecture d'un récit d'aventures : un jeune homme se promène dans un jardin pour s'emparer d'une rose; lecture d'une psychologie : les personnages sont les sentiments, souvent en lutte, que suscite l'amour d'un homme pour une jeune fille; lecture d'une « leçon » enfin, car l'intention de l'auteur est bien de nous communiquer, par l'intermédiaire d'un exemple parfait, un véritable code de l'amour courtois auquel Guillaume adhère avec un enthousiasme visible. Le *Roman de la rose* est bien un livre « ou l'art d'Amors est toute enclose » ([1]), un véritable bilan des recherches et des raffinements que plus d'un siècle de culte voué à la *fin'amor* rendait possible.

Nous, modernes, sommes en général assez réticents envers les techniques trop galvaudées de la littérature allégorique. Il est bien difficile, pourtant, de résister au charme du premier *Roman de la rose*, à l'élégance de l'artiste qui a su animer son propos didactique de tant de juvénile enthousiasme. C'est que nous y retrouvons tout l'idéalisme courtois, cette religion de la femme et de l'amour, principe de perfection, dont la puissance poétique ne cesse d'être efficace.

La seconde partie du roman (Jean de Meung)

Le roman inachevé de Guillaume de Lorris fut continué par Jean de Meung qui ajouta au délicat poème de son prédécesseur près de 18 000 vers...

Né à Meung-sur-Loire vers 1235, Jean Chopinel vint étudier à Paris vers 1260. Là, il participa aux querelles de l'Université, et prit le parti de ceux qui entendaient fonder une philosophie de la nature aux tendances rationalistes, contre ceux qui refusaient les enseignements d'Aristote ([2]). On pense que l'imposante continuation du *Roman de la rose* fut composée entre 1270 et 1280. Le poète philosophe, à qui l'on doit aussi des traductions de Végèce, de Boèce et d'Abélard, mourut en 1305.

1. « Où tout l'art d'Amour est contenu », v. 38.
2. La Papauté et les Dominicains.

Le roman de la rose, manuscrit du XIVe siècle, (Bibl. Chantilly.) L'ami et l'amie sur un fond végétal stylisé.

Tout en respectant le cadre allégorique choisi par Guillaume de Lorris, et en menant l'aventure de l'Amant à sa conclusion souhaitée, Jean de Meung a modifié radicalement le sens et la portée de l'œuvre.

Malgré sa longueur, la seconde partie du roman est plus pauvre en action que la première. Nous retrouvons l'Amant à qui Raison et Ami adressent des discours contradictoires. Le dieu Amour intervient en faveur de l'Amant, on force le donjon, on libère Bel Accueil, mais très vite, Danger, Peur et Honte reprennent le dessus et reconduisent Bel Accueil en prison. Le siège de la tour recommence. Encouragées par deux nouveaux personnages, Nature et Génius, les troupes d'Amour reprennent courage. L'assaut est donné et la rose cueillie. Le poème s'achève sur l'éveil du poète.

On le voit, Jean de Meung a repris les « personnages » de Guillaume de Lorris en y ajoutant quelques allégories nouvelles dont le rôle et surtout les discours sont fort importants (Nature, Génius). Car ce qui explique la longueur de la deuxième partie du roman, ce qui en fait aussi l'intérêt, ce sont les nombreuses et copieuses digressions qui interrompent l'action. Jean de Meung fait tenir d'interminables discours à ses « personnages », explicitant lui-même le caractère didactique de son entreprise. Ainsi Raison disserte-t-elle pendant plus de trois mille vers; Ami, presque autant; quatre mille cinq cents vers sont accordés à Nature et à Génius, toute une encyclopédie !

Dans un style puissant, passionné, parfois un peu lourd, Maître Jean de Meung nous fait partager son savoir qui est vaste et varié. Il n'entend pas se limiter à l'étude de l'amour qu'il reprend pourtant, mais dans un sens opposé à la doctrine courtoise. Les commandements de celle-ci ne sont pour lui qu'une ridicule duperie; la seule fin de l'amour, c'est la procréation, le maintien de l'espèce. La femme, dans ces conditions, n'a plus rien d'une idole, elle est même fort malmenée par le poète... Les seules autorités sous lesquelles Jean de Meung entend placer l'homme sont celle de la nature qui ne saurait être en contradiction avec la volonté divine qui l'a créée, et celle de la raison accordée à l'homme par Dieu. Fondés sur de tels principes, les raisonnements du poète sont fort audacieux. Au nom des lois naturelles, Jean de Meung condamne non seulement l'amour courtois, mais la continence et le mariage, prônant l'union libre. Il attaque la féodalité, la royauté même, dénonçant la cupidité et les rapports de force qui sont à l'origine de ces institutions...

Sans doute les conceptions vigoureusement exprimées par l'auteur n'étaient-elles pas aussi révolutionnaires qu'on pourrait le penser. Elles contredisaient cependant bien des valeurs admises, à commencer par nombre d'enseignements du christianisme. Rassemblées dans un même ouvrage, elles aboutissaient à une glorification de l'homme et de ses pouvoirs, constituant le premier et peut-être le meilleur exemple dans notre langue d'une poésie scientifique et philosophique.

L'œuvre connut un brillant succès. La variété, voire l'ambiguïté de son contenu ne pouvaient que séduire les lecteurs d'une époque partagée entre l'admiration d'une culture accomplie, mais trop idéaliste, coupée des réalités, et le désir d'aborder, grâce à la science et à la réflexion philosophique, les vrais problèmes de ce monde. Ce succès se prolongea fort longtemps. Pendant deux siècles, poètes et penseurs trouvèrent dans le roman des modèles d'expression et des sujets de réflexion, admirèrent la grâce de Guillaume de Lorris, la puissance de Jean de Meung ou s'indignèrent de son cynisme.

La « récompense » : *Roman de la Rose*, manuscrit du XIVe siècle. (Bibl. Chantilly.)

BIBLIOGRAPHIE

TEXTES ET ÉTUDES : Félix LECOY, *Le roman de la rose,* Champion, 1965-1970. — Daniel POIRION, *Le roman de la rose,* Garnier-Flammarion, 1974. — Jean DUFOURNET, *Le roman de la rose,* Gallimard, coll. « Folio », 1984. — Traduction d'André LANLY, *Le roman de la rose,* Champion, 1971-1975. — Jean BATANY, *Approches du roman de la rose,* Bordas, 1973. — Daniel POIRION, *Le roman de la rose,* Hatier-Boivin, 1973.

LE DÉCLIN D'UN MONDE ET L'ESSOR DE LA LITTÉRATURE HISTORIQUE

Les XIVe et XVe siècles comptent parmi les plus troublés et les plus sombres de l'histoire de France. L'avènement de Philippe VI de Valois, en 1328, entraîna les protestations d'Édouard III d'Angleterre qui faisait valoir ses droits sur la couronne de France (1). En 1337 commençait la longue et tragique guerre de Cent ans. Très vite, les désastres s'accumulent : des rois faibles, une noblesse indisciplinée, mal préparée aux conditions de la guerre moderne, ne peuvent soutenir les assauts des Anglais. D'autres facteurs contribuaient à affaiblir le royaume de France : les révoltes des bourgeois déçus dans leurs ambitions, les « jacqueries » des paysans ruinés par la dévastation des campagnes, les maladies enfin, la peste, qui ravagent la population. Charles V, qui règne de 1364 à 1380, prudent et avisé, secondé par Du Guesclin, parvient à redresser provisoirement la situation. Mais autour de son successeur, Charles VI, qui est fou, la rivalité des grands féodaux dégénère en guerre civile et dégrade tout à fait la situation politique. La défaite d'Azincourt, en 1415, le traité de Troyes, en 1420, livrent la France aux Anglais. L'action de Jeanne d'Arc, qui manifeste l'apparition d'un véritable esprit national, inexistant jusqu'alors, marque le début du relèvement; l'indécis Charles VII est sacré à Reims en 1429, et commence à réorganiser le royaume. La guerre cesse en 1453. Tous les efforts de Louis XI, couronné en 1461, tendront à relever le pays épuisé par la guerre et particulièrement à détruire la puissance des grands féodaux comme les ducs de Bourgogne.

Sur le plan religieux, la situation n'est guère plus brillante. Dès 1295, un conflit oppose Philippe le Bel, soucieux de son autonomie politique, aux doctrines théocratiques du pape Boniface VIII qui prétendait régenter les rois. Après la mort de Boniface, sous la pression de Philippe le Bel, Clément V est élu et vient s'installer en Avignon. En 1378, deux papes sont élus, un Avignonnais, un Romain, c'est le début du grand schisme d'Occident. Trois papes se disputeront le pouvoir en 1409, et le concile de Constance (1414), s'il marque la fin du schisme par le rétablissement d'un seul pontife à Rome, consacre l'affaiblissement du Saint-Siège. Le grand rêve médiéval d'une chrétienté unie et harmonieuse, soumise au magistère spirituel du pape, est définitivement ruiné.

On comprend que, dans des conditions matérielles et morales aussi douloureuses, la pensée et les œuvres littéraires soient hésitantes et déchirées. Les genres traditionnels continuent d'exister avec des bonheurs divers; les traductions d'œuvres anciennes et modernes écrites en latin se multiplient; l'épopée agonise péniblement cependant que le roman, plus vigoureux, se développe sans se renouveler. L'idéal chevaleresque et courtois reste cher à l'aristocratie, mais sa force et sa pureté passées deviennent bien ambiguës; ce qui pouvait être une source de vigueur n'est souvent qu'un mirage auquel se complaît une société désireuse d'oublier dans le

Jeanne d'Arc tenant l'épée et l'étendard, telle que la représente une miniature d'un recueil de poèmes de Charles d'Orléans.

© Goldner.

1. Il était petit-fils, par sa mère, de Philippe Le Bel.

rêve les rigueurs du présent et les incertitudes de l'avenir.

La littérature historique, en revanche, est parfaitement adaptée aux besoins de l'époque. N'apporte-t-elle pas aux lecteurs angoissés les leçons du passé et les témoignages du présent? Ses enseignements — car elle entend enseigner — peuvent être reçus comme des moyens pratiques pour résoudre les difficultés d'une existence troublée et anxieuse.

L'HISTOIRE AUX XIIe ET XIIIe SIÈCLES

L'histoire médiévale est d'abord d'inspiration cléricale, et écrite en latin. De nombreux monastères rédigent des annales; à l'époque carolingienne, des érudits comme Éginhard ([1]) se consacrent à la biographie des souverains; l'abbaye de Saint-Denis, où reposent les rois, collectionne les documents historiques et compose des chroniques qui, rassemblées et traduites en 1274, deviendront les *Grandes chroniques de France.*

En langue vulgaire, l'histoire est d'abord difficile à séparer des genres littéraires en vogue : les croisades inspirent un cycle de compositions épiques ([2]); Wace, pour retracer l'histoire des Bretons et des Normands, adopte la forme romanesque des octosyllabes à rimes plates dans son *Roman de Brut* et son *Roman de Rou* ([3]). Peu soucieux de vérifier l'exactitude de leurs sources, les auteurs de ces œuvres cèdent facilement aux prestiges de la légende quand ils ne l'embellissent pas des trouvailles de leur imagination.

C'est au début du XIIIe siècle, avec l'avènement de la prose, instrument plus précis que le vers et d'un maniement plus aisé, que commence véritablement la littérature historique écrite en français. A peine la quatrième Croisade avait-elle pris fin que deux membres de l'expédition, Geoffroy de Villehardouin et Robert de Clari, entreprirent de consigner leurs souvenirs.

L'entreprise de justification de Villehardouin

Maréchal de Champagne, né vers 1152, Geoffroy de Villehardouin exerça, lors de la quatrième Croisade (1202-1204), des responsabilités importantes. Il fut de ceux qui négocièrent auprès de Venise le transport des croisés outre-mer. Devenu l'un des barons de l'Empire de Constantinople, il rédigea sa chronique vers 1207, et mourut sans avoir revu la France, probablement en 1212.

Dans son *Histoire de la conquête de Constantinople,* tous les efforts de Villehardouin tendent à légitimer l'action des forces françaises et vénitiennes qui, renonçant à lutter en Terre Sainte, s'emparèrent de l'Empire chrétien grec et finirent par couronner Baudoin de Flandres empereur de Constantinople (1204). Comment expliquer ce qui fut ressenti comme une trahison de la cause chrétienne? Villehardouin, qui fut un des chefs de l'expédition, n'essaie pas d'esquiver ses responsabilités, il les revendique au contraire, mais pour prouver que les Français furent contraints d'agir comme ils l'ont fait par un malheureux concours de circonstances.

De nombreuses défections de croisés au départ de Venise expliquent, selon le chroniqueur, qu'il ait fallu, pour payer le transport par mer, conquérir la ville chrétienne de Zara. A la suite de cette expédition, Alexis, prince de Constantinople, offrit aux croisés de les aider s'ils rétablissaient son père détrôné. Constantinople est alors conquise, mais Alexis ne tient pas ses promesses; les Français doivent de nouveau combattre et placer sur le trône l'un des leurs. A partir de ce moment, les forces chrétiennes, corrompues par les gains de la conquête, suffisent à peine à protéger le nouvel empire. Il n'est plus question de lutter contre les infidèles.

Si la mauvaise foi de Villehardouin reste à prouver, le caractère tendancieux de son œuvre est indéniable. Mais ce qui est peut-être la faiblesse de l'historien fait la force de l'artiste. Le souci de défendre une thèse confère à son récit une unité remarquable. L'auteur enchaîne rigoureusement les épisodes qu'il rapporte, et veut avant tout expliquer, par de lucides analyses, une situation complexe qui a scandalisé l'Occident chrétien. Aussi renonce-t-il presque toujours aux prestiges équivoques du merveilleux comme au pittoresque facile de l'anecdote relatée pour elle-même. La position privilégiée du diplomate

1. Auteur de la *Vita Karoli,* La vie de Charlemagne. Né vers 775, mort en 840.
2. Voir les chansons de geste. La *Chanson d'Antioche, Le chevalier au cygne.*
3. Voir page 31.

et du chef, la richesse de son information lui permettaient d'adopter cette attitude, l'art de l'écrivain la renforce : la concision et la vigueur du style témoignent de la clarté que l'homme de guerre et le mémorialiste entendaient projeter sur la confusion des événements.

Malgré les partis pris de l'auteur, la chronique de Villehardouin est une authentique œuvre historique où se manifeste déjà le besoin d'interpréter les faits.

Le témoignage émerveillé de Robert de Clari

Pauvre chevalier picard, Robert de Clari n'était, au contraire de Villehardouin, qu'un homme du rang, un simple croisé perdu dans la foule de ses compagnons et qui n'avait pas accès aux secrètes délibérations des chefs. Ses souvenirs de la conquête de Constantinople, qu'il relata vers 1210, après son retour en France, ne sauraient donc nous révéler les dessous de l'entreprise, mais ils ont la valeur d'un témoignage direct dont on ne peut suspecter la bonne foi tant il est naïf.

Robert de Clari, dans sa *Conquête de Constantinople*, retrace la vie quotidienne des camps, les combats, les cérémonies; il traduit sans beaucoup d'art, mais avec une familiarité pittoresque, l'émerveillement du croisé devant les richesses et les œuvres d'art d'un Orient magnifique. Le faible apport historique de sa chronique est amplement compensé par sa valeur de document humain.

A travers les deux relations, si différentes, du même événement que nous ont laissées Villehardouin et Robert de Clari, apparaissent deux tendances de la littérature historique. L'une est celle du mémorialiste qui veut expliquer les faits et éventuellement justifier sa conduite par un travail d'analyse et d'approfondissement. L'autre celle du témoin, plus sincère peut-être, mais trop souvent aveuglé par les apparences, sollicité par l'anecdote.

A la suite des travaux de Robert de Clari et de Villehardouin, des chroniques, des mémoires et des biographies tentèrent de satisfaire un public sans doute restreint mais curieux. Citons *La vie de Guillaume le Maréchal* qui dépeint les mœurs chevaleresques du XIIIe siècle et surtout les *Grandes chroniques de France* qui traduisent et rassemblent en 1274 les documents des moines de Saint-Denis. Mais le chef-d'œuvre de la littérature historique de l'époque qui unit le témoignage du chroniqueur aux confidences émues du mémorialiste est incontestablement le livre du Sire de Joinville, ami et biographe de Saint Louis.

Joinville présente *Le livre des sainctes paroles et des bons faits de notre saint roi Louis* au souverain Louis X le Hutin. (B. N. Paris.)

Joinville, l'ami intime d'un saint

Jean de Joinville, sénéchal de Champagne, naquit en 1225. Il se croisa en 1248, fut fait prisonnier et fut libéré en 1250. Il accompagna Louis IX en Syrie et rentra avec lui en France en 1254. De cette campagne commune date leur amitié. De retour dans son pays, il se consacra à la réparation des dommages causés à ses terres en son absence, tout en continuant de servir le roi. Il désapprouva son prince en 1267 lorsque celui-ci décida de reprendre la croix. Après la mort de Saint Louis en 1270, Joinville continua, mais avec réticence, à visiter la cour. Il déposa en 1282 au procès de canonisation de son roi, et mourut le 13 juillet 1317.

C'est la reine Jeanne de Navarre, femme de Philippe le Bel, qui lui demanda de composer *Le livre des sainctes paroles et des bons faits de notre saint roi Louis*. Il n'acheva sa tâche qu'en 1309. Des nombreuses biographies de Louis IX, celle de Joinville est la meilleure. Elle est le témoignage direct d'un homme qui a partagé la vie de son prince, et qui est plus soucieux de suivre la dictée d'une amitié tendre et sincère que les impératifs artificiels d'une entreprise hagiographique. Car cet ami intime d'un saint est un homme — fort courageux et fort dévot, sans forfanterie — qui nous parle d'un homme et qui sait que la vraie grandeur, la vraie sainteté, résident justement dans l'humanité jamais démentie du roi Louis. La volonté de Joinville n'est pas d'ériger une froide statue d'ascète, mais de peindre le portrait mouvant, divers dans sa vérité, d'un souverain à la foi ardente, désireux de vivre dans le monde, chevalier hardi et pur, sage administrateur, homme irritable aussi et emporté.

L'ensemble de l'œuvre ainsi conçue ne saurait être très ordonné. Nous n'y trouvons pas une relation complète et analysée du règne de Louis IX, mais une succession, parfois confuse, de tableaux ou de simples notations minutieusement rapportées. L'auteur n'hésite pas, avec une sincérité candide, à se raconter, à décrire ses actions et analyser ses sentiments. Mais à travers le culte amical et fervent rendu à un prince d'exception, la diversité des souvenirs de Joinville finit par rassembler, de manière particulièrement vivante, les éléments qui constituent l'histoire d'une époque.

Grâce à des œuvres aussi diverses que celles de Joinville et de Villehardouin, l'histoire est devenue au XIIIe siècle un genre autonome, caractérisé par un style et un esprit, dégagé des traditions épiques et romanesques. Sous l'influence des événements, elle devint, aux XIVe et XVe siècles, la forme majeure de la littérature narrative.

L'HISTOIRE AUX XIVe ET XVe SIÈCLES

Dans le monde en crise du XIVe siècle, l'histoire ne fut pas seulement amenée à se développer, elle changea sensiblement d'orientation. Devant la complexité des événements qu'ils voulaient rapporter, les historiens durent modifier leurs méthodes. Désireux d'offrir à leurs lecteurs la relation la plus complète et la plus précise des faits qui bouleversaient la société et les esprits, ils ont compris que leur seul témoignage, s'il restait privilégié, ne pouvait suffire. Aussi voit-on les meilleurs d'entre eux multiplier leurs sources d'information, confronter les témoignages oraux ou écrits qu'ils peuvent réunir. Grâce à cette activité d'enquêteur se développe une histoire documentaire proche de ce que nous appellerions le reportage.

Jean le Bel

Jean le Bel, chanoine de Liège (1290-1370?), entreprit vers 1352 de raconter dans sa *Chronique* la guerre qui opposait l'Angleterre à la France. Avec un grand souci d'exactitude, dans un style vigoureux et clair, il raconte ce que lui-même a pu voir, ou ce qu'il a appris, en interrogeant des témoins choisis pour leur compétence. Ainsi composée, la *Chronique* se présente comme un document rétablissant la vérité sur des faits que des récits mensongers avaient travestis.

Froissart

La vie de Jean Froissart — né à Valenciennes en 1337 alors qu'éclatait la guerre de Cent ans — semble n'être qu'une quête continue de documentation historique. Auprès de ses nombreux protecteurs, au cours de ses voyages — en Écosse, en France, en Italie, en Béarn — il a l'occasion de réunir des témoignages divers qui alimenteront sa vaste *Chronique*. Celle-ci, organisée en quatre parties, prétend couvrir l'histoire de tout le siècle. Le premier livre, remanié à plusieurs reprises, mène le lecteur de 1325 à 1369 (ou 1372, ou 1377, selon les versions); le second de 1377 à 1385; le troisième de 1385 à 1389, et le quatrième de 1389 à 1400. On ne sait ni où ni quand mourut Froissart au début du XVe siècle.

Cette œuvre gigantesque se propose de faire revivre soixante-quinze années de guerres, de pillages, de fêtes populaires, de fastes aristocratiques. C'est beaucoup, c'est trop pour un seul homme. Mais Froissart n'est pas seul, il emprunte à des centaines de voix différentes le récit — et le ton même de ce récit — des faits auxquels il n'a pu assister. Il interroge les princes comme les simples chevaliers, préférant toujours le témoignage oral au document écrit, exception faite de la *Chronique* de Jean le Bel dont il exploite le contenu et surtout la méthode.

Cette méthode de reportage l'exposait à des erreurs. Malgré le souci qu'a eu Froissart d'interroger les représentants des divers camps en présence, on ne saurait espérer une parfaite exactitude de témoignages qui, même contradictoires, sont trop près des événements pour ne pas mêler des anecdotes suspectes aux faits significatifs. Surtout, protégé par les grands seigneurs, obtenant ses renseignements grâce à eux, Froissart ne pouvait qu'épouser leurs

Portrait de Jean Froissart (1337 — début du xve siècle). Son témoignage — véritable reportage plutôt — couvre la presque totalité de la guerre de Cent ans dont il fut le chroniqueur partial et émerveillé.

préjugés. Il voit la guerre de Cent ans sous un angle exclusivement chevaleresque, comme une suite de « beaux faits d'armes » où ne sont pas particulièrement distingués les plus purs exploits et les plus odieux pillages; il ne sait pas déceler sous la superficie d'un spectacle grandiose et coloré les mouvements profonds d'un monde en crise. L'impartialité du chroniqueur est contestable aussi : payé tantôt par des princes « anglophiles », tantôt par des « francophiles », il modifie à mesure ses sympathies. Mais peut-on lui reprocher d'avoir agi à cet égard comme la plupart des hommes de son temps?

Car la valeur, fort grande en définitive, de l'œuvre de Froissart ne tient pas seulement à la relation si diverse et si vivante des faits historiques, mais aux faiblesses mêmes de cette relation, à sa partialité, à son orientation trop exclusivement aristocratique. Il n'y a aucune mauvaise foi dans l'admiration que Froissart porte à la chevalerie, beaucoup de naïveté au contraire. Cette admiration n'est-elle pas le plus précieux témoignage que nous apporte l'écrivain sur l'aveuglement de la haute société de son époque, qui n'a pas su déceler quelle anarchie politique, quel désordre sanglant se cachaient sous les apparences brillantes des combats chevaleresques? Sous la plume d'un enquêteur complaisant, d'un artiste plus soucieux de frapper l'imagination que de nourrir la réflexion, c'est tout un monde bouleversé qui témoigne collectivement de ses actes et de ses rêves.

Les écrits historiques, qui se multiplient au début du xve siècle, ne remédient pas aux défauts de la *Chronique* de Jean Froissart, et ils sont loin de présenter la même valeur littéraire. A mesure que s'aggravait la guerre de Cent ans, il devenait plus difficile pour les écrivains d'en évaluer toutes les conséquences, il leur devenait surtout impossible de la juger avec impartialité alors qu'elle dressait les unes contre les autres des factions aristocratiques rivales : Armagnacs et Bourguignons (1) écrivaient chacun leur histoire.

Georges Chastellain, chroniqueur officiel des ducs de Bourgogne, utilise habilement des sources variées, et s'efforce de concilier les besoins de la cause qu'il sert avec les exigences de la vérité. Mais, désireux comme ses maîtres de défendre l'apparat chevaleresque, il travestit avec une éloquence souvent ampoulée les rudes réalités du siècle. Le clerc anonyme qui rédigea, dans la première moitié du xve siècle, le *Journal d'un bourgeois de Paris* se signale tout au contraire par le réalisme lucide avec lequel il évoque les misères de la capitale et les horreurs de la guerre. Malgré leurs réelles qualités, ces auteurs restent extérieurs aux événements qu'ils rapportent, ils ne réfléchissent pas suffisamment à leur signification et prétendent encore moins en tirer des leçons de philosophie politique. Aussi leurs œuvres pâlissent-elles lorsqu'on les compare à ce qui passe à bon droit pour le chef-d'œuvre de la littérature historique médiévale : les *Mémoires* de Philippe de Commynes.

Commynes : histoire et réflexion politique

Les qualités qui font des *Mémoires* de Commynes une œuvre historique hors pair, au ton singulièrement moderne, s'expliquent en grande partie par la carrière politique de l'auteur. En 1467, à dix-sept ans, Philippe de Commynes entre au service de Charles le Téméraire et devient bientôt l'un de ses plus proches conseillers. C'est à ce titre qu'il participe en 1468 aux négociations

1. Armagnacs : les partisans du duc d'Orléans, frère du roi Charles VI. Bourguignons : les partisans du duc de Bourgogne.

de Péronne ([1]). Fut-il alors séduit par le caractère du roi Louis XI? Celui-ci, frappé par les qualités du jeune diplomate bourguignon, s'efforça-t-il de l'acheter? Affinités d'esprit et intérêt expliquent qu'en 1472 Commynes ait trahi le duc de Bourgogne en passant au service du roi de France. Il restera attaché à son nouveau maître qui lui confiera d'importantes missions, et lui accordera de non moins importants avantages matériels. Sous le règne de Charles VIII, Commynes connaîtra la prison avant de reprendre part aux affaires et de participer à l'expédition d'Italie qu'il désapprouve. Retiré de la politique sous Louis XII, il meurt en 1511 après avoir passé ses dernières années à défendre ses biens.

Probablement en utilisant des notes prises lors des événements rapportés, Commynes a composé huit livres de *Mémoires*. Les six premiers, écrits vers 1490, sont consacrés au règne de Louis XI, les deux derniers, qui relatent l'expédition d'Italie, furent rédigés après le retour du diplomate en France, entre 1495 et 1498.

1. Louis XI, qui avait soulevé les Liégeois contre Le Téméraire, dut traiter avec celui-ci et participer à la répression des révoltés.

On voit ici le duc de Bourgogne (qui porte au cou l'ordre de la toison d'or) rendre visite au chroniqueur Commynes, assis, au travail.

La position privilégiée de Commynes le rendait particulièrement apte à raconter les luttes armées ou politiques qui opposèrent Louis XI à Charles le Téméraire. Il ne relate d'ailleurs le plus souvent que les événements auxquels il a pris part, ou que des témoins dignes de foi et aussi informés que lui ont pu lui rapporter. De ces événements, il ne retient que les plus importants; l'anecdote, l'épisode spectaculaire mais marginal ne l'intéressent pas. Les dessous, les causes secrètes des faits l'attirent plus que leur déroulement. Nous ne trouvons pas chez lui de ces descriptions méthodiques et enthousiastes de cérémonies qui réclamaient toute la savante rhétorique des chroniqueurs bourguignons, ni cette fascination d'un Froissart pour les beaux faits d'armes. La guerre mérite certes d'être racontée, mais elle n'est pour l'auteur que la manifestation superficielle, hasardeuse et souvent incohérente des conflits dont la véritable nature et les effets se mesurent aux tractations politiques, aux subtiles et retorses négociations diplomatiques. Commynes n'hésite pas à montrer la vanité de l'action militaire, la stupidité de l'héroïsme chevaleresque : la ruse, la corruption, la cynique intelligence politique sont d'une efficacité bien supérieure.

Ces froides analyses font songer à Machiavel. Mais si Commynes pense que la grandeur se mesure aux succès obtenus — quels que soient les moyens de ces succès —, il corrige curieusement l'immoralisme de ses vues par un recours fréquent aux effets de la Providence. Le monde n'est pas complètement livré au hasard et à la méchanceté des hommes, les desseins de Dieu s'accomplissent en faveur des dévots et des humbles. Mais ce providentialisme n'est-il pas un moyen commode pour expliquer les échecs des plans les mieux conçus, et pour appeler les princes à plus de sagesse et de modération?

Car c'est à cela que Commynes entend parvenir, à l'élaboration d'une véritable sagesse politique, peu à peu dégagée de ses réflexions sur les événements, des portraits psychologiques sans concession qu'il se plaît à brosser et des comparaisons établies entre les divers systèmes de gouvernement en vigueur dans les pays qu'il connaît. Il faut savoir tirer la leçon de l'expérience historique. Les *Mémoires* de Commynes sont traversés d'une ambition pédagogique qui annonce les temps nouveaux de l'humanisme.

Des chansons de geste inspirées par les croisades ou des romans de Maître Wace aux *Mémoires* de Philippe de Commynes, on mesure l'évolution d'un genre littéraire et d'une époque. A une littérature d'illusion, qui trouvait dans la réalité l'occasion d'agrandir le champ du rêve, s'est substituée une littérature de connaissance et de lucidité. Plus exactement, des domaines différents se sont clairement distingués, car l'effort de pénétration du réel n'annule pas aux XIVe et XVe siècles les douceurs de l'évasion, l'évolution du lyrisme nous le montrera, mais il paraît de moins en moins possible de confondre l'action et l'idéal, l'histoire et le mythe. C'est tout le déchirement du Moyen Age finissant.

Charles le Téméraire, Chronique de Georges Chastellain. (B. N. Paris.)

BIBLIOGRAPHIE

EXTRAITS D'ŒUVRES : Albert PAUPHILET, Edmond POGNON, *Historiens et chroniqueurs du Moyen Age*, Gallimard, coll. « Bibliothèque de la Pléiade », 1952 (ce livre réunit de larges extraits des œuvres de Robert de Clari, Villehardouin, Joinville, Froissart et Commynes).

ÉDITIONS COURANTES : COMMYNES, *Louis XI et Charles le Téméraire,* Collection 10-18, n° 144. — COMMYNES, *Mémoires sur Louis XI,* édité par Jean DUFOURNET, Gallimard, coll. « Folio », 1979. — FROISSART, *La guerre de Cent Ans,* Collection 10-18, n° 202-203. — G. DE VILLEHARDOUIN, R. DE CLARI, *Ceux qui conquirent Constantinople,* collection 10-18, n° 301-302. — JOINVILLE, *Le livre des saintes paroles,* Payot.

LA POÉSIE LYRIQUE AUX XIVe ET XVe SIÈCLES

Les événements tragiques qui, au cours des XIVe et XVe siècles, suscitèrent une importante littérature historique n'ont pas empêché la survie ni même le développement plus ou moins heureux des genres traditionnels. La poésie lyrique, en particulier, connut à la fin du Moyen Age un fort grand succès. Malgré les ravages d'une guerre fort peu chevaleresque, malgré les meurtres politiques et l'éveil des consciences que les horreurs de l'actualité ne manquèrent pas de provoquer, les traditions courtoises des troubadours et des trouvères furent cultivées avec un raffinement esthétique accru.

Il serait trop simpliste d'expliquer cette anomalie en dénonçant l'aveuglement des poètes, en parlant de survivance décadente d'idéaux périmés. Que des hommes et parfois, comme Froissart, ceux-là mêmes qui suivaient de très près la réalité politique, aient pu penser à autre chose qu'aux malheurs de la société en pleine guerre de Cent ans n'est pas un scandale, c'est un problème qu'il faut au moins poser si l'on veut comprendre l'esprit du Moyen Age finissant.

La poésie et l'univers aristocratique

On ne saurait expliquer le contenu ni même l'existence de la poésie lyrique aux XIVe et XVe siècles sans prendre en considération le public qui la suscite. Cette poésie est « courtoise » non seulement parce qu'elle continue la tradition provençale, mais très précisément parce qu'elle s'adresse à une société dont les mœurs et les valeurs sont aristocratiques. Quelles que soient leurs attaches sociales personnelles, les poètes se veulent héritiers des troubadours et des trouvères. Ils leur empruntent des moyens d'expressions, des thèmes et un vocabulaire qui ont gardé tout leur prestige sur un public épris de traditions. Ce public, au sein des maisons princières, mène une vie fastueuse et policée, une vie esthétique, pourrait-on dire, attachée à maintenir par le recours à l'art des valeurs que le monde réel bafoue et condamne peut-être. Non que les aristocrates raffinés eussent délibérément choisi d'ignorer les troubles de l'Histoire, mais ce qui nous apparaît *a posteriori* comme le déclin d'une classe pouvait ne pas sembler irréversible à ses membres. Préférer l'idéal au réel, le rêve à l'action impure, n'était peut-être pas seulement s'évader d'un univers hostile, tricher avec le destin, mais faire acte de fidélité aux principes les plus nobles.

Il n'en reste pas moins qu'une grave ambiguïté caractérise la création poétique de l'époque. Si la poésie passe toujours pour l'expression de la vie courtoise, elle en est aussi l'ornement, l'accessoire luxueux. « La poésie n'est plus l'objet du culte d'une élite, elle sert de divertissement à l'élite » (P. Y. Badel). Le statut du poète, sa sérénité créatrice se trouvent profondément modifiés. Le troubadour était un seigneur composant lui-même des chansons d'amour, le poète du XIVe siècle est le plus souvent un professionnel au service du prince, il exerce sur commande une fonction noble et quasi sacrée. Aussi peut-il être tenté de distinguer ce qu'il doit à son protecteur de ce qu'il doit à la poésie, et de libérer, parallèlement à un lyrisme de convention, une expression plus personnelle.

Dans ces conditions, l'exploitation des thèmes courtois traditionnels tend à se modifier progressivement. L'affirmation de l'idéal contre le réel implique la défense d'un ordre menacé et le lyrisme devient discrètement didactique. L'intrusion de l'actualité, lorsqu'elle est trop évidemment contraire aux mythes, entraîne une révision des valeurs et l'élaboration d'une sagesse nouvelle : l'amour est toujours la source de vertu et de beauté qu'on glorifie, mais on médite aussi sur la condition de l'homme, sur ses vices, sur la mort qui le guette, et cette méditation se fonde de plus en plus souvent sur l'expérience quotidienne de l'existence personnelle. Peu à peu, le lyrisme évolue vers la conception moderne du terme, devient l'aveu d'une conscience inquiète.

L'allégorie : Nature présente Sens, Rhétorique et Musique à Guillaume de Machaut. (B. N. Paris.)

L'évolution des formes poétiques

Si les thèmes de la *fin'amor* ne furent que peu à peu modifiés et enrichis, les formes poétiques furent, en revanche, rapidement renouvelées. La chanson d'amour élaborée par les troubadours disparaît au XIVe siècle. Les poètes lui préfèrent toute une gamme de formes fixes, assez complexes, qui exigent une maîtrise technique proche de la virtuosité, et témoignent d'un grand souci de perfection formelle. Ces formes, *ballade*, *chant royal*, *rondeau*, *virelai* et *lai*, ne sont pas des créations du XIVe siècle. Les poètes de cette époque, et le premier d'entre eux, Guillaume de Machaut, n'ont fait que reprendre, en fixant des règles, en raffinant les techniques, la tradition anonyme des chansons à refrain dédaignées par les troubadours.

La *ballade* se compose de trois strophes construites sur les mêmes mètres et les mêmes rimes et se terminant par le même vers refrain. Un *envoi*, commençant souvent par le mot « prince », est ajouté aux strophes.

Le *chant royal* est conçu suivant le même principe, mais, plus long que la ballade, se compose de cinq strophes.

Le *rondeau* est un poème bref dont la forme la plus simple se présente ainsi :

AB aA ab AB

(les majuscules désignent les vers refrains, les minuscules les rimes des vers non répétés). Cette forme peut être élargie avec un refrain de trois vers :

ABB ab AB abb ABB

Le *virelai*, ou *chanson balladée*, est une forme plus complexe et plus longue qui comporte en principe plusieurs strophes avec reprises de refrain et alternance de mètres divers.

Le *lai* est un poème fort compliqué de douze strophes sans refrain.

Ces genres à formes fixes, qui demandaient un rigoureux travail de mise au point, s'accompagnaient encore de mélodies, ils étaient destinés à l'expression subjective des thèmes courtois. Une forme moins contraignante était nécessaire aux poètes désireux de raconter librement une expérience et d'en tirer les leçons. Le *dit*, pratiqué par Machaut et ses disciples, est un poème narratif récité ou lu sans accompagnement musical. On en connaît diverses espèces, de proportions parfois très vastes, multipliant les strophes simples ou alignant les octosyllabes à rimes plates. Mise en scène allégorique ou simple développement d'une situation concrète, le dit permettait aux poètes de conter des histoires exemplaires, d'analyser minutieusement, à force d'érudition ou d'expérience, des difficultés doctrinales, de glisser surtout des confidences personnelles qui eussent paru déplacées ailleurs.

LES POÈTES DES XIVe ET XVe SIÈCLES

Guillaume de Machaut

La grande renommée de Machaut est attachée à sa virtuosité de technicien du vers et plus encore à son talent musical [1]. Il a certes imposé les genres à forme fixe qui caractérisent la lyrique du Moyen Age finissant, mais il serait erroné de le considérer comme un découvreur rompant bru-

1. Il est l'auteur de la *Messe du sacre de Charles V*.

talement avec les techniques antérieures. Son œuvre marque à la fois l'aboutissement d'une tradition et son renouveau, la mise au point doctrinale et formelle des conceptions exprimées par les grands trouvèrent comme Adam de La Halle, et par le *Roman de la rose*.

Né vers 1300 en Champagne, Machaut reçut la formation d'un clerc. Après avoir été le protégé de divers grands seigneurs, le roi de Bohême, le roi de Navarre, il mourut chanoine à Reims en 1377. Poète pour la cour, il n'était pas un poète courtisan, et s'il fut l'interprète des Grands qu'il servit, il sut accorder sa propre sensibilité aux thèmes qu'on lui imposait. Cet expert était aussi un artiste inspiré et sincère.

Outre les très nombreux poèmes à forme fixe où il exprime avec art le meilleur de la tradition lyrique courtoise, Machaut nous a laissé des dits lyrico-narratifs. Le *Jugement du roi de Bohême*, le *Jugement du roi de Navarre, La fontaine amoureuse* révèlent confusément la personnalité de l'auteur derrière l'érudition et l'allégorie. Dans *Le voir dit*, le poète n'hésite pas à conter son aventure personnelle, à présenter son œuvre comme inspirée par ses propres amours — une liaison avec une jeune fille noble, Péronne d'Armentières. Il y avait sans doute beaucoup d'ambiguïté dans cette liaison littéraire, au moins l'auteur cessait-il d'être la voix de sentiments empruntés, sa parole s'accordait à son propre cœur. Le poète à gages des amours princières redevenait l'amant poète de la tradition.

En revivifiant le passé poétique, en précisant les formes nouvelles de la lyrique par une exigence constante de perfection, Guillaume de Machaut s'imposait comme un maître. Les disciples ne lui manquèrent point.

Froissart

L'un d'entre eux, Jean Froissart, est surtout connu comme chroniqueur (1). Il est très remarquable que l'enquêteur attentif au réel ait aussi été le chanteur du doux rêve courtois. Il n'y avait pas de contradiction entre les deux univers pour celui qui persistait à voir la guerre sous les nobles apparences de l'aventure chevaleresque...

Agréable poète, Froissart a écrit des formes fixes et des dits. Dans la tradition du *Roman de la rose*, ses œuvres — *Le paradis d'amour*, *La prison amoureuse*, pour ne citer que deux titres significatifs — reprennent les thèmes obligés de l'amour idéal.

1. Voir page 57.

Eustache Deschamps

Eustache Deschamps, né vers 1346, s'inspire lui aussi du maître Guillaume de Machaut. Théoricien, il compose en 1392 un art poétique, *L'art de dictier*, et c'est à lui qu'on doit l'adjonction d'un envoi aux trois strophes de la ballade. S'il s'applique à respecter comme ses devanciers les règles subtiles de la poésie courtoise, il se montre beaucoup plus sensible aux contradictions de sa situation d'écrivain de cour, et n'hésite pas à exprimer son humeur dans de nombreux textes. Avec lui, l'intervention personnelle du poète devient déterminante. Son attention au monde qui l'entoure et aux troubles de sa propre existence se manifeste à la fois par un didactisme moralisateur sévère et par une verve satirique fort éloignée de la délicatesse courtoise. Son *Miroir de mariage* ne se réclame en rien de la *fin'amor ;* son *Testament* burlesque s'adresse à un public de bons vivants et préfigure la fantaisie douloureuse de François Villon. Mais pour importante qu'elle paraisse, l'expression de la personnalité de l'auteur ne doit pas nous tromper : la « comédie du moi » n'est pas l'approfondissement de l'être, elle n'est encore qu'un jeu offert aux sourires de la cour.

Cet écrivain fécond — son œuvre compte 82 000 vers! — ouvrait pourtant la voie à un lyrisme nouveau, dégagé des étroites conventions courtoises. Son éloquence politique, qu'elle glorifie Du Guesclin ajouté à la liste des *Neuf preux*, ou qu'elle fustige les Grands de la cour de Charles VI, prouvait que la réalité n'était pas indigne d'inspirer une grande poésie. Malgré les désastres militaires qui marquèrent la fin du XIVe siècle, l'attitude d'Eustache Deschamps, qui mourut vers 1406, ne changea rien à l'orientation de la pensée du public aristocratique.

Christine de Pisan

Née en 1364, veuve en 1389 d'Étienne du Castel, Christine de Pisan vécut à la cour de Charles V et de Charles VI. Pour plaire à un public princier dont elle attendait des subsides, elle écrivit avec beaucoup d'élégance des ballades, des rondeaux et des dits. Fidèle aux thèmes de la courtoisie, elle les traite avec une sensibilité que sa féminité, sa douloureuse expérience du veuvage et de la solitude rendent particulièrement émouvante. Pour Christine, la Dame du rite courtois n'est pas une image abstraite, une divinité à l'abri des souffrances. Ce souci de la condition féminine s'exprime d'une façon plus ambitieuse lorsque le poète s'en prend aux idées exprimées par Jean de Meung dans la seconde partie du *Roman de la rose*. Car Christine de Pisan fut aussi une « intellectuelle » aux vastes lectures : la *Mutation de fortune*, le *Livre des trois vertus*, l'*Avision Christine* manifestent un goût des études philosophiques qu'on ne saurait ignorer chez une femme dont l'activité littéraire fut non seulement une nécessité pratique, mais un moyen de conquérir sagesse et consolation. Christine de Pisan mourut en 1430 après avoir glorifié l'œuvre de Jeanne d'Arc.

Alain Chartier

Né en 1385, secrétaire et notaire du Dauphin, le futur Charles VII, fort au courant des malheurs du royaume et des aspects pernicieux de la vie de cour, Alain Chartier est d'abord un moraliste et un écrivain politique. Son *Quadrilogue invectif* (1422) est un traité en prose; avec une éloquence nourrie des écrivains antiques, l'auteur fait s'exprimer quatre allégories : la France exhorte le Chevalier, le Peuple et le Clergé à prendre leurs responsabilités pour le plus grand bien de tous. Le *Lai de paix*, le *Traité de l'espérance* témoignent de la même ardeur politique, du même patriotisme sincère.

Ces soucis n'empêchèrent pas Alain Chartier d'écrire aussi des vers d'amour, et c'est à cette production courtoise qu'il dut l'immense renommée dont il jouit à son époque. En 1424, il composa *La belle dame sans merci* où il reprenait le thème traditionnel de l'amant rebuté par sa Dame : le dolent amoureux, qui n'a pu fléchir la cruelle, meurt de désespoir. Ce poème fut la cause d'un long débat alimenté par maints rimeurs : on accusait Chartier d'attenter à l'honneur des dames par la peinture de son héroïne. Il est certain que la cruelle désinvolture de *La belle dame sans merci* était peu propre à encourager les illusions courtoises.

Un beau graphisme de la fin du Moyen Age : Le titre de l'œuvre d'Alain Chartier, *La belle dame sans merci*. (Bibl. Chantilly.)

CHARLES D'ORLÉANS : LE PRINCE POÈTE

Né en 1394, le jeune duc n'a que treize années de vie heureuse lorsque son père tombe sous les coups des hommes de main de Jean sans Peur en 1407. La triste journée d'Azincourt, en 1415, le livre aux Anglais qui le retiendront prisonnier pendant vingt-cinq ans. Après son retour en France, en 1440, il s'efforce d'apporter sa médiation entre le roi Charles VII et le parti bourguignon. Probablement déçu par l'action politique, il se retire à Blois dès 1451; il meurt en 1465. On le voit, le destin n'épargna guère le prince, mais sans doute contribua-t-il à approfondir sa vocation poétique. L'inaction forcée, puis volontaire, du grand seigneur aiguisa l'instrument de l'artiste, éclaira le regard du sage.

On est pourtant d'abord frappé par le décalage qui existe entre la vie et l'œuvre. On attendrait du prince meurtri, du chevalier défait une parole guerrière et passionnée, on entend une voix délicate modulant avec élégance les thèmes traditionnels de la courtoisie. Charles d'Orléans trouvait certainement dans ce jeu aristocratique une liberté, une paix que le monde lui refusait, mais plus encore, il y pouvait transposer les inquiétudes de son âme, les douleurs de sa situation. Aussi s'agit-il moins, à la lecture des poèmes que le captif composait, de chercher les nuances délicates qu'un grand talent ajoute à des fictions amoureuses traditionnelles, que de ressentir la présence voilée d'un homme qui trouve dans le jeu subtil de ces fictions, dans la savante harmonie de leur expression, une correspondance étroite avec le mouvement de sa pensée.

Les formes fixes mises à l'honneur par Machaut convenaient bien à ce dessein, et l'usage des allégories imposé par le *Roman de la rose*. Les sentiments du prisonnier, « Douleur, Courroux, Desplaisir et Tristesse », devenaient autant de présences avec lesquelles il pouvait dialoguer. Libéré, déçu par ses manœuvres politiques, le duc resta fidèle à ses voix intérieures :

Il n'est nul si beau passe temps
Que se jouer à sa pensée.

Devenu « Prince de Nonchaloir », il ajouta aux ballades de la captivité de nombreux rondeaux. Le « livre de Pensée » s'accrut d'exquises compositions, de parfaits moments d'existence vécus ou rêvés où la nature et les saisons jouent un rôle important. Dans ce livre d'une vie, le poète pouvait, le lecteur peut, trouver le cours non seulement d'une destinée humaine, mais peut-être d'un destin universel :

Dedans mon livre de Pensée
J'ay trouvé escripvant mon cueur
La vraye histoire de douleur
De larmes toute enluminée...

C'est qu'avec l'âge, l'homme a découvert la sagesse, l' « Écolier de Mélancolie » porte sur le monde un regard attentif et résigné, réalisant la meilleure synthèse des deux tendances poétiques de son temps, la fidélité aux mythes courtois et l'élaboration d'une morale,

Devenus sages désormais
Mon cœur, vous et moy...

Mais ce sage ne pratique pas un moralisme abstrait; s'il profite de l'héritage didactique que ses prédécesseurs lui ont laissé, il fonde sa méditation sur une expérience personnelle sans cesse approfondie. A travers la tradition courtoise de discrétion et de généralité se manifeste la présence d'un individu; le lyrisme conventionnel retrouve avant de disparaître une vie authentique; sous la grâce de l'allégorie médiévale perce une sensibilité moderne.

Charles d'Orléans dans sa tour à Londres.

BIBLIOGRAPHIE

EXTRAITS ET ÉTUDES : On trouvera des extraits des poètes cités ici dans *Poètes et romanciers du Moyen Age*, Gallimard, coll. « Bibliothèque de la Pléiade », 1952. — Daniel POIRION, *Le poète et le prince*, P. U. F., 1965 (remarquable étude des aspirations et des formes lyriques aux XIVe et XVe siècles).

VILLON (1431-?)

« Aucun lyrisme n'est à la fois de nature plus personnelle et de portée plus générale... Aucun ne se situe de façon plus anecdotique dans l'espace et dans le temps, mais aucun ne se révèle aussi plus intemporel ni plus universel » (P. Le Gentil). Voilà, justement défini par l'un des meilleurs commentateurs de l'œuvre du poète, le « cas Villon ». C'est avec beaucoup de prudence et, si possible, une bonne information historique et philologique que le lecteur doit aborder les quelques centaines de vers qui, plus que toute autre production de la fin du Moyen Age, émeuvent sa sensibilité. L'œuvre qui nous fascine, cinq siècles après qu'elle fut écrite, est difficile, les savants commentaires qui l'ont éclairée et qu'il faudrait connaître n'ont pu en dissiper toutes les obscurités. Obscures sont les expressions d'un poète qui contrefait sa voix, mêle la vérité au mensonge, parle par antiphrase; obscures, les allusions à un univers quotidien disparu, à des personnages que la grande histoire n'a pas retenus; obscures, surtout, les intentions d'un homme dont la vie, fort agitée, n'est que partiellement connue, dont la personnalité mystérieuse suscite sympathie ou méfiance propices aux contresens et aux exagérations.

Mais qui consent à pratiquer la difficile approche de l'œuvre ne peut résister au pathétique appel d'une conscience déchirée. Sous le rire équivoque de la dérision, à travers le sarcasme et la cruauté, perce la voix pitoyable de notre « frère humain », sous la grimace de l'enfant perdu se dessine le visage nu d'un de nos plus grands poètes.

L'enfant perdu

Les éléments dont on dispose pour reconstituer la vie de François Villon ne permettent d'établir qu'une biographie incomplète et fort inquiétante. L'œuvre ne fournit que des confidences excessivement discrètes et trop ambiguës. Quant aux pièces officielles, il s'agit, pour la plupart, de documents de justice : lettres de rémission après un meurtre, séjours divers en prison, condamnation à mort commuée en bannissement..

Le nom même de Villon est douteux. C'est celui que le poète se donne, mais des documents universitaires et de justice l'appellent François de Montcorbier et François des Loges. On suppose que, né en 1431 de parents pauvres, François Villon a emprunté le nom de son « plus que père », ainsi qu'il le désigne, Guillaume de Villon, chapelain de Saint Benoît le Bestourné, qui le prit sous sa protection et lui permit de faire de bonnes études. Celles-ci ont dû se dérouler à l'Université de Paris, mais n'ont pas valu au maître ès arts Villon de bénéfice ecclésiastique. En revanche, la vie d'étudiant a certainement été pour le faible écolier l'occasion de plaisirs et de jeux dangereux. Dès 1455, la justice est saisie d'une affaire où Villon est impliqué; il s'agit du meurtre d'un prêtre, Philippe Sermoise. La justice reconnaissant la légitime défense de maître François, et tenant compte de sa bonne conduite antérieure, pardonne. Villon, qui avait fui la capitale, n'y rentre que pour commettre un nouveau délit, un vol avec effraction au Collège de Navarre, le soir de Noël 1456. Il n'est dénoncé qu'en 1457, mais il a déjà fui Paris après avoir écrit le *Lais*. De 1456 à 1461, il erre sur les routes de France; il passe par Blois où il séjourne à la cour de Charles d'Orléans, et laisse quelques poèmes dont la célèbre ballade « Je meurs de soif auprès de la fontaine... » On le retrouve en 1461 dans les cachots de Meung-sur-Loire, sans qu'il soit possible de déterminer les motifs de cette incarcération. Il est libéré en octobre, lors du passage du roi Louis XI. A la fin de 1461 et au début de 1462, il rédige son œuvre majeure, le *Testament*, et ne rentre à Paris que pour se retrouver en prison, pour vol. Libéré contre promesse de remboursement, il est arrêté un mois plus tard pour s'être trouvé dans une rixe, il est cette fois condamné à être pendu. Dans l'attente de l'exécution, il compose l'émouvante *Ballade* dite *des pendus*. En janvier 1463, le Parlement casse la sentence, et bannit Villon de Paris pour dix ans. On perd alors sa trace. Les aventures contées par Rabelais *(Quart livre)* sont légendaires.

Présentée aussi sèchement, et il faut bien se garder de la romancer, la biographie de Villon donne une assez piètre idée de sa personnalité. Il serait peu honnête et d'un moralisme bien étroit de s'en tenir là. On ne peut se faire une idée, approximative et diversement tendancieuse certes, de l'homme qu'en superposant à l'exposé incomplet des faits connus l'expression nuancée et complexe d'une psychologie, telle qu'elle transparaît dans l'œuvre du poète.

Illustration du *Grand Testament* imprimé en 1490. (Bibl. Chantilly.) Faut-il reconnaître dans ce personnage le « pauvre écolier François Villon », ou l'une des nombreuses victimes de ses legs burlesques?

L'œuvre

Elle ne nous est pas parvenue dans les meilleures conditions, différents manuscrits et éditions du XVe siècle présentent des leçons différentes qui ajoutent aux difficultés intrinsèques des textes.

On distingue le *Lais* (appelé parfois improprement *Petit testament*), le *Testament* (appelé aussi *Grand testament*) et les poésies diverses dont les titres (*Ballade des pendus*, *Le débat du cœur et du corps de Villon*, etc.) ne sont que des appellations traditionnelles commodes, mais le plus souvent indépendantes de la volonté de l'auteur.

Le « Lais »

A en croire Villon, ce poème de quarante huitains d'octosyllabes aurait été écrit dans la nuit du 24 au 25 décembre 1456, la nuit même où les coffres du Collège de Navarre furent crochetés. Il s'agit d'une sorte de congé que le poète prend avant une assez longue absence — sa fuite hors de Paris? — Rebuté par une femme cruelle, Villon lègue ses biens à ses connaissances avant de partir pour Angers.

A son protecteur Guillaume, il laisse son « bruit », c'est-à-dire sa renommée; à la femme qui l'a repoussé, son cœur martyr, enchâssé comme une relique. Puis viennent des legs burlesques : à un riche drapier, Villon abandonne la récolte de glands d'une plantation de saules! « A trois petits enfants tous nus », un splendide repas... mais ces pauvres enfants sont en réalité des usuriers qui ne sont nullement à plaindre!

Ce texte est difficile, il constitue une revue de personnages, clercs du Parlement, ecclésiastiques, « hommes d'affaires », qui sont cruellement caricaturés ou insidieusement malmenés. Bien des allusions sont obscures maintenant; on est pourtant sensible au rire du poète, à sa virtuosité de caricaturiste et l'on s'interroge : quelles sont les intentions de Villon? Que signifie le déguisement courtois d'amant martyr qu'il emprunte? Quel sens faut-il donner à la cruauté des legs satiriques? Il est fort probable que le *Lais* fut pour le poète désespéré, acculé au vol par sa faiblesse et sa misère, un moyen d'assouvir ses envies et ses rancunes, de transposer dans le jeu courtois devenu dérisoire l'échec d'une vie avide de bonheur et de plaisirs. Pourtant la gaîté domine, comme si la verve l'emportait

Le grant testament villon/et le petit. Son codicille. Le iargon & ses balades

Œuvres de Villon imprimées par Pierre Levet en 1489, page de titre.

sur l'apitoiement, la bravade agressive sur la détresse et le remords.

Le « Testament »

Le chef-d'œuvre de Villon reprend un schéma comparable à celui du *Lais*, mais l'attitude du poète n'est plus la même, il ne s'agit plus pour lui de prendre congé après un chagrin d'amour, mais d'envisager le départ définitif, la mort.

Villon s'en prend d'abord à l'évêque Thibaud d'Aussigny qui l'a fait emprisonner à Meung, et remercie son libérateur Louis XI. Avant de tester, le poète regarde rétrospectivement sa vie, il maudit sa misère, cause de tous ses malheurs, regrette les errements de sa jeunesse, envie le sort des joyeux compagnons d'antan qui ont réussi... Mais ne vaut-il pas mieux vivre pauvre que « pourrir sous riche tombeau »? Villon développe alors le thème de la mort; l'évocation atroce de l'agonie précède une longue suite de considérations morales sur les gloires du passé *(Ballades des dames du temps jadis)*, sur les méfaits du temps *(Les regrets de la belle heaulmière)* et des leçons tirées de ces méditations. Suit l'histoire des amours du poète : il est l'« amant renié » qui « renie l'amour », sa mort toute proche l'autorise à maudire un sentiment que la littérature médiévale vénérait.

Au vers 792 commence le véritable « testament ». Villon renouvelle, en les enrichissant, les dons burlesques et cruels du *Lais*. Lorsque le poète a réglé leur compte à ceux qu'il déteste, il demande cyniquement grâce à « toutes gens ».

La construction de ce long poème de 2 023 vers pose de nombreux problèmes. Dans la succession de huitains d'octosyllabes s'intercalent des pièces lyriques diverses, rondeaux et surtout ballades, qui furent écrites avant 1461-1462, date de composition du *Testament*. Il semble que l'auteur ait voulu établir sa propre anthologie poétique. On est frappé d'autre part par les contradictions qui apparaissent dans le ton du texte : à la gravité émue succèdent les sarcasmes. Faut-il penser que la première partie (v. 1 à 792) est postérieure aux grossièretés haineuses de la seconde, et imaginer un Villon vieilli et repentant, méditant sur la condition humaine, implorant le pardon divin? Moralement satisfaisante, cette hypothèse fait peu de cas de la volonté de l'auteur qui n'a pas renoncé à terminer son œuvre sur un ton cynique. Peut-être faut-il plutôt reconnaître, dans les aspects contradictoires du texte, les différents visages d'une personnalité partagée, tantôt résignée, tantôt impudente. La provocation peut aussi être une forme de honte et de pudeur...

La poésie

Villon est notre premier grand poète « moderne », mais il est aussi le dernier grand poète du Moyen Age. On ne peut le séparer de son temps si l'on veut le comprendre. Marot disait déjà qu'il aurait fallu vivre à Paris, connaître les lieux et les gens dont il parle pour apprécier pleinement son œuvre. D'une manière plus générale, nous constatons que Villon n'a inventé aucun thème, aucune forme : le testament parodique existait avant lui, et il ne pouvait, contre son époque, éviter les méditations sur la mort que poèmes et danses macabres multipliaient, sur la fortune aveugle, sur le salut des âmes. La force de Villon est de n'avoir pas traité ces sujets comme des thèmes obligés, mais comme d'authentiques soucis personnels. Il échappe aux conventions en les dépassant, en les imprégnant de vie réelle, donc en dégageant ce qu'elles expriment profondément d'une époque, d'une culture. Ce faisant, il fait comprendre la caducité, l'artifice de certaines d'entre elles : l'attitude de l'amant martyr figée par les règles courtoises sied mal à l'écolier avide de plaisirs, il ne peut l'adopter que par dérision et s'en délivrer par un rire qui n'exclut pas le regret douloureux.

Les décors, les images de Villon jouent le même rôle démythificateur. A la « poétique » et irréelle campagne des pastourelles, il préfère Paris qu'il évoque avec pittoresque. Sans doute son talent de caricaturiste le pousse-t-il à aggraver les défauts humains, on est frappé pourtant par l'apparition de l'authentique condition de l'homme à travers la complaisance apportée par le poète à décrire la laideur, la décrépitude des corps, la violence et la bassesse de leurs appétits charnels. Une poésie vraie, passionnément attachée au sensible se dégage des « beaux mensonges » de la tradition.

Mais le véritable noyau poétique de l'œuvre reste la personnalité de l'auteur. C'est elle qui émeut, qui intrigue. Non qu'elle soit aisément saisissable; si Villon n'hésite pas à se montrer, c'est avec des visages divers, et l'on craint, au moment où l'on croit enfin découvrir l'homme, de n'avoir aperçu qu'un masque. Qui est Villon? L'amant renié et malheureux ou le sensuel ami des catins, le fils tendre qui compose pour sa mère l'admirable *Ballade pour prier Notre-Dame*, ou le pécheur endurci qui se complaît dans la méchanceté? « Je ris en pleurs », la célèbre formule ne souligne pas seulement la dualité profonde d'une conscience, elle nous invite à superposer les deux visages les plus fréquemment entrevus dans l'œuvre : la face en larmes de l'homme déchu et repentant et celle, tordue par un rire atroce, du cynique qui surmonte sa détresse par de grinçantes provocations... Alors, peut-être, pouvons-nous découvrir un Villon pudique, qui repousse d'un ricanement une pitié qu'il craint de ne pas mériter mais que, désespérément, il réclame.

C'est ce Villon que tous, même peu ou mal informés, nous pouvons découvrir au hasard de quelques-uns des plus beaux vers de notre langue, un Villon qui, dans l'effort créateur que la mauvaise chance n'a pas annihilé, aura trouvé son salut : notre lecture fraternelle.

BIBLIOGRAPHIE

TEXTES : F. VILLON, *Œuvres,* éditées par Auguste Longnon, Champion, 1966. — F. VILLON, *Œuvres poétiques,* présentées par Daniel Poirion, Garnier-Flammarion n° 52, 1965. *Œuvres de Villon,* édité par J. DUFOURNET, Garnier, 1970.

ÉTUDES : P. CHAMPION, *François Villon, sa vie et son temps,* Paris, 1913 (pour bien comprendre certaines allusions obscures et situer les personnages). — Italo SICILIANO, *François Villon et les thèmes poétiques du Moyen Age,* A. Colin, 1934 (dans quelles traditions littéraires et culturelles se situe François Villon). — Pierre LE GENTIL, *Villon,* Hatier, coll. « Connaissance des lettres », n° 59, 1967 (excellente étude d'ensemble; on lira en particulier un remarquable chapitre consacré au rire de François Villon). — D. KUHN, *La poétique de François Villon,* Colin, 1967.

LE THÉÂTRE AUX XIVe ET XVe SIÈCLES

Au cours du XIVe et surtout du XVe siècle, la littérature dramatique a continué de se développer et de se perfectionner dans les deux domaines, sacré et profane, qui l'avaient vue naître. Elle était alors la seule forme littéraire qui s'adressât au plus grand nombre, et constitue pour cela un précieux témoignage sur l'esprit d'une période agitée.

Mais, pour le théâtre religieux, l'épanouissement est aussi une fin. Trop ambitieuses, trop ambiguës surtout, les gigantesques œuvres de la fin du XVe siècle resteront sans postérité. La production comique, en revanche, précise ses thèmes et ses techniques, se diversifie en genres voisins dont le plus accompli, la farce, fournit l'un des chefs-d'œuvre du Moyen Age finissant et reste la forme la plus vivante du théâtre médiéval.

LE THÉÂTRE RELIGIEUX

Les premières créations de notre théâtre religieux avaient exploité deux thèmes, la dévotion particulière à un saint ou à la Vierge (1) et l'histoire sainte (2), qui, en se précisant, donnèrent naissance aux deux grandes formes dramatiques des XIVe et XVe siècles : les *Miracles* et les *Mystères*.

Les « Miracles »

Le *Miracle* est le genre le plus fécond au XIVe siècle. Nous avons conservé de cette époque un manuscrit qui recueille quarante *Miracles de Notre Dame par personnages*. Malgré l'unité de ton qui la caractérise souvent, cette collection réunit des pièces d'auteurs divers, écrites à des dates différentes.

Cultivés et dévots, les auteurs des *Miracles* ont cherché leur inspiration dans la littérature narrative religieuse et profane qui leur proposait des situations désespérées dans lesquelles la Vierge miséricordieuse pût intervenir. Cette confiance, naïve et familière, dans les miraculeuses intercessions de la mère du Christ qui sauve les criminels les plus endurcis, pourvu qu'ils aient conservé leur foi en elle, est un touchant témoignage sur les espoirs d'une époque angoissée par la violence et la mort.

Mais, tout soucieux qu'ils sont d'édifier et de rassurer leur public, les auteurs veulent aussi satisfaire son goût pour le spectacle. Drames aux dimensions assez restreintes, les *Miracles* font appel aux ressources d'un décor relativement riche, d'une action haletante, voire du comique qui apparaît çà et là, à l'occasion de scènes réalistes.

Les « Mystères »

Alors que le *Miracle* met en scène une situation humaine, familière, que vient modifier le surnaturel, le *Mystère* est d'inspiration toute sacrée et retrace l'histoire divine telle que la proposent les écritures saintes.

Dès le XIVe siècle, des associations à statut officiel, les « Confréries », s'étaient chargées de représenter la vie du Christ. Mais aux représentations traditionnelles de la Nativité et de la Résurrection qui sont à l'origine du drame liturgique, vint s'ajouter le plus dramatique des épisodes, la Passion.

Le succès des *Mystères* fut prodigieux; leur exécution était une véritable fête, paralysant les activités des villes, nécessitant la collaboration de plusieurs centaines d'acteurs, la mise en

1. Voir le *Jeu de saint Nicolas*, le *Miracle de Théophile*.
2. Voir le *Jeu d'Adam*.

œuvre de décors simultanés très complexes où se multipliaient les lieux d'action, ou « mansions ». Les proportions gigantesques des œuvres exigeaient leur division en plusieurs journées de représentation qui réunissaient une foule immense et disparate.

Des grands *Mystères* que nous connaissons, le chef-d'œuvre est certainement le *Mystère de la Passion* composé vers 1450 par un clerc, organiste de Notre-Dame, Arnoul Gréban. De la Création jusqu'à la Résurrection, en un prologue et quatre journées, près de 35 000 vers dits par plus de deux cents personnages retracent les épisodes de l'histoire sainte. Gréban a su profiter des possibilités variées que lui offrait son immense matière. Il passe avec souplesse des scènes réalistes et gaies aux évocations pathétiques. Sa mise en scène dramatique de l'amour maternel de Marie, confronté à l'amour supérieur du Christ acceptant le sacrifice douloureux, est un authentique chef-d'œuvre.

Vers 1489, un Angevin, Jean Michel, reprit l'œuvre de Gréban et, à force d'additions, composa un spectacle de 65 000 vers qui exigeait dix journées. Moins fidèle que Gréban à l'esprit des Évangiles, Michel s'attache aux épisodes profanes et multiplie les scènes réalistes et comiques.

Cette volonté de mêler des éléments trop profanes à ce qui n'était à l'origine qu'une forme populaire de culte encouragée par l'Église, si elle démontre la variété des goûts du public, explique aussi le déclin du genre à la fin du XVe et au début du XVIe siècle. Devenus des spectacles composites, souvent scandaleux et fort confus en tout cas, les *Mystères* furent condamnés en 1548 par le Parlement de Paris.

Si nous ne tenons pas compte de ces formes dégradées, le *Mystère* paraît être le produit le plus ambitieux de la ferveur religieuse du Moyen Age finissant. Plus qu'au texte dont la prolixité exclut trop souvent la qualité, il faut être sensible au phénomène théâtral proprement dit et surtout à l'appel d'un public enthousiaste, plus attentif au fond qu'à la forme, pour qui la vie et la mort du Sauveur est le plus beau, le plus émouvant, le plus rassurant des sujets.

La passion de Notre Dame : présentation des personnages. (B. N. Paris.)

LE THÉÂTRE COMIQUE

Le théâtre comique, dont les débuts étaient si prometteurs au XIIIe siècle, n'a laissé quasiment aucune trace au XIVe, non qu'il fût inexistant, mais probablement jugeait-on cette production indigne d'être conservée. Il faut attendre 1450 environ pour que se manifeste un théâtre comique, dont le succès se prolongera jusqu'en pleine Renaissance. Comme les *Mystères*, ce théâtre

Le procès de Thibaut l'aignelet dans la *Farce de Maître Pathelin* : on reconnaît le berger bêlant devant le juge. (Bibl. Chantilly.)

a ses confréries regroupant des clercs et des étudiants joyeux vivants, tels les « Clercs de la Basoche » ou les « Enfants sans souci ».

Divers genres constituaient le répertoire comique; en fait, les appellations ne sont pas très rigoureuses et les formes peuvent se ressembler. Nous distinguerons avec la tradition les *sotties*, les *monologues*, les *moralités* et surtout les *farces*.

La *sottie*, interprétée par des Sots — ou Fous — revêtus d'un costume particulier, est composée de scènes bouffonnes et décousues, apparemment incohérentes, mais dont les visées satiriques sont souvent audacieuses.

Le *monologue* dramatique met en scène un seul personnage dont les discours révèlent les travers. Composé en 1468, le *Franc archer de Bagnolet* ridiculise une milice impopulaire à travers un de ses fort glorieux représentants, foudre de guerre qu'un épouvantail à moineaux terrorise.

La *moralité* n'est pas toujours comique, les intentions didactiques du genre s'expriment au moyen d'allégories qui débattent de grandes questions morales ou de l'actualité politique.

De tous les genres comiques médiévaux, le plus durable fut la *farce*. Dépourvue d'intentions didactiques et réformatrices, la farce entend seulement faire rire le plus vaste public; à cette fin elle exploite des thèmes comiques comme l'adultère et la filouterie qui assuraient déjà le succès des fabliaux et utilise des procédés dramatiques que Molière ne désavouera pas, comme les coups de bâton et la bouffonnerie verbale.

Un chef-d'œuvre composé vers 1464, la *Farce de Maître Pathelin*, est à bon droit resté célèbre.

Deux actions entremêlées composent la pièce. Nous voyons d'abord Maître Pathelin, avocat sans cause et sans argent, qui persuade à force de flatteries le marchand Guillaume de lui vendre du drap à crédit. Lorsque le drapier se présente chez Pathelin, celui-ci, à l'aide de sa femme Guillaumette, joue le moribond. Le marchand qui doute de ses sens doit repartir sans recevoir un sou.

Ce même drapier accuse son berger, Thibaut l'Aignelet, de lui avoir tué des bêtes et veut le faire passer en jugement. Thibaut choisit Pathelin comme avocat. Celui-ci lui conseille de répondre à toutes les questions du juge par « bée », ainsi passera-t-il pour simple d'esprit et évitera-t-il d'être condamné. Au tribunal, le drapier reconnaît Pathelin qu'il croyait mourant et, confondant ses deux soucis, le drap dérobé, les brebis assommées, s'embrouille dans d'inintelligibles discours qui irritent le juge pressé d'aller dîner.

Libéré, Thibaut continue de bêler lorsque Pathelin lui réclame ses honoraires. Le trompeur à son tour est trompé.

Avec beaucoup de talent, l'auteur anonyme de cette véritable « comédie » a su faire vivre des personnages bien caractérisés, tous plus fripons les uns que les autres. Peu soucieux de faire une satire précise, il représente des scènes de la vie quotidienne de son temps avec un réalisme cynique. Mais c'est surtout sa verve, sa fantaisie, qui rendent son œuvre impérissable : le délire verbal du moribond Pathelin, la scène du procès et l'indignation du drapier révèlent une maîtrise du langage dramatique encore jamais atteinte.

Considérée dans son ensemble, la production dramatique des XIVe et XVe siècles manifeste avec une particulière évidence les tentations contradictoires de l'esprit du Moyen Age finissant, qui n'hésite pas à unir au Mystère la Farce, à la ferveur le cynisme.

BIBLIOGRAPHIE

TEXTES : Albert PAUPHILET, *Jeux et sapiences du Moyen Age*, Gallimard, coll. « Bibliothèque de la Pléiade », 1951. — ANONYME, *La farce de Maître Pathelin*, Classiques Bordas, 1967.

LE ROMAN ET LA NOUVELLE AU XVe SIÈCLE

A la fin du Moyen Age, la tradition romanesque s'essouffle. Rares sont les créations véritables. Le plus souvent, les écrivains, protégés par de grands seigneurs comme les ducs de Bourgogne, se contentent de dérimer ou de compiler les vieux chefs-d'œuvre en vers, romans courtois et chansons de geste. La vogue des récits historiques aidant, ces romans renouvelés prennent l'allure de sérieuses chroniques lors même qu'ils accumulent les épisodes les plus invraisemblables.

Mais à côté de ces vastes compilations, en particulier sous l'influence du *Décaméron* que l'Italien Boccace écrivit au XIVe siècle, et que Laurent de Premierfait traduisit en français, le XVe siècle voit se développer un genre littéraire plus réaliste que le roman, plus alerte et plus bref surtout : la nouvelle en prose qui constitue une sorte de transition heureuse entre les fabliaux et les contes de la Renaissance.

Les quinze joyes de mariage (Bibl. Chantilly). Représentation d'une scène de la vie quotidienne. On notera le réalisme (personnages, animaux, ustensiles) qui rend bien compte du pittoresque de l'œuvre.

« Les XV joyes de mariage » (début du XVe siècle)

Cet ouvrage n'est qu'une suite de scènes, les « Joyes », qui présentent, avec beaucoup de malice et de vérité dans l'observation, divers aspects de la vie conjugale. L'aveuglement du mari berné, la perfidie et l'hypocrisie des femmes sont des thèmes traditionnels que l'auteur inconnu développe avec franchise et sans vulgarité, dans un cadre pittoresque.

Antoine de la Sale (né vers 1386, mort vers 1460) : « Le Petit Jehan de Saintré »

Ce récit assez long est certainement l'un des chefs-d'œuvre de la littérature narrative du Moyen Age finissant. Jehan de Saintré est un jeune page remarqué par la Dame des Belles cousines qui fait de lui un chevalier accompli, courtois et vaillant. Alors que Jehan se rend célèbre en parcourant le monde, sa Dame, fort brutalement, lui préfère un très robuste et peu distingué abbé de province. Les vertus du clerc l'emporteraient-elles sur celles du parfait chevalier? Malgré la cruelle vengeance exercée par Saintré à la fin du récit sur sa Dame et son nouvel amant, la signification de l'œuvre est ambiguë. Jehan a été humilié et avec lui l'idéal chevaleresque qu'il représente. Dans ce curieux livre qui mêle les thèmes du roman courtois à ceux des fabliaux, il faut certainement voir le témoignage lucide d'un maître écrivain qui sait ce que l'élégance maniérée de son époque cache de brutale immoralité.

D'Antoine de la Sale encore, on retiendra un

livre étrange, la *Salade* (d'après le nom de l'auteur), qui fut écrit probablement vers 1440 et qui est un art de gouverner dédié à Jean de Calabre, le fils du souverain de Sicile, René d'Anjou.

« *Les cent nouvelles nouvelles* » *(vers 1460)*

L'auteur inconnu de ce recueil de contes en prose a imaginé de rassembler fictivement plusieurs seigneurs qui racontent à tour de rôle des histoires amusantes souvent fort gaillardes, dans la tradition des fabliaux et du *Décaméron*. Ces contes ne se signalent ni par leur délicatesse ni par leur grande qualité littéraire, mais ils prétendent seulement divertir et y parviennent le plus souvent. On ne saurait ignorer cette bonne humeur, ce rire franc qui éclairent une époque tourmentée et que la Renaissance ne désavouera pas.

« *Le roman de Jehan de Paris* » *(fin du XVe siècle)*

D'auteur inconnu, ce court et agréable récit met en scène le roi de France qui, déguisé en riche marchand et escorté de fastueux compagnons, vient demander la main de la fille du roi d'Espagne alors qu'elle s'apprête à épouser le souverain d'Angleterre. L'infante ne résiste pas aux attraits du prince charmant. Avec beaucoup d'humour et de grâce, l'auteur s'est peut-être

Les cent nouvelles nouvelles (B. N. Paris). La situation représentée est particulièrement significative des thèmes et du ton de l'œuvre où la gaillardise tient une place si importante.

inspiré du mariage de Charles VIII et d'Anne de Bretagne pour brocarder les Anglais qui ne ressemblent plus guère aux redoutables adversaires de la guerre de Cent ans. Dans ce livre, à travers la complaisance manifeste pour le faste qui entoure le souverain français, apparaît l'esprit d'un âge nouveau, oublieux des drames passés.

BIBLIOGRAPHIE

TEXTES : Albert PAUPHILET, *Poètes et romanciers du Moyen Age*, Gallimard, coll. « Bibliothèque de la Pléiade », 1952 *(Les XV joyes de mariage; Le roman de Jehan de Paris)*. — Antoine de la SALE, *Le petit Jehan de Saintré*, éd. Mirashi-Knudson, Genève, 1965. — Pierre JOURDA, *Conteurs français du XVIe siècle*, Gallimard, coll. « Bibliothèque de la Pléiade », 1965 *(Les cent nouvelles nouvelles)*.

LE XVIe SIÈCLE

LES ÉVÉNEMENTS

Le XVIe siècle est un siècle de transition dont l'histoire mouvementée est riche d'événements considérables : l'humanisme introduit une nouvelle vision du monde, la Réforme détermine l'avenir de la Chrétienté, la conquête du Nouveau Monde modifie l'équilibre des sociétés européennes et l'image qu'on se faisait de l'univers. Enfin, c'est le siècle de Copernic.

En France, il commence par les guerres d'Italie et se termine avec les guerres de religion.

Guerres

Les guerres d'Italie furent d'abord entreprises par le chimérique Charles VIII en 1494. (Deux ans plus tôt, les Espagnols achevaient la *Reconquista* (1) par la prise de Grenade et Colomb découvrait l'Amérique.) Poursuivies par Louis XII puis par François Ier, elles se transformèrent avec l'élection de Charles Quint à l'Empire (1519) en un conflit européen, et elles durèrent jusqu'en 1559.

Entre temps, un événement capital avait bouleversé l'Europe : la Réforme. La rupture de l'unité religieuse de l'Occident devait aboutir, à la fin du siècle, pendant le règne des derniers Valois (Charles IX, Henri III) et du premier Bourbon (Henri IV), aux atroces et interminables guerres de religion (1562-1598).

Religion

Avant même la Réforme, la rivalité traditionnelle entre la Papauté et les chefs d'État (anglicanisme outre-Manche, qui aboutira au schisme de 1531; courant gallican français) inspire la politique de François Ier. Le Concordat de 1516 confère au roi, en fait sinon en droit, la haute main sur la désignation des évêques et sur l'attribution des bénéfices et des commendes (2). Le zèle politique a de bonnes chances d'être mieux récompensé que la ferveur désintéressée.

Le grand événement religieux du XVIe siècle, cependant, fut la révolte de Luther, qui provoqua par contrecoup, trop tard pour éviter le schisme, la réforme intérieure de l'Église — mais aussi son durcissement. Ce fut la Contre-Réforme. Le concile de Trente (1545-1563) l'organisa, proscrivant le cumul des bénéfices, la non-résidence des évêques, établissant des séminaires diocésains. Il répondait ainsi à des vœux maintes fois exprimés. Mais, sur des questions de dogme essentielles, il consommait la rupture avec les protestants, et il confirmait l'Index et l'Inquisition (3).

Le Nouveau Monde

Absorbée par ses affaires d'Italie, par ses problèmes religieux, soucieuse, comme toute l'Europe, du péril turc qu'elle conjura pour sa part avantageusement en passant des accords économiques avec le sultan (1536), la France s'intéressa assez peu à l'Amérique (4). Il n'empêche que l'élargissement soudain du monde connu ébranla les esprits, ici comme partout en Europe, en remettant en cause quelques idées bien arrêtées sur la forme de la Terre, sur son

Au cours du XVIe siècle, la France ne cesse pratiquement pas d'être en guerre. Sur cette illustration, les troupes de Louis XII pendant la campagne de Gênes en 1507.

1. La reconquête de l'Espagne musulmane par les chrétiens.
2. La commende est l'administration temporaire d'un bénéfice ecclésiastique, c'est-à-dire que le commendataire jouit des revenus correspondant aux biens ecclésiastiques qui lui sont attribués par le roi depuis le Concordat de 1516.
3. L'Index, rédigé par la Congrégation du Saint-Office, était le catalogue des livres dont l'autorité pontificale interdisait la lecture. — L'Inquisition, créée en 1215, était le tribunal catholique institué pour rechercher et punir les hérétiques. Catherine de Médicis, alors régente, refusa de publier le concile en France.
4. Malgré les expéditions de Jacques Cartier au Canada (1534-1536) et de malheureuses tentatives au Brésil (1555, 1557).

L'Europe découvre au Nouveau Monde des modes de vie étranges, des cultes fascinants, comme celui du Soleil que représente cette estampe.

histoire et peut-être sur son destin. La découverte d'un Nouveau Monde arracha brutalement l'Ancien Continent à sa certitude ingénue d'être au centre de l'univers. Elle lui révéla des modes de vie insoupçonnables et fascinants qui revivifièrent le mythe ancien du bon sauvage, promis comme on sait à un bel avenir au XVIIIe siècle.

Le capitalisme

Par la richesse de ses mines, l'Amérique bouleversa même les structures économiques et sociales de l'Europe, en favorisant le développement d'une économie fondée sur les échanges d'argent et non plus sur la possession de la terre : le XVIe siècle vit ainsi l'essor du capitalisme, le développement d'une bourgeoisie mercantile et l'appauvrissement de la noblesse. (Parallèlement, Calvin autorisait les prêts à intérêt interdits par l'Église.) Et si les Médicis à Florence étaient devenus des princes régnants, d'autres marchands, les Fugger d'Augsbourg, assurèrent par leur fortune l'élection de Charles Quint à l'Empire.

Complexité

Les traits caractéristiques du XVIe siècle sont donc bien marqués : c'est une époque de violence où les massacres succèdent aux guerres, les vengeances aux massacres. Les contrastes sont plus tranchés que jamais entre le meilleur et le pire, les riches et les humbles, l'exaltation de la culture et l'obscurantisme : c'est au XVIe siècle, par exemple, que se déchaîne la « chasse aux sorcières », confondue parfois avec la répression des hérésies. « Aussi bien la Renaissance apparaît-elle comme un océan de contradictions, un concert parfois grinçant d'aspirations divergentes, une difficile cohabitation de la volonté de puissance et d'une science encore balbutiante, du désir de beauté et d'un appétit malsain de l'horrible, un mélange de simplicité et de complications, de pureté et de sensualité, de charité et de haine » (J. Delumeau).

Sur cette gravure Jakob Fugger — dit le Riche —, l'un des premiers grands capitalistes des temps modernes, vérifie les livres de sa maison.

LA RENAISSANCE

Un atelier d'imprimeur au XVIe siècle : les ouvriers assemblent les caractères mobiles, un ouvrier tourne la presse à bras.

Les hommes du XVIe siècle furent incontestablement conscients de vivre dans un époque différente de la précédente : « Maintenant toutes disciplines sont restituées, les langues instaurées [...]. Tout le monde est plein de gens savants, de précepteurs très doctes, de librairies (1) très amples... » (Rabelais). Cependant, la coupure ne fut pas si brutale qu'on l'a dit et bien des signes précurseurs, en plein Moyen Age, annonçaient ce qui fut, selon J. Huizinga, « d'abord une *forme extérieure* [au XVe siècle] avant de devenir un esprit nouveau » : la Renaissance.

L'apparition et les manifestations de cet esprit nouveau — l'humanisme, la Réforme, le baroque — furent des phénomènes européens, mais non synchronisés : la Renaissance fut d'abord italienne, puis espagnole et française, anglaise et germanique, slave enfin. Phénomène d'une ampleur considérable qui affecta tous les domaines : intellectuel, artistique, philosophique, religieux, éthique, social; tous les modes de vie,

1. De bibliothèques.

individuels et collectifs; toutes les conceptions de la société et du monde, les rapports de l'homme avec son Dieu, avec l'univers, avec l'histoire, avec ses semblables, avec lui-même enfin.

On admit longtemps que trois faits surtout permirent cette mutation : l'invention de l'*imprimerie* au XVe siècle (la première presse française fut installée à la Sorbonne en 1470), parce qu'elle favorisa l'expansion des idées nouvelles — humanistes mais aussi réformées; la *prise de Constantinople* par les Turcs en 1453 — date habituellement retenue comme fin du Moyen Age —, qui provoqua l'exode des lettrés grecs vers l'Occident où ils apportèrent quantité de manuscrits, et leur connaissance de l'Antiquité grecque; enfin les *guerres d'Italie* qui révélèrent aux Français éblouis une civilisation raffinée. Mais si l'influence de l'imprimerie n'est pas contestable — bien que la Renaissance italienne soit antérieure à sa découverte —, les deux autres ont sans doute été surestimées : la Renaissance en Italie commence avant 1453, et ses échanges avec la France furent nombreux, au moins dès le XVe siècle.

LES INFLUENCES

L'Antiquité

Il n'en est pas moins vrai que la découverte du grec date en France du XVIe siècle, et que l'influence italienne est prépondérante dans la Renaissance française : « Ce n'est pas l'Antiquité seule, mais son alliance avec le génie italien qui a régénéré le monde d'Occident » (J. Burckhardt). Et s'il ne s'agit plus aujourd'hui de prétendre que le Moyen Age a ignoré l'Antiquité, notons cependant qu'il n'a guère connu que les anciens Latins, et qu'il n'a pas senti l'hiatus qui les séparait de lui. La Renaissance, au contraire, a cherché à restituer toute l'Antiquité dans son authenticité, même si la connaissance qu'elle en a eue est restée imparfaite; cette connaissance, en effet, provenait plus souvent de la consultation de manuels, de compilations comme les *Adages* d'Érasme, recueils de proverbes et de maximes tirés des ouvrages anciens, et commentés, que de la fréquentation directe des textes essentiels.

La grande découverte de l'Italie au XVe siècle fut le platonisme tel que l'interpréta l'érudit florentin Marsile Ficin (1433-1499) dont le *Commentaire au banquet de Platon* (1484) fut « le manifeste par excellence du platonisme de la Renaissance » (A. Lefranc). C'est cette interprétation qu'on appelle le *néo-platonisme*, fondé sur une contamination de Platon par ses commentateurs, parfois très postérieurs (Plotin, IIIe siècle), et sur le désir de concilier cette philosophie avec le christianisme. De l'enseignement du maître de l'Académie ([1]) qui voyait le monde terrestre (monde sensible) comme le reflet imparfait du monde des Idées ([2]) (monde intelligible) — c'est-à-dire des « essences », des concepts inaccessibles aux sens —, Ficin retenait surtout une théorie de l'amour, considéré comme principe d'harmonie universelle, l'amour humain inspiré par la beauté étant le reflet de l'amour parfait inspiré par Dieu : « De même qu'il y a gradation descendante de Dieu à son reflet lointain dans la beauté du corps, l'amour est ce qui rappelle l'âme à Dieu par une gradation ascendante » (H. Weber). L'influence des idées de Ficin fut considérable, ainsi que l'exemple de son académie florentine ([3]), protégée par Laurent de Médicis, qui fut la première des nombreuses académies de la Renaissance ([4]).

« Alliance de l'Antiquité avec le génie italien », mais aussi avec la tradition arabe : Pomponazzi (1462-1525), représentant de l'*averroïsme padouan*, commente Aristote en s'aidant de la réflexion du philosophe arabe Averroès (XIIe siècle). Il concilie une philosophie matérialiste et l'adhésion

1. Platon (Ve siècle avant J.-C.) et ses disciples se réunissaient à Athènes dans des jardins réputés être ceux du héros mythique Académos, et nommés pour cette raison « Académie ». Ce nom, par extension, désigne aussi la philosophie et l'école de Platon.
2. Au sens platonicien, l'Idée est l'essence parfaite accessible au seul entendement (intelligible) : l'Idée du Beau, l'Idée du Bien, etc.
3. Nom donné, à l'imitation de l'académie platonicienne, au groupe de lettrés et de savants qui se réunissaient autour de Ficin.
4. Voir p. 146.

au dogme catholique grâce à la doctrine de la « double vérité » (1) qui sépare la foi et la raison, doctrine condamnée par l'Église dès 1516.

L'Italie

L'influence italienne s'exerce aussi sans passer par les modèles anciens. Dans le domaine politique, la réflexion de Machiavel (1469-1527) (2) hantera toute la seconde moitié du XVIe siècle. Influence esthétique et littéraire : François Ier fait venir Léonard de Vinci, Benvenuto Cellini; il fait travailler le Primatice et son école. Les écrivains français, avant même la Pléiade, lisent les Italiens : Sannazar (1458-1530) et son *Arcadie*, églogue champêtre à la manière de Virgile; le satirique Berni (1497-1535), dont l'exemple inspirera en France un courant qui va de du Bellay aux burlesques du XVIIe siècle; l'Arioste (1474-1533), dont le *Roland furieux* est la grande épopée et le plus beau roman de chevalerie du XVIe siècle; Boccace (1313-1375), l'auteur du *Décaméron* qui suscite dans la prose française des créations à la fois savantes et proches de la tradition populaire (*Heptaméron* de Marguerite de Navarre, contes divers); et surtout Pétrarque, dont l'influence est sans doute la plus considérable.

« Un certain irrespect de l'Antiquité » (J. Delumeau)

Mais l'Antiquité, si elle est pour les hommes de la Renaissance un modèle prestigieux où ils découvrent « un monde lumineux et réconcilié, ouvert à l'homme et à son expansion » (D. Ménager), n'est en aucune manière un exemple contraignant. Tant matériellement (les ruines de l'ancienne Rome sont parfois abattues pour faire place à des monuments modernes) qu'intellectuellement (du Bellay et bien d'autres déclarent que les modernes peuvent et doivent faire mieux que les Anciens), le XVIe siècle n'abdique pas devant l'Antiquité : « Je pillai Thèbes et saccageai la Pouille » (1), s'écrie Ronsard en 1550 — cri de conquérant plutôt que de disciple soumis.

UN ESPRIT NOUVEAU

L'humanisme (3)

Le « prince des humanistes » fut Érasme (1469-1536), érudit, philologue, philosophe, sollicité par les rois et par les papes, d'abord ami puis adversaire de Luther, en relation épistolaire avec toute l'Europe lettrée, lié à l'helléniste français Guillaume Budé (1468-1540), au savant anglais Thomas Morus (1480-1535), maître à penser de toute une génération : « Je vous ai nommé mon père, je vous appellerais encore ma mère si votre indulgence me le permettait », lui écrivait Rabelais en 1532.

On lit le grec, on apprend l'hébreu dont Reuchlin (1455-1522), humaniste allemand, prônait l'étude, l'arabe qu'enseigne Postel (1510-1581), autodidacte, visionnaire, grand voyageur, et le plus remarquable orientaliste de son temps. On s'efforce de parler un latin plus pur. On s'attache à l'étude des faits linguistiques avec Ramus (1515-1572), philosophe et grammairien ami des poètes. On examine les faits de civilisation. Et peu à peu, de même qu'on veut restituer l'authenticité des textes profanes, on en arrive à s'intéresser, malgré l'opposition virulente des autorités ecclésiastiques, la Sorbonne

1. Cette sorte de doctrine qui, sans nier la foi, considère qu'elle ne relève pas de la raison humaine, a reçu le nom de fidéisme (voir p. 165).
2. Homme d'État florentin (1469-1527), théoricien politique, auteur notamment d'un court traité, *Le prince* (rédigé en 1513, publié en 1532), l'œuvre la plus discutée sans doute de la littérature politique de tous les temps. Machiavel examine « ce que c'est que la souveraineté, combien d'espèces il y en a, comment on l'acquiert, comment on la garde, comment on la perd », avec un froid réalisme, sans qu'il soit question de morale ou de préceptes religieux.
3. Le mot *humaniste* existe dès le XVIe siècle : il désigne un philologue, un spécialiste des textes anciens. Le mot *humanisme* n'apparaît en français qu'à la fin du XIXe siècle. S'agissant de la Renaissance, nous ne l'emploierons qu'au sens historique, pour désigner le mouvement d'idées qui caractérise cette période.

1. La métaphore militaire évoque l'exemple de Pindare (originaire de Thèbes, en Grèce) et d'Horace (poète latin représenté par sa province, la Pouille).

en particulier (1), à l'exactitude des textes sacrés. Dangereuse initiative qui, on le sait, favorisera cette entreprise de purification radicale que fut la Réforme (2).

Vignette d'Holbein (1515) pour l'*Éloge de la Folie* : le Démon et le Saint.

Les contradictions

Imaginer le XVIe siècle comme un siècle constant et uni dans la recherche cohérente d'une nouvelle vérité serait une singulière erreur. Non seulement il est tissé de contradictions : la Réforme accompagne la résurrection d'un paganisme rarement déclaré qui n'en est pas moins sensible dans bien des œuvres de la Renaissance (chez Ronsard par exemple); le néo-platonisme concurrence un aristotélisme renouvelé; mais les efforts de l'humanisme pour promouvoir un art de vivre nouveau et heureux s'allient à de nombreuses survivances médiévales. Pis encore, ils n'enrayent nullement le progrès des superstitions et d'un obscurantisme meurtriers : la chasse aux sorcières s'ouvre au XVIe siècle, la Réforme aboutit aux bûchers allumés à travers l'Europe et aux massacres en séries des guerres de religion, l'astrologie s'autorise de l'exemple de l'Antiquité, et Nostradamus (1502-1566), le devin de Catherine de Médicis, est contemporain d'Ambroise Paré, de Bernard Palissy et d'un savant qui, dans sa lointaine Pologne, compose une œuvre proprement et involontairement révolutionnaire : Copernic (1473-1543), auteur du *De revolutionibus orbium cœlestium (La révolution des astres*, 1543), remet en cause la conception de l'univers héritée de l'Antiquité en posant l'hypothèse d'un monde dont la terre ne serait plus le centre.

LES CHANCES D'UNE CRÉATION LITTÉRAIRE RENAISSANTE

La langue

Il est cependant un point sur lequel le XVIe siècle se signale par une constance remarquable : c'est la conquête progressive par le français de territoires jusque-là réservés au latin.

Certes, le premier humanisme est latin, et tout le siècle voit se maintenir une florissante création poétique néo-latine (3). Il n'est d'ailleurs pas inutile, pour comprendre l'époque, de se souvenir que tous les écrivains qui illustrent alors leur « vulgaire » (4) sont des bilingues formés d'abord au latin. C'est en cette langue qu'on apprend à lire. C'est en latin même qu'un Montaigne apprend d'abord à parler. « Il n'est pas possible, à un homme cultivé du début du XVIe siècle [...], d'oublier le long entraînement au pastiche qui constitue en fait l'essentiel de son éducation. L'humaniste était chez lui dans deux cultures différentes, l'antique et la chrétienne. [...] En résultait, pour lui, un élargissement insoupçonné de la conscience, et l'aube du "sens historique" relativiste » (R. Klein).

On est d'abord philologue. On dispute de langage. On débat de l'origine des langues. On observe les possibilités du français *(La défense et illustration de la langue française)*. Les *Arts poétiques* se multiplient, mais on parle aussi en français de sciences, de philosophie, de politique, de religion même. L'autorité royale sanctionne

1. Faculté de théologie de l'Université de Paris, tribunal ecclésiastique fort puissant.
2. Voir p. 85.
3. Est néo-latin le poète moderne qui compose en latin. Certains, à l'exemple de Pétrarque, illustrèrent à la fois leur langue maternelle et le latin (du Bellay par exemple).
4. La langue nationale.

Guillaume Budé, le plus grand helléniste français de la Renaissance.

ce progrès en 1539 avec l'ordonnance de Villers-Cotterêts qui impose le français au lieu du latin comme langue administrative, judiciaire et diplomatique. La langue elle-même évolue, et à cet égard le rôle de la Pléiade n'est pas négligeable. Pour l'apprécier, il suffit de comparer au français de Marot et de Rabelais (beaucoup plus compréhensible qu'on veut bien le dire d'ailleurs) celui de Montaigne et de Malherbe.

Créations

L'attention portée à la langue va de pair avec celle qu'on attache aux problèmes de la technique poétique, de la métrique, du théâtre. On tente de restituer en français la prosodie quantitative (1) des Anciens. On découvre les possibilités de l'alexandrin (2). On crée la tragédie et la comédie en français. Et, tandis que disparaissent les anciennes formes fixes médiévales, rondeaux, ballades, etc., qu'emploient encore

1. C'est-à-dire le vers fondé sur la durée des voyelles, longues ou brèves, et non pas, comme en français, sur le nombre de syllabes.
2. Le vers de 12 syllabes.

Marot et ses admirateurs, le XVIe siècle voit naître l'épître, l'élégie, l'églogue, l'ode, et surtout le sonnet.

Dans un autre domaine, les représentations visuelles et plastiques : peintures, sculptures, tapisseries, fêtes officielles ou fêtes de la cour, contribuent au moins autant que l'imprimerie à la diffusion de l'état d'esprit nouveau, en familiarisant le public avec les grands sujets antiques — ou à l'antique — et les grands mythes. Rôle capital encore que celui de la musique qui imprègne alors la vie quotidienne de chacun :

Car celui [...] lequel oyant [*entendant*] un doux accord d'instruments ou la douceur de la voix naturelle, ne s'en réjouit point, ne s'en émeut point, et de tête en pieds n'en tressaut [*tressaille*] point, comme doucement ravi, et si [*aussi*] ne sais comment dérobé hors de soi (1), c'est signe qu'il a l'âme tortue, vicieuse et dépravée, et duquel (2) il se faut donner garde [*méfier*], comme de celui qui [*d'un homme qui*] n'est point heureusement né (Ronsard).

1. Transporté hors de lui.
2. Antécédent : *celui*, *il*, l'homme dont il s'agit.

Thomas Morus, l'humaniste anglais ami d'Érasme, qui périt victime de sa foi pour n'avoir pas accepté de reconnaître le schisme provoqué par Henri VIII.

Mythes et thèmes

Restituer les disciplines, instaurer les langues, défendre et illustrer la poésie française : beau programme mais qui pour prendre corps doit s'associer à quelques-uns des thèmes révélateurs de l'esprit du temps.

Au XVIe siècle, on parle d'amour, et aussi de vertu. On rêve d'un monde où l'homme vivrait en harmonie avec la nature et en accord avec lui-même : sociétés utopiques (l'*Utopia* (1) de Morus, 1516; la Thélème de Rabelais, 1534) auxquelles la découverte du Nouveau Monde donne une consistance parfois plus apparente que réelle (mythe du bon sauvage), mais qui ne survivent pas aux catastrophes de la fin du siècle.

Reste au poète le secours de la gloire, que lui confère l'excellence de sa création : « Ce sont les ailes dont les écrits des hommes montent au ciel » (du Bellay). Hélas! ce dernier réconfort finira par s'évanouir comme une chimère dans le désastre d'un monde qui semble retourner au chaos. Le seul refuge alors sera dans les « consolations contre la mort » (2) qui, au tournant du siècle, trahiront le désarroi des poètes.

Thèmes et mythes d'une richesse surprenante et grandiose, qu'une tradition aujourd'hui contestée a longtemps présentés comme outrances et « faste pédantesque » (Boileau).

1. *Utopia :* étymologiquement, « pays de nulle part ». Terme forgé par Morus, que Rabelais introduira en 1532, sous la forme *utopie*, dans la langue française.

2. Expression figurant dans le titre d'un recueil de la fin du siècle, *Le mépris de la vie et consolation contre la mort*, de J.-B. Chassignet.

BIBLIOGRAPHIE

ANTHOLOGIE : *Le Seizième en 10/18,* éd. Ch. Lauvergnat-Gagnière et J.-N. Pascal, Paris, 10/18, 1982 (une série de textes très bien conçue).

ÉTUDES : A. LEFRANC, *La vie quotidienne au temps de la Renaissance,* Hachette, 1938 (une multitude de renseignements utiles). — J. SEZNEC, *La survivance des dieux antiques,* réimpr. Flammarion, 1980 (pas de « renaissance » des dieux antiques au XVIe siècle, mais une façon nouvelle de les comprendre). — L. FEBVRE, *Le problème de l'incroyance au XVIe siècle. La religion de Rabelais,* A. Michel, 1942; réimpr. format poche 1968 (une étude classique de l'« outillage mental » du XVIe siècle). — H. WEBER, *La création poétique au XVIe siècle en France,* 2 vol., Nizet, 1956 (théories littéraires et influences). — J. BURCKHARDT, *La civilisation de la Renaissance en Italie,* trad. franç. 2 vol., Gonthier, 1958 ou Livre de Poche, 3 vol. (nos 2001, 2002, 2003), nombreuses illustrations (un classique, vieux de cent ans, mais toujours indispensable). — J. HUIZINGA, *L'automne du Moyen Age,* trad. franç., Payot, réimpr. 1961 (étude fondamentale : éclaire le XVIe siècle sur bien des points). — R. MANDROU, *Introduction à la France moderne (1500-1640). Essai de psychologie historique,* A. Michel, 1961, réimpr. 1974 (par un disciple de L. Febvre, une étude approfondie des conditions de vie et des mentalités). — M. FOUCAULT, *Les mots et les choses,* Gallimard, 1966 (chap. II, « La prose du monde », sur les structures du savoir au XVIe siècle, fondées sur l'analogie. Essai brillant et profond, tout à fait remarquable). — J. DELUMEAU, *La civilisation de la Renaissance,* Arthaud, 1967 (description, par le mot et par l'image, des mentalités et des conditions de vie nouvelles). — F. BRUNOT, *Histoire de la langue française,* t. II, *Le seizième siècle,* A. Colin, réimpr. 1967 (ouvrage fondamental. L'histoire d'une victoire : celle du français. Étude linguistique). — J. DELUMEAU, *Naissance et affirmation de la Réforme,* P. U. F., collection Nouvelle Clio no 30, 1968 (l'exposé très clair d'une question complexe). — D. MÉNAGER, *Introduction à la vie littéraire du XVIe siècle,* Bordas, 1968 (excellent petit livre; étude très complète des conditions de vie de l'écrivain et du poète : indispensable). — B. BENNASSAR et J. JACQUART, *Le seizième siècle,* Paris, A. Colin, 1972 (travail d'historiens à la portée de non-spécialistes : clair et complet). — O. SOUTET, *La littérature française de la Renaissance,* Paris, P. U. F., « Que sais-je? » (no 1880), 1980 (une présentation claire et à jour). — *Le genre pastoral en Europe du XVe au XVIIe siècle,* éd. Cl. LONGEON, Publications de l'Université de Saint-Étienne, 1980 (sur un sujet important, le point de la question). — M. PÉRONNET, *Le XVIe siècle,* Paris, Hachette-Université, 1981 (ouvrage bien documenté, avec une série de cartes). — T. CAVE, *The cornucopian text : problems of writing in the French Renaissance,* Oxford, Clarendon Press, 1979 (sur quelques problèmes essentiels comme la rhétorique et l'esthétique, et trois importants chapitres sur Rabelais, Ronsard et Montaigne). — *Études seiziémistes offertes... à V.-L. Saulnier,* Genève, Droz, 1980 (sur de multiples aspects de la création littéraire au XVIe siècle), et *Mélanges sur la littérature de la Renaissance à la mémoire de V.-L. Saulnier,* Genève, Droz, 1984 (un recueil d'hommages, suite du précédent avec lequel il forme l'un des ensembles les plus importants publiés sur la Renaissance ces dernières années). — Marc FUMAROLI, *L'âge de l'éloquence,* Genève, Droz, 1980 (un livre capital dont plusieurs chapitres sont consacrés au XVIe siècle : une histoire de l'intelligence, des lettres et des lettrés).

L'ÂGE DE RABELAIS

LUMIÈRES ET OMBRES DU RÈGNE DE FRANÇOIS Ier

Opposition des maisons de France et d'Autriche

Menées successivement par Charles VIII (1483-1498) (1) qui voulait conquérir le royaume de Naples, puis par Louis XII (1498-1515), « le Père du Peuple », les guerres d'Italie se prolongèrent jusqu'en 1559. Elles évoluèrent sous le règne de François Ier (1515-1547) en un conflit européen, en un affrontement entre la maison de France et celle d'Autriche.

Le règne de François Ier commence brillamment (Marignan, 1515) mais les échecs ne tardent pas, diplomatiques (élection de Charles Quint à l'Empire, 1519) et militaires (défaite de Pavie, 1525, et captivité du roi à Madrid jusqu'en 1526).

Héritier du trône d'Espagne, des possessions des Habsbourg à l'est et de celles des anciens ducs de Bourgogne au nord, convaincu par surcroît de son rôle de protecteur de la foi et de sa mission européenne, Charles Quint (1516-1555, 1556) (2) était un adversaire redoutable. Le conflit qui l'opposa à François Ier, directement ou indirectement, dura un demi-siècle : l'empereur dut faire face à des soulèvements de protestants allemands — parfois encouragés par le roi de France —, de paysans (guerre des Paysans, 1524-1525) ou de princes (Ligue luthérienne de Smalkalde, 1530-1546); il fut menacé par l'avance des Turcs (siège de Vienne, 1529) alliés de François Ier. Il ne cessa d'œuvrer pour que soit réuni un concile qui trancherait la question luthérienne : il lui fallut vaincre la résistance des papes, mais son obstination l'emporta et le concile s'ouvrit à Trente en 1545.

Réforme et Contre-Réforme

La question religieuse était, en effet, de plus en plus préoccupante. A l'origine, une volonté de rénovation, analogue sur le plan religieux à ce qu'était l'humanisme sur le plan intellectuel, avait poussé des hommes clairvoyants, comme Érasme, à souhaiter une réforme intérieure de l'Église (échec du concile de Latran, 1512). En France, autour de l'évêque de Meaux Guillaume Briçonnet, de l'humaniste Lefèvre d'Étaples, de la sœur du roi Marguerite d'Angoulême, duchesse d'Alençon puis reine de Navarre, se développait un mouvement religieux prescrivant une plus rigoureuse fidélité à l'esprit des Évangiles, une religion plus mystique que dogmatique : l'évangélisme.

La Réforme vint d'Allemagne avec Luther (1483-1546), un moine augustinien qui s'éleva d'abord contre la puissance temporelle de l'Église plus que contre sa doctrine (1517). Mis au ban de l'Empire, excommunié (1521), il consomma la rupture avec Rome. Au même moment, en Suisse, Zwingle (ou Zwingli) (1484-1531) anime le mouvement réformateur. Puis à Genève, c'est un Français, Calvin (1509-1564). Tôt converti au luthéranisme, mais rapidement amené à pousser plus loin ses exigences de pureté dans la doctrine, Calvin fait de la toute-

1. Les dates sont celles des règnes.
2. Charles Quint abdiqua ses diverses souverainetés en 1555 et en 1556.

puissance de Dieu le point central de sa prédication. Chassé de France à vingt-quatre ans, il s'installe à Genève (1536, puis 1541), transforme la ville en citadelle du calvinisme (supplice du savant espagnol Michel Servet condamné pour athéisme en 1553), et institue une société théocratique qu'il gouverne d'une main de fer jusqu'à sa mort.

L'Église réagit en organisant la Contre-Réforme (rétablissement de l'Inquisition en 1542). Un jeune gentilhomme basque, Ignace de Loyola (1491-1556), fonde l'ordre des Jésuites (1540) pour étendre la foi catholique et extirper l'hérésie. Soldats de Dieu, les Jésuites s'entraînent aux « exercices spirituels » institués par leur fondateur. Ils doivent une obéissance absolue à leur supérieur, le Général de l'ordre, et au pape. Leur influence s'étendit rapidement dans l'Ancien et dans le Nouveau Monde grâce à leur pratique missionnaire (saint François-Xavier) et à leur œuvre d'enseignement.

François Ier et les idées nouvelles

Pendant la première partie de son règne, François Ier, influencé par sa sœur, ouvert aux réalisations intellectuelles et artistiques dues à l'esprit nouveau, mais inquiet des conséquences politiques éventuelles de la Réforme, hésite entre la tolérance et la répression. En 1530, les huma-

Réforme et Contre-Réforme : d'un côté la violence des prédications de Luther (en haut), de l'autre l'organisation de la Compagnie de Jésus : ci-dessus le pape Paul III approuvant les statuts du nouvel ordre.

nistes remportent une victoire éclatante sur la dogmatique et conservatrice Sorbonne en obtenant du roi la création du Collège Royal (futur Collège de France), où l'on enseignera le grec et l'hébreu, langues éminemment suspectes aux yeux des autorités!

Mais en 1534, l'Affaire des placards compromet définitivement la cause de l'humanisme et de la Réforme auprès du roi : des manifestes contre la messe ont été affichés une nuit jusqu'à la porte de la chambre royale à Amboise. Furieux, François Ier fait arrêter et condamner les suspects d'hérésie à travers le royaume (Calvin, Marot prennent la fuite). On ferme l'Imprimerie royale, il est même question de faire brûler tous les livres jusqu'alors imprimés en France.

Désormais, la royauté est engagée dans l'engrenage qui provoquera les guerres de religion. Ce règne commencé si brillamment se termine sinistrement dans les flammes des massacres (massacres des Vaudois (1), 1545) et des bûchers (supplice de l'humaniste Étienne Dolet, 1546).

1. Secte hérétique de Provence.

L'HUMANISME

L'humanisme latin

L'âge de Rabelais est celui des humanistes, c'est-à-dire de ces hommes passionnés de lettres antiques, profanes, « humaines » par opposition aux textes sacrés, aux lettres « divines » (1). Philologue, philosophe, souvent helléniste, parfois hébraïsant, d'une curiosité encyclopédique, l'humaniste parle et écrit en latin jusque vers 1530. Le Hollandais Érasme, l'Anglais Morus (ou More), le Français Budé pratiquent la même langue. C'est en latin qu'ils livrent leurs combats contre les scolastiques attardés de la vieille Sorbonne. Rude bataille, d'autant plus que, même dans ses triomphes (le plus éclatant étant en 1530 la fondation du Collège Royal), l'humanisme porte en lui les germes de sa défaite : sa curiosité et ses méthodes s'apparentent dangereusement, en effet, à l'esprit de libre examen qui inspire la révolte de Luther et de Calvin.

Humanisme et Réforme

Ici et là, on refuse de s'en remettre à l'autorité établie pour interpréter les textes. On veut y regarder soi-même et l'on découvre ainsi, tantôt un art de vivre pré-chrétien fondé sur l'accord entre l'homme et le monde — au risque de donner dans un paganisme plus ou moins conscient qu'encourage l'admiration pour les œuvres et les mythes anciens —, tantôt la pureté d'une doctrine recouverte par des siècles de glose, mais capable de rendre quelque espoir à l'homme accablé par le sentiment de son abjection.

1. *Humaniores litterae, diviniores litterae.*

Au centre de sa prédication, en effet, le protestantisme place la doctrine de la prédestination, selon laquelle Dieu désigne d'avance ses élus : une telle indulgence à l'égard d'un être irrémédiablement souillé par le péché originel (la faute d'Adam) révèle la miséricorde immense et gratuite de Dieu. Les réformés interprètent la Rédemption (le rachat des hommes par le Christ) en se fondant sur la doctrine de la justification par la foi : au contraire des catholiques qui admettent la justification par les œuvres, c'est-à-dire qu'ils estiment que l'homme peut travailler (œuvrer) à son salut, les protestants considèrent ces efforts comme vains, et placent le seul espoir de l'homme dans la confiance en Dieu (la foi). On conçoit dès lors qu'ils s'en remettent exclusivement à l'autorité souveraine de l'Écriture, et qu'ils récusent l'autorité pontificale.

Les divergences sont donc aussi nombreuses que les points communs entre l'humanisme et la Réforme : l'un valorise l'homme, l'autre donne tout son poids à la notion de « Rédemption ». A cet égard, la rupture entre Érasme et Luther est significative : « Si nous croyons que le Christ a racheté les hommes de son sang, nous sommes obligés de confesser que la nature humaine entière était perdue », écrit Luther, et de s'étonner qu'Érasme ne comprenne pas que « la régénération de l'homme [est] œuvre exclusive de l'Esprit ». Désormais — et l'Affaire des placards n'arrangera pas les choses en France —, les humanistes seront obligés de choisir : ou protestants, ou fidèles à l'Église, ils seront mêlés, bon gré mal gré, aux grandes luttes du siècle. Mais nous arrivons ainsi à la génération d'Amyot, d'Henri II Estienne, de Pasquier, et à la fin du siècle.

L'humanisme et le français

Vers 1530, l'humanisme devient peu à peu français. On traduit les grands textes anciens. Rabelais, helléniste et médecin fameux, écrit sa « geste » parodique en français. Étienne Dolet (1509-1546), imprimeur, philologue, érudit et poète, qui devait finir brûlé vif pour athéisme, d'abord auteur comme ses pairs d'œuvres uniquement latines, se convertit au français et fut cité avec éloge par du Bellay comme « homme de bon jugement en notre vulgaire ». Marguerite de Navarre a l'honneur d'être condamnée par la Sorbonne dès 1531 pour son *Miroir de l'âme pécheresse*. Marot enfin : mais s'agissant de Marot, autodidacte, fort peu « encyclopédique » (1), peut-on encore parler d'humanisme?

En tout cas, désormais, le français a gagné la partie. L'humanisme, en introduisant dans les œuvres littéraires de la première moitié du siècle la réflexion sur les problèmes de civilisation, de pensée, de religion (Calvin), en évoquant ainsi l'espoir d'un nouvel art de vivre (Rabelais, Marguerite de Navarre), suscite du même coup l'éclosion d'un ton nouveau, où la ferveur et l'enthousiasme se teintent de gravité ou d'humour. Pourtant, bien que l'on puisse non sans raison accuser l'humanisme d'avoir coupé la littérature de ses racines en condamnant sans nuance l'âge des « Goths » (le Moyen Age), on ne décèle pas avant 1550 de rupture profonde. (Faut-il rappeler d'ailleurs la vogue dont jouit pendant tout le XVIe siècle ce genre médiéval par excellence que fut le roman de chevalerie?) En poésie, on passe des Rhétoriqueurs à Marot, qui les révère comme ses maîtres. En prose, Rabelais et Marguerite de Navarre, chacun à sa manière, se font l'écho des préoccupations de l'âge nouveau, mais sans cesser de s'inspirer des procédés et des thèmes des conteurs médiévaux. Et l'épopée de Rabelais, comme le *Don Quichotte* de Cervantès, n'est-elle pas dans une certaine mesure, aussi bien qu'un dépassement, un reflet burlesque — mais un reflet — des idées, des usages et des mythes du Moyen Age?

Portrait de Calvin, exécuté à la plume par un étudiant pendant un des cours du réformateur, à Genève.

C'est dire que les productions littéraires du règne de François Ier ne se confondent pas avec les recherches de l'humanisme qui, s'il favorisa la liberté d'esprit, la curiosité, l'esprit critique, s'il permit le renouveau esthétique de la Pléiade, prépara aussi, involontairement mais sûrement, le classicisme des doctes (1) — le pire.

1. L'idéal encyclopédique, caractéristique de l'humanisme des débuts de la Renaissance, prétend embrasser l'ensemble des connaissances.

1. Voir p. 199 (XVIIe siècle. Le siècle de Louis XIII. La montée des Théoriciens).

BIBLIOGRAPHIE

W. K. Fergusson, *La Renaissance dans la pensée historique,* trad. franç., Payot, 1950 (l'évolution de la notion d'humanisme et de Renaissance). — J.-C. Margolin, *Érasme par lui-même,* Seuil, 1965 (excellente présentation du prince des humanistes par son meilleur spécialiste). — J.-C. Margolin, *L'humanisme en Europe au temps de la Renaissance,* Paris, P.U.F., coll. « Que sais-je? » (n° 1945), 1981 (une présentation générale dense et précise), I.D. McFarlane, *Buchanan* (en anglais), Londres, Duckworth, 1981 (sur l'un des grands humanistes de la Renaissance, dont la « carrière » fut internationale et qui vécut plusieurs années en France). — Geneviève Demerson, *Dorat en son temps. Culture classique et présence au monde,* Clermont-Ferrand, A.D.O.S.A., 1983 (sur l'un des très grands hellénistes du XVIe s., qui fut aussi le maître de la Pléiade).

LES RHÉTORIQUEURS

Durant la seconde moitié du XVe siècle et à l'aube du XVIe fleurit à la cour de Bourgogne d'abord, puis de Bretagne et de France, une école de poètes dont la gloire incontestée en leur temps n'eut d'égale, jusqu'à une date récente, que leur fâcheuse renommée posthume. Ce sont les Rhétoriqueurs, ainsi nommés parce qu'ils pratiquaient la « seconde rhétorique », c'est-à-dire la poésie par opposition à la prose.

Les Rhétoriqueurs et les princes

Rimeurs à gages, bien sûr (mais telle était alors et telle resta longtemps la dure condition du poète), ils ne s'en faisaient pas moins une haute idée de leur mission. A l'exemple du plus illustre d'entre eux, Georges Chastellain (1404-1475), historiographe et confident du duc de Bourgogne Philippe le Bon, membre de son conseil privé, chevalier de l'ordre de la Toison d'Or, prestigieux modèle qui exerça sur la France entière un véritable magistère intellectuel, les Rhétoriqueurs se voulurent chroniqueurs et conseillers des princes. Ils n'en furent, le plus souvent, que les hérauts, mais ils chantèrent abondamment les vertus et les victoires de leurs protecteurs, ils pleurèrent leurs deuils, fêtèrent leurs joies, narrèrent leur histoire : citons les noms, entre autres, de Jean Meschinot (1415?-1491), Octovien de Saint-Gelais (1468-1502), Jean Molinet (1435-1507), André de La Vigne (1457-1527?), Guillaume Crétin (?-1525), Jean Marot (1450-1526), Jean d'Auton (1465?-1528), Pierre Gringore (1475-1538), en mettant à part Jean Lemaire de Belges, le premier grand poète de la Renaissance (1473-après 1514).

Leur poésie

C'est surtout comme poètes, cependant, que ces hommes suscitèrent l'enthousiasme de leurs contemporains. On admirait leurs œuvres morales et politiques (où alternent souvent vers et prose), leurs épîtres rimées, familières ou romanesques à la manière d'Horace ou d'Ovide, leurs pièces satiriques, non dénuées de mordant si l'on veut bien en juger d'après cette strophe de Jean Molinet, protégé de Charles le Téméraire, donc hostile à Louis XI :

J'ai vu Saint Pol en gloire
Ravi jusques ès* cieux — **aux*
Puis descendre en bas loire* — **état*
Mal en grâce des dieux.
Saint Pierre s'en délivre,
Pas ne le répita* — **délivra*
Et à Néron le livre
Qui le décapita.

(Précisons que Saint-Pol était le connétable de Louis XI (Néron), et qu'il fut décapité pour trahison après avoir été arrêté par les soins d'un certain Jean Blosset, seigneur de Saint-Pierre!)

Quels sont donc les griefs qu'a nourris si longtemps la critique traditionnelle contre les Rhétoriqueurs? Elle déplorait le manque de

La reine Anne de Bretagne, entourée des dames de sa cour, reçoit un ouvrage du Rhétoriqueur Jean Marot, le père de Clément Marot.

B. N. Paris. © Coll. L. B.

Cette illustration représentant l'entrée de Louis XII à Gênes provient d'un manuscrit où le poète rhétoriqueur Jean Marot célèbre les hauts faits de son roi.

goût et de mesure de ces versificateurs qui ne soignaient tant la forme que parce qu'ils n'avaient rien à dire, qui reprenaient inlassablement les thèmes usés, les procédés ressassés de l'allégorie, du songe, du débat, de la casuistique amoureuse, à l'imitation de ceux de leurs prédécesseurs qu'ils admiraient le plus : Jean de Meun, et Alain Chartier. Elle leur reprochait de « se complaire à ces vieilleries » (Lucien Foulet), sans montrer d'autre originalité que ces extravagantes recherches formelles, dont il fallait pourtant reconnaître qu'elles ouvraient la voie à toutes les innovations prosodiques du XVIe siècle, — si bien que, bon gré, mal gré, elle devait convenir que les Rhétoriqueurs, indirectement, avaient été les maîtres à rimer de la Pléiade.

Les « rimeurs »

Maîtres à rimer : ils se désignaient d'ailleurs volontiers du nom de *rimeurs*, et il est vrai qu'ils furent de prodigieux inventeurs de rimes, d'étonnants ciseleurs de combinaisons rythmiques et sonores, des virtuoses quelquefois tentés par l'acrobatie verbale. Non seulement ils jouèrent de la rime *équivoquée*, c'est-à-dire de la rime extrêmement riche, mais des vers *batelés* (qui riment par le milieu et par la fin), des rimes *enchaînées* (un vers commence comme le précédent a fini), des « rhétoriques à double queue » où la rime est deux fois répétée à la fin du même vers : « Ainsi s'en vont toujours jours... », etc. Ils fabriquèrent encore des vers qu'on peut lire indifféremment à l'endroit ou à l'envers : par exemple, dans l'orthographe de l'époque, « Elle difama ma fidelle », des vers, voire des strophes, à plusieurs lectures, comme ce distique de Jean Bouchet (1476-1558?) :

> Poitevins sont loyaux, non *cauts,
> Féables*, non voulant méfaire

*fourbes
*dignes de confiance

qui, lu à l'envers donne :

> Cauts, non loyaux, sont Poitevins,
> Méfaire voulant, non féables...

La liste de leurs trouvailles est loin d'être épuisée par ces quelques exemples. Mais ces jeux verbaux ne sont pas toute la poésie des Rhétoriqueurs. Il faut insister plutôt sur l'exigence et la rigueur de leurs efforts, sur leur passion pour l'Antiquité, sur l'influence qu'ils exercèrent ainsi, même indirectement, au XVIe siècle. Toutefois, cela n'explique que leur importance dans l'histoire littéraire.

Marguerite d'Autriche, la tante de Charles Quint (à gauche), et Anne de Bretagne, reine de France, les deux principales protectrices des Rhétoriqueurs.

Coll. Lehmann. © Bulloz.

B. N. Paris. © Bulloz.

Hommage d'un lettré à la reine Anne de Bretagne : le clerc Antoine Dufour lui offre en 1506 sa *Vie des femmes célèbres.*

Musée Nantes. © Giraudon.

Les Rhétoriqueurs aujourd'hui

Pour commencer à les apprécier, il a fallu que la création poétique — et la réflexion sur cette création — se dégageât des mythes de l'originalité et de la sincérité nécessaires à l'artiste, qu'avait imposés l'âge romantique; il a fallu qu'on s'intéressât de plus en plus aux possibilités poétiques du langage. Et l'on découvrit alors que les recherches des Rhétoriqueurs n'étaient pas de pure vanité, « qu'ils ont été plus d'une fois d'excellents techniciens et réformateurs du vers, des virtuoses de l'expression, que les raffinements de leur art ne sont pas sans analogie avec le gothique flamboyant et les constructions polyphoniques des musiciens contemporains » (Jean Frappier).

Rigoureuses et fantasques, associant complication et expressivité, leurs œuvres appellent la comparaison avec les jeux sur les mots des surréalistes aussi bien qu'avec les théories et les tendances issues de la réflexion d'un Mallarmé ou d'un Valéry. Et il n'est pas étonnant qu'Éluard, Aragon, puis les plus curieux des érudits, J. Frappier, A.-M. Schmidt, se soient tournés vers ces poètes oubliés qui proposèrent à leurs lecteurs « une immense collection de curiosités rythmiques qui épuise pratiquement toutes les ressources, toutes les possibilités, tous les charmes que la langue française peut offrir aux amateurs d'une prosodie régulière et soutenue » (A.-M. Schmidt).

BIBLIOGRAPHIE

ÉDITIONS : Les anthologies font une place restreinte aux rhétoriqueurs. On pourra consulter *Poètes et romanciers du Moyen Age,* Gallimard, Bibliothèque de la Pléiade, 1963, p. 1225 et suivantes (présentation d'A.-M. Schmidt), et surtout l'*Anthologie des grands rhétoriqueurs* de P. ZUMTHOR, Paris, éd. 1978.

ÉTUDES : Henry GUY, *Histoire de la poésie française au XVIe siècle*, t. I, *L'école des Rhétoriqueurs,* Champion, 1910 (opinion constamment dépréciatrice : l'auteur ne reconnaît que l'importance historique des Rhétoriqueurs, et la supériorité de Lemaire de Belges). — A.-M. SCHMIDT, « L'âge des Rhétoriqueurs », dans le chapitre intitulé « La Littérature humaniste à l'époque de la Pléiade », *Histoire des littératures*, t. III, Gallimard, Bibliothèque de la Pléiade, 1958, pp. 175-190 (brillante réhabilitation par un des meilleurs seiziémistes de notre époque). — Henri CHATELAIN, *Recherches sur le vers français au XVe siècle*, Champion, 1908 (sur les formes utilisées par les Rhétoriqueurs). — Paul ZUMTHOR, *Le masque et la lumière. La poétique des grands Rhétoriqueurs*, Seuil, 1978 (les Rhétoriqueurs à la lumière des théories modernes).

LEMAIRE DE BELGES
(1473-APRÈS 1514)

Poète à deux visages, tourné vers le passé et vers l'avenir, Jean Lemaire, dernier des Rhétoriqueurs et premier des écrivains de la Renaissance, fut révéré pendant tout le XVIe siècle comme un précurseur et comme un maître.

Il naquit vers 1473 dans un village du Hainaut alors nommé « Belges ». Il étudia auprès de son parent, le Rhétoriqueur Jean Molinet, puis à l'université de Paris, reçut la tonsure qui lui permettait de prétendre aux bénéfices ecclésiastiques, et se plaça sous la protection du duc de Bourbon, l'ancien régent de France pendant la minorité de Charles VIII. Il passa ensuite au service de Marguerite d'Autriche et d'Anne de Bretagne. Poète et secrétaire de tous ces grands personnages, il fréquentait aussi des artistes, peintres, sculpteurs et musiciens. Lui-même fut chargé de tâches variées qui témoignent de l'ampleur de ses talents, missions diplomatiques ou surveillance des travaux de construction de l'église de Brou par exemple. Il voyagea beaucoup, et l'influence que ses contacts avec l'Italie exercèrent sur son œuvre n'est sûrement pas négligeable.

Anne de Bretagne, sa dernière protectrice, mourut en 1514. A partir de cette date, on perd la trace du poète.

Les déplorations

La disparition successive de plusieurs de ses protecteurs, les deuils qui frappèrent Marguerite d'Autriche, imposèrent à Jean Lemaire la pratique d'un genre officiel où il excella : la « déploration » en vers. Mais c'est par une déploration fictive et fantaisiste, *Les épîtres de l'amant vert*, qu'en 1505 il conquit la notoriété (1).

Pendant un voyage de Marguerite d'Autriche, son perroquet, resté au logis, fut dévoré par un chien. Incident menu dont Lemaire tira la matière d'une épître à la fois plaisante et mélancolique en imaginant le perroquet, « l'amant vert », épris de la princesse et poussé au suicide par le désespoir où le mettait son absence. Marguerite félicita son poète, et dans toutes les cours d'Europe l'admiration fut telle que l'oiseau reprit la plume pour une seconde épître, où il décrivait son arrivée au paradis des bêtes et les animaux illustres qu'il y fréquentait.

Le précurseur

Cependant, Lemaire rédigeait aussi des œuvres plus austères, par lesquelles il s'acquittait de son rôle de propagandiste officiel. Passé au service de Louis XII, il défendait la politique

Frontispice des *Illustrations de Gaule et singularités de Troie*, de Jean Lemaire de Belges.

B. N. Paris. © Roger-Viollet.

1. Ces *Épîtres* ne furent imprimées qu'en 1511. Elles circulèrent d'abord en manuscrits.

gallicane du roi de France contre l'absolutisme pontifical dans le *Traité de la différence des schismes et des conciles de l'Église* (1511) : avec une pénétration remarquable, il pressentait la crise qui allait éclater au grand jour avec la révolte de Luther.

Il publiait au même moment une nouvelle œuvre, de prose et de vers mêlés, *La concorde des deux langages* (1511) — comprenez : le toscan et le français —, dans laquelle il recommandait l'union des deux civilisations. L'œuvre se présente comme un diptyque. Dans le premier volet, *Le temple de Vénus*, le poète chante, sur le thème ovidien d'*Aetatis breve ver* (Le printemps de la vie est court), un hymne païen à la nature et à l'amour, plus convaincant que l'hymne à la vertu du second volet, *Le temple de Minerve*. Tout cela se déroule sous la fiction d'un songe et d'un pèlerinage allégorique à la manière des Rhétoriqueurs, mais en même temps le poète se montre singulièrement novateur en introduisant dans la poésie française, l'un des premiers, le rythme de la *terza rima* italienne (1) pour célébrer le temple de Vénus, et en adoptant pour exalter le temple de Minerve un vers plus ou moins délaissé jusque-là, mais bientôt promis à un bel avenir : l'alexandrin.

Le maître

L'œuvre majeure de Jean Lemaire est pourtant un récit en prose, *Les illustrations de Gaule et singularités de Troie*, en trois livres publiés en 1511, 1512, 1513, qui reprennent la légende médiévale des origines troyennes de la dynastie française fondée par Francus, le fils d'Hector, et qui composent une vaste fresque restée inachevée. L'auteur dit lui-même que son dessein fut de fournir aux peintres et aux tapissiers des scènes conformes à la vérité historique : scrupule illusoire, mais symptomatique des temps nouveaux.

Le succès des *Illustrations de Gaule* fut immense et durable. Marot, les poètes de la Pléiade, saluèrent comme un chef-d'œuvre cette ample épopée mythique, dont la prose musicale chante un art de vivre souriant qui est déjà celui de la Renaissance triomphante.

1. La « rime tierce », suite de tercets rimant selon le schéma suivant : aba, bcb, cdc, etc.

L'importance de Lemaire de Belges

L'œuvre de Jean Lemaire de Belges réalise une synthèse entre l'héritage du Moyen Age tardif dans la tradition du *Roman de la rose*, et l'ouverture sur les formes et les idées nouvelles qui s'imposeront au XVIe siècle. La curiosité du poète, son goût de la beauté et du plaisir, la grâce et la musicalité de son style, sa conception même de la poésie qui préfigure largement celle de la Pléiade — alliance du vers et de la musique, doctrine de l'inspiration sacrée du poète, nécessité du travail —, expliquent l'éclat et la fraîcheur que le lecteur moderne trouve encore à ces pages et permettent de comprendre l'éloge que du Bellay adressait à l'auteur des *Illustrations de Gaule* pour avoir « premier illustré et les Gaules et la langue française, lui donnant beaucoup de mots et manières de parler poétiques, qui ont bien servi même aux plus excellents de notre temps ».

BIBLIOGRAPHIE

ÉDITIONS COURANTES : Il n'y en a pas, à l'exception des extraits procurés par les anthologies : *Poètes et romanciers du Moyen Age*, Gallimard, Bibliothèque de la Pléiade, 1963.— *Anthologie poétique française, XVIe siècle*, t. I, Garnier-Flammarion, 1965 (nº 45).

ÉDITIONS CRITIQUES : *La concorde des deux langages*, éd. J. Frappier, Droz, Genève, 1947. — *Les épîtres de l'amant vert*, éd. J. Frappier, Droz, 1948.— *Le temple d'honneur et de vertus*, éd. H. Hornik, Droz, 1957 (ces éditions proposent en même temps des études approfondies des textes). — Aucune édition des *Illustrations de Gaule* n'est à ce jour accessible, hormis la vieille et insuffisante édition Stecher des *Œuvres*, Louvain, 1882-1891, en 4 vol. (t. I).

ÉTUDES : PH. AUG. BECKER, *Jean Lemaire, der erste humanistische Dichter Frankreichs*, Strasbourg, 1893 (reste l'étude fondamentale, malheureusement non traduite); PAUL SPAAK, *Jean Lemaire de Belges, son œuvre et ses meilleures pages*, Champion, 1926 (bonne vulgarisation).

MAROT (1496-1544)

Disciple des Rhétoriqueurs mais célébré pendant plusieurs siècles pour son « élégant badinage », selon le mot de Boileau, favori de François Ier mais accueilli à Genève par Calvin, compagnon de la basoche (1) mais poète chrétien, emprisonné et exilé plusieurs fois pour crime d'hérésie, tel fut Clément Marot, « cas sans exemple d'un courtisan qui appartient à l'opposition » (Henry Guy).

Une vie agitée

Il naquit en 1496 à Cahors. Son père, Jean Marot, protégé successivement par Anne de Bretagne et par François Ier, appartenait à l'école des Rhétoriqueurs. L'éducation du jeune homme fut négligée, et l'on pourrait dire de lui ce que Ben Jonson disait de Shakespeare : « Little Latin and less Greek » (peu de latin, et moins de grec). En 1519, il devient valet de chambre (charge alors honorifique) de Marguerite d'Angoulême, future reine de Navarre, la sœur du roi. Puis en 1527, il succède à son père au service de François Ier.

Entre temps, en 1526, il a « mangé le lard » (2) en carême; on l'a dénoncé et il risque la mort : les autorités ecclésiastiques, qu'inquiètent les premiers progrès de la Réforme, ne badinent pas avec ce genre de délits. Un de ses amis, Lyon (Léon) Jamet, le tire de prison. L'année suivante, il est à nouveau incarcéré, cette fois pour « rescousse » : il a attaqué les sergents du guet et délivré le prisonnier qu'ils convoyaient. L'intervention du roi le sauve.

Ces deux affaires nous valent la plus véhémente des satires de Marot, *L'enfer*, et deux de ses trois plus célèbres épîtres, *A son ami Lyon* et *Au roi, pour le délivrer de prison*. La troisième date de 1532 : le poète a été malade (de la peste) et victime d'un vol. Il écrit *Au roi, pour avoir été dérobé*. Cette même année, il publie l'ensemble de ses œuvres, soigneusement expurgé des pièces compromettantes, sous le titre *L'adolescence clémentine*.

En 1534 éclate l'Affaire des placards. Se sachant suspect, Marot s'enfuit d'abord à la cour de Nérac en Navarre, puis à celle de Ferrare où la duchesse, la fille de Louis XII, est tout acquise aux idées réformées. Il y reste jusqu'en 1536 : cette année-là, l'hostilité du duc, résolument catholique, le contraint à fuir encore, à

Clément Marot peint par Corneille de Lyon, probablement en 1536, lors de son passage à Lyon à son retour d'exil.

1. Communauté des clercs de procureurs, en particulier à la cour de justice de Paris : la compagnie en était joyeuse et volontiers turbulente.
2. C'est-à-dire qu'il a rompu le jeûne.

Venise cette fois d'où il sollicite l'autorisation de rentrer en France. Il doit se soumettre à l'humiliante cérémonie de l'abjuration, qu'il subit à Lyon en décembre 1536, avant de retrouver sa place à la cour.

Il passe quelques années tranquilles à poursuivre sa traduction des *Psaumes* (occupation éminemment suspecte aux yeux des autorités ecclésiastiques). Vers la fin de 1542, pour une raison mal connue, peut-être à cause de la publication de *L'enfer*, il doit s'enfuir de nouveau : d'abord à Genève, puis à Chambéry, enfin à Turin où il meurt en septembre 1544.

Le poète de cour

Comme il était normal vers 1515, Marot commença par la rhétorique. Mais — cela parut longtemps plus étrange —, s'il se libéra peu à peu de l'influence de ses anciens maîtres, il ne renia jamais leur héritage et il ne cessa de célébrer sa dette à l'égard de Molinet « aux vers fleuris », du « bon Crétin » « qui tant savait », de Lemaire de Belges « qui l'âme avait d'Homère le Grégeois » (le Grec). Après avoir imité Lemaire dans *Le temple de Cupido* (1515), il attira sur lui l'attention du roi par une *Petite épître* où il jouait en virtuose et avec humour de la rime équivoquée :

Si* vous supplie qu'à ce jeune rimeur	**Aussi*
Fassiez avoir un jour par sa rime heur*	**bonheur*
Afin qu'on die*, en prose ou en rimant,	**dise*
« Ce rimailleur qui s'allait enrimant*	**enrhumant*
Tant rimassa, rima et rimonna*	**mot inventé par Marot* (*Cf. sermonna*)
Qu'il a connu quel bien par rime [on a. »	

Il vit à la cour : « La cour du Roi, ma maîtresse d'école », dira-t-il plus tard pendant son exil ferrarais (1535). Il compose des pièces de circonstances, alertes et vives, où il tient registre d'événements menus ou importants, où il sollicite avec verve quelque faveur, où il chante des amours, les siennes et d'autres. Auteur de rondeaux et de chansons d'une grâce exquise, il se distingue de ceux qui l'ont précédé par sa fantaisie, par son brio, par son sourire subtilement moqueur ou mélancolique.

On connaît surtout ses épîtres : *A son ami Lyon* (1526), qu'il supplie de le faire sortir de prison en évoquant la fable ancienne du lion et du rat. Dans une situation fort critique, non seulement Marot a l'élégance de plaisanter,

Bibl. du protestantisme Paris. © Bulloz.

La duchesse Renée de Ferrare, fille de Louis XII, protectrice de Marot.

mais encore il transforme sa requête en promesse de service! et tout cela avec une bonne grâce qui exclut l'embarras et la bassesse aussi bien que la rancœur ou l'insolence :

Or* viens me voir pour faire le Lion,	**Maintenant*
Et je mettrai peine, sens* et étude	**intelligence*
D'être le Rat, exempt d'ingratitude...	

Même verve, même désinvolture qui frise l'irrévérence — mais Marot sait toujours « jusqu'où il peut aller trop loin » — quand il s'adresse *Au roi, pour le délivrer de prison* (1527). Qu'on en juge par les derniers vers :

Et m'excusez*, si pour le mien affaire**	**excusez-moi* ***mon affaire*
Je ne suis point vers vous allé parler :	
Je n'ai pas eu le loisir d'y aller.	

Son chef-d'œuvre dans ce genre, c'est sans doute ce poème qu'il envoya, quelques années

RONDEAVLX Fo.lxxx.

A la louenge de ma Dame la Ducheſſe Dalencon,ſeur vnique du Roy.

SAns rien blaſmer ie ſers vne maiſtreſſe
Qui toute femme,ayãt noble haulteſſe
Paſſe en vertus/& qui porte le nom,
Dune fleur belle/& en Royal ſurnom
Demonſtre bien,ſon antique nobleſſe
En chaſtete,elle excede Lucreſſe
De vif eſprit/de conſtance & ſageſſe
Ce en eſt lenſeigne,& le droict gouffanon,
Sans rien blaſmer.
On pourroit dire,il leſtime ſans ceſſe,
Pource que ceſt ſa dame & ſa princeſſe

Coll. L. B. c B. N. Paris.

Une page de *L'adolescence clémentine*, recueil de ses œuvres publié par Marot, ici dans l'édition de 1537.

plus tard (1532), *Au roi* encore, *pour avoir été dérobé* par son « valet de Gascogne » : parce qu'il était, tout simplement, dans la misère. Sur le ton de la plaisanterie, mais non sans amertume, Marot dit son dénuement et, discrètement, par de subtiles ruptures de ton, laisse apercevoir l'ampleur de sa détresse :

Ainsi s'en va, chatouilleux de la gorge,
Ledit valet monté comme un saint George (1),
Et vous laissa monsieur dormir son soûl
Qui au matin n'eût su finer* d'un sou. **s'acquitter (payer)*
Ce monsieur-là, Sire, c'était moi-même,
Qui sans mentir fus au matin bien blême...

— aveu combien révélateur du

... pauvre esprit, qui lamente et soupire,
Et en pleurant tâche à vous faire rire.

1. Saint Georges, le cavalier angélique qui terrassa le dragon.

Ce qui n'empêche pas le poète, au même moment, de glisser dans la douloureuse et souriante épître une pointe satirique :

Mais de l'argent que vous m'aviez donné,
Je ne fus point de le perdre étonné
Car votre argent, très débonnaire* Prince, **noble*
Sans point de faute est sujet à la *pince (1). **larcin, vol*

Le poète satirique (2)

Marot fut un poète satirique : voilà un point qui n'est guère discuté. Mais ne fut-il qu'une « tête folle, véritable enfant terrible » qui a « eu à souffrir plutôt de ses imprudences que de ses convictions » (C. Kinch), ou au contraire faut-il voir en lui un « lutteur hardi qui s'en prend aux abus de son temps et aux institutions et doctrines qui avilissent l'homme » (C. A. Mayer)?

Marot satirique reste certes dans la tradition médiévale la moins compromettante quand il s'amuse à railler les femmes, les maris trompés, les moines, quand il illustre ce qu'on appelle communément « l'esprit gaulois » — « comme si l'amour du vin et de la bonne chère, le mépris de la femme, des prêtres et des maris trompés étaient l'apanage du peuple français » (C.A. Mayer). Ces thèmes s'expriment dans ses poèmes à forme fixe, les rondeaux et surtout les épigrammes, poèmes de 8 ou 10 vers en général, inspirés de la tradition latine ou italienne. Citons le lever de ce *gros prieur*, ancêtre de Tartuffe, qui ayant préparé sa perdrix...

La dévora : bien savait la *science. **cette*
Puis quand il eut pris sur sa conscience
Broc de vin blanc, du meilleur qu'on élise* : **puisse choisir*
« Mon Dieu, dit-il, donne-moi patience;
Qu'on a de maux pour servir Sainte Église! »

Mais Marot est aussi l'auteur de *L'enfer*. Il se garda bien de publier cette violente satire contre les maux et les méfaits de la justice. Il y représentait allégoriquement, à la manière des Rhétoriqueurs, le Châtelet par l'Hadès (l'enfer des Anciens), transformant ainsi tous les officiers de justice qui hantaient ces lieux malsains en suppôts de Pluton, sinon de Satan! Notons que dans ce long poème de 500 vers, il est le premier, et l'un des seuls de son siècle, à protester contre la torture. Malgré la volonté

1. Allusion très précise aux dilapidations du trésor public sous le règne de François Ier.
2. La satire est un poème où l'auteur attaque les vices et les ridicules de son temps.

de son auteur, *L'enfer*, après avoir circulé en manuscrit, fut imprimé d'abord en 1539, à Anvers, puis par les soins de l'humaniste Étienne Dolet, en 1542, à Lyon. L'œuvre ne cessa de valoir au poète, avec l'hostilité de la puissante Sorbonne, un nombre appréciable d'ennuis.

Il écrivit d'autres satires, de facture moins traditionnelle que *L'enfer* dont la technique ressortissait encore à l'art des Rhétoriqueurs, mais qui ne l'entraînèrent pas dans des chemins si dangereux. Citons l'*Épître de Frippelippes, valet de Marot, à Sagon* (1537). Incident à propos d'une interminable querelle littéraire : pendant le premier exil de Marot, en 1535, et jusqu'en 1537, un médiocre versificateur, Sagon, l'avait poursuivi de ses sarcasmes. Rentré en France, le poète répondit, ou plutôt imagina de faire répondre à Sagon par son valet, Frippelippes. L'idée était excellente : le valet pouvait en effet se permettre dans l'invective une vigueur qui aurait nui à la dignité du maître; donner un valet comme interlocuteur à son adversaire déconsidérait celui-ci; enfin, le valet n'était pas tenu d'entrer dans des arguties théologiques que Marot avait peut-être avantage à éviter. Cette volée de bois vert administrée avec un entrain éblouissant ridiculisait Sagon et affirmait, s'il en était besoin, l'incontestable supériorité de Marot.

Il faut encore porter à son crédit l'invention du coq-à-l'âne, sorte de pot-pourri d'allusions disparates dont un théoricien du temps, Thomas Sébillet, dit que la « plus grande élégance est sa plus grande absurdité de suite de propos qui est augmentée par la rime plate et les vers de huit syllabes » (1). Forme dérivée peut-être des fatrasies (2) et des sotties (3) médiévales, qui en son temps connut un beau succès, aujourd'hui curiosité historique qui n'intéresse plus que les érudits.

Deux illustrations de *L'adolescence clémentine* dans la même édition de 1537, l'une pour déplorer la mort de Louise de Savoie, la mère de François Ier, l'autre celle de Robertet, un protecteur de Marot.

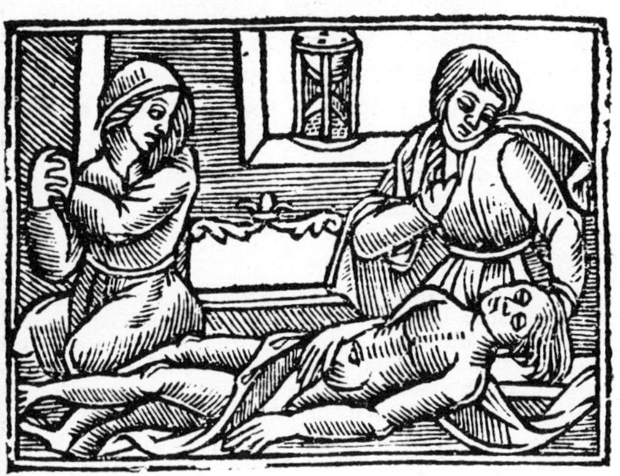

L'inventeur de formes nouvelles

La plupart des découvertes de Marot furent plus durables.

L'épître (lettre en vers) était un genre traditionnellement pratiqué par les Rhétoriqueurs, mais qu'il a renouvelé en y mêlant des allusions personnelles et en y introduisant un ton nouveau, familier ou lyrique. C'est à cette veine personnelle que se rattachent les épîtres les plus connues dont nous avons déjà parlé, mais aussi celles que le poète adressa de son exil au roi, à la reine de Navarre, à la duchesse de Ferrare, au dauphin, soit pour remercier, soit pour demander — pour quémander parfois, — soit pour narrer, toujours plus ou moins pour se justifier, crânement ou tristement.

Épîtres encore que les élégies, genre nouveau dans la poésie française du temps, qui ne sont en somme que des épîtres amoureuses : de poème en poème, elles content une histoire d'amour peut-être réelle, peut-être fictive (4). Ces poèmes sont généralement moins appréciés que les *Épîtres* ou les *Chansons*, peut-être à tort — peut-être parce que Marot, s'il y est « élégant », n'y est guère « badin », malgré sa légende.

1. En d'autres termes, Thomas Sébillet souligne le contraste entre la versification régulière et la fantaisie débridée, voire incohérente des propos : le terme *coq-à-l'âne* vient de l'expression populaire *sauter du coq à l'âne*.
2. Pièces poétiques un peu semblables aux coq-à-l'âne, formées de dictons, de proverbes mis bout à bout et présentant à première vue un sens incohérent.
3. Ou *sotie* : genre dramatique du Moyen Age, où les personnages sont tous des fous.
4. On a supposé que l'héroïne en serait Anne d'Alençon, nièce par alliance de Marguerite d'Angoulême.

De même qu'il a rénové l'épître, de même, s'il n'invente pas à proprement parler le blason, genre pratiqué depuis le milieu du XVe siècle (un blason est un poème tout entier consacré à vanter ou à dénigrer un objet, une personne, un détail le plus souvent), Marot procure à ce genre une popularité soudaine, et qui durera une quinzaine d'années, avec son *Blason du beau tétin* (1535). Le succès fut tel qu'il suscita un véritable concours (dont le triomphateur fut Maurice Scève pour un *Blason du sourcil*). Passons sur le *Contreblason du laid tétin* qui provoqua à son tour un déluge d'obscénités. Marot introduisit encore en France le genre nouveau de l'églogue (poème pastoral présentant des bergers idéalisés, à la manière de Virgile) : dans l'*Églogue de Marot au roi sous les noms de Pan et de Robin* (1539) par exemple, le poète parle avec nostalgie de sa jeunesse et de sa vieillesse, de son « automne ». C'est lui qui composa le premier épithalame

Marot devant son écritoire (illustration tirée de *L'adolescence clémentine*).

DEPLORATION

Auoir de Dieu les promeſſes & dictz
Qui vouldra voir les Anges benedictz,
Qui vouldra voir de ſon vray dieu la face
Bref qui vouldra viure au beau Paradis
Il fault premier que mourir ie le face
Confeſſe donc que ie ſuis bien heureuſe,
Puis q̃ ſansmoy tu ne peulx eſtre heureux
Et queta vie eſt aigre & rigoureuſe
Et que mõ dardneſt aigre & rigoureux,
Car tout au pis,quant leſprit vigoreux,
Seroit mortel,comme le corps immunde
Encores te eſt ce dard bien amoureux
De te tirer des peines de ce monde

Lautheur.

Coll. L. B. © B. N. Paris.

Portrait de Marot datant de la fin du XVIe siècle.

(célébration d'un mariage, en l'occurrence celui de Renée de France avec le duc de Ferrare en 1528), et, peut-être, le premier sonnet français (1536) (1).

Le poète religieux

Et puis, lui qui ne savait pas l'hébreu, aidé probablement par son ami Vatable qui enseignait cette langue au Collège Royal, il traduisit les *Psaumes* de David avec un tel bonheur qu'on a pu dire qu'il avait ainsi forgé l'instrument du lyrisme français. Cette admirable réussite de technicien du vers et de la strophe ouvrait la poésie française à la féconde inspiration biblique, à sa beauté majestueuse et véhémente — les textes de Marot figurent toujours dans les rites liturgiques du calvinisme français. Ce ne sont pas les seules œuvres religieuses du poète : il faudrait parler des *Oraisons*, et de pièces

1. Les érudits ne sont pas d'accord sur ce point et hésitent entre les noms de Mellin de Saint-Gelais, Jean Bouchet et Marot. — Le sonnet est un poème à forme fixe (14 vers répartis en deux quatrains et un sizain, autrement dit en strophes de quatre et six vers, séparés pour cette dernière en deux tercets). Le schéma des rimes du sonnet français classique est abba, abba, ccd, ede (« sonnet régulier ») ou ...ccd, eed (« sonnet marotique »).

éparses dont l'authenticité n'est pas toujours assurée.

Bien que le problème de la religion de Marot continue de diviser les spécialistes — Marot en était-il resté à l'évangélisme, était-il seulement opposé aux abus de l'Église romaine, avait-il donné son adhésion au calvinisme? — la préoccupation profonde que révèlent le sérieux et l'importance de cette partie de son œuvre devrait suffire à rendre caduque l'idée libertine que l'on se forge volontiers de lui à la suite de la malheureuse phrase de Boileau : « Imitons de Marot l'élégant badinage ». Ni « gamin » (Imbart de la Tour) ni « tête folle » (Kinch), ce fut un poète conscient des devoirs et des difficultés de sa mission, un homme épris de beauté, et, parfois à son dam, de vérité.

Marot l'insaisissable

Ce n'est donc pas lui rendre justice, peut-être, que de l'aimer « pour son esprit, pour sa finesse, pour son perpétuel sourire, pour ce qu'il y a dans son œuvre de naturel et de clarté » [1]. Mieux vaut mettre en valeur la richesse et le sérieux profond, voire le pathétique et l'amertume, aussi bien que la fantaisie et la grâce de cette œuvre ondoyante et diverse. Révéler dans la multiplicité de ses aspects la poésie de Marot, telle semble être aujourd'hui l'ambition de la critique. Et le lecteur, surpris et ravi, voit sur les décombres des mythes surgir devant lui un grand poète inattendu.

1. Pierre Jourda, *Clément Marot.*

Page de titre de l'édition posthume des *Œuvres*, en 1596, à Rouen.

BIBLIOGRAPHIE

ÉDITIONS COURANTES : *Œuvres poétiques,* éd. procurée par Y. Giraud, Paris, Garnier-Flammarion, 1973.

ÉDITION SAVANTE : La première édition critique de Marot est celle de C. A. Mayer, publiée par Athlone Press, Londres (6 vol.), 1958-1970. Réimpression partielle chez Nizet.

ÉTUDES : Pierre JOURDA, *Clément Marot*, Hatier, 1950 (l'homme et l'œuvre, dans le cadre de la collection; très complet, mais s'en tient à l'interprétation traditionnelle : Marot amuseur). — A.-M. SCHMIDT, introduction aux extraits de Marot publiés dans l'anthologie *Poètes du XVI*^e^ *siècle*, Gallimard, coll. « Bibliothèque de la Pléiade », 1953, pp. 3-7 (cinq pages éblouissantes où l'auteur fait bonne justice de quelques interprétations enracinées). — Joseph VIANEY, *Les épistres de Marot*, réimpr. Nizet, 1962 (étude exhaustive, encore utile, désuète dans ses méthodes). — V.-L. SAULNIER, *Les élégies de Marot,* S.E.D.E.S., nouv. éd. augmentée, 1968 (s'attache à un aspect de Marot longtemps négligé : ouvrage intéressant et attachant).

RABELAIS (1494?-1553)

Le plus éblouissant des conteurs français de la Renaissance fut un religieux, moine plus ou moins en règle avec son ordre, un érudit, fervent admirateur d'Érasme et disciple du grand helléniste Guillaume Budé, un juriste et l'un des meilleurs médecins de son temps. Cet homme universel, véritable « Panurge », qui fréquenta les plus hauts esprits de son siècle sans être à l'abri des tracasseries des autorités, fut par surcroît l'auteur de l'une des œuvres capitales de la littérature mondiale : l'épopée burlesque du géant Pantagruel. L'ampleur de son imagination, la prodigieuse richesse de sa langue ne cessent d'étonner les générations de lecteurs fascinés, et il a fallu un autre magicien du verbe, quelques siècles plus tard, pour formuler cette admiration en termes exacts et restés justement célèbres :

Et son éclat de rire énorme
Est un des gouffres de l'esprit! (Victor Hugo)

Un abîme de science

François Rabelais naquit près de Chinon à la fin du XVe siècle (1), de bonne famille bourgeoise. On ne sait rien de son enfance ni de sa jeunesse jusqu'en 1521, où on le retrouve moine cordelier (franciscain) en Vendée. En 1523, alors qu'il étudie le grec dans son couvent, on confisque ses livres : à la suite de cet incident, il passe chez les bénédictins et devient secrétaire de Geoffroy d'Estissac, l'évêque du lieu, qui l'a pris sous sa protection. Pendant trois ans, il accompagne l'évêque dans ses déplacements à travers le Poitou, observant les mœurs de la ville et de la campagne. Séjournant près de Poitiers, il étudie le droit à l'université de cette ville. De 1527 à 1530, on perd sa trace.

1. L'un des rares documents que l'on possède sur Rabelais semble donner comme date 1483. Abel Lefranc la repousse à 1493-1495. Mais V.L. Saulnier pense que « rien n'y force ».

A cette date, devenu prêtre, défroqué, Rabelais achève à Montpellier ses études de médecine. A peine diplômé, il enseigne, en commentant Hippocrate et Galien (1) dans le texte grec. En 1532, il est médecin du Grand Hôpital de Lyon, il est lié avec la société intellectuelle, fort brillante, de la ville, et il correspond avec Érasme, le « prince des humanistes ». C'est alors que paraît un ouvrage populaire, *Les grandes et inestimables chroniques du grand et énorme géant Gargantua*, qui lui donne l'idée d'en écrire la suite. Quelques mois plus tard, sous le pseudonyme d'Alcofribas Nasier (2), il publie *Pantagruel*.

Désormais il va poursuivre son œuvre d'écrivain parallèlement à sa carrière de médecin. Ce sera *Gargantua* en 1534, en 1546 le *Tiers livre*, suivi en 1552 du *Quart livre* (3) (publié partiellement en 1548). Devenu en 1534 médecin de Jean du Bellay, évêque de Paris puis cardinal, Rabelais suit plusieurs fois son protecteur à Rome : en 1534, en 1535-1536, en 1548-1549. En 1540-1543, il est au service du frère du cardinal, Guillaume du Bellay, seigneur de Langey, gouverneur du Piémont (4). Entre temps, tous ses livres ont été condamnés par les autorités ecclésiastiques et Rabelais a parfois jugé prudent de se faire oublier. Il est même possible qu'il ait fait de la prison, à la suite de la publication du *Quart livre*.

Il meurt à Paris, en avril 1553. Le *Cinquième livre*, posthume, paraît partiellement en 1562 et complètement en 1564; son authenticité, bien que probable, n'est pas assurée.

L'œuvre romanesque de Rabelais comprend donc cinq livres, chacun précédé d'un prologue où l'auteur s'adresse familièrement au lecteur.

1. Médecins grecs de l'Antiquité.
2. Anagramme de François Rabelais, qui attendra le *Tiers livre* (1546) pour signer ses ouvrages de son nom.
3. *Tiers* et *quart* signifient ici « troisième » et « quatrième ».
4. Momentanément annexé par François Ier.

Les cinq livres

Pantagruel [le tout Altéré (1)] (1532) conte la naissance, l'enfance, la jeunesse, le « tour de France » d'université en université, le séjour à Paris, d'un jeune géant, fils du roi Gargantua, sa rencontre avec Panurge [l'Habile en tout], enfin la guerre qu'il mène victorieusement contre les Dipsodes [les Altérés], envahisseurs du royaume de son père.

Même schéma dans *Gargantua* [le Vorace] (1534) : les enfances du héros, son éducation — désastreuse tant qu'elle s'inspire des méthodes désuètes de la scolastique (2), accomplie dès qu'elle s'en remet aux idées nouvelles —, puis ses prouesses guerrières contre le ridicule Picrochole [Bile acariâtre], envahisseur des États paternels, sa rencontre avec Frère Jean des Entommeures [Hachis], enfin, épisode que rien ne préfigure dans le *Pantagruel*, la fondation de l'Abbaye de Thélème [Volonté libre], couvent paradoxal où tout prend le contrepied de l'ascétisme monastique : « En leur règle n'était que cette clause : *Fais ce que voudras* ».

Rabelais d'après une peinture italienne du XVIe siècle. Sur ce portrait (présumé) Rabelais apparaît comme un homme dans la force de l'âge, au regard profond et pensif.

Rabelais ayant ainsi écrit l'histoire du père après celle du fils, son *Tiers livre* (1546) enchaîne sur la fin du *Pantagruel*, mais sans qu'il soit désormais question de géants. Trois moments : un éloge burlesque des dettes par Panurge, suivi d'une série de consultations (43 chapitres sur 52) auprès d'hommes prétendûment clairvoyants, spécialistes de divination, sages supposés ou fous déclarés, à qui Panurge demande s'il peut se marier sans risque : les réponses sont décourageantes; enfin une description et un éloge du « pantagruélion », herbe mystérieuse aux vertus singulières.

Le *Quart* (1552) puis le *Cinquième livre* (1564) narrent la navigation de Panurge, Pantagruel et leurs compagnons, partis consulter l'oracle de la Dive (3) Bouteille. Les escales permettent à l'auteur de représenter allégoriquement et de dénoncer les abus du monde — ceux de l'Église et de la Justice surtout. Parvenus au terme de leur périple, les voyageurs entendent enfin la réponse de l'oracle : « *Trinch* » (« Buvez »), que la prêtresse de Bacbuc [la Bouteille] commente en ces termes : « Soyez vous-mêmes interprètes de votre entreprise. »

On a maintes fois souligné les invraisemblances, les incohérences du roman : pourquoi Pantagruel en 1532 est-il prince en Utopie, du côté de l'Inde, et Gargantua en 1534 dans le Chinonais? pourquoi Gargantua prétend-il dans sa fameuse lettre à Pantagruel, en 1532, que pendant sa jeunesse « le temps était encore ténébreux et sentant l'infélicité et calamité des Goths (4) », alors qu'une grande partie du roman de 1534 traite précisément de l'éducation soignée qu'il

1. Du moins selon l'étymologie fantaisiste proposée par Rabelais.
2. *La scolastique :* péjorativement, l'enseignement sclérosé de la fin du Moyen Age, héritier dégénéré de la pensée de saint Thomas d'Aquin (XIIIe siècle) qui voulut accorder la religion chrétienne et la philosophie d'Aristote. L'enseignement scolastique du XVIe siècle se fonde sur des procédés où la routine et le formalisme l'emportent sur la réflexion.
3. Divine.
4. *Les Goths :* les gens du Moyen Age, barbares et destructeurs.

a reçue? Il est facile de dire que Rabelais ayant commencé par écrire l'histoire du fils, la différence entre la chronologie de la composition et celle du récit rend compte des contradictions les plus choquantes. Il en est pourtant qu'elle n'explique pas. Pantagruel, héros farcesque dans la veine des contes populaires en 1532, devient à partir du *Tiers livre* un modèle de sagesse et de sérénité; Panurge, d'abord mauvais plaisant passablement inquiétant, apparaît bientôt comme un être timoré, indécis et couard, souvent ridicule. Arguera-t-on du temps écoulé entre les deux grands moments de la création (1532-1534 et 1546-1553) pour justifier ces négligences?

Frontispice de la seconde édition de *Gargantua* (1535).

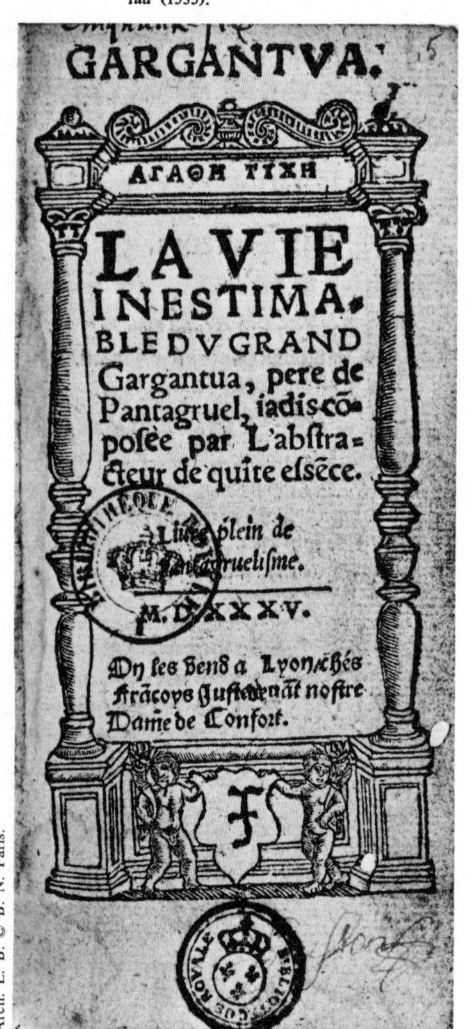

Arch. E. B. © B. N. Paris.

En fait, il est probable que le souci de la vraisemblance, de la cohérence de l'intrigue, qui tend à faire d'un roman une histoire impeccablement agencée, est étranger à Rabelais. Ce sont deux autres préoccupations, complémentaires et indissociables, qui font l'unité et l'intérêt (et les contradictions) de l'œuvre : parodier le monde tel qu'il est, et exalter un nouvel art de vivre, le « pantagruélisme », ainsi défini au prologue du *Quart livre :* « certaine gaieté d'esprit confite en mépris des choses fortuites » ([1]).

Une éducation encyclopédique

Cela revient à souligner à quel point on risque de dénaturer la pensée de Rabelais en la constituant en système. S'agissant par exemple de ses idées sur l'éducation, il est d'usage de citer la lettre de Gargantua à Pantagruel ([2]), généralement considérée comme un hymne enthousiaste à l'humanisme triomphant, et la journée d'étude de Gargantua ([3]), programme d'éducation en accord avec les idées nouvelles. Ici et là, cependant, certains ont décelé des humeurs parodiques : « Chaque fois que Rabelais nous donne son idéal d'éducation, il l'exagère jusqu'à le rendre utopique » (Léo Spitzer).

Voyons par exemple « comment Gargantua fut institué ([4]) par Ponocrates ». Les journées du jeune géant sont à sa mesure, et son attention est sollicitée sans relâche dans les domaines les plus variés : intellectuel, expérimental, physique et sportif, juridique, artistique, littéraire, religieux, scientifique, moral, diététique, mondain. Même, il cumule : il se lave en s'instruisant sur les Écritures, en mangeant il a sa leçon de choses. Si le temps est beau, il fait du sport — et il est difficile parfois de prendre Rabelais tout à fait au sérieux :

Nageait en profonde eau, à l'endroit, à l'envers, de côté, de tout le corps, des seuls pieds, une main en l'air, en laquelle tenant un livre transpassait ([5]) toute la rivière de Seine sans icelui ([6]) mouiller, et tirant par les dents son manteau, comme faisait Jules César ([7]).

Cependant, avant de se récrier sur l'ampleur d'un tel programme, il faut observer qu'il

1. C'est-à-dire : ne se laissant pas altérer par les divers incidents de l'existence quotidienne.
2. *Pantagruel*, chap. 8.
3. *Gargantua*, chap. 23-24.
4. Éduqué.
5. Il traversait.
6. Celui-ci (le livre).
7. Trait de vaillance signalé par Plutarque.

répond à des intentions évidemment polémiques : le jeune garçon a d'abord été livré à des précepteurs « sophistes » (1), ivrognes tout juste capables de le rendre « fous, niais, tout rêveux et rassotté ». On rattrape donc le temps perdu.

A la caricature d'un système désastreux, Rabelais oppose le rêve d'un système idéal, apte à former les héros d'une société nouvelle. Rien de démocratique toutefois en cette affaire : l'élève Gargantua deviendra l'ornement d'une société raffinée comme celle de Thélème, c'est-à-dire fréquentée par des « gens libères (2), biens nés et bien instruits, conversant (3) en compagnies honnêtes (4) ». On reconnaît là une éducation aristocratique destinée à un fils de roi, la pédagogie utopique d'un humaniste rêvant d'un monde meilleur où les princes seraient philologues.

Le roi et la guerre

Grandgousier [le Goulu], le père de Gargantua qu'attaque l'odieux et caricatural Picrochole, n'a rien d'un roi de droit divin (5) mais rien non plus d'un roi constitutionnel. Souverain paternel, juste, conscient de ses devoirs, ennemi des conquêtes au point qu'après sa victoire il refusera d'annexer le royaume de son ennemi — car en vérité « le temps n'est plus d'ainsi conquêter les royaumes (6) » —, roi pacifique qui sait cependant que la guerre défensive peut être nécessaire, et qui sait la faire, Grandgousier personnifie évidemment l'idéal humaniste du roi père du peuple (7).

Mais la guerre picrocholine, c'est aussi une savoureuse épopée burlesque en plein pays chinonais, qu'illustrent quelques-unes des pages les plus extraordinaires de Rabelais : l'apparition inoubliable de Frère Jean, le moine batailleur, sur le vignoble bientôt couvert de morts; l'entretien délirant de Picrochole avec ses conseillers rêvant d'avoir conquis le monde avant de faire un pas... Ce sont les salubres massacres où Rabelais — par l'intermédiaire de Frère Jean

1. Le mot remplace les termes « théologien », « sorbonagre », etc. qui figurent dans la première édition. C'est donc une atténuation, mais qui reste explicite : un sophiste est un beau parleur qui raisonne faux.
2. Libres.
3. *Conversant en :* fréquentant des.
4. De bon ton, de bonne tenue.
5. Cette notion prend corps au XVIe siècle malgré l'opposition des réformés et de nombreux humanistes.
6. *Gargantua,* chap. 46.
7. Tel était le surnom du roi Louis XII (1462-1515).

Page de titre de *Gargantua* dans l'édition de 1537 : on y voit Gargantua enfant, entouré de ses parents.

— supprime allégrement les « hypocrites, bigots, vieux matagots, marmiteux, boursouflés » qu'il exclut de Thélème parce qu'ils prétendent confisquer la joie des autres, osant même menacer la vendange :

> Les uns mouraient sans parler, les autres parlaient sans mourir. Les uns mouraient en parlant, les autres parlaient en mourant. [...] Tant fut grand le bruit des navrés (1) que le prieur de l'Abbaye avec tous ses moines sortirent [...] Les petits moinetons coururent au lieu où était Frère Jean et lui demandèrent en quoi il voulait qu'ils lui aidassent. A quoi répondit qu'ils égorgetassent ceux qui étaient portés par terre.

Grâce à quoi « furent déconfits » 13 622 envahisseurs, « sans compter les femmes et petits enfants, cela s'entend toujours »!

La réalité du moment

Peut-on voir ici ou là dans l'œuvre de Rabelais une allusion directe à tel ou tel événement historique? Convient-il, sous prétexte que la guerre picrocholine se déroule effectivement en pays chinonais, d'accepter la thèse d'Abel Lefranc selon laquelle ce conflit transposerait

1. Des blessés.

les démêlés du père de Rabelais avec un de ses voisins? Faut-il admettre en outre que l'auteur s'inspire des multiples conflits qui opposèrent François Ier à Charles Quint? Considérera-t-on enfin que les rêves conquérants de Picrochole visent l'aventure espagnole des conquistadores au Nouveau Monde? Telles sont en effet quelques-unes des interprétations qu'on a proposées pour cet épisode.

Rabelais ne prétend pas reproduire telle quelle dans son œuvre la réalité extérieure. Chez lui, les éléments empruntés au réel, insérés dans un univers parodique, prennent plutôt, par le contact avec ce voisinage auquel ils sont désaccordés, une dimension fantastique : « Le réel ne transparaît pas autant dans le mythe que le mythe ne transforme le réel dont il a besoin pour s'incarner » (L. Spitzer).

Quoi qu'il en soit, que Rabelais soit un auteur réaliste (A. Lefranc), un « hyperréaliste » tourné vers « le mythique, l'élémentaire, le dithyrambique, l'herculéen » (J. Huizinga) (1) ou « le maître inégalé de l'irréalisme bouffon » (L. Spitzer), faut-il par surcroît le tenir pour un propagandiste de la politique royale?

Le *Tiers* et le *Quart livre* défendent parfois des positions qui sont celles du roi : l'éloge de la politique de conquête au premier chapitre du *Tiers livre* est la négation de tout l'esprit du *Gargantua;* au *Quart livre* l'attaque contre les Décrétales (2), symboles des abus du pouvoir pontifical, procède d'une intention gallicane qui ne pouvait que plaire au roi. Il n'est évidemment pas impossible que Rabelais, protégé des du Bellay, éminents serviteurs de la cause royale, ait dû infléchir son attitude pour des raisons d'opportunité. Mais on peut aussi penser que, se trouvant d'accord, de temps en temps, avec la politique royale, il n'a pas manqué d'en tirer parti, et que dans cette mesure « Rabelais ne soutient pas la cause du roi. Il se trouve que leurs causes sont les mêmes » (V.L. Saulnier).

Rabelais a été juriste, et le mouvement humaniste s'est intéressé de très près au droit et à la justice. Rien d'étonnant donc que la justice constitue ici une des cibles favorites de la satire : dès 1532, dans *Pantagruel*, avec l'absurde procès entre les seigneurs de Baisecul et Humevesne

1. Cité par Léo Spitzer (voir Bibliographie).
2. Lettres des papes et réponses aux questions qu'on leur posait. En fait, décisions pontificales que Rabelais attaque parce qu'elles prétendaient fonder la puissance temporelle de l'Église, et provoquaient la sortie de sommes importantes versées à Rome comme taxes, etc., à la grande irritation du roi de France.

où tout le monde se régale de discours inintelligibles; dans le *Tiers livre*, avec les sentences du juge Bridoie, jouées aux dés. L'attaque se déchaîne au *Quart livre* avec la présentation allégorique des « Chicanous » avides, et au *Cinquième livre* avec celle des « Chats Fourrés », « bêtes horribles et épouvantables » « à l'énorme, indicible, incroyable et inestimable méchanceté ». Ne comptons pas, d'autre part, les allusions à la justice ecclésiastique, à la durée interminable de ses procès, à son formalisme inquiétant : avec l'évocation des Décrétales, c'est à la panoplie juridique par laquelle s'imposait la puissance temporelle du Saint-Siège que s'en prend Rabelais. Sans relâche il vise ceux qui, « sorbonagres » ou « sorbonicoles », tentent d'une manière ou d'une autre d'enrayer le progrès des idées nouvelles : théologiens (1) d'un autre âge plus portés sur la bouteille que sur l'étude, tel le piteux docteur de Sorbonne Janotus de Bragmardo qui, « vêtu de son lyripipion théologal (2) », est venu devant Gargantua bafouiller son inutile harangue farcie de mauvais latin.

De telles railleries rejoignent celles que Rabelais dirige contre les moines, les monastères — et les cloches, symboles d'oppression qu'exècre l'ancien cordelier —, contre la crédulité qui favorise les pèlerinages, le culte des reliques, celui des saints, la croyance aux miracles — vulgaires superstitions selon Rabelais —, contre le mépris du corps, contre les mortifications et contre la papauté.

De cette satire anticléricale dispersée à travers l'ensemble de l'œuvre, le ton ne cesse de monter jusqu'à la véhémence des deux derniers livres. A propos des Décrétales, Rabelais s'en prend à la Curie romaine. Il s'en prend aux catholiques, ridicules et odieux « Papefigues », adorateurs du monstrueux Carême-Prenant. Il s'en prend aux protestants, « démoniacles Calvins, imposteurs de Genève ». Et le *Quart livre*, significativement, se termine sur l'éloge de « Messer Gaster », le ventre, père de toutes les techniques, « premier maître ès arts de ce monde ». Quant au *Cinquième livre*, son premier épisode constitue une attaque d'une rare violence contre le Saint-Siège : *L'île sonnante* (3) retentit du vacarme incessant des cloches et des piaillements d'oiseaux braillards et fainéants aux plumages

1. A la fois ecclésiastiques et juges.
2. Sa toge académique. Le terme « *théologal* » fut remplacé ensuite par l'expression « *à l'antique* ».
3. Titre donné aux 16 premiers chapitres du livre, parus dès 1562. *L'île sonnante* est évidemment Rome.

Un épisode de la guerre picrocholine, tel que le virent les lecteurs de *Gargantua* dans l'édition de 1537.

bariolés (1) qui ont nom « clergaux, monagaux, prêtregaux, évêgaux, cardingaux et papegaut » — ce dernier seul de son espèce —, « oiseaux [...] qui viennent de l'autre monde », « poids inutile de la terre ».

Mais tenter d'apprécier l'importance et la signification de ces allégories revient à poser une question capitale : quelle est la religion de Rabelais?

Chrétien, athée ou païen ?

Rabelais, donc, ne cesse de s'en prendre à l'Église, à la Réforme, aux dogmes, aux rites, aux « superstitions » et aux hommes chargés de les maintenir.

Selon certains critiques, prendre cela au sérieux, c'est commettre une erreur de perspective : Rabelais raillant les moines et les abus de l'Église s'inscrit dans une tradition médiévale inoffensive. Selon d'autres, avec l'apparition de la Réforme, cette tradition a cessé d'être inoffensive, et les plaisanteries de Rabelais n'ont jamais été anodines. Les uns voient même en lui un athée militant, un précurseur du rationalisme (A. Lefranc). A quoi l'on a rétorqué — brillamment — que Rabelais est marqué par l'influence franciscaine (E. Gilson) et qu'au XVIe siècle, compte tenu de l'évolution des esprits, l'incroyance n'est pas concevable : « Prétendre faire du XVIe siècle un siècle sceptique, un siècle libertin, un siècle rationaliste et le glorifier comme tel : la pire des erreurs et des illusions » (L. Febvre).

Rabelais fut-il érasmien, c'est-à-dire adepte d'une religion plus intellectuelle que mystique, partisan d'une réforme de l'Église, mais sans aller jusqu'à la rupture avec Rome? Fut-il évangéliste, désireux de retourner à la pureté et à la vérité des Écritures sans s'attacher aux rites, en refusant les abus de la lettre qui tuent l'esprit, mais en devenant plus prudent, moins explicite devant les progrès de la Réforme et de la répression (V. L. Saulnier)? Fut-il « croyant, d'une foi tendant sans doute vers un déisme » (P. Minvielle)?

Sinon lui, ses personnages en effet invoquent constamment Dieu, souvent Jésus-Christ; ils prient, ils prononcent des professions de foi. Mais le Dieu auquel ils s'adressent n'intervient pas souvent dans leurs affaires. Il leur laisse le loisir de prendre possession du monde et d'en tirer leur bonheur.

Entre tant d'opinions contradictoires sur la religion de Rabelais, il est difficile de trancher. Quelle qu'ait été cette religion, il nous paraît cependant significatif d'observer que l'ensemble des cinq livres exprime, avec une continuité sans faille, la nécessité de vivre en accord avec la nature, sans excès de mortification ni d'animalité. C'est ce que dit le mythe de Physis, la bonne nature et d'Antiphysis qui engendre des monstres.

Religion païenne? Non incompatible dans l'esprit de bien des humanistes avec la foi chrétienne.

La création rabelaisienne

C'est d'une chronique populaire qu'est née l'œuvre de Rabelais, épopée grotesque, parodie des romans de chevalerie traitée sur le mode bouffon, où la trivialité farcesque voisine avec les subtilités d'un symbolisme exquis, où l'allégorie s'allie à la verve, où la fantaisie associée au réel se fait créatrice de mythes.

Les procédés du comique rabelaisien sont d'une multiplicité étourdissante. « Ce qui frappe d'abord à la lecture de Rabelais, c'est la luxuriance du détail » (V. L. Saulnier) : richesse sans pareille du vocabulaire emprunté à tous les genres, tous les tons, tous les milieux, toutes les traditions littéraires écrites ou orales, toutes les provinces, toutes les langues étrangères connues de Rabelais qui en tire des néologismes et les naturalise (1); énumérations vertigineuses (Diogène roulant son tonneau est décrit par 64 verbes, le mot *fol* associé à Triboulet est assorti de 208 épithètes), accumulations et jongleries verbales (Panurge

1. Les costumes ecclésiastiques.

1. Comme les mots *catastrophe*, *paroxysme*, *prototype sarcasme*, etc., introduits par lui dans la langue française et passés dans l'usage courant.

rencontrant pour la première fois Pantagruel lui dit qu'il a faim en 14 langues, dont trois imaginaires), boniments, fatrasies même, jeux de mots, calembours, dialogues qui constituent parfois des portraits sonores, répétitions et refrains (l'éloge de Messer Gaster est ainsi ponctué par la reprise de l'exclamation : « Et tout pour la tripe! »), calligrammes (1)...

Le style parlé donne à l'œuvre sa « saveur théâtrale » (R. Garapon). Mais cela n'implique pas que les cinq livres de Rabelais soient à proprement parler « un ouvrage oral qui s'adresse à des auditeurs » (H. Coulet). En fait, le style de Rabelais est le style d'un poète qui, en introduisant dans la prose écrite les cadences et les sonorités de la langue orale, trouve un ton nouveau : « Ce qu'il voulait faire, c'était un langage pour tout le monde, un vrai. [...] Rabelais avait voulu faire passer la langue parlée dans la langue écrite ». Et cela n'est certes pas la même chose que de composer « un ouvrage oral ». Mais Céline, de qui sont ces remarques, conclut mélancoliquement : « Un échec ».

Un calligramme de Rabelais : le chant à la Dive Bouteille tel qu'il est imprimé dans l'édition de 1565 du *Cinquième livre*

O Bouteille
Plaine toute
De misteres,
D'vne aureille
Ie t'escoute
Ne differes,
Et le mot proferes,
Auquel pend mon cœur.
En la tant diuine liqueur,
Baccus qui fut d'Inde vainqueur,
Tient toute verité enclose.
Vin tant diuin loin de toy est forclose
Toute mensonge, & toute tromperie.
En ioye soit l'Aire de Noach close,
Lequel de toy nous fist la temperie.
Somme le beau mot, ie t'en prie,
Qui me doit oster de misere.
Ainsi ne se perde vne goutte.
De toy, soit blanche ou soit vermeille.
O Bouteille
Plaine toute
De mysteres
D'vne aureille
Ie t'escoute
Ne differes.

Échec quant à l'influence qu'eut cette langue créée par Rabelais sur l'évolution du français, peut-être. Mais réussite incontestable en ce qui concerne son inimitable qualité. Rabelais poète? Inventeur d'une nouvelle alchimie du verbe, par surcroît de quelques grands mythes — Thélème, Physis et Antiphysis, le mythe des paroles dégelées, dans l'extraordinaire épisode où après avoir été conservées par le froid aux confins de la mer glaciale, elles deviennent visibles : « des mots de gueule, des mots de sinople, des mots d'azur, des mots de sable, des mots dorés (2) », et tombent sur le bateau de Pantagruel et de Panurge qui entendent ainsi des choses prononcées longtemps auparavant... Qui donc serait poète si Rabelais ne l'était pas?

« *Pour ce que rire est le propre de l'homme* »

L'œuvre s'adresse à un lecteur « pantagruélisant, c'est-à-dire buvant à gré (3) et lisant les gestes (4) horrifiques de Pantagruel ». L'auteur se présente constamment comme un rieur, comme un buveur, comme un mangeur : à l'en croire, telles seraient ses seules préoccupations dans l'existence. Il prétend même n'avoir consacré à ses romans que le temps de ses repas, d'où sa légende, déjà établie de son vivant :

> Car altéré, sans nul séjour*,
> Le galant* buvait nuit et jour.
> (Ronsard)
>
> *sans arrêt
> *l'habile homme

Mais à réagir contre ces jugements sûrement sommaires, n'est-on pas allé trop loin dans l'autre sens? au risque d'oublier ce que Rabelais lui-même avait déclaré :

> Mieux est de ris* que de larmes écrire,
> Pour ce que rire est le propre de l'homme.
>
> *rire

On objectera que, dans un passage fort célèbre du prologue de *Gargantua*, il nous invite bel et bien à « rompre l'os et sucer la substantifique

1. Représentations spatiales de poèmes où la disposition typographique constitue un élément signifiant (par exemple au chap. 44 du *Cinquième livre* le chant à la Dive Bouteille imprimé dans une bouteille. Figure ci-contre).
2. *De gueule :* rouge, *de sinople :* vert, *de sable :* noir (termes de blason).
3. A volonté.
4. Les hauts faits.

moelle », donc à ne pas nous arrêter aux apparences, à chercher la signification cachée de ses livres, « à plus haut sens interpréter ce que par aventure (1) cuid[ions] (2) dit en gaieté de cœur ». Encore faut-il observer qu'il enchaîne sans transition sur une raillerie visant les excès de subtilité dans l'interprétation des textes: « Croyez-vous en votre foi qu'onques (3) Homère, écrivant l'*Iliade* et *Odyssée*, pensât ès allégories (4) lesquelles de lui ont calfreté (5) Plutarque [etc.]? ». Et, ajoute-t-il, si vous le croyez, pourquoi ne pas en accorder autant à mon livre, « combien que (6), [le] dictant, n'y pensasse en plus que vous, qui par aventure buviez comme moi »?

Nous voilà donc confrontés au même dilemme que Gargantua entre sa femme morte et son fils nouveau-né, ne sachant s'il doit rire ou pleurer. Lire Rabelais en riant? Le prendre surtout au sérieux? Consulter nous-mêmes, peut-être, l'oracle de la Dive Bouteille, et suivre le conseil de la prêtresse : « Soyez vous-mêmes interprètes de votre entreprise. »

1. Peut-être.
2. Nous pensions.
3. Jamais.
4. Aux allégories, c'est-à-dire aux interprétations allégoriques, symboliques.
5. Calfaté. *Calfreter une allégorie :* peut-être « travailler à la rendre présentable ».
6. Bien que.

BIBLIOGRAPHIE

ÉDITIONS COURANTES : Livre de Poche, 5 vol. (nos 1240, 1589, 2017, 2247, 2489). — Coll. Garnier-Flammarion. — *Œuvres complètes*, Gallimard, coll. « Bibliothèque de la Pléiade ». — Les *Cinq livres*, Garnier, 2 vol. — Coll. « L'Intégrale », *Œuvres complètes*, établies, annotées et préfacées par G. Demerson (avec une « translation » en français moderne), Seuil, réimpr., 1981 (édition excellente, à la fois courante et savante, maniable et tout à fait complète; un travail remarquable).

ÉDITIONS SAVANTES : La « grande édition » de référence est celle, inachevée, des trois premiers livres, établie sous la direction d'Abel Lefranc, Champion, 1912-1931. — Les quatre premiers livres ont été édités séparément dans la collection des « Textes littéraires français », chez Droz : *Pantagruel*, par V.-L. Saulnier, nouv. éd. 1965; *Gargantua*, par M. A. Screech et R. Calder, 1970; le *Tiers livre*, par M. A. Screech, 1964; le *Quart livre*, par R. Marichal, 1947.

ÉTUDES : Étienne GILSON, « Rabelais franciscain », *Revue d'histoire franciscaine*, 1924 (rend leurs justes proportions à certaines « hérésies » de Rabelais, en fait lieux communs de la tradition franciscaine). — Lucien FEBVRE, *Le problème de l'incroyance au XVIe siècle. La religion de Rabelais*, A. Michel, 1942, réimpr. format poche, 1968 (Rabelais n'est pas athée : réfutation de la thèse d'Abel Lefranc. — Léo SPITZER, « Le prétendu réalisme de Rabelais », *Modern philology*, n° 37; « Rabelais et les rabelaisants », *Études de style*, Gallimard, 1970 (par un maître stylisticien : Rabelais irréaliste et grotesque). — Abel LEFRANC, *Rabelais*, A. Michel, 1953 (rééd. des introductions rédigées pour la « grande édition » de Rabelais. On y trouve l'essentiel des thèses de Lefranc : Rabelais réaliste, précurseur de la libre pensée). — Henri LEFEBVRE, *Rabelais*, Éditeurs français réunis, 1955 (Rabelais écrivain révolutionnaire). — V.-L. SAULNIER, *Le dessein de Rabelais*, S.E.D.E.S., 1957 (Rabelais évangéliste : d'excellentes analyses du *Tiers* et du *Quart livre*), réimpr., Paris, S.E.D.E.S., 1983 sous le titre *Rabelais I*. — Mikhaïl BAKHTINE, *L'œuvre de François Rabelais et la culture populaire du Moyen Age et sous la Renaissance*, trad. franç. Gallimard, 1970 (Rabelais nourri de la tradition populaire carnavalesque : intuition passionnante et féconde). — François RIGOLOT, *Les langages de Rabelais*, Genève, Droz, 1972 (la richesse et l'ambiguïté d'un des maîtres du verbe par un maître stylisticien). — Floyd GRAY, *Rabelais et l'écriture*, Paris, Nizet, 1974 (une étude précise pour un problème majeur). — M. A. SCREECH, *Rabelais* (en anglais), Londres, Duckworth, 1979 (une œuvre critique magistrale : à ce jour malheureusement non traduite). — V.-L. SAULNIER, *Rabelais II. Rabelais dans son enquête*, Paris, S.E.D.E.S., 1982 (l'étude posthume du maître disparu sur les *Quart* et *Cinquième livres*, destinée à compléter le tome I : *Le dessein de Rabelais*). — Mireille HUCHON, *Rabelais grammairien*, Genève, Droz, 1980 (sur un aspect capital de l'œuvre : une étude remarquable).

LES PROSATEURS

La prose didactique

Les premiers prosateurs, au XVIe siècle, furent les humanistes. Mais leurs œuvres, rédigées en latin, ne relèvent pas d'une histoire de la littérature française.

C'est Calvin (1509-1564) qui, à l'instar de Luther en Allemagne, fonde la prose didactique moderne en mêlant la langue vulgaire aux débats théologiques. Il fait paraître en 1540 *L'institution chrétienne* après l'avoir d'abord publiée en latin en 1536, puis en 1550 le *Traité des scandales*. Sa langue dépouillée est pourvue de ces qualités de rigueur et de concision jusqu'alors considérées comme propres au latin, dans lesquelles on se plaît d'ordinaire à reconnaître quelques-unes des vertus du style classique français.

Le roman de chevalerie : « Amadis de Gaule »

On ne saurait parler de la prose sous le règne de François Ier sans signaler un roman espagnol paru à l'aube du siècle (1508), dont la popularité à travers l'Europe fut prodigieuse. Lecture de prédilection des rois (François Ier et Charles Quint), des poètes (Bembo ou du Bellay), des penseurs (Ignace de Loyola même), *Amadis de Gaule*, idéalisation de la perfection chevaleresque dans un monde surnaturel, fut le plus grand, mais non le seul, des romans de chevalerie en prose qui enchantèrent la Renaissance [1]. Son influence en France fut comparable, ce qui n'est pas peu dire, à celle de l'*Astrée* au XVIIe siècle. Et l'on sait que si Rabelais en parodia les procédés, hors de France *Amadis* figurait en bonne place dans la bibliothèque d'un hidalgo célèbre, Don Quichotte de la Manche, le personnage de Cervantès.

1. « Ces romans ont constitué, avec les livres d'heures et la littérature de l'humanisme, la principale production des cinquante premières années de l'imprimerie en France » (J. Plattard).

La veine réaliste

Les conteurs du XVIe siècle prolongent la tradition des fabliaux et des récits oraux. Ils se souviennent aussi d'avoir lu le *Décaméron* de Boccace (XIVe siècle), suite de cent récits narrés pendant dix jours [1] par un groupe d'hommes et de femmes réfugiés hors de Florence pendant la grande épidémie de peste noire de 1348. Et, plus près d'eux, ils connaissent aussi Rabelais.

1. *Décaméron :* en grec, « dix jours ».

Frontispice d'une édition espagnole d'*Amadis de Gaule*, dont le succès en France est attesté par de nombreuses allusions chez les plus grands écrivains.

B. N. Madrid. © L. von Matt.

Citons Bonaventure Des Périers (1498?-1544) que son indépendance d'esprit, ses imprudences sans doute, conduisirent au suicide. Il composa notamment les *Nouvelles récréations et joyeux devis* (1), publiés après sa mort, en 1558, recueil de nouvelles qui brossent un tableau pittoresque des divers milieux sociaux sous François Ier. Disciple de Rabelais par sa verve, il sera, au siècle suivant, l'un des auteurs préférés de La Fontaine à qui il fournira le sujet de quelques fables (« Le savetier et le financier », « La laitière et le pot au lait »).

Autre disciple de Rabelais, Noël du Fail (1520?-1591) fut l'auteur de *Propos rustiques* (1547), témoignage sur les travaux et les jours d'un village de Bretagne, évoqués dans des soirées paysannes au cours desquelles les « anciens » du pays échangent à bâtons rompus des « propos rustiques » savoureux, en regrettant comme il se doit le bon vieux temps du roi Louis XII (2). Ces protagonistes paysans n'ont rien de commun, faut-il le dire?, avec les héros des églogues et des pastorales qui faisaient les délices des mondains dans les villes.

Marguerite d'Angoulême (1492-1549)

L'histoire ne propose pas si fréquemment l'exemple d'une princesse qui ait à la fois, comme le dit Marot à propos de Marguerite de Navarre, la sœur de François Ier, « corps féminin, cœur d'homme et tête d'ange »! Cultivée, généreuse, ouverte aux idées nouvelles, protectrice des penseurs et des poètes que persécutait une société intolérante, elle fut en outre un écrivain de talent, auteur de poésies (son premier livre, *le Miroir de l'âme pécheresse*, lui valut en 1533 d'être condamnée par la Sorbonne), de comédies, mais surtout d'un recueil de nouvelles, l'*Heptaméron* (3), publié après sa mort en 1558-1559.

Elle y représente un groupe de dix « devisants » (4) retenus loin de chez eux par une crue du gave de Pau, qui, pour se distraire, décident de se conter des récits, à la manière de Boccace sinon en une chose : qu'il n'y ait « nulle nouvelle qui ne soit véritable histoire ». De fait, si toutes les nouvelles ne sont pas tirées de la réalité, toutes se situent dans des décors familiers, vrais ou vraisemblables. Le ton et le genre en sont

Musée Condé Chantilly. © Bulloz.

Musée Condé Chantilly. © Coll. L. B.

Marguerite de Navarre ne fut pas seulement l'auteur de l'*Heptaméron* mais un poète intéressant. L'illustration de *La coche* (en bas) donne une idée du climat aristocratique dans lequel se déroulent ses œuvres.

néanmoins variés : contes lestes ou grossiers dans la tradition du fabliau, plus souvent contes romanesques, contes sérieux, pathétiques ou tragiques (Marguerite est la première à narrer par exemple l'histoire alors contemporaine de Lorenzo de Médicis, le héros du *Lorenzaccio* de Musset). On y parle beaucoup d'amour : amour violent et brutal, amour plus raffiné. De religion : en bonne évangéliste, la reine

1. Causeries, conversations.
2. Voir aussi p. 157.
3. *Heptaméron :* en grec, « sept jours ». Marguerite en mourant n'avait achevé que soixante-douze nouvelles.
4. Causeurs, interlocuteurs.

insiste sur la foi et la grâce, et elle n'épargne pas les traits satiriques contre la corruption du clergé. Après chaque récit, les « devisants » discutent. Ces commentaires intéressants révèlent la façon de voir de quelques types d'hommes et de femmes appartenant à la haute société du temps. En outre, ils introduisent dans la littérature française le ton alors nouveau de la conversation mondaine.

Le miroir d'une société

Contes réalistes et distrayants qui dessinent un tableau d'ensemble des divers milieux du temps; récits irréels d'aventures chevaleresques auxquels se délecte l'imagination de toute une époque; méditations d'un Calvin qui changent la face de l'Europe; expression, par le biais de la fiction romanesque, des contradictions d'une société auxquelles une Marguerite de Navarre, privilégiée en tant que princesse et humiliée en tant que femme, est particulièrement sensible; création d'un univers de dérision par lequel le monde réel est mis en question dans la grande épopée parodique et lyrique de Rabelais : tels sont quelques-uns des aspects les plus remarquables de la prose littéraire sous le règne de François Ier.

Coll. L. B. © B. N. Paris.

C'est dans un semblable décor qu'on imagine Marguerite de Navarre, princesse lettrée. « cœur féminin, corps d'homme et tête d'ange » (Marot).

BIBLIOGRAPHIE

ÉDITION COURANTE : *Conteurs français du XVIe siècle*, éd. par P. Jourda, Gallimard, coll. « Bibliothèque de la Pléiade », 1965 (figurent les *Nouvelles récréations...* de DES PÉRIERS, les *Propos rustiques* de DU FAIL, et *L'Heptaméron* de MARGUERITE DE NAVARRE).

ÉDITIONS DE RÉFÉRENCE : Jean CALVIN, *Institution de la religion chrétienne,* éd. par J.-D. Benoit, Vrin, 3 vol., 1957-1960. — MARGUERITE DE NAVARRE, *L'Heptaméron,* éd. par M. François, Garnier, réimpr. 1976. — Bonaventure DES PÉRIERS, *Nouvelles récréations et joyeux devis,* éd. Krystyna Kasprzyk, Société Textes Français Modernes, (S.F.T.M.), 1980.

ÉTUDES : Pierre JOURDA, *Marguerite d'Angoulême, duchesse d'Alençon, reine de Navarre,* Champion, 1930, 2 vol. (le 1er : la vie, le 2e : l'œuvre). — Lucien FEBVRE, *Autour de l'Heptaméron. Amour sacré, amour profane,* Gallimard, 1944 (Marguerite de Navarre et l'histoire des mentalités : une lecture d'historien). — Jean FRAPPIER, « Les romans de la Table ronde et les lettres en France au XVIe siècle », *Actes du VIIe Congrès national de la Société française de littérature comparée,* Didier, 1967 (la vogue de ces romans : par malchance ils n'inspirent pas d'auteurs de premier plan). — Lionello SOZZI, *La nouvelle française de la Renaissance,* Turin, Giappichelli, 1973 (une étude approfondie de la question). — Gabriel PÉROUSE, *Les nouvelles françaises du XVIe siècle. Images de la vie du temps,* Genève, Droz, 1977 (un travail fondamental). — Nicole CAZAURAN, *L'Heptaméron de Marguerite de Navarre,* Paris, S.E.D.E.S., 1976 (présentation de l'œuvre et des problèmes qu'elle pose). — *La nouvelle française à la Renaissance,* Genève, Slatkine, 1981 (une série d'articles dus aux meilleurs spécialistes européens de la question : un panorama d'une qualité exceptionnelle).

L'ÂGE DE RONSARD

Parler de l' « âge de Ronsard » pour évoquer la dizaine d'années qui sépare l'apparition de la Pléiade (1549) du déclenchement des guerres de religion (1562) est une approximation. Pendant cette période, qui recouvre à peu près exactement le règne d'Henri II (1547-1559) alors que Ronsard vit jusqu'en 1585, on assiste à la naissance d'une nouvelle esthétique, préparée par les efforts de la poésie lyonnaise (dont le plus éminent représentant est Maurice Scève), et à l'éclosion d'une multitude de poètes très remarquables, « cette fameuse pléiade d'excellents esprits qui parurent sous le règne du roi Henri second » (G. Colletet).

LA FIN DES GUERRES D'ITALIE

En 1547, Henri II succède à François Ier. C'est un amateur de chasses et de tournois, un « sportif » accompli — médiocre protecteur des lettres et des arts, bien que sa cour soit fort brillante. Au demeurant souverain autoritaire, jaloux de ses prérogatives, et farouchement opposé au calvinisme.

Il poursuit la lutte contre la maison d'Autriche, en Italie comme au nord et à l'est, où alternent revers (Sienne, 1555; Saint-Quentin, 1557) et victoires (Metz, 1553; Calais, 1558).

Au terme d'un demi-siècle de guerre, la paix est conclue en 1559 par le traité du Cateau-Cambrésis. Comme il est d'usage dans les diplomaties du temps, des mariages princiers doivent sceller la réconciliation entre les anciens ennemis. A l'occasion des fêtes qui accompagnent les cérémonies, Henri II est tué accidentellement dans un tournoi. François II, l'époux de Marie Stuart, devient roi de France en juillet 1559.

Entre temps, Charles Quint a abdiqué (1555-1556) avant de mourir en 1558, et Philippe II règne sur l'Espagne et les Flandres; Marie Tudor est morte en 1558 et Elisabeth est reine d'Angleterre.

Du côté catholique, la Contre-Réforme s'organise (1) et le pape Paul IV (élu en 1555) développe l'Inquisition ou Saint-Office; Ignace de Loyola, mort en 1556, laisse la compagnie de Jésus solidement organisée. A Genève, l'autorité de Calvin ne rencontre plus d'opposition. Mais de part et d'autre, les bûchers flambent.

En France, malgré des alliances de circonstances avec les protestants allemands (qui, en 1555, pâr la paix d'Augsbourg, contraignent l'empereur à leur accorder la liberté religieuse) (2), Henri II ne cesse d'aggraver la répression anticalviniste tandis que la Réforme progresse (premier synode des Églises réformées de France à Paris en 1559). Libéré de la guerre contre l'Empire et l'Espagne, le roi entend désormais se consacrer à l'extermination de l'hérésie. Tout est en place au moment de sa mort pour qu'éclatent les guerres de religion.

1. Le concile de Trente (1545-1563) qui organisa la Contre-Réforme resta suspendu pendant la plus grande partie de la période qui nous intéresse (voir p. 77).
2. Liberté religieuse pour les princes mais non pour les sujets qui doivent pratiquer la religion de leur souverain en vertu du principe *Cujus regio ejus religio* (tel pays, telle religion).

UNE ESTHÉTIQUE NOUVELLE

Des poètes savants

La nouvelle poésie est une poésie savante, aboutissement sur le plan de la sensibilité esthétique des efforts de l'humanisme. Les poètes sont des hommes fort cultivés qui entendent à la fois conférer à leur art une éminente dignité et rivaliser avec les Anciens et les Italiens. Double ambition « patriotique » et aristocratique : ce n'est pas au « vulgaire » — comprenez à la foule ignorante, fût-elle composée de courtisans — que l'on s'adressera, mais aux rares connaisseurs.

Ces poètes pratiquent assidûment les grands auteurs anciens (Homère, Virgile, Horace), mais ils s'inspirent aussi des modernes néo-latins, auteurs de poésies légères et érotiques (Marulle, 1440?-1500?; Jean Second, 1511-1535), et des Italiens (théorie de l'imitation) (1). Ils lisent les auteurs d'églogues et de pastorales (Sannazar, 1458-1530), l'Arioste (1474-1533), auteur d'une grande épopée merveilleuse, le *Roland furieux*, et surtout Pétrarque et ses imitateurs.

Le pétrarquisme

François Pétrarque (1304-1374) avait été un savant penseur dont l'œuvre latine avait enthousiasmé l'Europe. C'est toutefois pour son recueil de poèmes amoureux en langue vulgaire (l'italien de Toscane), le *Canzoniere*, inspiré par une dame d'Avignon nommée Laure, qu'il fut admiré et imité de la postérité. Dès le XVe siècle ses disciples italiens (les néo-pétrarquistes) étaient nombreux et, au XVIe, son influence rayonna à travers toute l'Europe.

La poésie lyrique du *Canzoniere* chantait d'une manière raffinée les espoirs et les émois douloureux de l'amour insatisfait. Pétrarque traduisait ces élans et ces angoisses par le recours constant à la comparaison, à l'antithèse, à la métaphore, figures et procédés qui, pour une bonne part, deviendront clichés et emphase chez ses imitateurs médiocres, mais qui chez les meilleurs — on le verra en lisant Scève, Ronsard, du Bellay, d'Aubigné — favoriseront l'expression exacte d'un sentiment passionné, à la fois véhément et mélancolique.

1. Exposée par du Bellay dans *La défense et illustration de la langue française* (voir p. 125).

Le néo-platonisme

Il est d'usage d'associer à la vogue du pétrarquisme l'influence du néo-platonisme enseigné par Ficin (1). En fait, ces deux courants, tant chez Scève (2) que chez les poètes de la Pléiade (à l'exception de Pontus de Tyard et de du Bellay), ne se recoupent qu'imparfaitement, et l'amour pétrarquiste, s'il est chaste par la force des choses (parce que la dame est une honnête femme), n'est pas un amour désincarné ni spiritualiste.

1. Voir p. 80.
2. Voir à ce sujet les précisions apportées par V. L. Saulnier dans son *Maurice Scève*, « Le pétrarquisme : un antiplatonisme », t. I, p. 207.

Pétrarque, l'un des premiers grands humanistes italiens, dont le recueil amoureux *Il canzoniere* exerça sur l'Europe du XVIe siècle une influence déterminante.

En revanche, le goût des idées néo-platoniciennes se répand dans le public, et l'idéalisme des poètes se manifeste sur un autre terrain, par le recours à la théorie de la « fureur » poétique, qui décrit la création poétique comme le résultat d'une inspiration octroyée par les dieux — théorie incontestablement platonicienne (1).

Des formes et des thèmes

En même temps qu'une manière — et il n'est certes pas absurde à propos de poésie pétrarquiste de parler de maniérisme (2) et de préciosité —, Pétrarque transmettait à la poésie moderne une forme dont le succès allait être prodigieux : le sonnet, introduit en France par Marot et par Saint-Gelais sous le règne de François Ier, mais qui ne fut pas pratiqué régulièrement avant la Pléiade.

Suprématie d'une forme fixe : le sonnet. Vogue d'un thème : les amours. Recours systématique à un certain nombre d'images et de procédés. Tels furent quelques-uns des aspects les plus évidents de l'héritage pétrarquiste. Mais la curiosité des poètes de la Pléiade ne s'arrêta pas en si bon chemin : insatiable, elle s'exerça à des recherches multiples sur la langue, sur le style, sur la prosodie, et elle se signala par d'amples et fécondes innovations. C'est l'école de 1550 qui imposa la prééminence de l'alexandrin, l'alternance des rimes (3), les systèmes strophiques que Malherbe reprendra. Elle pratique le lyrisme amoureux et aussi la chanson légère, inspirée d'Anacréon (poète grec du VIe siècle avant J.-C.), pour exalter un art de vivre sensuel mais pessimiste, hanté par l'obsession de la mort; elle cultive l'ode (1) à la manière d'Horace, l'églogue comme Virgile ou Sannazar, l'hymne, le pamphlet, la satire. Elle se livre à la poésie scientifique, au discours didactique, à l'épopée même — encore que ce ne soit pas son plus haut titre de gloire. Elle touche au théâtre, à la prose, et, quitte à enfreindre les préceptes qu'elle a elle-même énoncés (2), elle produit d'excellentes traductions et d'exquis poèmes néo-latins.

1. Le dialogue de Platon où s'exprime cette théorie, l'*Ion*, avait été traduit en 1546.
2. Cette notion est traitée plus bas, avec le baroque (p. 144).
3. Une rime masculine alterne avec une rime féminine (terminée par un e muet).

Le rôle du poète

Désormais, le poète se fait la plus haute idée de sa mission. Si Marot considérait la cour comme sa « maîtresse d'école », Ronsard verrait plutôt le poète comme l'instituteur des rois. Vu par la Pléiade, le poète apparaît en effet comme un initiateur, comme un prophète inspiré, mais qui doit mériter son génie : « Les Muses ne veulent loger en une âme si elle n'est bonne, sainte et vertueuse » (Ronsard). Possédé de son art, il doit travailler pour conquérir la gloire, c'est-à-dire pour vaincre la mort et gagner l'immortalité :

Toujours, toujours, sans que jamais je meure,
Je volerai tout vif* par l'univers... **vivant*
(Ronsard)

1. Poème composé de plusieurs strophes comprenant toutes la même disposition de vers et de rimes.
2. Dans *La défense et illustration de la langue française*, en particulier.

Enea BALMAS, *Littérature française. La Renaissance. II. 1548-1570,* coll. publiée sous la direction de Claude Pichois, Arthaud, 1974 (une étude d'ensemble tout à fait magistrale). — Joseph VIANEY, *Le pétrarquisme en France au XVIe siècle,* Coulet, Montpellier, 1909 (étude qui demeure importante par son ampleur et sa documentation, contestable en certaines de ses conclusions). — Henri FRANCHET, *Le poète et son œuvre d'après Ronsard,* Champion, 1923 (étude d'une idée fondamentale de la Pléiade : la mission du poète). — Jean FESTUGIÈRE, *La philosophie de l'amour de Marcile Ficin et son influence sur la littérature française au XVIe siècle,* Vrin, 1941 (une influence essentielle). — Robert V. MERRILL et Robert J. CLEMENTS, *Platonism in French Renaissance Poetry,* New York University Press, 1957 (une suite de thèmes platoniciens passés en revue : indispensable). — Marcel RAYMOND, « La Pléiade et le maniérisme », dans *Lumières de la Pléiade* (voir Bibliogr., p. 123), pp. 391-423 (un aspect mal connu de la Pléiade; l'étude porte surtout sur Ronsard). — On lira en outre les pages consacrées à ces problèmes dans les grandes thèses de Paul LAUMONIER, *Ronsard poète lyrique;* V.-L. SAULNIER, *Maurice Scève;* Henri WEBER, *La création poétique au XVIe siècle en France.* — Dudley B. WILSON, *Descriptive Poetry in France from Blason to Baroque,* Manchester University Press, 1967 (étude à partir des textes; vues nouvelles sur bien des points). — Françoise JOUKOVSKY, *La gloire dans la poésie française du XVIe siècle. Des rhétoriqueurs à Agrippa d'Aubigné,* Droz, 1969 (une étude de synthèse sur un thème capital). Françoise JOUKOVSKY, *Poésie et mythologie au XVIe siècle,* Nizet, 1969 (étude de quelques mythes de l'inspiration : sur un sujet limité, des vues enrichissantes). — Yvonne BELLENGER, *Le jour dans la poésie française au temps de la Renaissance,* Tübingen, G. Narr, 1978 (une étude d'ensemble sur un thème révélateur de la sensibilité d'une époque). — Y. BELLENGER, *Dix études sur le XVIe et le XVIIe siècle,* Paris, Nizet, 1982.

LA POÉSIE LYONNAISE : SCÈVE

La courbe chronologique des événements historiques ne coïncide pas toujours avec le découpage des grandes périodes littéraires. Ainsi de la poésie lyonnaise, et de son plus illustre représentant : Maurice Scève (vers 1500-1560?). Placé entre Marot et Ronsard, il est, du moins selon une perspective moderne, plus proche de la Pléiade que de Marot. Irréductible cependant à l'école de Ronsard : Scève et les Lyonnais furent tous tributaires du climat particulier et fécond de leur ville, véritable capitale intellectuelle de la France jusqu'au début des guerres de religion environ. « Dans la mesure où l'on peut dégager des suprématies successives, on pourrait presque dire que ce début de siècle, c'est, sur le plan littéraire, entre la France des ducs, bourguignonne, du XVe siècle, » — qu'on pense aux Rhétoriqueurs — « et la France royale, celle de Paris et de la Loire, du milieu du XVIe siècle, » — la Pléiade — « l'apparition éphémère d'une France bourgeoise, une France lyonnaise » (V.L. Saulnier).

Lyon au XVIe siècle

B. N. Paris. © Arch. E.R.L.

Croyons-en du Bellay qui, retournant d'Italie en 1557, à la veille du déclin de la ville pourtant, s'étonnait

> ...d'y voir passer tant de courriers,
> D'y voir tant de banquiers, d'imprimeurs, d'ar-
> [muriers,
> Plus dru que l'on ne voit les fleurs par les prairies.

Banquiers et imprimeurs firent en effet la gloire de cette ville-frontière (1) en proie aux tumultes et aux inquiétudes que réserve aux avant-postes le caprice des événements. Dès le XVe siècle, l'apport d'Italiens, mais aussi de Suisses et d'Allemands, assurait la suprématie lyonnaise sur le plan économique — suprématie confirmée par l'établissement des foires et la fondation de banques — et sur le plan intellectuel. Faut-il rappeler que Lyon fut la capitale française de l'imprimerie, que les hommes les plus éminents, Dolet, Rabelais, choisirent d'y vivre?

A partir de 1560, Lyon connaît des troubles politiques, économiques, sociaux, des difficultés financières, religieuses (il est vrai que pendant le règne d'Henri II, les bûchers y ont bien flambé). Rien ne montre mieux le déclin de la ville que le contraste entre la fastueuse *Entrée* (2) d'Henri II en 1548 et, en 1564, celle de Charles IX : « La dite Entrée », écrit un chroniqueur local (3), « se ressentit de la pauvreté et misère du temps, et ne fut ni somptueuse en habits, ni ingénieuse en apparat de théâtres et perspectives ».

Scève et le milieu lyonnais

Un Maurice Scève passe sa jeunesse dans le climat de ferveur qui marque le début du siècle,

1. La Savoie était alors terre étrangère.
2. Que Maurice Scève fut chargé d'organiser. Voir p. 115.
3. Claude de Rubys, *Histoire véritable de la ville de Lyon*, 1604.

Le seul portrait connu de Maurice Scève, en frontispice de *Délie*.

la première Renaissance. Mais c'est plus précisément à sa ville, à un milieu où fermente une qualité particulière d'humanisme, que revient l'honneur d'avoir formé le grand poète. L'humanisme lyonnais, véritable encyclopédisme, se caractérise par son éclectisme. Il se nourrit des grands Anciens, il admire Pétrarque et ses imitateurs, mais il ne renie pas le legs du Moyen Age tant en littérature qu'en philosophie, et il ne cesse d'étudier attentivement et respectueusement les leçons de la grande rhétorique. Ce mouvement complexe fut enrichi par l'influence prestigieuse de la reine Marguerite de Navarre qui fit à Lyon plusieurs séjours. Après le premier grand humaniste lyonnais Symphorien Champier (1472-1537), auteur de *La nef des dames vertueuses* (1503), médecin et poète nourri de l'enseignement néo-platonicien de Marsile Ficin, un nombre important de poètes néo-latins l'illustrèrent : nous ne citerons que Nicolas Bourbon, auteur de *Nugae* (« Bagatelles » 1533), « traité par Maurice Scève comme un pair et comme un égal » (A.-M. Schmidt).

Il faut parler aussi des parties combattantes de la dispute qui, pendant plusieurs années, mobilisa les énergies de quelques poètes et de leur public : la Querelle des femmes. Les champions de la femme moderne, héritière de la Dame sans merci des chantres courtois (*L'amie de cour* de Bertrand de La Borderie, 1541), parfois auréolée des prestiges du néo-platonisme (*La parfaite amie* d'Antoine Héroët, 1542), s'opposaient aux tenants de la misogynie traditionnelle, tempérée par les usages du monde (Charles Fontaine, *La contr'amie de cour*, 1543). Sur ce terrain comme sur tant d'autres, la *Délie* de Scève apparaît donc comme une synthèse poétique des divers courants de la pensée lyonnaise.

Héritier attentif de la grande rhétorique ([1]) et de la science médiévale, étudiant zélé des vérités de l'âge nouveau, érudit solitaire, l'auteur du premier *canzoniere* ([2]) français, Maurice Scève, salué comme un maître par la jeune Pléiade et représentant éminent de l'humanisme lyonnais, fut un poète sans disciples qui allait rester oublié pendant plus de trois siècles.

Une vie paisible et studieuse

Issu d'une famille de notables lyonnais, il fut d'abord connu, en 1533, pour avoir découvert, ou cru découvrir, le tombeau de Laure, l'amante de Pétrarque, dans une chapelle proche d'Avignon. Désormais introduit dans les cercles lettrés de Lyon, Scève mène une vie à la fois studieuse et mondaine. En 1536, il est désigné par la duchesse de Ferrare comme le triomphateur du concours des blasons ([3]).

C'est vers cette époque qu'il s'éprend d'une jeune fille, Pernette, dite Cousine. Sa passion lui inspire un recueil de poèmes publié en 1544, *Délie objet de plus haute vertu*. Mais Pernette meurt de la peste l'année suivante, et Scève se retire à la campagne, non loin de Lyon, où il compose *La saussaie, églogue de la vie solitaire* (1547). Il est flatteusement estimé de ses contemporains. La reine de Navarre lui demande en 1547 deux sonnets qu'elle fait paraître avec ses propres poésies. La ville de Lyon le charge d'organiser les fêtes somptueuses qui accompagnent l'entrée du roi Henri II en 1548.

On sait peu de choses de ses dernières années, sinon qu'il travaille à un grand ouvrage, somme des connaissances de son temps, *Microcosme*. Cette épopée encyclopédique, posthume peut-être puisqu'on ignore à quelle date mourut Scève, fut publiée en 1562.

1. Voir p. 89.
2. C'est-à-dire du premier recueil de poèmes chantant une seule femme, à l'imitation du recueil de Pétrarque, *Il canzoniere* (le « chansonnier »).
3. Voir p. 97.

L'homme dans le monde

Poète obscur, à tout le moins difficile, Scève fut longtemps oublié. Mais on s'accorde aujourd'hui à reconnaître son importance, qui est capitale. Traducteur d'une nouvelle espagnole inspirée d'un conte de Boccace, *La déplorable fin de Flammette* (1535), qui ne lui valut pas la gloire, auteur de cinq *blasons* admirés des lettrés de France et d'Italie et d'un poème sur la mort du dauphin fils de François Ier, *Arion* (1536), responsable de quelques sonnets de circonstance, Scève est surtout le poète de *Délie*, ainsi que de *La saussaie* et de *Microcosme*.

Ces deux œuvres posent le même problème fondamental des rapports de l'homme et du monde, mais sur deux plans différents. Au sens restreint dans *La saussaie*, belle et dense églogue qui propose un débat sur les bienfaits et les méfaits de la vie solitaire opposée à la vie en société. Au sens le plus large dans *Microcosme*, vaste poème de 3 003 alexandrins qui retrace l'histoire de l'homme et de ses progrès dans la conquête du monde. De l'homme selon la Bible : le héros de cette grande épopée scientifique et cosmique est Adam, le banni d'Éden. De l'homme « microcosme » (1) selon la tradition des Grecs, des alchimistes, des scolastiques : créé par Dieu comme le résumé du monde, du « macrocosme », comme la conclusion de la création.

> Animaux jà créés en genres et espèces,
> Par champs et prés herbus, bois et forêts épaisses
> Marchant, trottant, rampant, serpentant terriens,
> Aquatiques nageant, volant aériens,
> Erraient en leurs manoirs pêle-mêlés ensemble,
> . . . .
> Mais attendaient en paix celui qui devait être,
> Comme Dieu est au ciel, ici-bas leur seul maître.

Complice d'Ève, Adam est aussi le premier criminel de la création. Heureuse faute cependant :

> Dirai-je, Ève, que trop tu fus pour toi friande,
> Ou vraiement (2) pour nous heureusement gour-
> [mande?

D'abord contraint de lutter contre la nature par la malédiction divine, l'homme, en effet, se voit du même coup autorisé à découvrir puis à domestiquer le monde, à devenir à la fois le grand agriculteur, le savant initié par Dieu même à la vérité des choses, le premier éducateur, le prestigieux conquérant de la terre. Adam, exalté comme un héros exemplaire, modèle et symbole de la grandeur humaine, collabore ainsi avec Dieu à l'œuvre de création. Le mythe biblique est en quelque sorte paganisé (sur ce point Scève hérite d'une tradition médiévale) et « Adam puni semble parfois défier Dieu, dans son obstination à toujours vaincre la nature où Dieu prend ses armes. Adam peine toujours, mais il triomphe souvent » (V.L. Saulnier). Cette interprétation « humaniste » de la *Genèse* renverse radicalement les premières positions de l'Église sur la signification du péché originel. Adam apparaît dès lors comme l'involontaire instaurateur de l'Église :

> Dieu dès lors établit son éternelle Église
> Pour le restaurement de ton erreur commise

— voire comme l'artisan lointain de la Rédemption.

Pari optimiste sur les effets bénéfiques du savoir et de la technique, « poème indigeste, tantôt indolent, tantôt trop rapide, parfois baroque, parfois prosaïque » (A. M. Schmidt), mais souvent magnifique, hymne au progrès humain par endroits grandiose, *Microcosme* constitue le testament philosophique de son auteur et la somme d'un mouvement intellectuel fécond, sur le point de disparaître à la date où le poème est publié : l'humanisme lyonnais.

« *Délie, objet de plus haute vertu* »

Mais le chef-d'œuvre de Scève est sans contredit son *canzoniere* publié en 1544. *Délie* était le premier ouvrage de ce genre composé en français : le poète chantait sa maîtresse et, à l'occasion de ce nouvel amour, ressuscitait le souvenir d'une ancienne passion oubliée :

> Nouvelle amour, nouvelle affection,
> Nouvelles fleurs parmi l'herbe nouvelle...
> Ce néanmoins la rénovation
> De mon vieux mal, et ulcère ancienne...

Le recueil se présente comme une suite de 449 dizains de décasyllabes (dix vers de dix syllabes) organisés rigoureusement par groupes de 9, que séparent 50 emblèmes, c'est-à-dire 50 dessins de signification symbolique ornés de devises plus ou moins explicites comme « A tous plaisir et à moi peine », « Assez vit qui meurt quand veut », etc. Soit, pour l'ensemble

1. *Microcosme, macrocosme :* en grec, « petit monde » (l'homme) et « grand monde » (l'univers). La science antique et médiévale établissait des analogies entre et l'un l'autre.
2. *Vraiement :* trois syllabes (vrai-e-ment).

Page de titre de l'édition originale de *Délie*

la formule : 5 + (9 × 49) + 3 (1), qu'on a pu interpréter comme le dessin caché d'un itinéraire initiatique, selon lequel « 5 désigne l'homme incarné, 9, la réintégration finale, 49, les étapes successives de l'initiation solitaire, 50, l'illumination suprême, 3, la Déité surprise dans les travaux de son activité trinitaire. Laissons donc au lecteur avisé le soin de conclure, qui qu'en grogne » (2) (A.-M. Schmidt).

Recueil de dizains : ce n'est qu'avec la Pléiade, cinq ans plus tard, qu'apparaîtront les *canzonieri* de sonnets. En 1544, le dizain est une forme courante, utilisée déjà par Marot, par Saint-Gelais. Scève en maîtrise admirablement la structure resserrée, jouant de la concision qui favorise la densité et l'éclat brusque, insolite, d'images inspirées pourtant de l'érotique traditionnelle :

Nous ébattant ma Dame et moi sur l'eau,
Voici Amour, qui vient les joutes voir...

Fondé sur des images d'origine chrétienne, d'origine gréco-latine, d'origine médiévale, sur le symbole et sur l'allégorie, sur des procédés parfois tout proches de ceux des Rhétoriqueurs :

Hautain vouloir en si basse pensée,
Haute pensée en un si bas vouloir,

l'art de Scève n'en annonce pas moins l'âge nouveau.

« Délie » n'est pas, comme on le prétendait naguère, l'anagramme du mot Idée (au sens platonicien du terme), mais c'est une allusion expressément voulue par Scève à la déesse de Délos, sœur d'Apollon, autrement dit à Diane :

Délia ceinte*, haut sa cotte attournée, **avec sa ceinture*
La trousse* au col, et arc et flèche aux mains, **carquois*
Exercitant* chastement la journée, **passant*
Chasse, et prend cerfs, biches et chevreuils maints.
Mais toi, Délie...

Figure lunaire de l'Éternel féminin, Délie est ainsi la première Diane poétique du XVIe siècle français, et Maurice Scève apparaît comme le « premier prieur » de ce qu'A.-M. Schmidt se plut à nommer une « archiconfrérie de Diane cruelle », constituée par quelques-uns des plus grands poètes du siècle : Jodelle, Desportes, d'Aubigné.

Comme Hécaté tu me feras errer
Et vif et mort cent ans parmi les ombres;
Comme Diane au Ciel me resserrer,* **tu me feras enfermer*
D'où descendis en ces mortels encombres;
Mais comme Lune infuse dans mes veines
Celle tu fus, es, et seras *Délie* (1),
Qu'Amour a joint à mes pensées vaines
Si fort, que Mort jamais ne l'en délie.

1. Tu fus, es et seras cette Délie.

Illustration de *Délie* dans l'édition originale de 1544. On y voit un des cinquantes emblèmes qui illustrent les 449 dizains du recueil.

Musée Condé Chantilly. © Coll. L. B.

1. Soit : 5 premiers poèmes, suivis de 49 sections de 9 poèmes (= 441), et d'un dernier groupe de 3.
2. Il est évident que toutes ces significations chiffrées se réfèrent à la tradition de l'occultisme.

Rien n'est moins abstrait, rien n'est moins chrétien, rien n'est moins platonicien que l'inspiration de *Délie*, poème de l'insatisfaction amoureuse. Le recueil, suite d'instants enserrés en ces courts poèmes carrés (dix vers de dix syllabes) que sont les dizains, véritables « poèmes-choses », exprime les « humeurs » de l'amant, « une patiente impatience de l'instant, [...] tout qu'il faut de conscience des autres dans la cruelle conscience de soi », en somme « tout l'espace d'une expérience poétique, au sens le plus exigeant du mot » (V.L. Saulnier).

Et bien qu'il s'agisse d'évoquer une quête amoureuse plutôt que de rendre compte d'une aventure, fût-elle rêvée autant et plus que vécue, qu'on n'aille pas imaginer Scève ne visant qu'à l'union désincarnée des âmes. Si la jalousie ne l'épargne pas :

> Seul avec moi, elle avec sa partie* : * *son mari*
> Moi en ma peine, elle en sa molle couche,
> Couvert d'ennui je me vautre en l'ortie,
> Et elle nue entre ses bras se couche...

il se peut qu'il ait reçu ce que les troubadours appelaient le « don de merci » :

> Ta coulpe* fut, et ma bonne aventure. **faute*

Mais au total, l'histoire de cette passion est l'histoire d'un échec. Bon gré mal gré, il faut bien que l'amant se résigne à la chasteté, quitte à tirer de ses souffrances le plaisir exquis de la création poétique. Rien pourtant de platonicien ici, non plus que de chrétien : « C'est un monde bien clos, au total, que l'univers de *Délie* : fermé, en somme, aux échappées vers le monde divin » (V.L. Saulnier).

Un poète obscur?

Reste à dire un mot d'un trait souvent présenté comme caractéristique de *Délie* et de *Microcosme*, l'obscurité, reprochée à Scève dès le XVIe siècle : « La vérité est qu'il affecte une obscurité sans raison » (E. Pasquier), jusqu'à l'aube du XXe : « Tous ses écrits sont obscurs, contournés, prétentieux, pédantesques, pleins d'ailleurs de beautés singulières » (Brunetière). Observons que si l'on peut en effet parler d'obscurité à propos de la poésie de Scève, il s'agit d'une obscurité très moderne, « l'obscurité exacte de Valéry, non pas celle des chansons verlainiennes où " l'indécis au précis se joint ". L'obscurité scévienne naît de l'exigence du regard, nullement de son laisser-aller » (V.L. Saulnier). Obscurité en fait plus apparente que réelle la plupart du temps, et qui réserve au lecteur assez patient pour persévérer « une satisfaction d'une qualité si rare que la plupart des œuvres de la littérature française du XVIe siècle lui sembleront soudain vides, sans saveur, sans substance » (A.-M. Schmidt).

ÉDITIONS SAVANTES : *Délie,* par E. Parturier, Société des textes français modernes, 1939, réimpr. 1961. — *Délie,* par I. D. MCFARLANE, Cambridge University Press, 1966 (par le grand seiziémiste britannique, avec une annotation en anglais). — *Opere poetiche minori,* par Enzo Giudici, Naples, Liguori, 1965 (très bonne édition critique, comprenant notamment *Arion* et *La saussaie*). — *Microcosme,* par Enzo Giudici, Cassino-Paris, Garigliano-Vrin, 1976 (édition critique tout à fait remarquable, du grand poème de Scève). — *Délie,* éd. Fr. CHARPENTIER, Poésie/Gallimard, 1984.

ÉTUDES : V.-L. SAULNIER, *Maurice Scève,* Klincksieck, 1948, 2 vol. (vie et œuvre, la première étude d'ensemble; l'ouvrage fondamental). — A.-M. SCHMIDT, *La poésie scientifique en France au XVIe siècle,* A. Michel, 1938 (un chapitre important sur *Microcosme*). — A.-M. SCHMIDT, deux articles importants publiés en revues et repris dans *Études sur le XVIe siècle,* A. Michel, 1967 : « Haute science et poésie française au XVIe siècle » (pp. 125-171) et « Poètes lyonnais du XVIe siècle » (pp. 173-194) [Scève héritier des gnostiques]. — Henri WEBER, *La création poétique au XVIe siècle en France,* Nizet, 1956, chap. IV sur *Délie,* chap. VII (pp. 522 et suiv.) sur *Microcosme* (étudiés par comparaison avec les poèmes de même genre au XVIe siècle). — Hans STAUB, « Le thème de la lumière chez Maurice Scève », dans *Cahiers de l'Association internationale des études françaises,* no 20, pp. 125-136 (étude thématique d'un aspect capital de l'œuvre de Scève). — Enzo GIUDICI, *Maurice Scève, poeta della Délie,* t. I, Rome, Ateneo, 1966; t. II, Naples, Liguori, 1969, t. III en prép. (étude très fouillée). — Enzo GIUDICI, *Le opere minori di M. Scève,* Parme, Guanda, 1958 (Scève dans des aspects souvent laissés de côté). — Hans STAUB, *Le curieux désir. Scève et Peletier, poètes de la connaissance,* Genève, Droz, 1967 (un aspect capital de la poésie scévienne). — Marcel TETEL, *Lectures scéviennes,* Paris, Klincksieck, 1983 (lectures modernes du grand poète).

AUTOUR DE SCÈVE

C'est autour de Scève que se produit le meilleur de la poésie lyonnaise, qu'on a appelée, mais abusivement, l' « école » lyonnaise.

Pernette du Guillet (1520-1545)

Inspiratrice de la *Délie*, Pernette du Guillet fut la femme qu'aima Scève [1]. Après sa mort, son mari chargea un lettré — mais non Maurice Scève — de publier les papiers laissés par Pernette : ce sont ses *Rimes*, parues en 1545.

Elle y chante son amour pour l'homme qu'elle appelle « Mon Jour » — qu'on pense à « Délie », la Diane lunaire — et qu'elle révère comme un initiateur :

Puisque mon Jour par clarté adoucie
M'éclaire toute, et tant qu'à la minuit
En mon esprit me fait apercevoir
Ce que mes yeux ne surent oncques voir...

Colorée d'une discrète mélancolie, sa poésie exprime plus que de la résignation et tout autre chose qu'une simple mode : la décantation d'un sentiment non pas appauvri ni désincarné, mais transposé sur un registre inaccoutumé, et raffiné par des rythmes variés. Ni amour vertueux, ni amour courtois, ni amour platonicien : l'amour de Pernette rassemble les « traits lumineux de *l'Amour des amours* (ce superlatif hébraïque est de Jacques Peletier) : l'amour savant » (A.-M. Schmidt).

Louise Labé (1524-1566)

La seconde des « dames lyonnaises » était musicienne comme Pernette, cultivée et belle, libre au point que certains, à commencer par Calvin, l'ont présentée comme une courtisane. Louise Labé, surnommée la Belle Cordière (son père et son mari étaient tous deux de riches cordiers), fut par surcroît un très grand poète, disciple indépendante de Pétrarque et rebelle à l'influence toute-puissante de Scève. « Immoraliste » avant la lettre, rongée cependant par le sentiment de l'insatisfaction, « réduite à se délecter dans les ténèbres de ses fautes, qu'illumine soudain un éclair de jouissance, avec une sorte de morosité spasmodique et tendre, sans analogue, croyons-nous, dans l'histoire des lettres européennes » [1].

1. Tous les érudits sont d'accord sur ce point.

Les œuvres de Louise Labé, lyonnaise sont publiées en 1555. Louise a l'âge de Ronsard, ses poèmes paraissent en pleine floraison de la Pléiade : rien cependant ne les rattache à la nouvelle école, sinon l'amour que la poétesse porta à Olivier de Magny, l'un des disciples de Ronsard, et le compagnon de du Bellay à Rome.

Elle était parfaitement consciente du caractère insolite, voire scandaleux, de ce qu'elle présentait ainsi au public : « Je n'ai pas osé les éconduire », dit-elle des amis qui insistèrent pour qu'elle publiât ses écrits, « les menaçant seulement de leur faire boire la moitié de la honte qui en proviendrait ».

Un *Débat de folie et d'amour*, en prose (1552), avait précédé l'œuvre poétique. Celle-ci comprend trois élégies et vingt-quatre sonnets. Œuvre rare et précieuse. La convention amoureuse est retournée : c'est une femme qui aime, et le motif de ses pleurs, de son désespoir, la lumière de ses jours, l'objet passif de cet amour insatiable et douloureux est un homme. Le bouleversement des normes sociales et littéraires est fatal dès que le *je* du poète est féminin : cela est vrai de Pernette comme de la Belle Cordière. Mais quelle différence entre les deux dames lyonnaises!

1. A.-M. Schmidt.

La Belle Cordière, Louise Labé, compatriote de Scève et contemporaine de Ronsard.

B. N. Paris. © Coll. L. B.

L'une s'efforce de maîtriser, de sublimer, d'endiguer la passion, l'autre au contraire donne libre cours à la véhémence de ses désirs :

J'endure mal tant que le Soleil luit :
Et quand je suis quasi toute cassée*, *meurtrie,
Et que me suis mise en mon lit lassée,
Crier me faut mon mal toute la nuit.

Elle avait été cruelle, elle fut dédaignée : l'amour dont elle est consumée est irrésistible et total. On pense à *Phèdre :* « C'est Vénus tout entière à sa proie attachée ». Le lyrisme admirable de l'exaspération sensuelle surprend par la liberté et l'originalité profonde de la forme, par la « création » poétique proprement dite. Et l'on conçoit qu'un critique aussi averti qu'Albert-Marie Schmidt ait pu rêver d'une anthologie « qui s'intitulerait non pas : les poètes lyonnais, précurseurs de la Pléiade (faux rapport) mais *Les poètes lyonnais, inventeurs de la littérature personnelle...* »

Ne reprenez, Dames, si j'ai aimé,
Si j'ai senti mille torches ardentes,
Mille travaux, mille douleurs mordantes.
Si, en pleurant, j'ai mon temps consumé,

Las! que mon nom n'en soit par vous blâmé.
Si j'ai failli, les peines sont présentes,
N'aigrissez point leurs pointes violentes :
Mais estimez qu'Amour, à point nommé,

Sans votre ardeur d'un Vulcain (1) excuser,
Sans la beauté d'Adonis (2) accuser,
Pourra, s'il veut, plus vous rendre amoureuses,

En ayant moins que moi d'occasion* *de motif
Et plus d'étrange et forte passion (3).
Et gardez-vous d'être plus malheureuses!

1. Vulcain est dans la mythologie traditionnelle la figure du mari trompé.
2. L'amant de Vénus.
3. Et de passion plus étrange et plus forte.

Pontus de Tyard (1521-1605)

La figure de Pontus est bien terne à côté de Louise Labé. Le poète est pourtant moins médiocre qu'on ne l'a dit. Ecclésiastique, ami personnel de Maurice Scève, mêlé de près à la vie lyonnaise, rallié à la Pléiade, hôte du salon de la maréchale de Retz sous le règne d'Henri III, ce grand seigneur, qui devait finir comme évêque de Chalon-sur-Saône, constitue dans l'histoire de la poésie au XVIe siècle un trait d'union entre les différentes époques. Par ses *Discours* (1551-1556), Pontus fut un théoricien de la poésie, mais ses *Erreurs amoureuses* (1549-1555) appartiennent à la production poétique de la Pléiade.

C'est dire que, désormais, nous voilà loin de Lyon, et dans un âge poétique nouveau : l'âge de Ronsard.

Pontus de Tyard, qui fut l'ami de Scève et l'admirateur de Ronsard.

BIBLIOGRAPHIE

ÉDITIONS COURANTES : On trouvera les *Rimes* de Pernette du Guillet, les *Œuvres* de Louise Labé, les *Vers lyriques* de Pontus dans l'anthologie d'A.-M. Schmidt, *Poètes du XVIe siècle*, publiée chez Gallimard, coll. « Bibliothèque de la Pléiade ». — *Œuvres* de Louise Labbé, Seghers, coll. « Poètes d'hier et d'aujourd'hui », n° 10. — L. LABBÉ, *Œuvres;* P. DU GUILLET, *Rymes,* éd. Fr. Charpentier, Poésie/Gallimard, 1983.

ÉDITIONS SAVANTES : PERNETTE DU GUILLET, *Rimes,* V. E. Graham, Genève-Paris, Droz-Minard, T.L.F., 1965. — PONTUS DE TYARD, *Œuvres poétiques complètes,* J. Lapp, S.T.F.M., 1966; *Les erreurs amoureuses,* J. McClelland, Genève-Paris, Droz-Minard, T.L.F., 1967. — L. LABÉ, *Œuvres complètes,* éd. E. Giudici, Genève, Droz, coll. T.L.F., 1980 (la première édition critique des œuvres de la Belle lyonnaise : un excellent travail).

ÉTUDES : V.-L. SAULNIER, *Maurice Scève* (chap. I et XVI sur Lyon et l'humanisme lyonnais); « Étude sur Pernette du Guillet et ses *Rimes* », dans *Bibliothèque d'Humanisme et Renaissance*, 1944, pp. 7-119. — A.-M. SCHMIDT, « Poètes lyonnais du XVIe siècle », dans *Études sur le XVIe siècle*, pp. 173-194. — D. O'CONNOR, *Louise Labé. Sa vie et son œuvre*, Les Presses françaises, 1926 (plus historique que littéraire). — Enzo GIUDICI, *Louise Labé et l'école lyonnaise*, Naples, Liguori, 1964 (la Belle Cordière dans son milieu intellectuel).

LA PLÉIADE

Les rencontres

Dans les dernières années du règne de François Ier, Pierre de Ronsard, gentilhomme vendômois, rencontra au Mans un jeune lettré, Jacques Peletier (1517-1582). Théoricien en matière de poésie, Peletier avait traduit quelques grandes œuvres de l'Antiquité (et notamment l'*Art poétique* d'Horace en 1545). Poète lui-même (ses *Œuvres poétiques* parurent en 1547), il fut le précurseur et l'initiateur de la Pléiade. Il confirma en effet Ronsard et du Bellay dans leur enthousiasme pour la langue nationale, et dans leur volonté de rénover la poésie française, et il encouragea leurs premiers essais poétiques.

Cependant, à partir de 1547, une autre influence, décisive, s'exerça sur les futurs poètes, celle de Jean Dorat, ou Daurat (1508-1588), savant helléniste devenu principal du collège de Coqueret, sur la montagne Sainte-Geneviève à Paris. Ronsard, du Bellay, Baïf furent ses étudiants.

A Coqueret, collège humaniste où l'enseignement était fondé sur la pratique des grands textes anciens, le régime était sévère : lever à quatre heures, « aux études » de cinq à dix heures, puis dîner et récréation où, comme Gargantua sous la férule de Ponocrates, on lisait « sous forme de jeu Sophocle ou Aristophane ou Euripide, et et quelquefois Démosthène, Cicéron, Virgile, Horace »; étude de une heure à six heures, souper, lecture « en grec et en latin » et coucher (1).

Dorat n'était pas seulement un intellectuel et un savant, mais un amateur exigeant de poésie. Paradoxalement, cet homme pétri de lettres grecques contribua donc, indirectement mais d'une manière non négligeable, à la « défense et illustration de la langue française ».

La Brigade

Les élèves de Dorat étaient de jeunes adultes, venus volontairement reprendre des études, qu'ils jugeaient insuffisantes, dans des disciplines qui les passionnaient. En 1547, Ronsard avait vingt-trois ans et du Bellay vingt-cinq. Avec quelques autres, Baïf notamment, ils formèrent un groupe que Ronsard appela la Brigade. Un peu plus tard, certains étudiants d'un collège voisin, le collège de Boncourt, vinrent accroître les troupes de la Brigade. Recrues de choix : Jodelle, Belleau, Grévin...

L'entrée de la Brigade dans l'histoire de la littérature fut fracassante. En 1549, du Bellay publiait son pamphlet *La défense et illustration de la langue française* (1) et le premier recueil pétrarquiste du groupe, *L'Olive*. L'année suivante, Ronsard proposait quatre livres d'*Odes* à un public stupéfait. Un trait constant caractérisait les diverses déclarations de la Brigade : le mépris pour les marotiques et les poètes de cour. Certains le prirent mal. Mellin de Saint-Gelais (1491-1558), ancien ami de Marot et poète favori des grands, dont l'œuvre n'est d'ailleurs pas sans charme, essaya de ruiner Ronsard dans l'esprit du roi. Les deux hommes finirent par se réconcilier, mais la partie était gagnée par la Brigade. A la mort de Mellin,

1. Ces renseignements sont donnés par Henri de Mesmes, ancien élève de Coqueret, dans ses *Mémoires*.

1. Voir p. 124.

Saint-Gelais, disciple des Rhétoriqueurs, ami de Marot et rival de Ronsard dans la faveur des Grands.

B. N. Paris. © Coll. L. B.

en 1558, Ronsard lui succédait dans la charge d'aumônier ordinaire du roi.

La Pléiade

Ronsard ne se doutait probablement pas de la fortune que connaîtrait le mot qu'un jour de 1556 il employa pour parler de lui-même et de six de ses compagnons : la Pléiade (1). Jamais en effet il ne désigna par ce terme de groupement constitué, mais tout au plus une association idéale, ce qu'il considérait comme l'élite de la Brigade, les poètes avec qui il se sentait le plus d'affinités. Liste d'ailleurs variable. En 1556, elle se composait de Joachim du Bellay, Jodelle, Baïf, Peletier, Belleau, Pontus, et bien entendu Ronsard lui-même. C'est dire qu'au sens strict, la Pléiade ne comprend qu'une petite partie de la magnifique floraison poétique de ces années 1550-1560 : « Derrière les Sept pensons à l'armée des sous-officiers et simples soldats qui travaillèrent à renouveler la poésie française » (R. Lebègue).

1. La constellation de la Pléiade donna son nom, dans l'Antiquité, à un groupe de sept poètes d'Alexandrie.

Plan du quartier de la montagne Sainte-Geneviève au XVIe siècle.

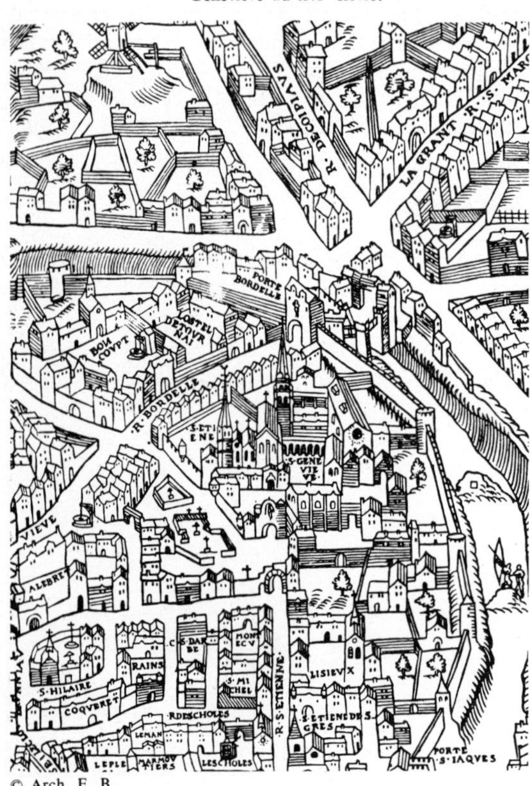

Brigade ou Pléiade, les amis de Ronsard, leurs idées triomphent donc à la cour. Leur poésie, si elle apprit peu à peu à se plier aux circonstances, à se faire aimable, voire flatteuse, resta toujours savante et exigeante. Ronsard fut le maître incontesté de cette période, et sa gloire s'étendit jusqu'aux confins de l'Europe.

Et en vérité, même si par la suite elle fut méprisée et oubliée (1), la Pléiade n'en reste pas moins l'un des plus importants mouvements poétiques français, non seulement par ses créations souvent admirables, mais par l'influence qu'elle a exercée sur ceux-là mêmes qui l'ignoraient.

Qu'on le déplore ou qu'on s'en félicite, c'est à la Pléiade qu'on doit la prééminence accordée aux Anciens par la littérature française classique. C'est cette conception des choses qui inspire la théorie de l'imitation chère à Ronsard et à ses amis. Imitation moins servile qu'on ne l'a dit, et qui ne fut nullement un plat décalque de textes plagiés. Au demeurant, l'imitation ne constituait qu'un élément de la création poétique, l'autre étant la nécessaire inspiration, l'enthousiasme créateur, « fureur » peu conciliable avec une docilité excessive, « et sans laquelle toute doctrine leur [*aux poètes*] serait manque [*infirme*, *insuffisante*] et inutile » (Du Bellay). D'autre part, les poètes de Coqueret et leurs amis ont fait de Pétrarque un maître au même titre qu'Horace ou que Virgile.

D'un point de vue formel, l'influence de la Pléiade a été plus féconde et plus durable encore. C'est à elle qu'on doit sinon l'introduction du sonnet en France, du moins sa pratique et sa vogue. Il faudrait en outre citer à peu près toutes les formes strophiques et prosodiques utilisées par les classiques et les romantiques. C'est Ronsard qui établit l'alexandrin comme vers héroïque. C'est lui enfin qui, toujours soucieux de la qualité musicale du vers, attire l'attention de ses pairs sur l'importance et les ressources des jeux de rimes, moins stériles qu'il ne semble.

On ne saurait trop insister sur la richesse d'un mouvement qui plaça l'essentiel de son ambition non pas dans la quête d'une notoriété

1. On connaît les sarcasmes de Boileau :

Ronsard qui le [*Marot*] suivit, par une autre méthode
Réglant tout, brouilla tout, fit un art à sa mode...

éphémère, mais dans celle de la gloire, de l'immortalité :

Espère le fruit de ton labeur de l'incorruptible et non envieuse postérité : c'est la gloire, seule échelle par les degrés de laquelle les mortels d'un pied léger montent au ciel, et se font compagnons des dieux (du Bellay).

Situations

La gloire. Pour un nombre appréciable d'entre eux, Ronsard et du Bellay en tête, ces poètes étaient des hommes d'une condition insolite. Il était arrivé à de grands seigneurs de rimer — l'exemple de Charles d'Orléans n'était pas si éloigné —, mais la poésie ne constituait qu'une partie de leur vie. Il y avait eu des rimeurs à gages, comme les Rhétoriqueurs, bourgeois placés sous la tutelle d'un patron puissant. Il y avait eu des poètes fortunés, libres de leurs faits et gestes, à l'abri du besoin grâce à de confortables revenus : pensons à Scève ou à la Belle Cordière. Les hommes de la Pléiade n'étaient en général pas assez riches pour se passer de protecteurs, quitte à les chercher dans leur famille comme du Bellay patronné par son cousin le cardinal. Cela impliquait-il nécessairement un retour à la condition sociale des Rhétoriqueurs? En partie seulement. Ronsard et du Bellay étaient, en effet, d'authentiques gentilshommes à qui il fallut plus d'une fois se défendre — et d'abord contre eux-mêmes peut-être — de l'accusation de dérogeance :

Je me suis volontiers appliqué à notre poésie : excité et de mon propre naturel, et par l'exemple de plusieurs gentils esprits français, même de ma profession, qui ne dédaignent point manier et l'épée et la plume, contre la fausse persuasion de ceux qui pensent tel exercice de lettres déroger à l'état de noblesse (du Bellay).

Évolution des temps et des mœurs. La gloire que leurs ancêtres avaient cherchée sur les champs de bataille, c'est la plume à la main qu'ils entendaient la conquérir. Et qu'ils y parvinrent.

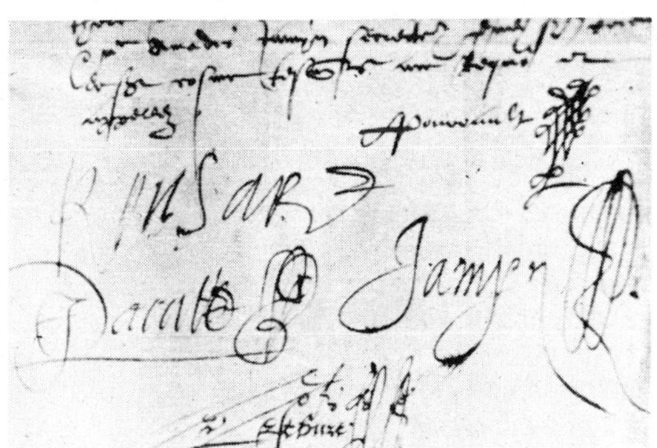

Signatures de Dorat et Ronsard. La Pléiade.

BIBLIOGRAPHIE

Henri CHAMARD, *Histoire de la Pléiade*, réimpr. 1961, 4 vol. (la somme de toutes les études faites sur la Pléiade. Bien des points de vue désuets, mais l'ouvrage reste indispensable). — *Lumières de la Pléiade*, compte rendu du 9e stage international du Centre d'études supérieures de la Renaissance de Tours, Vrin, 1966 (une série d'études par les meilleurs spécialistes de la Pléiade). — Robert J. CLEMENTS, *Critical Theory and Practice of the Pléiade*, Harvard University Press, 1942 (ouvrage de base). — Guy DEMERSON, *La mythologie classique dans l'œuvre lyrique de la Pléiade*, Droz, 1972 (une somme sur un sujet essentiel : ouvrage capital). — Yvonne BELLENGER, *La Pléiade*, P.U.F. Coll. Que sais-je?, n° 1745, 1978. — Geneviève DEMERSON, *Dorat en son temps*, Clermont-Ferrand, ADOSA, 1983 (l'ouvrage qui manquait sur le maître de la Pléiade).

DU BELLAY (1522-1560)

« *Sum Bellaius et poeta* » (« Je suis du Bellay et poète »). L'auteur de cette fière épitaphe est le même qui, déplorant ses malheurs pendant son séjour à Rome, confiait à l'un de ses amis :

> J'ai le corps maladif, et me faut voyager,
> Je suis né pour la Muse, on me fait ménager [1],
> Ne suis-je pas, Morel, le plus chétif du monde?

C'est lui encore qui, après avoir ardemment désiré revoir la France pendant cet « exil » romain, cria sa déception dès son retour. Ce perpétuel insatisfait fut l'un des meilleurs poètes de son siècle — digne de l'ambitieuse devise qu'il s'était choisie : *Cœlo Musa beat*, « La Muse donne l'immortalité ».

« *Le plus chétif du monde* »

Né en 1522 dans la paroisse de Liré en Anjou, Joachim du Bellay resta orphelin de bonne heure et eut une enfance délaissée et triste. Il vint faire, vers 1545, quelques études de droit à l'université de Poitiers, et il fréquenta dans cette ville un milieu lettré.

La tradition place en 1547 sa rencontre avec Ronsard, dans une auberge poitevine. C'est à partir de cette date qu'il vint à Paris suivre l'enseignement de l'humaniste Dorat au collège de Coqueret. En 1549, il se faisait connaître en publiant *La défense et illustration de la langue française*, puis, jusqu'à son départ pour l'Italie en 1553, plusieurs volumes de vers.

Il passa quatre ans à Rome, comme secrétaire-intendant de son parent, le cardinal du Bellay, et il en rapporta en 1557 ses chefs-d'œuvre, *Les regrets* et les *Antiquités de Rome*, qui parurent au début de 1558. Il vécut encore deux années studieuses, mais attristées par la maladie, la surdité et les tracas divers, et mourut le 1er janvier 1560, « foudroyé par l'excès de ses piètres malheurs » (A.-M. Schmidt). Il avait trente-sept ans.

1. Exécuter des tâches domestiques, des tâches d'intendance.

Un jeune homme en colère

Que la Muse donnât l'immortalité, Joachim du Bellay le proclamait dans sa première œuvre, un pamphlet retentissant dont le titre est resté célèbre : *La défense et illustration de la langue française*. Signé du seul Joachim, le livre exprimait en fait les idées de tout le groupe des élèves de Dorat au collège de Coqueret [1] et ne man-

1. Voir p. 121.

Joachim du Bellay : «... de tous les chétifs le plus chétif je suis ».

Le cardinal Jean du Bellay, prélat humaniste, qui protégea Rabelais, puis son jeune cousin, le poète Joachim du Bellay.

quait certes pas d'audace : il y était question de créer la poésie française, rien de moins! Avec une admirable mauvaise foi, en effet, du Bellay ignorait les poètes du Moyen Age, et déniait toute valeur à ses prédécesseurs immédiats.

Il affirmait d'abord que le français valait bien les autres langues, que les Modernes n'étaient pas inférieurs aux Anciens, qu'il n'y avait, par conséquent, aucune raison pour que la littérature en France n'égalât pas un jour, ne surpassât même, ce qu'elle avait été en Grèce et à Rome, ce qu'elle était en Italie. Mais il fallait pour cela enrichir la langue « par l'imitation des anciens auteurs grecs et romains », puis, par le même moyen, l'« illustrer », c'est-à-dire rénover la poésie en abandonnant évidemment les vieux genres médiévaux, rondeaux, ballades « et autres telles épiceries », et en « pillant » (les termes sont de du Bellay) les Grecs, les Latins et les Italiens. Imiter, c'est-à-dire acclimater des genres, des tours, des techniques, mais à condition de ne pas confondre l'imitation et la traduction : la première seule étant enrichissante, la seconde au contraire objet de tous les mépris. Enfin il fallait travailler, car « le naturel n'est suffisant à celui qui en poésie veut faire œuvre digne de l'immortalité ».

L'ouvrage fit du bruit. Il n'apportait guère d'idées vraiment neuves et, usant de procédés moins réprouvés alors que de nos jours, il recourait même largement au plagiat, voire à la pure et simple traduction, notamment du livre de l'humaniste italien Sperone Speroni *Le dialogue des langues* (1542). Mais il n'empêche qu'avec sa partialité, avec son impudence, avec son enthousiasme, ce qu'annonçait *La défense*, c'était la naissance d'une nouvelle poésie, la naissance de la Pléiade.

En même temps que son pamphlet, du Bellay publiait un recueil de sonnets amoureux, *L'Olive* — 50 sonnets en 1549, 115 dans la deuxième édition de 1550. Il y courtisait une certaine Olive, personne fictive ou réelle, on ne sait, dans le style des néo-pétrarquistes italiens. Mais le remaniement de 1550 transformait l'itinéraire amoureux de la première édition en itinéraire spirituel, influencé par le néo-platonisme et s'achevant sur un appel à Dieu — inspiration qu'on trouve rarement chez les autres poètes de la Pléiade.

Des diverses publications qui suivent *L'Olive* entre 1550 et 1553, signalons simplement la traduction du IVe livre de l'*Enéide* : premier reniement flagrant de ses principes par l'auteur de *La défense*!

« *J'étais à Rome au milieu de la guerre...* » [1]

Le poète passa à Rome quatre années agitées, fertiles en événements politiques, diplomatiques et militaires, et riches pour Joachim de déceptions, de tracas et d'amertume. Années fécondes cependant : il rapporte de Rome, pour les publier en 1558, un ouvrage de vers latins, les *Poemata* — nouveau reniement de *La défense*! — et trois recueils français.

Les *Antiquités de Rome* (33 sonnets, alternativement en décasyllabes et en alexandrins) sont suivies d'un *Songe* (de mêmes mètres), série de visions apocalyptiques en 15 sonnets. Imprégné de culture latine, accablé par le spectacle de l'ancienne Rome détruite, du Bellay pratique ici excellemment l' « imitation » qu'il recommandait dans *La défense*, en empruntant pour chanter la déchéance de la ville les mots et les

1. *Les Regrets*, « Dédicace à M. d'Avanson ».

LES REGRETS
ET AVTRES OEVVRES
POETIQVES DE IOACH.
DV BELLAY
ANG.

A PARIS,
De l'imprimerie de Federic Morel, rue S. Ian
de Beauuais, au franc Meurier.

M. D. LVIII.

AVEC PRIVILEGE DV ROY.

Page de titre des *Regrets* dans l'édition originale.

images par lesquels les poètes latins avaient célébré la grandeur de la ville. Sonnet après sonnet, il oppose des contrastes : la Rome ancienne à ce qui en reste; cette dégradation au renom inaltérable de l'antique cité; sa grandeur à la démesure qui lui fut fatale. Puis, dans une succession rapide d'images symboliques, le *Songe* évoque une série de catastrophes grandioses et soudaines qui illustrent à nouveau le thème fondamental du recueil : grandeur et décadence, destruction universelle à laquelle est inéluctablement voué tout ce qui vit.

Les regrets offrent de Rome une autre vision. Dans ces 191 sonnets d'alexandrins, du Bellay commence par renier ses ambitions passées : « Je ne peins mes tableaux de si riche peinture... », pour annoncer qu'il ne chantera désormais que ses malheurs, ses « ennuis », c'est-à-dire sa désillusion, sa nostalgie du pays natal, en un mot ses « regrets ». Cette veine élégiaque inspire le début du recueil, et il est convenu à ce propos de parler de poésie personnelle : encore faut-il ne pas se méprendre. La poésie de du Bellay n'est pas une poésie de la confidence, de l'effusion, à la manière romantique. Si elle est personnelle, c'est en utilisant les lieux communs de l'époque, mais dans un contexte inhabituel, en reprenant par exemple les usages et les conventions de la poésie amoureuse néo-pétrarquiste pour chanter des malheurs qui n'ont rien d'amoureux. C'est ainsi que du Bellay exilé, dans un de ses plus célèbres sonnets : « France, mère des arts, des armes et des lois... », interpelle la patrie lointaine comme un amant dédaigné s'adresse à sa maîtresse :

> Que ne me réponds-tu maintenant, ô cruelle?

D'où une subtile dissonance qui crée ce ton nouveau, unique dans la poésie du XVIe siècle.

La veine élégiaque n'inspire qu'une cinquantaine de sonnets. C'est la satire ensuite qui anime la verve de l'auteur : satire de la Rome moderne, de sa corruption, de ses fastes, de son raffinement. Tout un monde ressuscite devant le lecteur, mais l'intérêt de cette partie des *Regrets* n'est pas essentiellement documentaire. Décrivant Rome, le poète fait par contraste, négativement en quelque sorte, son propre portrait. Ce qu'il exècre à Rome, l'envie, la brigue, la feintise, la débauche, la morgue des parvenus, c'est un monde qui n'est pas le sien. C'est ce qui ne lui ressemble pas. En outre, par cette dénonciation il justifie ses « regrets », il assure l'unité de son recueil :

> Mais tu diras que mal je nomme ces *Regrets*,
> Vu que le plus souvent j'use de mots pour rire,
> . . . .
> Si je ris c'est ainsi qu'on se rit à la table*,   **en public*
> Car je ris, comme on dit, d'un ris sardonien [1].

L'inspiration satirique se prolonge jusqu'au retour en France. En retrouvant ce qu'il a si ardemment désiré pendant son exil, du Bellay se lamente et s'indigne de plus belle. Nouvelle désillusion : la cour des rois ne vaut pas mieux que celle des papes. Et *Les regrets* se terminent sur une série de poèmes officiels, d'hommages aux grands, où l'on voit Joachim pratiquer à son tour la flatterie qu'il a pourtant si âprement dénoncée ailleurs : contradiction révélatrice à coup sûr quant à la condition des poètes sous les Valois.

1. *Ris sardonien :* rire sardonique, amer et douloureux

Les *Divers jeux rustiques* constituent un recueil de pièces mêlées, c'est-à-dire très diverses par leur sujet, leur mètre et leur ton, qui vont de la traduction (le célèbre petit poème « D'un vanneur de blé aux vents », par exemple) à la parodie. Divertissement de lettré, dont nous ne signalerons que deux pièces : l'une, déjà publiée en 1553 sous le titre « A une dame », remaniée et plus explicitement intitulée ici « Contre les pétrarquistes », où du Bellay, brûlant ce qu'il a adoré, compose l'une de ses meilleures satires contre une mode dont il est largement responsable :

J'ai oublié l'art de pétrarquiser,
Je veux d'amour franchement deviser...

L'autre est l'*Hymne de la surdité* où, à la manière du poète burlesque italien Berni dont il s'était déjà souvenu dans *Les regrets*, il parodie la « haute poésie » des *Hymnes* de son ami Ronsard.

Les dernières œuvres

Revenu d'Italie en mauvaise santé, assailli en outre par les tracas matériels, du Bellay ne cesse pourtant de travailler. Il écrit des pièces de circonstances, des poésies latines, des *Discours* dont plusieurs ne seront publiés qu'après sa mort, notamment l'*Ample discours au roi sur le fait de ses quatre états* (paru en 1567) : dans ces pièces graves, qu'inspire la réalité sociale et politique, c'est-à-dire religieuse, du Bellay semble pressentir les événements tragiques qui vont suivre sa mort.

Il publie enfin une dernière et excellente satire, *Le poète courtisan* (1559), où il se livre à l'éloge bernesque (c'est-à-dire qu'à la manière de Berni il prodigue la feinte louange pour mieux condamner) de tout ce qu'il répudie dans les usages poétiques du temps, confirmant ainsi un point qu'il a toujours défendu depuis ses débuts, à travers ses reniements, ses contradictions, ses échecs et ses regrets : la très haute idée qu'il se fait de la poésie.

Il n'eut pas le temps de la préciser davantage, ni d'élargir le registre d'une œuvre déjà variée mais qu'on peut, à bon droit sans doute, juger inachevée.

Du Bellay aujourd'hui

De tous les poètes de la Plèiade qui rêvèrent de leur propre immortalité, la postérité, semble-t-il, a exaucé du Bellay mieux que la plupart de ses compagnons. On le cite, on le connaît —

Vue de Rome (les ruines du Colisée) en 1575, vingt ans après le séjour qu'y fit du Bellay.

mais on le connaît mal. De toute son œuvre, on n'évoque guère que quelques poèmes désolés, admirables certes, comme le très célèbre « Heureux qui comme Ulysse a fait un beau voyage... » : le poète y compare son triste exil au sort du héros fabuleux, en soulignant par une série de contrastes l'intensité de sa nostalgie :

Plus que le marbre dur me plaît l'ardoise fine,
Plus mon Loire gaulois que le Tibre latin,
Plus mon petit Liré que le mont Palatin,
Et plus que l'air marin la douceur angevine.

Qui n'a lu le sonnet « Las, où est maintenant ce mépris de Fortune? ». Du Bellay y pleure sa jeunesse évanouie et son génie tari, en des vers fluides qui semblent dessiner, par le jeu des rythmes, des muettes et des coupes, les contours du rêve :

Et les Muses de moi, comme étranges*, s'en-
[fuient? *étrangères*

Mais l'auteur des *Regrets* n'est pas exclusivement un poète du *lamento*, c'est aussi un satirique vigoureux dont la verve et la véhémence, resserrées par les contraintes du sonnet, gagnent en concision et en acuité — par exemple dans cette évocation féroce de l'instabilité des fortunes à Rome où tout dépend du pape :

Quand je vois ces Messieurs, desquels l'autorité
Se voit ores* ici commander en son rang, *maintenant*
D'un front audacieux cheminer flanc à flanc,
Il me semble de voir quelque divinité.

Mais les voyant pâlir lorsque Sa Sainteté
Crache dans un bassin, et d'un visage blanc
Cautement* épier s'il y a point de sang,
prudemment
Puis d'un petit souris* feindre une sûreté**...
sourire
***l'assurance*

Cependant ne voir en lui que l'élégiaque et le satirique des *Regrets*, à la rigueur l'humaniste des *Antiquités*, n'est-ce pas limiter singulièrement l'ampleur de son œuvre tour à tour grave et plaisante, triste et acerbe? N'est-ce pas faire la part trop belle à cette « facilité » qui selon les contemporains déjà caractérisait son art, et dont il s'est d'ailleurs défendu :

Et peut-être que tel se pense bien habile,
Qui trouvant de mes vers la rime si facile,
En vain travaillera, me voulant imiter.

A moins, au contraire, que ce ne soit lui rendre un juste hommage en reconnaissant dans les gammes variées de sa poésie, malgré la pratique constante de l'imitation, malgré le recours aux lieux communs en usage à l'époque, une unité, la permanence d'une voix, quelque chose peut-être comme ce que Céline appelait « une petite musique ».

BIBLIOGRAPHIE

ÉDITIONS COURANTES : *Poésies* de Joachim du Bellay, dans le Livre de Poche (n° 2229), et chez Seghers, coll. « Poètes d'hier et d'aujourd'hui » (n° 3). — *Les regrets,* Nouveaux Classiques Larousse, 1969. — *Les regrets* et les *Antiquités de Rome,* Garnier-Flammarion, 1971. — Joachim du Bellay, *Défense et illustration de la langue française,* annotée et commentée par Louis Terreaux, coll. Bibliothèque Bordas, 1972 (texte intégral).

ÉDITIONS SAVANTES : *La défense et illustration de la langue française,* éd. H. Chamard, Didier, S.T.F.M., 2e éd., 1948. — *Œuvres poétiques,* éd. H. Chamard, S.T.F.M., 6 tomes, 1908-1931 (ne publient que les œuvres françaises). — *Divers jeux rustiques,* éd. V.-L. Saulnier, Genève-Paris, Droz-Minard, T.L.F., 1947; nouv. éd. augmentée 1965. — *Les regrets et les Antiquités de Rome,* éd. Jolliffe et Screech, Droz-Minard, Genève-Paris, 1966 (ces deux dernières éditions comportent d'excellentes introductions et de très bons commentaires). — *Poésies latines,* éd. bilingue en deux tomes, éd. G. Demerson, S.T.F.M. (diffusion : Nizet), 1984-1985 (complément de la grande édition Chamard : l'œuvre latine de Du Bellay rendue accessible au grand public).

ÉTUDES : V.-L. SAULNIER, *Du Bellay,* Hatier, coll. « Connaissance des lettres », 1951; nouv. éd. augmentée 1968 (introduction à du Bellay). — Henri WEBER, *La création poétique au XVIe siècle en France,* Nizet, 1956 (ouvrage fondamental. Pour du Bellay, consulter le chapitre V, « La poésie amoureuse de la Pléiade », et le chapitre VI, « La poésie élégiaque et satirique de du Bellay »). — Guido SABA, *La poesia di Joachim du Bellay,* Messine-Florence, G. d'Anna, 1962 (excellente monographie sur l'œuvre du poète; vues d'ensemble et études de détail toujours pénétrantes). — Robert GRIFFIN, *Coronation of the Poet. Joachim's du Bellay's Debt to the Trivium,* Berkeley-Los Angeles, Univ. of California, 1969 (étude d'un point de vue particulier : Du Bellay et la rhétorique). — Yvonne BELLENGER, *Du Bellay : ses « Regrets » qu'il fit dans Rome,* Nizet, 1975. — Gilbert GADOFFRE, *Du Bellay et le sacré,* Gallimard, 1978 (un aspect de du Bellay essentiel et jusque-là plus ou moins méconnu : remarquable). — Floyd GRAY, *Poétique de Du Bellay,* Nizet, 1978.

RONSARD (1524-1585)

« Somme, partout il a été supérieur aux autres, t partout il a été égal à lui-même » : ainsi 'exprimait du Perron dans son Oraison funèbre le Ronsard. Unanimement reconnu par ses ontemporains comme le « prince des poètes », néprisé ensuite par Malherbe, accusé par Boileau le parler grec et latin en français, oublié pen-lant deux siècles, restauré à mi-hauteur et non ans condescendance par Sainte-Beuve qui accor-lait qu' « après un peu d'ennui et de désappoin-ement » on pouvait en venir « sinon à faire râce à sa renommée, du moins à la concevoir », ierre de Ronsard, dont on sait quelle impor-ance il attachait au jugement de la postérité, st ainsi devenu par une singulière destinée le lus mal connu de nos grands poètes, « le plus rand de nos poètes inconnus » (1).

Je suis, dis-je, Ronsard, et cela te suffise... »

Son père, Louis de Ronsard, était lui-même n gentilhomme lettré, compagnon et serviteur e François Ier. Dès 1536, il place Pierre, son fils adet, élevé jusque-là dans sa province natale du endômois, auprès de la famille royale. L'enfant a ouze ans, et pendant quatre ans il reçoit une rmation de page, qui le prépare normalement une carrière militaire convenable à un homme e sa race. C'est à ce moment qu'il voyage, squ'en Écosse, jusqu'en Allemagne. Puis, à la n de 1540, il tombe malade et reste « demi-urd ».

Infirme, il ne peut plus prétendre à la carrière s armes. En 1543, son père le fait donc tonsu-r : désormais, sans être tenu à d'autre obligation ue le célibat, il est devenu apte à recevoir en mmende des bénéfices ecclésiastiques. Sage écaution : c'est de tels bénéfices qu'il vivra us tard. Il mourra d'ailleurs dans l'un de ses ieurés des bords de la Loire, à Saint-Cosme-z-Tours.

1. Gilbert Gadoffre, *Ronsard par lui-même.*

Cependant, faute de devenir capitaine ou diplomate au service du roi, il choisit la poésie. Il suit les cours de Daurat au collège de Coqueret (1), il parfait sa connaissance des langues anciennes en même temps qu'avec ses compagnons de travail, ceux qu'il appelle « la Brigade », il élabore de nouvelles doctrines poétiques.

1550 marque son entrée dans la littérature : il publie ses premières *Odes* qui suscitent l'enthousiasme des uns et la réprobation des autres. D'année en année sa réputation s'impose. Il est le poète favori de Marguerite de France (la sœur d'Henri II), de Marie Stuart, de Charles IX. De façon à peu près ininterrompue, il ne cesse de publier jusqu'à sa mort, le 27 décembre 1585.

Défense et illustration de la poésie française

Dans cette production abondante et variée, les tons, les rythmes, les thèmes, les procédés s'enrichissent constamment, les sonnets amoureux suivent les odes, les chansons et les madrigaux précèdent les grands hymnes philosophiques,

1. Voir p. 121.

Le manoir de la Possonnière, au village de Couture, non loin de Vendôme, où naquit Ronsard.

© Lapie

les discours politiques paraissent en même temps que les divertissements de cour, églogues ou mascarades. Dans chaque genre, dans chaque thème, dans chaque mètre, le poète ne cesse de se renouveler, des *Amours* de 1552 aux *Sonnets pour Hélène* de 1578, des *Odes* pindariques de 1550 aux odelettes anacréontiques ([1]) de 1554, de l'alexandrin des *Continuations des amours* de 1555-1556 à celui des *Derniers vers de* 1586 (posthumes). Par surcroît, Ronsard ne cesse de se reprendre, de se corriger, de remanier ses poèmes déjà publiés, au point qu'en lire certains dans la première version ou dans l'édition définitive revient à lire deux textes sensiblement différents.

Il commence par publier en 1550 quatre livres d'*Odes* : il ambitionne de rivaliser avec Pindare ([2]), avec Horace ([3]); sur des rythmes variés, il chante les grands personnages et les événements de leur vie, mais aussi des thèmes familiers, le décor vendômois, ses amis, ses amours; il invente les mots, les tours qui font défaut à la langue, et, somme toute, il accomplit, en défendant et en illustrant ainsi la langue française, l'œuvre de rénovation annoncée par du Bellay. Ces quatre volumes d'odes seront suivis d'un cinquième en 1552; en 1553, en 1555, ils s'enrichiront encore de pièces nouvelles à l'occasion de rééditions.

En cette année 1555, Ronsard publie un premier livre d'*Hymnes*, suivi d'un second en 1556 : ces somptueux poèmes graves, où désormais prédomine l'alexandrin à rimes plates ([4]), développent les grands thèmes de la pensée humaniste, la mort, l'éternité, les astres, mais aussi — car Ronsard est un homme du XVIe siècle — les démons.

Puis avec les guerres civiles, les thèmes de la poésie « sérieuse » se font plus actuels, plus polémiques, à la fois plus religieux et plus politiques. Ronsard, fidèle sujet du roi Charles IX, défend évidemment le point de vue de son maître, celui des catholiques, avec verve, avec élan, avec force, dans une série de poèmes, les *Discours*, aux titres évocateurs : *Discours des misères de ce temps*, *Continuation du discours des misères de ce temps*...

1. A la manière d'Anacréon, poète grec du VIe siècle avant J.-C., chantre des plaisirs.
2. Poète grec du VIe siècle avant J.-C., au lyrisme fastueux.
3. Poète latin du Ier siècle avant J.-C., à la fois savant et enjoué.
4. Jusqu'à la publication des *Hymnes* de Ronsard, le vers « héroïque » français était le décasyllabe (10 syllabes). L'alexandrin à rimes plates (aa, bb, cc, etc.), connaîtra la fortune que l'on sait, en devenant en particulier le vers de la comédie et de la tragédie classiques.

Page de titre des *Amours* de 1552, le premi[er] *canzoniere* de Ronsard, dédié à Cassandr[e]

Signalons cependant la production plus so[u]riante, celle des pièces d'inspiration famili[ère] intitulées *Bocage*, *Mélanges*. Rappelons que [le] poète, hors des grands recueils, continue [de] composer ici ou là un hymne, un discours, u[ne] élégie. Mais surtout qu'il est un thème auqu[el] il consacre, depuis ses débuts jusqu'à la fi[n] quelques-unes de ses plus belles œuvres : *L[es] amours*.

Les Amours

En 1564, en pleine controverse avec les prote[s]tants, il dit de lui-même :

> J'aime à faire l'amour, j'aime à parler aux femm[es]
> A mettre par écrit mes amoureuses flammes

Plusieurs noms traversent son œuvre : Sinop[e], Genèvre, Astrée, mais surtout Cassandre, Mar[ie], Hélène, qui lui inspirent des vers dont certai[ns] restent aujourd'hui encore inscrits dans toutes les mémoires.

Le poète a connu et peut-être aimé Cassandre Salviati, la fille d'un banquier florentin installé en France. Mais l'exactitude biographique importe moins en cette affaire que la production poétique associée à une jeune fille nommée Cassandre « ou [à] l'inspiration qui faisait dire au poète : “Cassandre” (1) ».

Inspiration diverse : les poèmes évoquant Cassandre sont de ton badin, voire leste, dans quelques-unes des odes de 1550, et pétrarquistes dans *Les amours* de 1552 dont les sonnets chantent la passion idéalisée à l'égard d'un être incomparable. En 1553, paraît une nouvelle édition des *Amours*, remaniée, augmentée de pièces généralement moins « sublimes », parmi lesquelles figure le très célèbre petit poème « Mignonne, allons voir si la rose... ».

1555-1556 apportent deux nouveaux recueils amoureux, la *Continuation des amours* (1555), composée de nombreux sonnets où pour la première fois l'alexandrin domine — comme il domine dans les *Hymnes* publiés la même année —, et la *Nouvelle continuation des amours* (1556) où les chansons, les pièces de factures diverses sont plus nombreuses que les sonnets. Ronsard continue d'y célébrer Cassandre, mais concurremment avec une paysanne angevine de quinze ans qu'il nomme Marie et qu'il entend chanter sur un ton nouveau, car

> [...] les amours ne se soupirent pas
> D'un vers hautement grave, ains* d'un beau [style bas,
> Populaire et plaisant...
>
> * *mais*

A partir de 1560, Ronsard publie l'ensemble de ses œuvres, en plusieurs tomes (1). Il en consacre un, le premier, aux *Amours*, qu'il répartit en deux livres réservés l'un à Cassandre (réédition remaniée des *Amours* de 1552-1553), l'autre à Marie (réédition remaniée des *Continuations des amours* de 1555-1556). Mais ce n'est qu'en 1578 (2) qu'il complète ce *Second livre des amours* par une deuxième partie intitulée « Sur la mort de Marie » où, en vers limpides, il chante la

1. Fernand Desonay, *Ronsard poète de l'amour*.

1. Sous le titre exact *Édition collective des œuvres* : de 1560 à 1584, six éditions collectives se succèdent.
2. Dans la cinquième édition collective, très importante par les pièces nouvelles publiées dans le tome I des *Amours*.

Bal à la cour d'Henri III. C'est dans ce décor somptueux qu'évoluait Hélène de Surgères, fille d'honneur de la reine-mère, qui inspira les *Sonnets pour Hélène* (1578).

tristesse sereine qu'inspire la mort, délivrance du temps plutôt que destruction quand elle fauche un être jeune et beau.

La même année, il augmente la section des *Amours* de plusieurs textes nouveaux et notamment des *Sonnets pour Hélène*, dédiés à Hélène de Surgères, fille d'honneur de Catherine de Médicis. Là encore, cependant, l'essentiel n'est pas le portrait exact d'une jeune femme réelle, mais la figure poétique que dessine l'imagination du poète. Curieuses amours, en vérité, où l'amant apparaît tour à tour, et parfois simultanément, figé dans l'admiration pétrarquiste et agité de sentiments amers, voire acerbes :

Les dames de ce temps n'envient (1) ta beauté,
Mais ton nom tant de fois par les Muses chanté,
Qui languirait d'oubli, si je ne t'eusse aimée.

Il faudrait citer bien d'autres traits de cet « amour d'automne » où Ronsard déplore sa vieillesse, la cruauté du temps et celle d'un amour qui n'a plus guère de points communs avec l'éblouissement des poèmes de 1552 à Cassandre :

Car l'amour et la mort n'est qu'une même chose.

Tel est le dernier vers des *Sonnets pour Hélène*, le dernier *canzoniere* composé par le grand amant vendômois.

La mort et l'immortalité

Si l'amour est finalement incapable de surmonter la mort, le poète possède d'autres ressources. L'ambition qu'il ne cesse d'afficher tout au long de son œuvre, au point qu'elle en constitue l'un des lieux communs, c'est de vaincre la mort, de conquérir la gloire posthume. Dès 1550, dans la préface des *Odes*, il affirme que « les doctes folies des poètes survivront les innombrables siècles à venir, criant la gloire des princes consacrés par eux à l'immortalité ». Il est probable que le phénomène de la Renaissance, largement déterminé par un renouveau d'intérêt pour des vestiges précisément littéraires, dut encourager cette manière de voir. Toujours est-il que jusqu'à la fin, jusqu'en ces admirables *Derniers vers* dictés sur son lit de mort, Ronsard ne cessa de proclamer cette certitude :

J'ai vécu, j'ai rendu mon nom assez insigne,
Ma plume vole au ciel pour être quelque signe*...
**astre*

1. Prononcer le mot en trois syllabes, en faisant entendre le *e* « muet ».

Mais il est un autre thème qui, paradoxalement évoque l'immortalité en même temps qu'i signale la mort, c'est celui du tombeau. Parfoi associé à l'amour (ainsi dans les poèmes d 1578 « Sur la mort de Marie »), parfois à l'élog (par exemple dans le *Tombeau de Marguerite d Navarre*, de 1551, où Ronsard célèbre la mémoir de la reine défunte), parfois enfin au défi que l poète lance au temps (dès l'ode de 1550 « D l'élection de son sépulcre »), le tombeau, pa son caractère inaltérable, abolit la réalité qu' semblait devoir accuser : lui-même taillé dans un matière impérissable, toujours situé en plein nature, entouré de pastoureaux, voire de nymphes et de faunes qui symbolisent la toute puissance de la vie, adoré dans des rites inspiré des antiques et fort païennes croyances panthéistes, le tombeau, réceptacle de la mort devient ainsi signe de survie.

Est-ce à dire que rien dans les poèmes d Ronsard n'évoque l'idée chrétienne de la mor et de l'immortalité? Problème troublant. Tout s passe, en effet, comme si l'imagination du poèt

Frontispice des *Amours* de 1552 : Cassandr « Cassandre qui me fut plus chère que m yeux, Que mon sang, que ma vie... »

« Je suis, dis-je, Ronsard, et cela te suffise :
Ce Ronsard que la France honore, chante et [prise,
Des Muses le mignon, et de qui les écrits
N'ont crainte de se voir par les âges surpris. »

était incapable de se figurer un monde, fût-il paradisiaque, différent du nôtre. Quand il évoque tel de ses amis morts, il ne met pas en doute sa survie — Ronsard n'est nullement un athée —, mais les Champs Élysées antiques, décrits en termes de journées et de printemps terrestres, lui viennent plus volontiers sous la plume que la croyance orthodoxe de sa religion en un au-delà inaccessible à la pensée humaine. Ronsard est-il panthéiste, païen? On serait certes souvent tenté de le croire, mais comment définir l'auteur de ces vers?

Et bref, des lois de Dieu toute la terre est pleine.
Car Jupiter, Pallas, Apollon, sont les noms
Que le seul Dieu reçoit en maintes nations
Pour ses divers effets que l'on ne peut comprendre,
Si par mille surnoms on ne les fait entendre.

Relisons plutôt l'« Hymne de la mort » de 1555. Curieux éloge de la mort de la part d'un homme aussi amoureux de la vie, mais la mort est l'issue normale de toute existence : aimer la vie, c'est donc d'une certaine manière accepter la mort. En outre, pour le chrétien, la mort apporte la délivrance des misères humaines et elle introduit à la vraie vie. Cette exhortation à soi-même, que rien ne permet de croire insincère, mène le poète au solennel salut final :

Je te salue, heureuse et profitable Mort,
Des extrêmes douleurs médecin et confort*...
réconfort

De ces « extrêmes douleurs », l'une des plus insupportables est à coup sûr la vieillesse, véritable malédiction à laquelle est voué l'homme, et qui frappe prématurément Ronsard :

J'ai les yeux tout battus, la face toute pâle,
Le chef* grison et chauve, et si** n'ai que trente [ans.
La tête **pourtant*

Ce thème de réflexion lui inspire quelques-uns de ses plus beaux poèmes, comme l'ode de 1555 « Quand je suis vingt ou trente mois... » où, strophe après strophe, il oppose à l'inaltérable jeunesse de la nature et du monde la décrépitude qui le saisit.

Dès lors, cette obsession du temps qui passe va colorer ses relations avec le monde et en particulier avec les femmes. C'est le thème, horatien mais aussi ronsardien, du *carpe diem* (1) : le poète prodigue à ses amies le conseil, qui n'est pas simple et banal argument de dialectique amoureuse, de « cueillir le jour », de ne pas perdre leur jeunesse. La comparaison, entre la beauté des jeunes femmes et celle des fleurs vite fanées :

Mignonne, allons voir si la rose...

conduit immanquablement à l'exhortation si souvent répétée : « Cueillez votre jeunesse », « Cueillez dès aujourd'hui les roses de la vie », ou, comme dans l'un des plus beaux poèmes de la *Continuation des amours* de 1555 :

Le temps s'en va, le temps s'en va, Madame,
Las! le temps non, mais nous nous en allons,
Et tôt* serons étendus sous la lame**. *bientôt*
**pierre du tombeau*

Et des amours desquelles nous parlons,
Quand serons morts n'en sera plus nouvelle :
Pour ce (2) aimez-moi, cependant* qu'êtes belle.
pendant

1. Expression du poète latin Horace signifiant « cueille le jour », c'est-à-dire « profite du jour présent ».
2. Prononcer en élidant le *e*, c'est-à-dire : « Pour ç'aimez-moi... »

La nature

La rose, emblème de la fragilité humaine; le tombeau dans la campagne, signe de cette fragilité, mais aussi de l'immortel souvenir qu'elle inspire aux vivants; la joie certaine, même si elle est « douce-amère », de l'amant pétrarquiste qui trouve refuge dans la nature; le réconfort de l'homme las des contraintes sociales ou morales qui fuit la cour pour se retrouver dans les solitudes sylvestres ou agrestes : un point est constant dans l'œuvre de Ronsard, c'est le goût du poète pour la nature et la valeur esthétique et éthique qu'il attache à ce qu'elle représente.

Rappelons à ce propos qu'il a passé dans la campagne vendômoise les douze premières années de sa vie — et cette enfance aux champs a sûrement marqué sa sensibilité :

Je n'avais pas quinze ans que les monts et les bois
Et les eaux me plaisaient plus que la cour des rois.

De ce goût incontestable pour la nature, peut-on inférer que Ronsard est un poète descriptif?

En fait, chez lui, nulle évocation de paysages à la manière romantique. Les soleils levants ou couchants sont plus souvent mythologiques que pris sur le vif :

Fût que le char qui donne jour aux cieux
Sortit de l'eau, ou fût que dévalée
Tourna sa roue en la plaine salée...

Les fleurs et les arbres sont traités comme des éléments représentatifs ou symboliques d'une réalité que le poète se contente la plupart du temps de suggérer. Quand il veut peindre la jeunesse et l'amour dans un poème d'insouciance, il choisit évidemment un décor rustique et printanier, mais il se borne à mentionner deux ou trois détails et aussitôt le lecteur « voit », littéralement, ce que le poète esquisse à peine

... Jà la gaie alouette au ciel a fredonné,
Et jà le rossignol frisquement* jargonné,
Dessus l'épine assis, sa complainte amoureuse..

*gracieusement

La nature est partout présente dans la poésie de Ronsard, même là où le lecteur moderne est le moins décidé à l'apercevoir, car il est impossible en bien des endroits, de séparer l'allusion à la nature de l'allusion mythologique :

Écoute, Bûcheron (arrête un peu le bras),
Ce ne sont pas des bois que tu jettes à bas,
Ne vois-tu pas le sang, lequel dégoutte à force
Des Nymphes qui vivaient dessous la dure écorce

Ce qui revient peut-être à dire que pour Ronsard nature et mythologie appartiennent à un même univers.

Madeleine de l'Aubespine, femme de Nicolas de Neufville, qui protégea Ronsard et en fut célébrée.

B. N. Paris. © Harlingue-Viollet

La mythologie et l'antiquité

On a beau savoir à quel point les hommes de ce temps étaient imprégnés de culture gréco-latine et à quel point la vie quotidienne entretenait alors la familiarité avec le monde antique cérémonies officielles dont la décoration s'inspirait de quelque grand mythe ancien, tapisseries et peintures des salles de châteaux que la mythologie fournissait en sujets, louanges hyperboliques qui divinisaient les grands personnages de sorte que personne ne s'étonnait plus d'entendre le ro omparé à Jupiter ou sa sœur à Pallas —, il 'empêche que la plupart du temps il est difficile, u moins au premier abord, de ne pas considérer es abondantes références au monde ancien, t en particulier les allusions mythologiques, omme des ornements factices et superflus.

Notons cependant ce qu'en dit Ronsard lui-nême, en 1563, rendant hommage à Dorat qui ui

> [...] apprit la poésie, et [lui] montra comment
> On doit feindre* et cacher les fables ([1]) propre-
> [ment** *représenter
> **élégamment
> Et à bien déguiser la vérité des choses
> D'un fabuleux manteau dont elles sont enclo-
> [ses*. *recouvertes

)n ne saurait mieux proclamer une intention lélibérée. Le poète utilisera la mythologie comme noyen de suggestion, pour élargir la résonance es « vérités » qu'il énonce. C'est que l'allusion nythologique, outre sa signification propre, a e pouvoir de soulever dans l'esprit du lecteur out un contexte d'associations d'images, sur equel compte le poète.

Le nom d'Hélène de Surgères appelle la figure l'Hélène de Troie; Hélène de Troie suggère 'idée de la parfaite beauté; Ronsard sait que nul e manquera de faire ce rapprochement, et de 'attendre. Il commence donc comme s'il répon-lait à cette attente :

> ...Cette sœur des Jumeaux* ([2]), qui fit par sa
> [beauté *Gémeaux
> Opposer toute Europe aux forces de l'Asie ([3])...

'uis, rupture brutale d'une strophe à l'autre :

> ...Disait à son miroir, quand elle vit saisie
> Sa face de vieillesse et de hideuseté :
> « Que mes premiers maris ([4]) insensés ont été
> De s'armer, pour jouir d'une chair si moisie!... »

La distorsion que le poète inflige au mythe met n relief un de ses thèmes les plus familiers : celui lu temps qui détruit tout, qui ne respecte même as la beauté des femmes, même pas la beauté les mythes. D'où l'exhortation finale, sans cesse épétée et toujours nouvelle : « Cet exemple st pour vous : cueillez votre jeunesse... »

1. Les récits mythiques, dont le sens ne doit pas être vident au premier abord.
2. Hélène était la sœur de Castor et Pollux.
3. Périphrase évoquant la guerre de Troie où la Grèce l'Europe) se battit contre Troie (l'Asie).
4. Hélène, femme du roi grec Ménélas, avait été enlevée ar le prince troyen Pâris : Ménélas et Pâris sont ses « premiers maris ».

On voit à quel point il serait inexact d'imaginer Ronsard n'utilisant la mythologie qu'au service de la poésie officielle ou de la « haute » poésie. Elle se trouve aussi bien dans les poèmes joyeux ou solennels, tristes ou sarcastiques, heureux ou pessimistes. C'est que, chaque allusion suscitant un arrière-plan de symboles ou de légendes, elle ressortit à un domaine essentiellement poétique, et par surcroît inséparable de ce monde ancien que les hommes de la Renaissance considéraient comme un âge d'or de la pensée.

Ronsard et la poésie

On parle assez complaisamment des échecs de Ronsard : échec de *La Franciade*, l'épopée inachevée du disciple trop fidèle de Virgile; échec des premières odes pindariques de 1550 où Ronsard empruntait à Pindare la disposition des strophes en triades (deux strophes de même structure suivies d'une troisième de rythme différent) et des sujets d'inspiration ambitieuse — encore qu'il soit convenu d'épargner la longue et magnifique *Ode à Michel de L'Hospital* de 1552.

En fait, si plusieurs de ces critiques peuvent se justifier, elles pèchent par les critères sur lesquels elles se fondent, qui ne sont ni ceux de Ronsard, ni ceux de la poésie actuelle, mais plutôt ceux de Sainte-Beuve — dont on connaît le mot ambigu sur le poète : « Il osa trop, mais l'audace était belle » —, voire de Boileau.

Pour Ronsard en effet, la poésie est une « fureur », c'est-à-dire une folie sacrée, un don et une mission de caractère divin. Il le dit maintes fois : dès sa jeunesse, elle a été sa passion. Mais il lui arrive de déplorer l'ingratitude du public à l'égard des poètes, et les fatigues épuisantes de ce métier. Car on sait quelle est la doctrine de la Pléiade sur ce point : « Que le naturel n'est suffisant à celui qui en poésie veut faire œuvre digne de l'immortalité » ([1]). De fait, Ronsard ne cesse de travailler, et il n'a que mépris pour « ces poétastres, rimasseurs et versificateurs » qui ont le front de s'improviser poètes! Il imite les Grecs, les Latins, les Néo-Latins, les Italiens : tant de modèles dont il fait du Ronsard. Mais, poète savant, il sait aussi, mieux que personne, que si « le naturel n'est suffisant », il est indispensable, et il lui arrive de le rappeler vertement à ceux qui l'oublient :

1. Titre d'un chapitre de *La défense et illustration de la langue française* de du Bellay.

Les poètes gaillards* ont artifice** à part,
*inspirés **un art
Ils ont un art caché qui ne semble pas art
Aux versificateurs...

« *Vous êtes tous issus de la grandeur de moi* »

A ses débuts, Ronsard avait nourri un rêve : « marier la poésie à la lyre » [1], et il eut la joie de voir un grand nombre de ses poèmes mis en musique. Mais c'est surtout sur un autre plan que « l'amour que ce demi-sourd portait à la musique a eu des conséquences très importantes » [2]. Il instaura des exigences nouvelles sur les rimes (alternance), sur les rythmes (régularité des mètres et des rimes dans les strophes des *Odes*). Il chercha constamment à élargir les ressources musicales de sa poésie : c'est lui qui imposa comme grand vers héroïque l'alexandrin jusque-là négligé. Il traita les matières les plus diverses, « le surnaturel, le ciel avec ses étoiles, la nature sous tous ses aspects, l'homme physique et moral, les systèmes philosophiques, les principes moraux, les événements du jour, la vie quotidienne de l'auteur... » [3]. Il fut tour à tour héroïque, folâtre, amoureux, didactique badin, courtisan, et sauvage, comme il était dit-il, dans la vie :

1. C'est-à-dire qu'on puisse chanter la poésie en s'accompagnant d'un instrument de musique.
2. Raymond Lebègue, *Ronsard.*
3. *Ibid.*

Je suis opiniâtre, indiscret*, fantastique**,
*sans discernemen
**chimérique
Farouche, soupçonneux, triste et mélancolique
Content et non content, mal propre* et ma
[courtois, *peu élégan
Au reste craignant Dieu, les princes et les lois
Né d'assez bon esprit, de nature assez bonne
Qui pour rien ne voudrais avoir fâché personne
Voilà mon naturel, mon Grévin [1], et je crois
Que tous ceux de mon art [2] ont tels vices qu
[mo

Bref, cet homme qui d'emblée avait eu l'audace de proclamer ce qui fut l'ambition de toute sa vie : vaincre la mort en s'élevant au rang des dieux, sut assumer cette téméraire entreprise et fut incontestablement le plus grand poète de son temps et l'un des premiers dans l'histoire de la poésie française, même s'il ne reçut pas de l'ingrate postérité la récompense qu'il en attendait et qu'il méritait :

Vous êtes mes ruisseaux, je suis votre fontaine
Et plus vous m'épuisez, plus ma fertile veine
Repoussant le sablon, jette une source d'eaux
D'un surgeon éternel pour vous autres ruisseaux...

1. Ami de Ronsard à qui est adressée cette élégie.
2. Les autres poètes.

BIBLIOGRAPHIE

ÉDITIONS COURANTES : *Œuvres complètes,* 2 vol., éd. G. Cohen, Gallimard, coll. « Bibliothèque de la Pléiade » 1950. — *Poésies choisies,* éd. P. de Nolhac, Garnier [1924]. — *Extraits,* éd. F. Boyer, Seghers, coll. « Poètes d'hier et d'aujourd'hui » (no 1), 1958. — *Les Amours,* éd. C. et H. Weber, Garnier, 1963. — *Les Amours,* éd. A.-M Schmidt, Livre de Poche (no 1242). — *Œuvres poétiques,* Nouveaux Classiques Larousse, 1972. — *Discours. Derniers Vers,* Paris, Garnier-Flammarion, 1979. — *Les quatre saisons de Ronsard,* éd. G. Gadoffre, Paris, Poésie/Gallimard, 1985 (une belle anthologie établie par l'un des meilleurs ronsardisants actuels).

ÉDITIONS SAVANTES : L'édition de référence est celle de P. Laumonier (achevée par I. Silver et R. Lebègue), *Œuvres complètes,* Société des textes français modernes, 20 tomes, 1914-1975. — *Le second livre des amours,* éd. A Micha, Droz, Textes littéraires français, Genève, 1951. — *Sonnets pour Hélène,* éd. M. Smith, Droz, Textes littéraires français, Genève, 1970. — *Les hymnes,* éd. A. Py, Genève, Droz, 1978 (la publication de tous les hymnes composés par Ronsard, précédée d'une introduction admirable).

ÉTUDES : Paul LAUMONIER, *Ronsard, poète lyrique,* Paris, Hachette, 1932, 3e édition (ouvrage ancien, demeure intéressant et important). — Pierre de NOLHAC, *Ronsard et l'humanisme,* Champion, 1921 (la vie intellectuelle et les préoccupations des érudits dans l'entourage de Ronsard). — Marcel RAYMOND, *L'influence de Ronsard sur la poésie française (1550-1585),* 1927, réimpr. Droz, 1965 (un travail essentiel qui demeure un classique). — Raymond LEBÈGUE, *Ronsard,* Hatier, coll. « Connaissance des lettres », 1950 (bonne synthèse : une introduction à Ronsard). — Marcel RAYMOND, « Quelques aspects de la poésie de Ronsard », dans *Baroque et Renaissance poétique,* Corti, 1955 (lecture de Ronsard passionnante par l'un de ses meilleurs spécialistes). — Gilbert GADOFFRE.

Ronsard par lui-même, Seuil, 1960 (l'un des meilleurs volumes de la célèbre collection : de l'excellente vulgarisation). — Fernand DESONAY, *Ronsard poète de l'amour,* en 3 vol., Bruxelles, Palais des Académies, 1952, 1954, 1959 (ouvrage important pour l'étude des rythmes de Ronsard). — Dudley B. WILSON, *Ronsard Poet of Nature,* Manchester University Press, 1961 (un aspect important du Vendômois). — Donald STONE, Jr., *Ronsard's Sonnet Cycle. A Study in Tone and Vision,* Yale University Press, 1966 (une étude de forme et de structure). — André GENDRE, *Ronsard poète de la conquête amoureuse,* Neuchâtel, La Baconnière, 1970 (sur un sujet fondamental : un beau livre). — Numéros spéciaux : *Cahiers de l'Association internationale des Études françaises,* 1970; *L'esprit créateur,* 1972; *Ronsard the Poet,* ouvrage collectif publié sous la direction de Terence Cave, Londres, Methuen, 1973 (autant de travaux collectifs, tous intéressants). — Michel DASSONVILLE, *Ronsard. Étude historique et littéraire,* 4 tomes parus, Droz, 1968, 1970, 1976, 1985 (étude exhaustive, sur bien des points décisive). — Daniel MÉNAGER, *Ronsard. Le roi, le poète et les hommes,* Genève, Droz, 1979 (un sujet nouveau magistralement traité). — *Œuvres et critiques,* hiver 1981-1982, VI, 2, n° consacré à Ronsard (la réception critique du poète). — Albert PY, *Imitation et Renaissance dans la poésie de Ronsard,* Genève, Droz, 1984 (trois essais absolument nouveaux, par l'un des grands critiques de notre époque). — *Autour des Hymnes de Ronsard,* éd. M. Lazard, Paris, Champion, 1984 (le point de la critique actuelle). — *Les Hymnes de Ronsard,* n° des *Cahiers « Textuel »* (Université Paris-VII), 34/44, n° 1, 1985 (le complément de l'ouvrage précédent).

CHRONOLOGIE DES ŒUVRES DE RONSARD

550 — *Odes* (quatre premiers livres) : odes pindariques et horatiennes.

552-1553 — *Amours :* suite de sonnets adressés à Cassandre, augmentée dans la réédition de plusieurs poèmes, dont le célèbre « Mignonne, allons voir... »

552-1553 — *Odes* (cinquième livre).

554-1555 — *Bocage* et *Mélanges :* poèmes divers d'inspiration légère.

555 — *Odes* de **1550** : réédition augmentée.

555 — *Continuation des amours :* suite de sonnets amoureux adressés à Cassandre et à Marie.

555 — *Hymnes :* amples poèmes d'inspiration philosophique et didactique.

556 — *Nouvelle continuation des amours :* pièces diverses adressées pour quelques-unes à Marie.

556 — *Second livre des hymnes :* s'accroît d'hymnes épiques.

559 — *Second livre des mélanges :* pièces diverses.

560 — Première édition collective des *Œuvres*, réparties en quatre tomes :
t. I, *Les amours* (premier livre à Cassandre, second livre à Marie);
t. II, *Les odes;*
t. III, *Les poèmes;*
t. IV, *Les hymnes.*

62-1563 — *Discours :* poèmes d'alexandrins à rimes plates déplorant « les misères de ce temps », et polémiquant avec les protestants.

63-1564 — *Nouvelles poésies :* pièces de facture et d'inspiration diverses, généralement légères.

65 — *Élégies, mascarades et bergeries :* poésie de cour (livrets des fêtes et des ballets).
Art poétique français : la « défense et illustration » de Ronsard (en prose).

69-1570 — *Poèmes* (1) nouveaux.

1572 — *La Franciade :* quatre livres d'une épopée inachevée en décasyllabes.

1578 — Cinquième édition collective des *Œuvres* en sept tomes :
t. I, *Les amours* (augmentés de la section « Sur la mort de Marie » dans le second livre, et, sans numéro de livre, entre autres nouveautés, des « Sonnets pour Hélène »);
t. II, *Les odes;*
t. III, *Les poèmes;*
t. IV, *Les élégies, églogues et mascarades;*
t. V, *Les hymnes;*
t. VI, *Les discours;*
t. VII, *La Franciade.*

1584 — Sixième édition collective des *Œuvres* en sept tomes : dernière édition parue du vivant de Ronsard.

1586 — *Derniers vers :* six sonnets et deux épitaphes dictés par Ronsard moribond et publiés deux mois après sa mort.

1587 — Septième édition collective des *Œuvres :* dernière édition revue par Ronsard.

Publication des principales œuvres :

Odes : **1550, 1552-1553, 1555.**

Amours : **1552-1553, 1555-1556, 1578.**

Hymnes : **1555-1556.**

Discours : **1562-1563.**

Derniers vers : **1586.**

Éditions collectives les plus importantes : **1560, 1578, 1584, 1587.**

1. Terme alors nouveau, désignant des pièces de vers de rythmes divers.

AUTOUR DE RONSARD

Du grand nombre de poètes qui entourèrent Ronsard, quelques-uns apparaissent au premier plan, soit parce qu'au XVIe siècle leur renommée fut grande, soit parce que notre époque les redécouvre avec plaisir et quelquefois avec surprise. Poètes de la « Pléiade » proprement dite d'abord : Baïf, Belleau, Jodelle.

Jean-Antoine de Baïf (1532-1589)

Fils d'un gentilhomme helléniste et humaniste, Lazare de Baïf, qui protégea les débuts de Ronsard à la cour, Jean-Antoine de Baïf fut dès son enfance confié aux maîtres les plus remarquables de son temps, notamment à Dorat qu'il suivit ensuite au collège de Coqueret (1).

Poète érudit, théoricien curieux d'expériences nouvelles, il reste connu dans l'histoire de la littérature pour ses brouilles fréquentes avec Ronsard, pour sa tentative de marier la poésie à la musique en restaurant la métrique et la prosodie anciennes en français et pour sa fondation de l'Académie de Poésie et de Musique (1570) (2), plus que pour la qualité de ses œuvres. Sa production fut pourtant abondante et variée, depuis les pétrarquistes *Amours de Méline* (1552) et *de Francine* (1555) jusqu'aux *Mimes* (1576-1597), recueil de sentences versifiées à la mode sous les derniers Valois (comme en témoigne le succès rencontré, dans le même genre, par les *Quatrains* de Guy du Faur de Pibrac, publiés en 1574), sans compter les scientifiques *Météores* (1567). Mais comme le dit excellemment Étienne Pasquier, si « un Baïf savait beaucoup », il « était aucunement (3) mal né à la poésie ».

Rémy Belleau (1528-1577)

Savant humaniste lui aussi, helléniste minutieux et passionné, mais véritable poète, Belleau ne fut pas seulement le « gentil » et « mignard » versificateur que l'on décrit trop souvent. Très grand artiste, au contraire, il hérite de la tradition d'un Jean Lemaire de Belges dans sa *Bergerie*

1. Voir p. 121.
2. Voir p. 146.
3. Sensiblement, assez.

Jean-Antoine de Baïf, compagnon de Ro[nsard].

(1565-1572), pastorale à la manière de Sannazar (où, sur un fond de prose poétique, il insère d[es] poèmes divers, de tous les genres mais de con[s]tante qualité : blasons, sonnets, description[s] et notamment le fameux

Avril, l'honneur et des bois
Et des mois...

Plus que *La bergerie* cependant, plus que s[es] *Amours et nouveaux échanges des pierres précieus[es]* (1575) qui renouent avec la tradition des lap[i]daires (2) médiévaux, son chef-d'œuvre fut [sa] première publication : la traduction d'Anacréo[n] qui favorisa une veine d'inspiration nouvel[le] en contribuant à alléger et à assouplir les mod[es] poétiques suivies par la Pléiade à ses débu[ts]. Cette traduction fut suivie des *Petites inventio[ns]*

1. Voir p. 81.
2. Voir p. 47.

(1556), recueil de dix « blasons » d'animaux, de plantes, d'aspects divers des choses et du monde (l'heure, l'ombre), dans lesquels Belleau entend « mirer la nature entière » (A.-M. Schmidt).

Maître rythmicien, il est en outre — et le fait n'est pas si courant au XVIe siècle où les poètes voient par symboles et par allégories plus que directement — un visuel qui sait décrire un univers vivant et mouvant, sans mépriser pour autant les ressources que lui offre la vision mythologique ou mythique des faits les plus humbles. Ronsard ne s'y était d'ailleurs pas trompé, qui le qualifia de « peintre de la nature » et fit de lui le septième astre de la Pléiade.

Étienne Jodelle (1532-1573)

La réussite insolite des poésies de Jodelle passa longtemps pour galimatias auprès de « juges prév[enus par] un faux idéal classique » (A.-M. Schmidt) et le poète, qualifié de « médiocre artiste » (H. Chamard), n'est en voie de réhabilitation que depuis relativement peu de temps. Tenu par ses contemporains pour un génie extraordinaire :

Rémy Belleau, un des sept astres de la Pléiade.

Étienne Jodelle, poète génial et « maudit ».

> Mais je ne sais comment ce Démon de Jodelle —
> Démon est-il vraiment, car d'une voix mortelle
> Ne sortent point ses vers... (du Bellay)

et en même temps mal apprécié, méconnu même, à cause de « son style d'écrire singulier, et possible encore non accoutumé entre les Français » (La Mothe, premier éditeur de Jodelle) (1), Jodelle est encore loin d'occuper dans notre littérature la place qui lui revient.

Poursuivi par le « guignon », inhabile à faire sa cour aux puissants, il mourut de misère en insultant Dieu après avoir ruminé jusqu'à l'obsession le souvenir de ses échecs. Sa vie nous est mal connue : on sait qu'il ne se remit jamais, ni moralement ni socialement, du désastre que fut la fête manquée donnée devant le roi à l'Hôtel de Ville de Paris en 1558, dont il avait accepté la responsabilité; on a découvert la trace d'une mystérieuse condamnation à mort dont on ignore les motifs et dont on ne sait comment il en réchappa.

Dans ses dernières années, il fut un habitué du salon de la maréchale de Retz (2) pour qui il composa d'admirables vers d'amour. Prenant cependant le contre-pied des modes, il fut l'auteur de *Contr'amours*, assurément « non accoutumés entre les Français ». De son vivant, il ne fit paraître aucune de ses œuvres poétiques et la plus grande partie en est perdue, mais ce

1. Cette première édition de Jodelle, en 1574, fut posthume.
2. Voir p. 146.

qui en reste suffit à nous révéler un poète profondément original qui traduit ses émois, ses inquiétudes, ses élans, sa « difficulté d'être », par des ruptures de syntaxe et des dislocations de rythmes, en se livrant sans faux scrupule à toute l'étrangeté de son inspiration :

Ta beauté par ses rais, par son rets (1), par la [crainte
Rend l'âme éprise (2), prise, et au martyre étreinte :
Luis-moi, prends-moi, tiens-moi, mais hélas ne me [perds
Des flambeaux forts et griefs*, feux, filets, et [encombres, *douloureux
Lune, Diane, Hécate, aux cieux, terre, et enfers
Ornant, quêtant, gênant*, nos Dieux, nous, et nos [ombres. *torturant

C'est dire que « Jodelle joue le grand jeu de la poésie, car il n'attend pas moins de la poésie qu'elle le possède à la manière d'un démon », en d'autres termes qu' « il sera toujours malaisé d'expliquer Jodelle sans recourir à la notion de baroque » (M. Raymond).

Jodelle, ou le premier baroque, voire le seul, de la Pléiade.

Dans la « Brigade »...

Il faudrait encore, tant fut abondante la floraison poétique qui entoura les disciples de Dorat, signaler un grand nombre de noms. Celui de Jacques Grévin (1538-1570) par exemple, condisciple de Jodelle au collège de Boncourt, qui, après sa conversion au protestantisme, dut s'expatrier. Il publia (1560-1562) sous le titre de *Gélodacrye* (mélange de rires et de larmes) des vers de protestation où il prend à partie l'iniquité du siècle et implore Dieu. On y aperçoit des souvenirs de du Bellay satirique, mais aussi l'annonce des méditations fréquentes à la fin du siècle sur la destinée humaine :

Qu'est-ce que cette vie? un public échafaud*, *estrade, scène
Où celui qui sait mieux jouer son personnage,
Selon ses passions, échangeant le visage,
Est toujours bienvenu, et rien ne lui défaut*. *manque

Citons encore Nicolas Denisot (1515-1559), peintre et poète, dit par anagramme « Comte (ou Conte) d'Alsinois »; Olivier de Magny (1520-1561), auteur d'*Amours* (1553) et de *Soupirs* (1557) qu'il rédigea à Rome, parallèlement aux *Regrets* de J. du Bellay son compagnon, tandis que la belle Louise Labé, à Lyon, brûlait d'amour pour lui (1); Amadis Jamyn (1538-1582), page et secrétaire de Ronsard, lui-même humaniste et poète.

1. Jeu de mots sur le nom de la maréchale de Retz, « rets » signifiant : filets, liens.
2. *Éprise* : sens étymologique, « allumée ».

1. Voir p. 119.

On se reportera à la bibliographie donnée pour la Pléiade, p. 123.

ÉDITIONS : *Poètes du XVIe siècle,* Gallimard, coll. « Bibliothèque de la Pléiade », 1953 (extraits intéressants et abondants de Belleau, Jodelle, Grévin). — *Anthologie poétique française,* 2 vol., Garnier-Flammarion. — JODELLE, *Œuvres complètes,* éd. E. Balmas, 2 vol., Gallimard, 1965-1968. — BELLEAU, *Œuvres poétiques,* éd. Marty-Laveaux, 1878, rééd. en reproduction photographique, 2 vol., Slatkine Reprints, Genève, s. d. — BELLEAU, *Les amours et nouveaux échanges de pierres précieuses,* par M. Verdier, Genève-Paris, Droz-Minard, T.L.F., 1973. — BAÏF, *Œuvres en rimes,* éd. Marty-Laveaux, rééd. Slatkine, Genève, s. d., 5 vol. — BAÏF, *Le premier livre des poèmes,* par Guy Demerson, Presses universitaires de Grenoble, 1975. — *La polémique protestante contre Ronsard,* textes rassemblés et édités par J. Pineaux, S.T.F.M., 1973, 2 vol. — O. DE MAGNY, *Les Soupirs,* éd. critique D. Wilkin, Genève, Droz, T.L.F., 1978. — On se reportera en outre aux catalogues des collections spécialisées qui s'enrichissent sans cesse, comme celui de la S.T.F.M. (diffusion : Nizet, Paris) et des T.L.F. (Droz, Genève), etc.

ÉTUDES : Luigi MONGA, *Le genre pastoral au XVIe siècle,* Éditions universitaires, 1974 (de Sannazar à Belleau : étude approfondie et souvent éclairante). — Enea BALMAS, *Un poeta del Rinascimento francese, Étienne Jodelle. La sua vita. Il suo tempo,* Florence, Oeschki, 1962 (le grand ouvrage qui fait le point sur ce poète longtemps méprisé). *Le genre pastoral en Europe du XVe au XVIIe siècle,* éd. Cl. Longeon, Saint-Étienne, Publications de l'Université de Saint-Étienne, 1980 (une suite d'articles qui présentent l'ensemble d'une question fort vaste et encore négligée).

LE THÉÂTRE

Dès *La défense*, la Pléiade plaidait pour un héâtre français à l'antique. En effet certains, ıu grand scandale des élèves de Dorat, assimiaient à la comédie et à la tragédie gréco-latines es farces et les moralités venues du Moyen Âge.

La veine populaire et la veine savante

Malgré l'interdiction des mystères par le Parlement de Paris en 1548, le succès des genres médiévaux se prolongea encore assez longtemps (hors le Paris pour les mystères). La farce, la moralité 'épanouirent sous le règne de François Ier. Mais i la farce continue d'être jouée au temps de Molière, le déclin de la moralité et du mystère st rapide et provient moins des décrets d'un Parlement ou des caprices d'un groupe de poètes que du nouvel état d'esprit introduit par la Réforme et par les guerres de religion. Les protestants s'indignent qu'on associe la farce ıu sacré, les catholiques s'inquiètent de l'intérêt que ces représentations pourraient éveiller pour a Bible.

Parallèlement au maintien de cette veine populaire, les lettrés assurent la diffusion du théâtre ancien. On traduit les pièces grecques en latin. On finit même par composer des pièces latines destinées à être jouées dans les collèges.

La tragédie

C'est de ce théâtre scolaire néo-latin qu'est issue la tragédie du XVIe siècle. La première pièce de ce genre fut composée par Jodelle (*Cléopâtre captive*, en 1553), bientôt imité de La Péruse (1529-1554) avec *Médée* (1556), de Grévin avec *La mort de César* (1558). Tragédies dont la forme s'inspire des pièces latines : division en cinq actes et chœurs. Le vers est l'alexandrin. L'action est lente, déjà « chargée de peu de matière » (Racine), et l'élément lyrique et élégiaque domine.

Comme Boileau au siècle suivant, certains n'admettent pas qu'on puisse sans irrévérence mettre sur scène un sujet religieux (Grévin par exemple). D'autres au contraire ne méprisent pas l'efficacité de l'enseignement que peut dispen-

Représentation comique au XVIe siècle. (Bibliothèque de l'Arsenal, Paris.)

ser le théâtre, et la première tragédie religieuse a été jouée à Lausanne dès 1550 : c'est l'*Abraham sacrifiant* de Théodore de Bèze, encore proche du théâtre médiéval. Mais la plus belle, la plus pathétique et la plus sombrement tragique des pièces bibliques de ce temps est incontestablement *Les Juives* (1583) de Robert Garnier (1544-1590), « le prince des poètes tragiques » (de Thou) — par ailleurs initiateur de la tragi-comédie, inspirée de la pastorale italienne, avec sa *Bradamante* (1582).

La crise politique de la fin du siècle pousse les auteurs à chercher leurs sujets dans l'histoire contemporaine : ainsi de *L'Écossaise* d'Antoine de Montchrestien (1575?-1621), sur la mort de Marie Stuart, jouée en 1595. Disciple de Garnier, Montchrestien subit l'influence de Malherbe. Quand il meurt, en 1621, Corneille a quinze ans.

La comédie

Le théâtre comique, au XVIe siècle, fait apparaître trois courants fort divers. D'une part, la farce. D'autre part, le théâtre ancien : on lit Plaute et Térence — Ronsard et Baïf auraient même traduit, dit-on, le *Plutus* d'Aristophane à Coqueret (1549) ([1]). Enfin, on s'inspire des Italiens, notamment de la *commedia dell'arte*, genre populaire où les acteurs improvisent prestement le dialogue sur un canevas simple.

C'est encore Jodelle qui composa la première comédie à l'antique (c'est-à-dire en vers et divisée en cinq actes), *Eugène*, représentée en 1553. Plusieurs poètes suivent son exemple : Baïf avec une excellente adaptation du *Miles gloriosus* (« Le Soldat fanfaron ») de Plaute sous le titre *Le brave* (1567), Belleau avec *La reconnue* (1578, posthume), Grévin, La Taille (1540?-1608) qui écrit *Les co-rivaux* (1560), la première comédie en prose. Odet de Turnèbe (1553-1581) enfin, compose avec *Les contents* (1584) la meilleure pièce du genre, et Pierre Larivey (1540-1611), auteur de plusieurs comédies, fait jouer en 1579 *Les esprits*, qui annoncent la veine de Molière dans *L'avare* et *L'école des maris*.

Trop proche de ses sources livresques, exposant des situations traditionnelles qui ne correspondent qu'imparfaitement aux données de la réalité sans satisfaire l'imagination, la comédie du XVIe siècle, si elle n'a pas donné de grand chef-d'œuvre, n'en a pas moins préparé les voies à l'épanouissement du siècle suivant.

1. Point controversé entre les spécialistes.

BIBLIOGRAPHIE

ÉDITIONS : On trouvera le texte des pièces de Jodelle dans les éditions des *Œuvres* indiquées dans la bibliographie précédente. — Robert GARNIER, *Œuvres* (théâtre et poésie), 3 vol., Les Belles Lettres. — *Comédies du XVIe siècle*, éd. E. Balmas, Milan, Viscontea, 1969 (comprend *La trésorière* de Grévin, *La reconnue* de Belleau, *Les Napolitaines* de François d'Amboise, *La nouvelle tragi-comique* de Marc Papillon). — Plusieurs textes de comédies du XVIe siècle (*Les Contents* de Turnèbe, *Les Co-rivaux* de La Taille, les comédies de Grévin, *Le laquais* de Larivey) et des tragédies (de La Taille, de Des Masures, etc.) sont édités par la S.T.F.M. (Nizet, Paris) ou les T.L.F. (Droz, Genève).

ÉTUDES : Raymond LEBÈGUE, *La tragédie française de la Renaissance,* Bruxelles, 1944 (vue d'ensemble, dessine clairement l'histoire du genre au XVIe siècle). — Raymond LEBÈGUE, *La tragédie religieuse en France (1514-1573)*, 2e éd., Les Belles Lettres, 1953 (documentation essentielle sur le sujet). — Robert GARAPON, *La fantaisie verbale et le comique dans le théâtre français, du Moyen Age à la fin du XVIIe siècle,* A. Colin, 1957 (l'âge d'or de la fantaisie verbale dans le théâtre populaire du XVe et du XVIe siècle; son éclipse dans le théâtre savant; souligne la diversité des courants qui partagent le XVIe siècle). — H. J. HERRICK, *Comic Theory in the Sixteenth Century,* University of Illinois, Urbana, 1964 (l'exposé des problèmes théoriques). — Raymond LEBÈGUE, *Le théâtre comique en France de Pathelin à Mélite,* Hatier, 1972 (un tour d'horizon très complet sur la question). — R. LEBÈGUE, *Études sur le théâtre français,* Paris, Nizet, 2 vol. 1977-1978 (une série d'articles par un grand érudit, dont plusieurs se rapportent au théâtre de la Renaissance). — Madeleine LAZARD, *La comédie humaniste au XVIe siècle et ses personnages,* Paris, P.U.F., 1978 (un sujet nouveau). — R. LEBÈGUE, *Les juives de Robert Garnier,* Paris, S.E.D.E.S., 1979 (un cours de Sorbonne savant et vivant). — Françoise CHARPENTIER, *Pour une lecture de la tragédie humaniste. Jodelle, Garnier, Montchrestien,* P.U. de Saint-Étienne, 1979 (une lecture moderne de ces textes mal connus du grand public). — Madeleine LAZARD, *Le théâtre en France au XVIe siècle,* Paris, P.U.F., 1980 (un tour d'horizon complet : de l'excellente vulgarisation; le meilleur livre d'ensemble sur la question). — *Le théâtre italien et l'Europe. XVe-XVIIe siècle,* Paris, P.U.F., 1983 (une série d'articles en français et en italien sur un problème d'influence en histoire littéraire : très utile pour comprendre le théâtre français de la Renaissance). — Robert AULOTTE, *La comédie de la Renaissance et son chef-d'œuvre : les Contents d'Odet de Turnèbe,* Paris, S.E.D.E.S., 1984 (étude approfondie d'un texte intéressant).

L'ÂGE DE MONTAIGNE

Les guerres civiles

En 1559, la paix du Cateau-Cambrésis met fin aux guerres d'Italie. Henri II, qui a désormais les mains libres pour réprimer l'hérésie calviniste, meurt accidentellement quelques semaines plus tard. Son fils aîné François II monte sur le trône; il a quinze ans, et meurt l'année suivante. Charles IX est un enfant de dix ans, qui disparaît en 1574, à vingt-quatre ans. Henri III, le dernier des Valois, est un dilettante, un esthète, hautain et velléitaire, rapidement impopulaire. Pendant toute cette période, l'influence de la reine-mère Catherine de Médicis ne cesse de s'exercer. Malgré ses efforts pour établir une politique de tolérance, la crise éclate, favorisée par les indécisions de la régente, par la faiblesse du pouvoir, par les ambitions des grands (des Guise surtout), par le jeu des puissances étrangères intéressées au conflit, comme l'Espagne ou l'Angleterre, et par l'enchaînement des faits, qui transforme les convictions religieuses en fanatisme.

Huit guerres de religion

Pendant près de quarante ans, de 1562 (massacre de Vassy) jusqu'à 1598 (édit de Nantes), c'est une succession de guerres, huit en tout, ponctuées de massacres (en 1572, la Saint-Barthélemy), de combats, d'atrocités, de pauses, de retournements de politique et d'alliance. Histoire embrouillée comme une tragédie de Shakespeare. Les catholiques, jugeant Henri III trop faible à l'égard des protestants, se sont formés en une Ligue — la Sainte Ligue — (1576) qui s'est donné pour mission d'extirper l'hérésie. Le roi est assassiné (1589), et l'héritier de la couronne est un protestant, Henri de Navarre. La Ligue soulève la France catholique contre le roi calviniste. Un « Tiers Parti (1) », celui des modérés ou « politiques », s'est constitué (1). Il défend la cause de l'héritier légitime du trône. Malgré cela, Henri IV doit guerroyer pendant cinq ans sans réussir à conquérir son royaume. Il lui faut abjurer (1593).

1. Un troisième parti, ni réformé ni ligueur.

1. Dès la seconde partie du règne de Charles IX. Il s'agit de catholiques qui, à l'exemple du chancelier Michel de l'Hospital (tombé en disgrâce en 1568), n'ont cessé de préconiser une politique de tolérance.

Catherine de Médicis. Reine effacée, elle devint régente du royaume pendant la minorité de son fils Charles IX, et se révéla alors comme l'une des plus puissantes personnalités politiques de son siècle.

Coll. privée Montpellier. © Giraudon.

Conséquences des guerres

La paix avec l'Espagne (traité de Vervins) et la paix intérieure (édit de Nantes) sont rétablies en 1598, mais le royaume est dévasté, les fortunes ont été bouleversées, les esprits ont subi une véritable mutation. On a vécu dans le spectacle quotidien de la mort et de la barbarie : « Ce serait horreur de raconter combien de voleries, de violements, d'incestes, de sacrilèges se commettent tous les jours », écrit Du Vair en 1592. La vengeance, l'exaspération des passions, la démesure en tout sont devenues choses communes.

Une telle secousse ébranle évidemment les consciences. La réflexion politique s'approfondit : on pèse les principes sur lesquels se fonde la monarchie, on médite l'enseignement de Machiavel. Dans le domaine philosophique s'affirme le renouveau du stoïcisme (1), école de grandeur d'âme nécessaire aux hommes en ces périodes tumultueuses. Temps de contrastes : le faste croissant de la cour ruine les nobles et aggrave encore la misère du pays. On danse sur un volcan.

Rien d'étonnant donc que ces heurts, ces extrêmes, ces contrastes aient modifié la sensibilité et que se soit formée une nouvelle conception du monde, qu'on qualifie aujourd'hui de « baroque ».

1. Le stoïcisme est un système philosophique d'origine grecque (Zénon, IVe siècle avant J.-C.) dont l'influence, à Rome sous l'Empire, fut considérable (Sénèque, Ier siècle; Épictète, Ier-IIe siècles; Marc Aurèle, IIe siècle après J.-C.). Sans entrer dans les différences que présente la doctrine selon les époques et selon les penseurs, signalons simplement que son évolution a été marquée par l'importance de plus en plus grande attachée à la morale.

BIBLIOGRAPHIE

Georges Livet, *Les guerres de religion*, P.U.F., coll. « Que sais-je? » (exposé clair, bonne bibliographie).

BAROQUE OU MANIÉRISME

Cette notion de baroque est récente. On se contentait autrefois de juger « attardés ou égarés » (Lanson) les poètes qui, entre la Pléiade et le classicisme, échappaient aux catégories reconnues. C'est à propos des arts plastiques qu'a été introduite l'idée de baroque, étiquette commode qu'a empruntée ensuite la critique littéraire. Cependant Jean Rousset, l'un des meilleurs spécialistes de cette période, s'il reconnaît « un siècle baroque — à prédominance baroque — qui irait de Montaigne à Puget, de Germain Pilon à Corneille, du Tasse à Bernin, approximativement de 1580 à 1665 », « y discerne, en simplifiant, deux périodes, un pré-baroque et un plein baroque, que séparent les années charnières 1625-1630 ». C'est donc le début du « pré-baroque » qui nous intéresse ici. Cette appellation est ambiguë puisqu'elle définit une période par celle qui la suit, et l'on comprend qu'un nombre croissant de critiques lui préfère le terme de maniérisme.

Maniérisme ou baroque, rien de plus mouvant que cette notion. Non seulement l'homme baroque est témoin ou victime de ces guerres civiles qui détruisent sa vie ou celle de ses proches, mais il a par surcroît hérité d'un monde transformé : on a découvert l'Amérique, on sait maintenant que la terre tourne autour du soleil (1), Dieu, qui autrefois se manifestait partout dans sa création, est à présent caché. Monde inconnaissable et instable, homme inconstant, obsession de la mort : on reconnaît quelques-uns des aspects dominants de la pensée de Montaigne. Ajoutons le goût de l'ostentation, la fascination du déguisement, la surcharge du décor, le sentiment de l'illusoire ou le goût pour l'illusion, la distorsion des formes, et nous aurons là des caractères incontestablement baroques, mais qui, ainsi énumérés, ne suffisent pas à déterminer le baroque.

Il ne s'agit pas, en effet, d'une simple juxtaposition de traits particuliers, mais d'une structure, c'est-à-dire d'un ensemble d'éléments qui ne

1. Copernic est mort en 1543, Kepler est né en 1571. Si les nouvelles théories astronomiques n'ont pas encore supplanté les anciennes (il faudra pour cela attendre Galilée), on en parle cependant de plus en plus.

prennent leur signification qu'une fois groupés, en fonction les uns des autres. Une excellente description de la structure baroque dans le domaine de la peinture a été donnée par Heinrich Wölfflin, qui la définit par cinq couples de principes antithétiques opposant les catégories du classicisme à celles du baroque : art linéaire et art pictural; plans et profondeurs; forme fermée et forme ouverte; multiplicité et unité; clarté et obscurité (1).

Pour la fin du XVIe siècle cependant, le problème est d'abord de reconnaître maniérisme et baroque dans le domaine de la littérature. C'est à Marcel Raymond que nous demanderons de nous éclairer. Dans son « tableau comparatif des caractères principaux du maniérisme et du baroque » (2), il propose, en effet, des critères intéressants :

1) maniérisme et baroque sont l'un comme l'autre un art du mouvement, mais c'est la virtuosité stylistique qui compte au premier chef dans le maniérisme, et l'expressivité dans le le baroque;

2) ils sont l'un comme l'autre un art de l'image, mais plus décorative dans le maniérisme, plus fonctionnelle dans le baroque;

3) l'unité de l'œuvre maniériste est morcelée, décentrée (imaginons un jardin sans axe), celle de l'œuvre baroque est complexe, globale (comme dans un jardin où « on s'arrêtera au point de la plus belle vue »);

4) dans le maniérisme, l'illusion se donne pour telle, et pour réelle dans le baroque;

5) le maniérisme, enfin, est un art savant, un art de cour, « le baroque s'adresse à un public plus étendu », et il travaille « à séduire et persuader ».

1. *Principes fondamentaux de l'histoire de l'art*, 1915, trad. franç. 1952, Plon.
2. « Aux frontières du maniérisme et du baroque », *Cahier du Centre international de synthèse du baroque* nº 3, Montauban, 1969, p. 82.

Une nouvelle poésie

Quoi qu'il en soit, n'attachons pas une importance excessive aux étiquettes, et observons surtout la parenté entre les thèmes et les tons des poésies de cette période : on se soucie moins des Anciens, on recherche volontiers l'horrible comme dans les tragédies élisabéthaines, ou bien, par réaction, on cultive les genres idylliques. A l'exaspération des passions correspond un style vigoureux, luxuriant d'images et de métaphores, illuminé de couleurs violentes et symboliques, retentissant de jeux de mots et de jeux sur les mots, visant toujours à l'effet de surprise :

> Satan par le bois vert notre aïeule ravit,
> Jésus par le bois sec à Satan l'a ravie,
> Le bois vert à l'Enfer notre aïeule asservit,
> Le bois sec a d'Enfer la puissance asservie (1).

« Bois vert » de l'arbre fatal à Ève, « bois sec » de la Croix...

1. La Ceppède. Voir p. 149.

BIBLIOGRAPHIE

TEXTES : *Anthologie de la poésie baroque française* (2 vol.), textes choisis par Jean Rousset, Colin, coll. « U 2 ». — *La poésie baroque (tome I — 1560-1600)*, textes choisis par C.-G. Dubois, Nouveaux Classiques Larousse. — *La poésie française et le maniérisme 1546-1610,* textes choisis et présentés par Marcel Raymond, Droz-Minard, Genève-Paris, 1971. — *Éros baroque,* textes choisis par Giselle MATHIEU-CASTELLANI, 10-18, 1979.

ÉTUDES : Marcel RAYMOND, *Baroque et Renaissance poétique*, Corti, 1955 (trois essais passionnants). — Jean ROUSSET, *La littérature de l'âge baroque en France*, Corti, 1954 (étude des thèmes baroques : ouvrage fondamental). — Raymond LEBÈGUE, « La poésie baroque en France pendant les guerres de religion », dans *Actes des Journées internationales d'étude sur le baroque*, Toulouse, 1965, pp. 45-51 (article bref mais dense : très éclairant). — V.-L. TAPIÉ, P. CHARPENTRAT, P. BILLARD, article « Baroque » dans l'*Encyclopaedia universalis*, vol. II, pp. 1090-1097 (le baroque dans la peinture et l'architecture européennes, dans la littérature, dans la musique). On trouvera, à la fin de cet article, une bibliographie détaillée. — C.-G. DUBOIS, *Le baroque. Profondeurs de l'apparence,* Larousse, 1973 (un bilan clairement tracé d'une question complexe). — *Renaissance, Maniérisme, Baroque,* actes du XIe stage de Tours, Vrin, 1972 (la réunion de plusieurs points de vue, dans des perspectives souvent nouvelles). — André BAÏCHE, *La naissance du baroque français (1570-1705),* Presses Universitaires de Toulouse, 1976 (ouvrage documenté et rempli d'aperçus intéressants). — Jean JEHASSE, *La renaissance de la Critique. L'essor de l'humanisme érudit de 1560 à 1614,* Publications de l'Université de Saint-Étienne, 1976 (une somme sur une question fondamentale). — *L'automne de la Renaissance. 1580-1630,* Paris, Vrin, 1981 (regards nouveaux et singulièrement éclairants sur une période habituellement négligée et pourtant essentielle : une série d'articles d'une qualité exceptionnelle). — Marc FUMAROLI, *L'âge de l'éloquence,* Genève, Droz, 1980 (une étude en profondeur de l'histoire de l'intelligence et de la parole à la fin du XVIe siècle et au XVIIe).

UNE NOUVELLE FLORAISON POÉTIQUE

Salons et académies

Rappelons d'abord que certains, et non les moindres, des hommes qui illustrèrent la poésie française pendant les guerres de religion appartenaient à la génération précédente : Ronsard, qui ne mourut qu'en 1585 — et dont les *Discours* étaient des poèmes « engagés » —, Jodelle, Baïf, Belleau, Grévin. Cependant, même parmi les disciples les plus fidèles du Vendômois, on ne conçoit plus la poésie selon les principes de la Pléiade. Désormais, il faut compter avec l'inspiration baroque.

Et il convient à ce propos de mentionner l'influence d'une femme, la maréchale de Retz, (1547-1603), dont le « salon vert » préfigure la « chambre bleue » de la marquise de Rambouillet au XVIIe siècle (1). Courtisée sous le pseudonyme de Pasithée [*la Toute Divine*] par le vieil évêque de Chalon, Pontus de Tyard (2), par d'autres sous le nom de Dictynne [la Diane aux filets (3)], par Jodelle que désespèrent dans ses *Amours* les « rets » qui l'entravent, par de nouveaux poètes dont les plus illustres sont Desportes et du Bartas, la maréchale fut l'inspiratrice et la protectrice des écrivains baroques. Au même moment, le salon de Madeleine de l'Aubespine, marquise de Villeroy, exerçait une influence non négligeable sur les événements littéraires.

En 1570, à l'exemple de l'académie florentine de Marsile Ficin au XVe siècle, Jean-Antoine de Baïf instituait son *Académie de poésie et de musique* où, par la confrontation des bons esprits du siècle, il espérait restituer en français une poésie fondée sur la quantité (4) comme celle des Anciens. A l'imitation du poète, le roi Henri III à son tour réunit au Louvre, en 1574, l'*Académie du Palais*. On y discutait surtout de philosophie et de morale, cependant qu'à la cour du roi de Navarre, les poètes protestants faisaient les beaux jours de l'*Académie de Nérac*, en Béarn, autour de la fameuse reine Margot (1) : du Bartas, Sponde, d'Aubigné.

Ici une question se pose : où ranger Malherbe? C'est en effet une délicate entreprise que de séparer en poésie le XVIe et le XVIIe siècle. Malherbe (1555-1628) est l'exact contemporain de d'Aubigné (1552-1630), et ses poésies de jeunesse (« Les larmes de saint Pierre ») sont d'admirables pièces baroques. Pourtant l'opinion de Boileau, « Enfin Malherbe vint... », autorise à le considérer plutôt comme un poète du Grand Siècle.

1. Voir XVIIe, « Le courant précieux », p. 178.
2. Voir ci-dessus, p. 120.
3. Jeu de mots entre le nom de la maréchale « Retz » ou « rets » — filets, lacets —, et l'allusion mythologique.
4. C'est-à-dire sur la longueur des voyelles et non sur le nombre de syllabes du vers.

1. Marguerite de Valois, la première épouse d'Henri de Navarre.

La fille cadette de Catherine de Médicis, encore enfant : Marguerite de Valois, future « reine Margot ».

PHILIPPE DESPORTES (1546-1606)

Philippe Desportes, jeune et redoutable rival de Ronsard et poète favori d'Henri III.

Un poète courtisan

Homme d'église fort cultivé et mondain, poète courtisan favori d'Henri III, parfait arriviste sur le plan littéraire, et opportuniste avisé en politique, qui fut tour à tour ami d'Henri III, ligueur, et rallié à Henri IV, parvenu à une grande richesse grâce à l'exercice de ses multiples dons, Philippe Desportes fut, entre la mort de Ronsard et l'« avènement » de Malherbe, le plus en vue des poètes français.

Il excellait dans la composition de poésies de circonstances. Ses *Amours* célèbrent, pour autrui, une Diane (la maréchale de Retz), une Hippolyte (Marguerite de Valois), une Cléonice (Mlle de La Chastaigneraie). Il acheva sa vie « dans les fastueuses délices d'[une] tranquillité épicurienne » (A.-M. Schmidt), en traduisant les *Psaumes*.

Un poète précieux

Desportes plaisait — et reste remarquable — par la douceur, la fluidité de son vers, de ses images, de sa langue. Poésie languide, mièvre, qui exclut toute tension et tout hermétisme, musicale, en fait savamment construite. Parlera-t-on de « confiseries rimées » comme A.-M. Schmidt? La monotonie (au sens propre) qui caractérise cet art provient peut-être de ce que ni le monde, ni le poète, ni les sentiments — réels ou fictifs — que lui inspire un objet quelconque, ne constituent l'essentiel du poème, celui-ci étant à lui-même son propre prétexte. En d'autres termes, c'est à la figuration poétique de l'objet chanté que Desportes s'intéresse au premier chef, c'est-à-dire aux résonances rythmiques et sonores du poème. « Le poème de Desportes est bien un état de contemplation, mais dont il est lui-même l'objet » (1).

Poète maniériste et précieux plus que baroque.

Autour de Desportes

Protestant converti dès 1585 sur les conseils de Desportes, Jacques Davy du Perron (1556-1618) (1) fut le « convertisseur » (2) d'Henri IV. Cardinal en 1604, poète de cour, polémiste, orateur sacré (3), il se situe tant par sa carrière politique que par ses idées sur la poésie entre Desportes, dont il fut d'abord le protégé, et Malherbe qu'il présenta à Henri IV. Amateur de discrétion pour qui « l'excellence des vers consiste comme en un point indivisible de perfection », il s'oppose ainsi à l'esprit baroque.

Proche du cardinal du Perron, influencé comme lui par Ronsard et par Desportes, poète de cour et ecclésiastique comme lui, Jean Bertaut (1552-1611), estimé de Malherbe, avait été jugé par Ronsard « poète trop sage », et fut toute sa vie fasciné par l'art du bien dire.

1. J. Tortel.

1. Voir p. 155.
2. Le terme, péjoratif, est de d'Aubigné.
3. Il prononça l'oraison funèbre de Ronsard et celle de Marie Stuart.

LA POÉSIE PROTESTANTE

On a parlé parfois d'un rapport entre le baroque et les effets de la Contre-Réforme, sous l'influence des Jésuites. Ce rapport est en fait plus apparent dans le domaine des arts qu'en littérature, en France notamment où nombre de poètes baroques, et non les moindres, furent protestants.

Guillaume du Bartas (1544-1590)

Calviniste convaincu, au service d'Henri de Navarre, bon diplomate, homme de guerre et homme de plume, du Bartas est l'auteur de deux œuvres dont la splendeur émerveilla l'Europe : la *Première semaine*, parue en 1578, qui décrit la création du monde (1), et, en 1584, la *Seconde semaine* qui chante les aventures des descendants d'Adam.

Cette gloire fut vive mais peu durable en France. De Ronsard et de du Perron à nos jours, en passant par Sainte-Beuve, on n'a cessé de condamner la *Semaine* pour « le mélange de l'enflure et de la bassesse du style » (2), en somme pour cause de mauvais goût. Récemment cependant, l'intérêt porté au baroque a favorisé un commencement de réhabilitation de du Bartas.

Car son emphase, son goût pour les sonorités rares, pour les trouvailles imitatives ou oratoires, sa science et sa mémoire, la variété étourdissante des tons et des genres qu'il utilise, des mondes qu'il dépeint, nommant et animant tour à tour tous les corps, tous les éléments, toutes les plantes, toutes les pierres, tous les animaux de l'univers, cette puissance démesurée était nécessaire pour élaborer une œuvre qui « devrait être considérée comme une introduction obligatoire à l'étude des textes baroques français » : l'auteur réussit en effet à « tirer du cosmos matériel un cosmos verbal qui lui demeure toujours minutieusement accordé, tout en nous apparaissant aujourd'hui singulièrement irréel » (1).

1. *La création du monde* est d'ailleurs le second titre de la *Première semaine*. — A propos de la gloire de du Bartas, signalons que non seulement le poète anglais Milton (au XVIIe siècle) l'admirait vivement, mais que Gœthe encore le considérait comme « le roi des poètes français ».
2. H. Weber.

Jean de Sponde (1557-1595)

Calviniste érudit, sujet du roi de Navarre, converti, sur le tard et sans profit, au catholicisme (2), Sponde mourut dans la misère sans avoir publié ses poèmes qui ne parurent qu'en 1597. Infiniment moins réputé en son temps que du Bartas, du moins comme poète (3), il fut oublié jusqu'au XXe siècle où un savant anglais, A. Boase, le redécouvrit. Ses stances et ses sonnets comptent aujourd'hui parmi les plus beaux du XVIe siècle.

C'est en 1588 qu'il dédia au roi ses *Poèmes chrétiens* où figurent les *Stances* et les *Sonnets de la mort*. Il y décrit avec angoisse son effort pour conquérir une stabilité, un équilibre, que la vie terrestre n'offre pas. Poésie baroque qui peint le monde sans cesse en mouvement — la « branloire pérenne » de Montaigne (4), — mais sur un ton bien différent! Pour Sponde, en effet, il s'agit de vivre en chrétien, de s'entretenir donc constamment de la vie future, de s'arracher à l'inconsistance que représentent les emblèmes baroques du fluide et du mouvant, l'eau et le vent. « Cette poésie serrée, dure, abstraite, ne [leur] fait une place que pour s'en débarrasser; [...] elle est toute tendue vers l'immuable. Son mouvement propre est fait de cette tension entre ce qui se meut et ce qui ne se meut pas » (5).

Tout s'enfle contre moi, tout m'assaut, tout me tente,
Et le Monde, et la chair, et l'Ange révolté,
Dont l'onde, dont l'effort, dont le charme inventé
Et m'abîme, Seigneur, et m'ébranle, et m'enchante.

Quelle nef, quel appui, quelle oreille dormante
Sans péril, sans tomber, et sans être enchanté,
Me donras-tu (6)?...

1. A.-M. Schmidt.
2. La veine poétique de Sponde semble tarie à partir de sa conversion.
3. Car il était apprécié comme humaniste et comme érudit.
4. Voir p. 168.
5. J. Rousset.
6. Me donneras-tu?

LA POÉSIE CATHOLIQUE

Protestants ou catholiques, fiévreux ou tièdes, un point reste cependant constant : c'est la préoccupation religieuse de tous ces poètes. Même Desportes le mondain traduisit des *Psaumes*. Même un gaillard comme Marc de Papillon de Lasphrise (1555-1600?), enragé capitaine et « grand inventeur de stratagèmes et de figures érotiques, qui se moqu[e] du destin de la France, fai[t] la moue à Théodore de Bèze et la nique au Saint-Père » ([1]) et qui publia en 1597 ses *Amours (Amours de Théophile* adressées à une jeune nonne, *L'amour passionné de Noémie* adressé à sa cousine) —, même cet amoureux endiablé finit par composer des prières : « Miséricorde, ô Dieu! pardonne à mes erreurs... »

Mais d'autres, moins attachés au monde, sont véritablement des obsédés de Dieu. Jean de La Ceppède (1568-1623), magistrat catholique de Provence, grand lettré, est l'auteur de deux livres de *Théorèmes* [visions], publiés en 1613 et en 1621. Ces recueils de sonnets, accompagnés de commentaires explicatifs, constituent une suite de méditations passionnées sur la mort du Christ. L'inspiration mystique de La Ceppède, qui « sue l'angoisse du monde comme il sue l'agonie de Jésus ([2]) », jouant de toutes les ressources de l'imagination et de la stylistique baroques, confère a cette poésie « tour à tour la vie bariolée, éclatante d'un Rubens, le mordant d'une eau-forte, la candeur appliquée, paisible d'une enluminure » ([1]).

1. A.-M. Schmidt.
2. J. Tortel.

Jean-Baptiste Chassignet (1570?-1635?), franc-comtois, est un sujet francophone de l'empereur d'Allemagne, et reste de ce fait à l'écart des guerres civiles françaises. Mais le climat d'angoisse qui marque son époque ne l'épargne pas, et il publie en 1594 à Besançon un recueil de 434 sonnets, intitulé *Le mépris de la vie et consolation contre la mort*. Poésie religieuse d'un jeune homme saisi par le spectacle d'un monde qui lui semble retourner au chaos, fasciné par la mort qu'il suit à la trace et qu'il aperçoit dans les manifestations mêmes de la vie, ces manifestations « baroques » qui dénoncent le caractère illusoire de notre condition :

> Est-il rien de plus vain qu'un songe mensonger,
> Un songe passager vagabond et muable?
> La vie est toutefois au songe comparable,
> Au songe vagabond muable et passager...

Mais si illusoire que soit la vie, elle ne cesse de réserver à ceux qu'elle malmène, pendant les pires moments des guerres de religion, des cauchemars bien réels, dont l'horreur inspire la plus grande œuvre épique du temps : *Les tragiques* de d'Aubigné.

3. H. Bremond.

On pourra se reporter à la précédente bibliographie.

TEXTES : Une grande partie de *Poètes du XVIe siècle,* procuré par A.-M. Schmidt, Gallimard, coll. « Bibliothèque de la Pléiade », concerne les poètes des guerres de religion (excellentes notices pour chaque auteur). — Sur les protestants, voir *La polémique protestante contre Ronsard,* procurée par Jacques Pineaux, Paris, Didier, S.T.F.M., 2 vol., 1973. — DESPORTES, éd. V. E. Graham, Genève, Droz, T.L.F., plusieurs volumes. — *Éros baroque,* textes choisis par G. Mathieu-Castellani, éd. 10-18, 1979. — SPONDE, *Œuvres complètes,* éd. A. Boase, Genève, Droz, T.L.F., 1979. — DU BARTAS, *La Semaine,* éd. Y. Bellenger, S.T.F.M. (diffusion : Nizet), 1981. — N. RAPIN, *Œuvres,* éd. J. Brunel, Genève, Droz, T.L.F., 3 vol. 1980-1984 (l'œuvre considérable, en français et en latin, d'un magistrat lettré, au demeurant l'un des auteurs de *La satire ménippée :* Une édition critique tout à fait remarquable).

ÉTUDES : Odette DE MOURGUES, *Metaphysical, Baroque and Précieux Poetry,* Oxford, Clarendon Press, 1953 (une tentative pour cerner des notions mouvantes). — A.-M. SCHMIDT, *La poésie scientifique en France au XVIe siècle,* A. Michel, 1938 (sur Du Bartas). — H. WEBER, *La création poétique au XVIe siècle en France,* Nizet, 1956 (quelques pages sur la création poétique de Du Bartas : point de vue peu favorable). — Jacques LAVAUD, *Un poète de cour au temps des derniers Valois, Philippe Desportes,* Droz, 1936 (étude historique et littéraire, fondamentale). — L'édition des *Poésies* de Sponde par A. BOASE et F. RUCHON, P. Cailler, Genève, 1954, comporte deux longues et intéressantes notices, l'une biographique, l'autre littéraire. — Jacques PINEAUX, *La poésie des protestants de langue française (1559-1598),* Klincksieck, 1971 (un point de vue capital pour toute cette période). — Gisèle MATHIEU-CASTELLANI, *Les thèmes amoureux dans la poésie française (1570-1600),* Klincksieck, 1975 (la révélation d'une poésie trop souvent négligée, ou même oubliée). — James DAUPHINÉ, *Guillaume de Saluste du Bartas poète scientifique,* Paris, Les Belles Lettres, 1983 (très bonne présentation d'un aspect essentiel dans l'œuvre de Du Bartas). — Nerina CLERICI-BALMAS, *Un poète du XVIe siècle : Marc Papillon de Lasphrise,* Milan-Paris, Cisalpino Goliardica-Nizet, 1983 (un de ces soldats poètes comme la fin du XVIe siècle en connut : une vie et une œuvre attachantes).

D'AUBIGNÉ (1552-1630)

Personnage insolite par l'ampleur de ses vertus et par la vigueur de ses haines, irréprochable et violent, intransigeant et incorruptible, Agrippa d'Aubigné ne cessa de combattre pour son idéal calviniste, tantôt l'arme à la main, tantôt par la plume. Rare fidélité qui fait l'unité d'une œuvre extraordinairement variée.

« *Ma main est demeurée pure* »

Orphelin de mère dès sa naissance, Théodore-Agrippa d'Aubigné naît en Saintonge en 1552. Il reçoit une éducation si soignée qu'à l'en croire « il lisait aux quatre langues à six ans » : français, latin, grec, hébreu. Il a huit ans quand son père lui fait jurer, devant les têtes des chefs protestants décapités après l'échec de la conjuration d'Amboise (1560), de consacrer sa vie à les venger [1]. Ce père meurt trois ans plus tard, mais l'enfant tiendra son serment.

D'Aubigné, soldat et poète

B. N. Paris. © Coll. L. B.

A seize ans il rejoint les rangs huguenots. Dès lors, il vit en homme de guerre. Quelques pauses : en 1570, il s'éprend de Diane Salviati, la nièce de la Cassandre qu'avait chantée Ronsard, et il compose la première partie du *Printemps* (les sonnets de l'*Hécatombe à Diane*). Leurs fiançailles sont rompues en 1573, « sur le différend de la religion », et d'Aubigné n'achèvera le *Printemps* qu'au moment où il entreprendra *Les tragiques*.

Entre temps, il a échappé de justesse au massacre de la Saint-Barthélemy (24 août 1572). Il est devenu le compagnon d'Henri de Navarre. Sa vie de soldat est entrecoupée de séjours à la cour, au Louvre ou à Nérac (en Béarn), de galanteries et de duels, de brouilles avec son roi, de convalescences après les combats : c'est pendant l'une d'elles, alors qu'il se remet d'une grave blessure, qu'il commence, en 1577, *Les tragiques*. Après la conversion d'Henri IV, en 1593, il rompt définitivement avec le prince à qui — rare exigence à l'égard d'un roi victorieux ! — il ne pardonnera jamais cette trahison.

Il devient l'âme du parti protestant. Pendant ce temps, retiré à Maillezais, place forte vendéenne qu'il a conquise et dont il a fait son fief, il travaille aux *Tragiques*, à son *Histoire universelle*, aux *Aventures du baron de Fœneste*. Après l'assassinat d'Henri IV, il lui arrive de reprendre du service contre les armées royales. En 1616, sous la signature L.B.D.D. (le bouc du désert), il publie *Les tragiques*. La même année paraît la première partie de l'*Histoire universelle* et l'année suivante le début des *Aventures du baron de Fœneste*. L'*Histoire universelle* est condamnée à Paris en 1620.

D'Aubigné, âgé de soixante-huit ans, doit chercher refuge à Genève et à Berne. Il y achève

1. On songe au fameux serment d'Hannibal.

Le château de Talcy, dans le Blésois, où d'Aubigné connut Diane Salviati.

ses œuvres, avant de mourir, le 9 mai 1630. Deux ans plus tôt, les troupes de Richelieu avaient pris La Rochelle, la dernière place forte protestante en France.

L'amour la poésie

L'amour de Diane, raconte d'Aubigné, « lui mit en la tête la poésie française ». C'est elle qui lui inspira, en effet, son *Printemps*, poèmes de l'amour inquiet, puis heureux, enfin déçu dans la première partie du recueil, l'*Hécatombe à Diane* — cent sonnets offerts en sacrifice à la beauté de la jeune fille (1); poèmes de désespoir, de sang, d'amour et de mort dans les *Stances* et dans les *Odes* qui suivent l'*Hécatombe*, mais aussi fantaisies bucoliques et raffinements platoniciens. Dans ce recueil varié, où il se pose d'ailleurs en disciple de Ronsard :

> Je sers l'aube qui naît, toi le soir mutiné (2),

1. Comme on faisait des sacrifices de cent bœufs (sens du mot « hécatombe ») à la déesse Diane.
2. *L'aube qui naît* : la jeunesse, *le soir mutiné* : la vieillesse qui n'altère pas la beauté. Autrement dit Diane, la nièce, et Cassandre, la tante.

d'Aubigné reprend les procédés, les images, les lieux communs de ses prédécesseurs, mais il les bouscule de telle sorte, en en soulignant les outrances, les aspects contradictoires, les violences, en les heurtant dans des associations si inattendues, qu'il leur confère une résonance nouvelle. Il accumule les expressions de la démesure et les éléments macabres de la *disperata* italienne (1). Si bien que cet insolite *canzoniere* traduit, autant que la vision d'un univers baroque :

> Le lieu de mon repos est une chambre peinte
> De mille os blanchissants et de têtes de morts...

la véhémence d'un amour fou qui transfigure le monde :

> Les lis me semblent noirs, le miel aigre à outrance,
> Les roses sentir mal (2), les œillets sans couleur,
> Les myrtes, les lauriers ont perdu leur verdeur,
> Le dormir m'est fâcheux et long en votre absence.

La religion et les combats

Puis, tandis que la guerre l'a repris, d'Aubigné entreprend en 1588 de composer, à l'exemple des *Méditations chrétiennes* de Théodore de Bèze (1581), des *Méditations sur les psaumes* — il en écrira encore à la fin de sa vie —, amples mouvements lyriques où les images empruntées au vieux texte biblique décrivent le débat intérieur du fidèle dans des séries d'antithèses, mort et résurrection, lumière et ténèbres, tandis que chaque symbole, « par quelque détail infime, retrouve la plénitude de sa réalité concrète » (3).

Ce n'est que dans les dernières années de sa vie, alors qu'il est proscrit à Genève, qu'après tant d'autres poètes du XVIe siècle, d'Aubigné à son tour traduit des *Psaumes*. Il s'efforce à cette occasion d'adapter le texte hébraïque français en restituant la mesure du vers antique. Ce problème de l'accord entre la musique et la poésie a hanté tout le siècle; mais il est primordial et non plus seulement esthétique pour les protestants, puisque le chant des psaumes fait partie de la liturgie réformée.

La conversion d'Henri IV, plus que celle de l'obscur arriviste qui en fournit le prétexte,

1. Thème cultivé à la fin du XVIe siècle par des poètes italiens : l'amant désespéré hante les lieux sauvages, recherche les décors macabres.
2. Sentir mauvais.
3. H. Weber.

inspira la *Confession de Sancy* (1), pamphlet anticatholique où d'Aubigné, enchaînant les anecdotes à la manière des conteurs et des mémorialistes du temps, affecte — par la bouche du sieur de Sancy — de louer les dogmes catholiques pour mieux les dénoncer comme facteurs de corruption. Satire anticléricale, satire sociale, chronique scandaleuse des cours : on retrouve tout cela dans les *Aventures du baron de Fæneste.* Dans ce long récit haut en couleurs, d'Aubigné s'en prend par la dérision à la morale du paraître qui triomphe à la cour, incarnée — et caricaturée — dans la personne du soldat fanfaron venu de Gascogne qu'est Fæneste. Roman picaresque (2) — l'un des premiers en France — dont l'auteur a lu *Don Quichotte* (3). Satire politique, satire de mœurs, dont la verve baroque garde la truculence de Rabelais et des conteurs du XVIe siècle.

D'Aubigné est encore l'auteur de plusieurs œuvres en prose, parmi lesquelles *Sa vie racontée à ses enfants* et l'*Histoire universelle* — dont la publication en 1617 lui valut le bannissement —, deux volets, l'un privé, l'autre public, d'une même histoire : celle de la vie de leur auteur.

« *Les tragiques* »

Mais sa grande œuvre qui « inaugure en France un genre nouveau : l'épopée lyrique et satirique » (4), c'est le poème des *Tragiques*, épopée des guerres de religion. Élaborée à partir de 1577, l'œuvre ne fut publiée qu'en 1616, pendant les années troublées de la régence de Marie de Médicis, longtemps après les événements qui l'avaient inspirée, et sous une signature qui révèle l'éloignement que sentait l'auteur pour le monde où il vivait.

Sept livres : « Misères », « Princes », « la Chambre Dorée (5) », où le poète dénonce les souffrances du peuple, la responsabilité des rois et des grands, celle des juges; puis « Les feux » qui célèbrent les martyrs de la Réforme, « Les fers » qui en saluent les combats; « Vengeances » annonce le châtiment des coupables

1. Nicolas Harlay de Sancy, contrôleur général des Finances, converti par calcul en 1597, pour entrer dans les bonnes grâces du roi. Le pamphlet ne devait être publié qu'en 1660.
2. Roman d'aventures mettant en scène un personnage lancé dans le vaste monde, à qui la vie réserve des surprises incessantes et de multiples rencontres.
3. Paru en 1604 pour la première partie, en 1614 pour la seconde.
4. A.-M. Schmidt.
5. La grande chambre du Parlement de Paris au Palais de Justice.

sur cette terre, et « Jugement » la récompense des justes dans les cieux.

Qu'on n'imagine pas cependant une construction logique et rigoureuse : d'Aubigné écrit, au sens propre, un ouvrage apocalyptique, c'est-à-dire révélateur d'une vérité profonde, celle qui illumine la troupe des victimes protestantes et qui prononce la condamnation irrévocable de ses bourreaux. Il lance une accusation grandiose contre Catherine de Médicis, sorcière complice de Satan et moderne Jézabel, contre le cardinal de Lorraine, symbole de l'antéchrist et de la corruption papiste, rouge silhouette :

Il fut rouge de sang de ceux qui au cercueil
Furent hors d'âge mis, tués par son conseil;
Et puis le cramoisi encore nous avise
Qu'il a dedans son sang trempé sa paillardise,
Quand en même sujet se fit le monstrueux
Adultère, paillard, bougre* et incestueux.

* *sodomite*

Il rend sensible la vérité de l'ordre naturel des choses, dénonce leur altération par des symboles baroques qu'on a longtemps jugés de mauvais goût : c'est le matin de la Saint-Barthélemy,

Le jour marqué de noir, le terme des appas,
Qui voulût être nuit et tourner sur ses pas;
Jour qui avec horreur parmi les jours se compte,
Qui se marque de rouge et rougit de sa honte.
. . . .
Et le soleil voyant le spectacle nouveau
A regret éleva son pâle front des ondes,
Transi de se mirer en nos larmes profondes...

La vieille analogie entre macrocosme et microcosme prend ici une signification nouvelle, allégorique et mystique. D'Aubigné visionnaire montre que la création et la créature ne font qu'un, que « pour l'imagination du poète, tout est vivant, tout manifeste ou peut manifester l'invisible » (1).

Misères opposées aux fastes, martyre précédant la récompense, aspects contradictoires mais inséparables : l'antithèse apparaît comme la figure clé de l'œuvre, organisant sa composition, inspirant ses procédés, animant ses images. Mais cette tension fondamentale entre l'histoire et le symbole, le réel et l'allégorie, l'horreur quotidienne et la splendeur biblique ne suffit pas à décrire l'ampleur des *Tragiques.* Celle-ci résulte aussi d'une organisation verticale où se juxtaposent « le plan du récit (réaliste ou historique), celui de l'allégorie et celui du surnaturel, qui est essentiellement la lutte de Dieu contre le Diable » (2).

1. M. Raymond.
2. H. Weber.

La langue de ce poème sublime est admirablement emphatique et contournée, disparate et inspirée. La rhétorique contribue au déchaînement de la véhémence. Le flot des images « charrie, pêle-mêle, des tenailles, des poignards, des perles, des décombres, et, parfois, des figures de Dieux » (1). La symbolique des couleurs éclatantes ou sombres exprime le thème profond de l'œuvre : le combat du bien et du mal. Rouge du feu et du sang des massacres, noir de la mort et de l'horreur :

Le soleil vêt de noir le bel or de ses feux,

blanc des anges et des agneaux fidèles, or des vertus et de la lumière.

Le titre de ce drame sacré évoque les longues déplorations que sont les tragédies d'un Jodelle ou d'un Garnier (2) plutôt que les épopées à l'antique dont rêva la Pléiade. Les protagonistes, calvinistes persécutés et leurs bourreaux, tous acteurs de la tragédie historique à laquelle participe d'Aubigné, « représentent » leur triste « geste » (3) sous le regard de l'Éternel. Œuvre baroque, la plus grande du baroque français, qui se place ainsi sous le signe du théâtre :

J'appelle Melpomène (4) en sa vive fureur*
* *inspiration*

« *Biendisant s'il en fut onques* [5] »

D'Aubigné se proclame l'admirateur de Ronsard. Il a lu tous les grands poètes de son siècle et il en est l'héritier, auteur d'*Amours*, lui aussi.

1. H. Morier.
2. Voir p. 142.
3. Geste épique : hauts faits, grandes actions.
4. Muse de la tragédie.
5. Jugement de Brantôme sur d'Aubigné.

Il s'accorde en outre à une époque où la mesure malherbienne ou classique n'a guère de sens. D'Aubigné est un poète de la Renaissance.

Mais il appartient à la dernière génération de ce siècle, celle des guerres, témoin des ébranlements métaphysiques et physiques, sociaux et moraux, qui renversent les idées héritées, génération dont les réactions ne peuvent plus être, sur le plan esthétique en particulier, celles des poètes de l'âge précédent, imbus de paganisme et de modes de penser à l'antique. D'Aubigné est un poète de l'âge baroque.

Enfin, surtout peut-être, c'est un militant de la cause calviniste. Sa vie, sa poésie, son œuvre sont déterminées par sa foi. Politique, satirique, lyrique, épique ou burlesque, le poète reste avant tout un homme pathétique, mais aussi prophétique, luttant contre la puissance de Satan dans un monde livré au mal, mais, dans une certaine mesure, délivré du temps. La notion même de temps, en effet, a changé de sens de Ronsard à d'Aubigné : plus question ici d'arrêter ou de ralentir les jours, de les saisir — *carpe diem!* — pour mieux en jouir. Qu'est-ce qu'un jour au regard de l'éternité? Plus de défi à la mort : si l'on parle encore d'immortalité chez d'Aubigné, c'est de celle des justes placés à la droite de Dieu. Le temps terrestre n'est donc qu'illusion et le monde — monde « tragique » — un théâtre. Ultime contradiction de la part d'un homme dont l'œuvre choisit l'histoire comme sujet poétique?

Je n'écris plus les feux d'un amour inconnu
Mais, par l'affliction plus sage devenu,
J'entreprends bien plus haut, car j'apprends à ma plume
Un autre feu, auquel la France se consume.

Ou bien, simplement, création de l'épopée moderne?

BIBLIOGRAPHIE

ÉDITIONS COURANTES : Agrippa D'AUBIGNÉ, *Vie et œuvres*, Seghers, coll. « Poètes d'hier et d'aujourd'hui », n° 25. — *Œuvres*, procurées par H. Weber, J. Bailbé, M. Soulié, Gallimard, coll. « Bibliothèque de la Pléiade », 1969. — *Les tragiques*, éd. Garnier-Flammarion (n° 190). — *Le printemps*, *Hécatombe à Diane*, Droz, Genève, 1948; *Stances et odes*, *ibid.*, 1952.

ÉDITIONS DE RÉFÉRENCE : *Les tragiques,* 4 vol., Société des textes français modernes, 1932-1933. — *Le printemps,* éd. H. Weber, P.U.F., Publ. fac. lettres de Montpellier.

ÉTUDES : Imbrie BUFFUM, *Agrippa d'Aubigné's « Les tragiques ». A Study of the Baroque Style in Poetry*, New Haven, Yale Univ. Press., P.U.F., 1951 (approche baroque des *Tragiques*). — Henry A. SAUERWEIN, *Agrippa d'Aubigné's « Les tragiques ». A Study in Structure and Poetic Method*, Baltimore, The Johns Hopkins Press, 1953 (étude des structures de la poésie des *Tragiques*. D'Aubigné artiste). — H. WEBER, *La création poétique au XVI*e *siècle en France*, Nizet, 1956 (chap. IX sur *Les tragiques :* description des aspects les plus caractéristiques de la création poétique de d'Aubigné).

LA PROSE PENDANT LES GUERRES DE RELIGION

© Coll. Viollet.

Si l'agitation et les troubles qui se déchaînent dans le dernier tiers du XVIe siècle se reflètent jusque dans la poésie, on imagine à quel point leur effet se fait sentir sur la prose, et en particulier sur toute une littérature militante — nous dirions : engagée — de pamphlets, de controverses, de satires, de « discours » (c'est-à-dire de traités d'allure oratoire); sur la littérature politique; sur les écrits des historiens et des mémorialistes; sur la réflexion philosophique enfin. Trait d'époque : même dans les plus violentes querelles d'actualité, cette prose est latine aussi souvent que française (1).

LA LITTÉRATURE MILITANTE

Du côté protestant, ne citons que Théodore de Bèze (1519-1506), disciple puis successeur de Calvin à Genève, qui défendit la Réforme (1) en latin et en français, composa une *Vie de Calvin* (1575) et une *Histoire ecclésiastique des Églises réformées du royaume de France* (1580). Du côté catholique, Jacques Davy du Perron (1556-1618), le futur cardinal.

Toutes ces controverses, fort intéressantes pour l'histoire des idées, sont dans l'ensemble médiocres au point de vue littéraire, à l'exception d'une seule, née chez les « politiques », la *Satire Ménippée*. Inspirée par les ultimes sursauts de la Ligue contre Henri IV lors des États généraux de 1593, c'est une œuvre collective (2) qui exprime le ressentiment du tiers état — en l'occurrence la bourgeoisie parlementaire — contre la noblesse ligueuse. « Satire », parce que le ton en est vif et irrévérencieux; « Ménippée », parce qu'en fille de son siècle elle se réfère à un Ancien, Ménippe, philosophe cynique (2) et parce qu'à sa manière elle mêle la prose aux vers. A la fois conte, boniment de charlatan, allégorie, récit, c'est une œuvre de circonstances publiée au bon moment. Elle est inégale, non exempte de longueurs — de notre point de vue, qui n'est pas nécessairement celui du XVIe siècle —, mais pleine de verve et de bonne humeur, grave par endroits : par exemple la harangue de Monsieur d'Aubray, député du tiers état, évoque, avec « une éloquence sobre [et] une émotion contenue » (3), les malheurs de Paris, « qui n'est plus Paris... » La *Satire Ménippée*, parodie en trois parties des États généraux de 1593 (ouverture des États, harangues des députés, épilogue allégorique), exprimait avec bonheur les thèses des « politiques » qui allaient triompher avec la victoire d'Henri IV.

1. Voir à propos de Calvin, p. 108.
2. Et une œuvre anonyme. Néanmoins on suppose que ses auteurs sont Jean Leroy, chanoine de Rouen, Jacques Gillot, un autre ecclésiastique, Florent Chrétien, Jean Passerat et Nicolas Rapin, poètes et humanistes, enfin Pierre Pithou, avocat au Parlement de Paris.

1. Nous ne parlerons ici que de la prose française.
2. Le cynisme est une philosophie où l'ironie socratique devient sarcasme, mépris absolu des conventions et franchise brutale.
3. J. Gaillard.

LA LITTÉRATURE POLITIQUE

La question du pouvoir absolu

Les progrès de la monarchie absolue avaient accrédité la conception de la souveraineté de droit divin, que combattaient un grand nombre d'humanistes, par fidélité à un idéal antique de liberté politique, mais aussi les protestants, par scrupule à mêler le spirituel au temporel. En outre, le massacre de la Saint-Barthélemy (à partir du 24 août 1572 à Paris d'abord, puis dans toute la France) posa à ces derniers, de manière aiguë, le problème de l'obéissance au tyran. Enfin, du côté catholique, la fidélité des sujets au roi apparaissait comme dépendante de la fidélité du roi à son serment du sacre (défendre le pays et la religion) : c'est une des raisons pour lesquelles la Ligue n'admit pas qu'Henri III reconnût pour son héritier le calviniste Henri de Navarre, et c'est pourquoi, le moment venu, elle refusa d'accepter celui-ci pour roi.

Le « Contr'un »

Le premier pamphlet politique de l'époque ne fut pourtant pas l'œuvre d'un réformé ou d'un ligueur, mais de l'ami de Montaigne, Étienne de La Boétie (1530-1563). Encore très jeune, vers seize ou dix-huit ans (vers 1546 ou 1548 donc), il avait rédigé un *Discours de la servitude volontaire* qu'il n'avait pas publié et que Montaigne, de son côté, n'avait pas jugé bon d'inclure dans l'édition des œuvres de son ami (1571). Ce sont les protestants qui, en 1574, onze ans après la mort de La Boétie, firent pour la première fois paraître le pamphlet sous le titre de *Contr'un.*

En page de gauche : l'attentat manqué contre Coligny (22 août 1572) : l'Amiral ne fut que blessé par le coup d'arquebuse qui devait le tuer. Cet échec fut à l'origine du massacre de la Saint-Barthélemy qui commença à Paris deux jours plus tard.

Ci-dessous : la procession de la Ligue à Paris : illustration de la *Satire Ménippée.*

Musée Condé Chantilly. © Coll. L. B.

De style oratoire, mené avec élan et rigueur, le *Discours* analyse l'origine du despotisme en étudiant tout particulièrement les causes qui ont mené l'homme, de l'état de liberté qui selon La Boétie lui est naturel, à l'état de servitude qui lui est ordinaire. (On pense évidemment à la phrase de Rousseau, au début du *Contrat social* deux siècles plus tard : « L'homme est né libre, et partout il est dans les fers. ») Ce curieux ouvrage, parlant contre les tyrans, prend à partie leurs victimes qu'il accuse d'aveuglement et de veulerie.

A la suite de Sainte-Beuve qui n'y voyait qu'un exercice de rhétorique scolaire, on a longtemps sous-estimé la portée politique du *Contr'un.* Depuis, on a vu en La Boétie « le véritable anti-Machiavel » : si le Florentin instruit les princes des rouages de la monarchie, « La Boétie, lui, décrit les mêmes rouages, mais pour laisser une instruction aux peuples et les inciter à rejeter la tyrannie » (1). Il est vrai pourtant que ce livre surprend moins d'avoir été écrit à un moment où il n'était pas encore question de guerres civiles que de présenter un tel contraste de ton avec la vie tranquille que mena son auteur. Mais sur ce point, pourquoi ne pas se fier au témoignage de Montaigne qui connut si bien La Boétie? « Je ne fais nul doute qu'il ne crût ce qu'il écrivait, car il était assez consciencieux pour ne mentir pas même en se jouant. Et sais davantage que, s'il eût à choisir, il eût mieux aimé être né à Venise qu'à Sarlat (2); et avec raison. Mais il avait une autre maxime souverainement empreinte en son âme, d'obéir et se soumettre très religieusement aux lois sous lesquelles il était né. »

1. F. Hincker.
2. La Boétie était né à Sarlat (Dordogne). Pour un Français du XVIe siècle, Venise représentait presque une démocratie à l'antique.

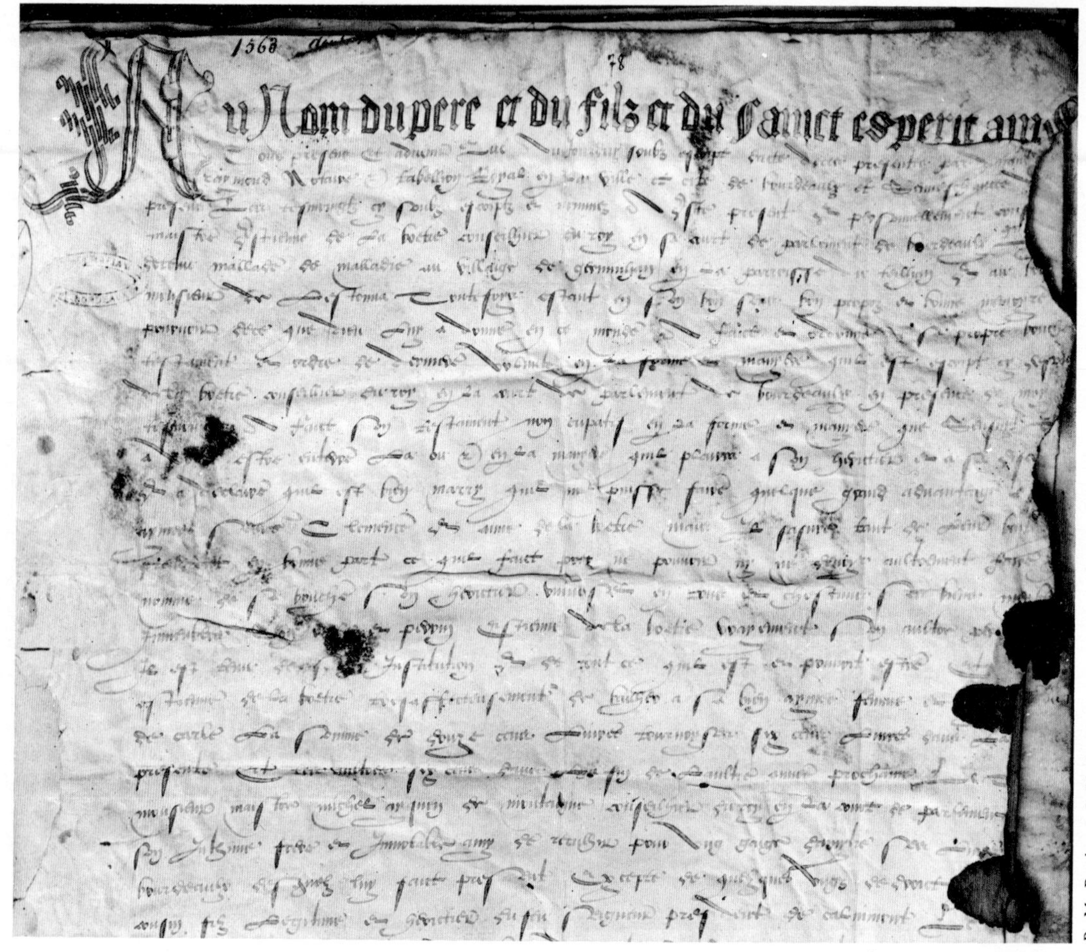
Au Nom du pere et du filz et du Sainct esperit am

Le testament d'Étienne de La Boétie, qui faisait de Montaigne l'exécuteur des volontés de son « inthime frère et inviolable amy ».

Cette contradiction, pour banale qu'elle fût alors — qu'on pense à Montaigne lui-même —, place La Boétie « à l'origine d'un double mouvement d'esprit », celui qui inspire aux protestants des libelles d'une extrême hardiesse, et le loyalisme des « politiques » désireux de « reconstruire non seulement le royaume mais la monarchie (1) ».

« *La république* » *de Jean Bodin*

C'est un « politique », lui aussi opposé aux thèses de Machiavel, Jean Bodin (1530-1596), juriste par sa formation, qui publia en 1576 l'œuvre politique capitale de l'époque, les six livres de *La république*. Le titre rappelle Platon.

1. P. Mesnard.

En fait Bodin, s'il est un théoricien, est aussi un réaliste. Précurseur de Montesquieu par l'ampleur de sa documentation et par sa vigueur intellectuelle, il entend constituer une véritable science politique en utilisant la méthode comparative, et en réintroduisant la morale dans la politique. Il décrit une monarchie nationale et forte, qui ne soit pas tyrannique — Bodin admet le droit au régicide contre les tyrans —, monarchie fondée sur le consentement et « l'amour des sujets » (1).

1. Répétons que nombre de pamphlétaires et d'écrivains politiques du temps échappent à notre étude parce qu'ils écrivent en latin : parmi les plus connus, citons deux protestants, Hotman, auteur de la *Franco-Gallia* (1574), et Duplessis-Mornay, qui tous deux, parlant du pouvoir politique, évoquent l'idée d'un *contrat* entre le peuple et le roi.

HISTOIRE, MORALE, MÉMOIRES, CONTES...

Il est souvent difficile d'assigner un genre précis à une œuvre, à plus forte raison de classer un écrivain dans une spécialité : La Boétie est aussi poète, du Vair ([1]) est à la fois écrivain politique et philosophe, La Noue (1531-1591), dit « Bras de Fer », protestant rallié au Tiers Parti, est aussi bien dans ses *Discours* (1587) moraliste, écrivain politique et historien.

Un grand nombre d'hommes, en ces temps troublés, écrivent leurs mémoires : les uns, comme Blaise de Monluc (1502-1577), chef de guerre avide et sans scrupule, figure certes haute en couleurs, écrivent parce qu'ils veulent se justifier, et les *Commentaires* (1592) de Monluc ne manquent assurément pas d'une « fort belle éloquence militaire », comme dit Brantôme — Brantôme (1537-1614), lui-même homme de guerre mais aussi homme de cour et d'aventures, à tous les sens du mot, amateur de petite histoire plus que de grandes actions, dont les *Vies des dames illustres*, les *Vies des dames galantes*, les *Vies des hommes illustres et des grands capitaines* (parues cinquante ans après sa mort) gardent une saveur certaine et parfois pimentée. Pierre de l'Estoile (1546-1611), chroniqueur plutôt qu'historien, véritable collectionneur de petits faits, offre avec son *Journal*, « magasin de mes curiosités », disait-il, une source de renseignements incomparable sur les règnes d'Henri III et Henri IV.

1. Voir p. 171.

Signalons enfin le vaste ouvrage de l'humaniste Étienne Pasquier (1529-1615), *Recherches de la France* (c'est-à-dire : « sur la France »), où l'auteur, qui entend faire l'éloge de son pays, décrit son siècle ([1]).

Il faudrait enfin parler des conteurs : du Fail publie les *Contes et discours d'Eutrapel* en 1585 ([2]); des traducteurs : ne serait-ce que d'Amyot (1513-1593) pour sa traduction des *Vies parallèles* (1559) et des *Œuvres morales* (1572) de Plutarque dont l'influence resta longtemps considérable; dire un mot des recherches linguistiques que poursuivent les humanistes, un Henri Estienne (1531-1598) en particulier, dont nous ne citerons qu'un titre éloquent : *Précellence du langage français* (1579); signaler les pages quelquefois passionnantes des hommes de métier, littérature technique d'un Ambroise Paré (1517?-1590), médecin, d'un Olivier de Serres (1539-1619), agronome, d'un Bernard Palissy enfin, artiste, ingénieur, homme de sciences, huguenot par surcroît, l'un des esprits les plus originaux de son siècle (1510?-1590?).

Tel est le climat de fermentation intellectuelle dans lequel mûrit l'œuvre la plus grande et la plus belle de ces années terribles : les *Essais* de Michel Eyquem, seigneur de Montaigne.

1. Il nous faudrait signaler ici le meilleur historien de cette période, Jacques-Auguste de Thou (1553-1617), s'il n'avait choisi d'écrire en latin l'*Histoire de son temps*.
2. Voir aussi, p. 109.

BIBLIOGRAPHIE

TEXTES : LA BOÉTIE, *Œuvres politiques*, éd. Fr. Hincker, éd. Sociales, 1963. — P. BOAISTUAU, *Histoires tragiques*, éd. R. A. Carr, S.T.F.M., 1977. — P. BOAISTUAU, *Le théâtre du monde (1558)*, éd. M. Simonin, Genève, Droz, T.L.F., 1981. — DU PERRON, *Oraison funèbre sur la mort de Monsieur de Ronsard (1586)*, éd. M. Simonin, Genève, Droz, 1985 (une prose admirable, de la grande critique littéraire).

ÉTUDES : Pierre MESNARD, *L'essor de la philosophie politique au XVIe siècle*, Boivin, 1936 (étude fondamentale). — Robert AULOTTE, *Amyot et Plutarque. La tradition des « Moralia » au XVIe siècle*, Droz, 1965 (une étude littéraire qui touche à l'histoire des idées : un aspect capital de l'humanisme). — C.-G. DUBOIS, *La conception de l'histoire en France au XVIe siècle (1560-1610)*, Nizet, 1977 (sur un sujet capital, un livre nouveau et exhaustif). — *Le pamphlet en France au XVIe siècle*, Paris, Cahiers V.-L. Saulnier n° 1, 1983 (un travail collectif sur un corpus important jusqu'ici négligé par la critique littéraire). — *Fortunes d'Amyot*, à paraître chez Nizet, 1986 (le point sur les recherches actuelles à propos du grand prélat).

MONTAIGNE (1533-1592)

Maître de sagesse pour les uns et professeur d'idées fausses pour les autres, toujours imité et toujours inimitable, Montaigne ne fut peut-être jamais mieux défini que par ces mots de Nietzsche : « Qu'un tel homme ait écrit, vraiment le plaisir de vivre sur cette terre en a été augmenté... »

« *Une vie basse et sans lustre* »

Il est né le 28 février 1533 au château de Montaigne dans le Bordelais. Son père, ancien combattant des guerres d'Italie, avait rapporté d'outre-monts quelques idées originales en matière d'éducation : l'enfant fut donc confié, dès l'âge de deux ans, à un précepteur allemand. « Forme d'institution (1) exquise », « en toute douceur et liberté, sans rigueur ni contrainte », au point que chaque matin, pour éviter de l'arracher trop brutalement au sommeil, on l'éveillait en musique! Mais on finit par le mettre, à l'âge de six ans, au collège de Guyenne à Bordeaux, où enseignaient d'excellents maîtres (Buchanan, Muret). N'ayant parlé jusque-là que le latin, il y apprit au moins le français : malgré cela, assure-t-il, il y perdit les sept années qu'il y passa.

Il étudie ensuite le droit à Toulouse, et en 1554 il devient magistrat à Périgueux, puis, trois ans plus tard, à Bordeaux. Il y fait la connaissance d'Étienne de La Boétie : début d'une amitié célèbre, qui ne s'éteindra pas avec la mort prématurée de La Boétie, en 1563. Toute sa vie, Montaigne en nourrira le souvenir.

Son père meurt, en 1568. Fils aîné, il hérite du nom, du château et de la fortune du défunt. L'année suivante paraît sa traduction de la *Théologie naturelle*, œuvre d'un théologien catalan, Raymond Sebond (2).

1. D'éducation.
2. Raymond Sebond ou de Sebond (nom orthographié indifféremment : Sebon, Sebond ou Sebonde).

Il résigne en 1570 sa charge de conseiller au Parlement de Bordeaux et s'occupe d'abord de faire publier les œuvres de La Boétie (1), puis il se retire « dans le sein des doctes vierges (2), où », explique une inscription latine qu'il a fait graver dans sa bibliothèque, « en repos et sécurité, il passera les jours qui lui restent à vivre ».

Repos et sécurité très relatifs. Il ne cesse de s'intéresser et de participer activement aux

1. A l'exception toutefois du *Discours de la servitude volontaire* (voir p. 155).
2. Dans le sein des Muses. En d'autres termes, pour recourir à la « traduction » proposée par Michel Butor, « il veut être un peu tranquille pour travailler ».

Michel Eyquem, seigneur de Montaigne.

B. M. Bordeaux. © Biraben.

Arch. M. Bordeaux. © Biraben.

Buchanan (à gauche) et Muret (à droite), deux grands humanistes qui furent les maîtres de Montaigne lors de son passage au collège de Guyenne à Bordeaux.

événements dont son temps est fertile, sans négliger cependant la fréquentation des « doctes vierges ». En 1580, il publie à Bordeaux la première édition des *Essais*, en deux livres. Puis il part pour l'Italie.

Depuis 1577, il souffre de la maladie de la pierre, héréditaire dans sa famille. Sceptique quant à l'efficacité de la médecine, il croit à la vertu des eaux. Il entreprend donc un long voyage qui, de ville d'eaux en ville d'art, par Paris, Plombières, la Suisse, l'Allemagne, Venise, Florence, le mène à Rome où il passe plusieurs mois.

Il est aux bains de Lucques quand il apprend qu'il vient d'être élu maire de Bordeaux pour deux ans : un tel honneur ne l'enchante guère et il faut l'intervention personnelle du roi Henri III pour le décider à accepter, et à rentrer. Il arrive chez lui après un an et demi d'absence, le corps non guéri, mais l'esprit riche d'une multitude d'expériences nouvelles. Il a rédigé en route un *Journal de voyage* qu'il ne destine pas à la publication.

Il s'acquitta si bien de ses devoirs de maire que, distinction rare, il fut réélu en 1583. Il dut et il sut protéger Bordeaux contre les effets des guerres civiles. En même temps que sa gestion municipale, il assuma de nouvelles missions diplomatiques dans lesquelles il excellait. Mais jamais il ne consentit à s'oublier pour sa tâche, ou, comme nous dirions aujourd'hui, à se laisser aliéner, non plus d'ailleurs qu'il ne se laissa aller à confondre les honneurs rendus au magistrat avec ses mérites personnels : « Le Maire et Montaigne ont toujours été deux, d'une séparation bien claire. »

Il continue de travailler aux *Essais*. En 1588, il vient à Paris en préparer la quatrième édition, augmentée pour la première fois d'un troisième livre. Le voyage est mouvementé : Montaigne est d'abord dévalisé en chemin, puis embastillé par les ligueurs [1]. C'est pendant ce séjour qu'il fait la connaissance de Mlle de Gournay, qui deviendra sa « fille d'alliance ».

Rentré en Guyenne, il continue de s'intéresser aux grandes affaires du royaume, de lire, et de travailler aux *Essais*. Il meurt le 13 septembre 1592, pendant une messe dite dans sa chambre. En 1595, Mlle de Gournay publie, d'après l'exemplaire annoté par Montaigne, la première édition posthume des *Essais*.

1. Mais relâché le soir même, grâce à l'intervention de la reine-mère, Catherine de Médicis.

Page de titre des *Essais*, dans la première édition de 1580.

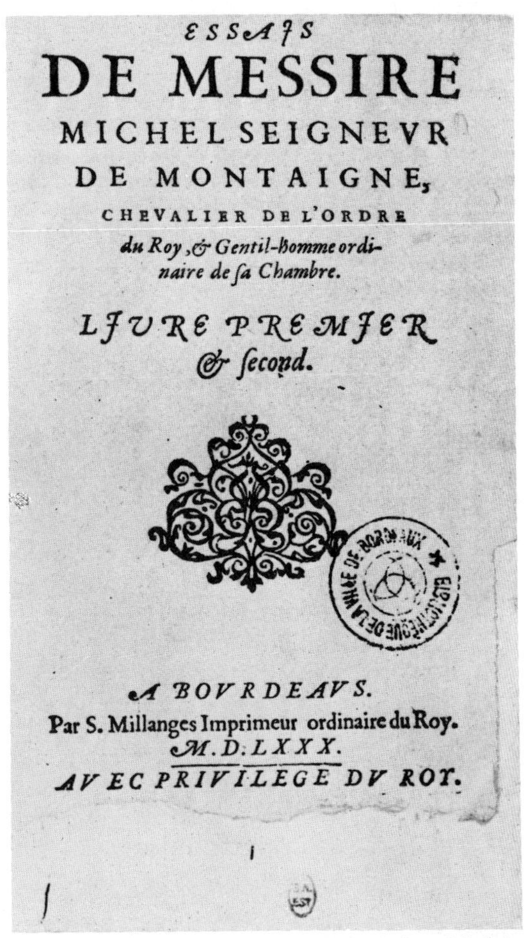

ESSAIS
DE MESSIRE
MICHEL SEIGNEVR
DE MONTAIGNE,
CHEVALIER DE L'ORDRE
du Roy, & Gentil-homme ordinaire de sa Chambre.
LIVRE PREMIER
& second.

A BOVRDEAVS.
Par S. Millanges Imprimeur ordinaire du Roy.
M.D.LXXX.
AVEC PRIVILEGE DV ROY.

B. N. Paris. © Coll. L. B.

« *Cette rêverie de me mêler d'écrire* »

Les œuvres complètes de Montaigne comportent trois titres.

La traduction de la *Théologie naturelle* de Raymond Sebond (qui, parue en 1487, en latin, présentait les vérités de la foi comme accessibles à la raison humaine) n'intéresserait plus que les spécialistes si elle n'était à l'origine d'un des chapitres les plus importants des *Essais* : l'« Apologie de Raymond Sebond ».

Le *Journal de voyage en Italie*, non destiné à la publication, a connu un curieux destin : le manuscrit fut retrouvé au XVIIIe siècle dans le grenier du château de Montaigne, publié en 1774, puis il disparut. Il se présentait comme un texte dicté puis rédigé par Montaigne lui-même, en français d'abord, ensuite en italien. Il n'y est guère question des splendeurs de la Renaissance italienne ni de la beauté des paysages, mais des mœurs et des usages, des petits faits de la vie quotidienne dans la péninsule : point de vue d'ethnographe plutôt que de touriste.

Mais la part la plus importante de l'œuvre de Montaigne, cela va sans dire, ce sont les *Essais*. Ouvrage inclassable, « ondoyant et divers » comme son auteur. D'abord deux livres, dans les trois premières éditions de 1580, 1582, 1587. Puis, en même temps que de multiples additions (six cents en 1588, plus de mille en 1595), un troisième livre à partir de 1588. Et une cinquième édition, posthume, en 1595, que la critique moderne a cessé de tenir pour sûre : l'exemplaire personnel de Montaigne, annoté par lui, présente en effet un certain nombre de différences avec cette édition. C'est cet exemplaire, dit « exemplaire de Bordeaux », qui sert aujourd'hui de référence.

Marie Le Jars de Gournay, la « fille d'alliance » de Montaigne. C'est elle qui surveilla la première édition posthume des *Essais*, en 1595.

B. N. Paris. © Arch. E. B.

« *Ce sont là mes fantaisies* »

Un avis au lecteur, en tête des *Essais*, avertit : « C'est moi que je peins. [..] Je suis moi-même la matière de mon livre. » On ouvre le livre. C'est pour entendre parler d'« Édouard, prince de Galles, celui qui régenta si longtemps notre province », de Scanderberg, de Cambyse, de du Guesclin ([1]). Ou bien, il est question de ce grave problème : « Si le chef d'une place assiégée doit sortir pour parlementer? ([2]) » Peu à peu, cependant, les débats prennent une autre tournure : « Que l'intention juge nos actes », « De l'oisiveté », « Des menteurs », « De la constance » ([3]).

En même temps, le nombre des citations, généralement latines, parfois grecques ou italiennes ([4]), s'accroît : nouveau problème. Cette érudition est-elle parasite, comme le pensaient Lanson ou Plattard? Montaigne lui-même s'est expliqué sur ce point :

> Je feuillette les livres, je ne les étudie pas : ce qui m'en demeure, c'est chose que je ne reconnais plus être d'autrui.

Est-ce là une façon de voiler prudemment l'originalité d'une pensée (Phyllis Gracey)?,un hommage à la tradition, en accord avec le mythe grec qui présentait Mémoire comme la mère des Muses (Alain)?, un « tissu capillaire » liant l'ensemble de l'œuvre, et superposé au « réseau déjà fort complexe de noyaux rayonnants » des *Essais* (Michel Butor)?, une ponctuation des temps forts de la réflexion?, une raillerie destinée aux demi-savants et aux cuistres : « Je veux qu'ils s'échaudent à condamner Cicéron ou Aristote en moi »?

Disons que le livre est déroutant, qu'il n'appartient à aucun genre sinon celui qu'il crée : l'essai.

1. I, 1, 2, 3. (Le chiffre romain indique le numéro du livre, le chiffre arabe le numéro du chapitre).
2. Titre de I, 5.
3. Titres de I, 7, 8, 9, 12.
4. Les citations italiennes apparaissent surtout au retour d'Italie.

ESSAIS DE M. DE MONTA.

De l'institution des enfans, à Madame Diane de Foix Contesse de Gurson. CHAP. XXVI.

Je ne vis iamais pere, pour bossé ou boiteux que fut son fils, qui laissast de l'auoüer. Non pourtant, s'il n'est du tout enyuré de cet affection, qu'il ne s'aperçoiue de sa defaillance: mais tant y a qu'il est sien. Aussi moy, ie voy mieux que tout autre, que ce ne sont icy que resueries d'home, qui n'a gousté des sciences que la crouste premiere en son enfance, & n'en a retenu qu'vn general & informe visage: vn peu de chaque chose, & rien du tout, à la Françoise. Car en somme, ie sçay qu'il y a vne Medecine, vne Iurisprudéce, quatre parties en la Mathematique, & en gros ce à quoy elles visent. mais de y enfoncer plus auát, de m'estre rongé les ongles à l'estude de Plato, ou d'Aristote, ou opiniatré apres quelque science solide, ie ne l'ay iamais faict: ce n'est pas mon occupation. L'Histoire c'est mon gibier en matiere de liures, ou la poësie, que i'ayme d'vne particuliere inclination: car, comme disoit Cleantes, tout ainsi que la voix contrainte dans l'étroit canal d'vne trompette sort plus aigue & plus forte, ainsi me semble il que la sentence pressée aux pieds nombreux de la poësie s'eslance bien plus brusquement, & me fiert d'vne plus viue secousse. Quant aux facultez naturelles qui sont en moy, dequoy c'est icy l'essay, ie les sens flechir sous la charge: mes conceptions & mon iugement ne marche qu'à tatons, chancelant, bronchant & chopant: & quand ie suis allé le plus auant que ie puis, si ne me suis-ie aucunement satisfaict: ie voy encore du païs au delà: mais d'vne veuë trouble, & en nuage, que ie ne puis desmeler: & puis entreprenant de parler indifferemment de tout ce qui se presente à ma fantasie, & n'y employant que mes propres & naturels moyés, s'il m'aduient, comme il faict à tous coups, de rencontrer de fortune

LIVRE PREMIER. 54

dans les bons autheurs ces mesmes lieux, que i'ay entrepris de traiter, comme ie vien de faire chez Plutarque tout presentement, son discours de la force de l'imagination: A me reconnoistre au prix de ces gens là, si foible & si chetif, si poisant & si endormy, ie me fay pitié, ou desdain à moy mesmes. Si me gratifie-ie de cecy, que mes opinions ont cet honneur de rencontrer aux leurs, & dequoy aussi i'ay au moins cela, qu'vn chacun n'a pas, de connoistre l'extreme difference d'entre eux & moy: & laisse ce neant-moins courir mes inuentions ainsi foibles & basses, comme ie les ay produites, sans en replastrer & recoudre les defaux que cette comparaison m'y a descouuert: car autrement i'engendrerois des monstres: comme font les escriuains indiscrets de nostre siecle, qui parmy leurs ouurages de neant, vont semant des lieux entiers des anciens autheurs, pour se faire honneur de ce larrecin: & c'est au contraire: car cet'infinie dissemblance de lustres rend vn visage si pasle, si terni, & si laid à ce qu'il est leur, qu'ils y perdent beaucoup plus qu'ils n'y gaignent. Il m'aduint l'autre iour de tomber sur vn tel passage: i'auois trainé languissant apres des parolles Françoises, si exangues, si descharnées, & si vuides de matiere & de sens, que ce n'estoient voirement que paroles Françoises: au bout d'vn long & ennuyeux chemin, ie vins à rencontrer vne piece haute, riche & esleuée iusques aux nuës: si i'eusse trouvé la pente douce & la montée vn peu alongée, cela eust esté excusable: c'estoit vn precipice si droit & si coupé que des six premieres paroles ie conneuz que ie m'enuolois en l'autre monde: de la ie descouuris la fondriere d'où ie venois, si basse & si profonde, que ie n'eus onques plus le cœur de m'y raualer. Si ie fardois l'vn de mes discours de ces riches peintures, il esclaireroit par trop la bestise des autres. Quoy qu'il en soit, veux-

Q. ii.

B. M. Bordeaux. © Biraben.

Deux pages de l'exemplaire des *Essais* sur lequel travaillait Montaigne : corrigé et annoté par l'auteur, c'est cet exemplaire de l'édition de 1588 qu'on appelle l'« exemplaire de Bordeaux ».

C'est l'œuvre d'un gentilhomme (1) fortuné, lettré, retiré au deuxième étage de sa tour, dans sa « librairie (2), qui est des belles entre les librairies de village », où il s'abrite contre « la communauté et conjugale, et filiale, et civile » (3). Autour de lui rôde la guerre.

Montaigne commence par compiler et gloser, c'est-à-dire par noter et commenter des faits divers de l'histoire et du monde, qu'il cite à la faveur d'une belle sentence — comme Érasme dans les *Adages* ou comme Plutarque traduit par Amyot (4). Observation du monde à travers les livres; justification et compensation, par le recours aux lieux communs de la pensée antique, de l'insatisfaction que son temps lui inspire; réflexion sur la mort : telle fut sans doute la première matière des *Essais*.

Mais : « C'est moi que je peins ».

Il ne s'agit plus ici de l'analogie familière à la Renaissance entre macrocosme et microcosme : ce n'est pas parce que Montaigne observe le monde qu'il se peint lui-même, lui qui dénonce au contraire la différence entre le monde et l'homme, « la plus calamiteuse et frêle de toutes les créatures ». Tout se passe plutôt comme s'il avait repris pour l'interpréter et le transformer un autre mythe du XVIe siècle : ce désir d'immortalité où se confondent l'angoisse de la mort et le défi au temps (1), qui devient dans les *Essais*

1. En fait, la noblesse de la famille de Montaigne est récente. Mais Montaigne se veut gentilhomme et vit en gentilhomme.
2. Sa bibliothèque.
3. Sa femme, sa fille, ses concitoyens.
4. Les *Adages* (1508), répertoire de proverbes et de maximes tirés des œuvres anciennes et commentés par Érasme. Les *Œuvres morales* de Plutarque (Ier siècle ap. J.-C.), traduites en 1572, évoquaient des héros, des sages et des événements historiques ou légendaires.

1. Montaigne, en fait, ne croyait pas que le succès de son livre serait durable.

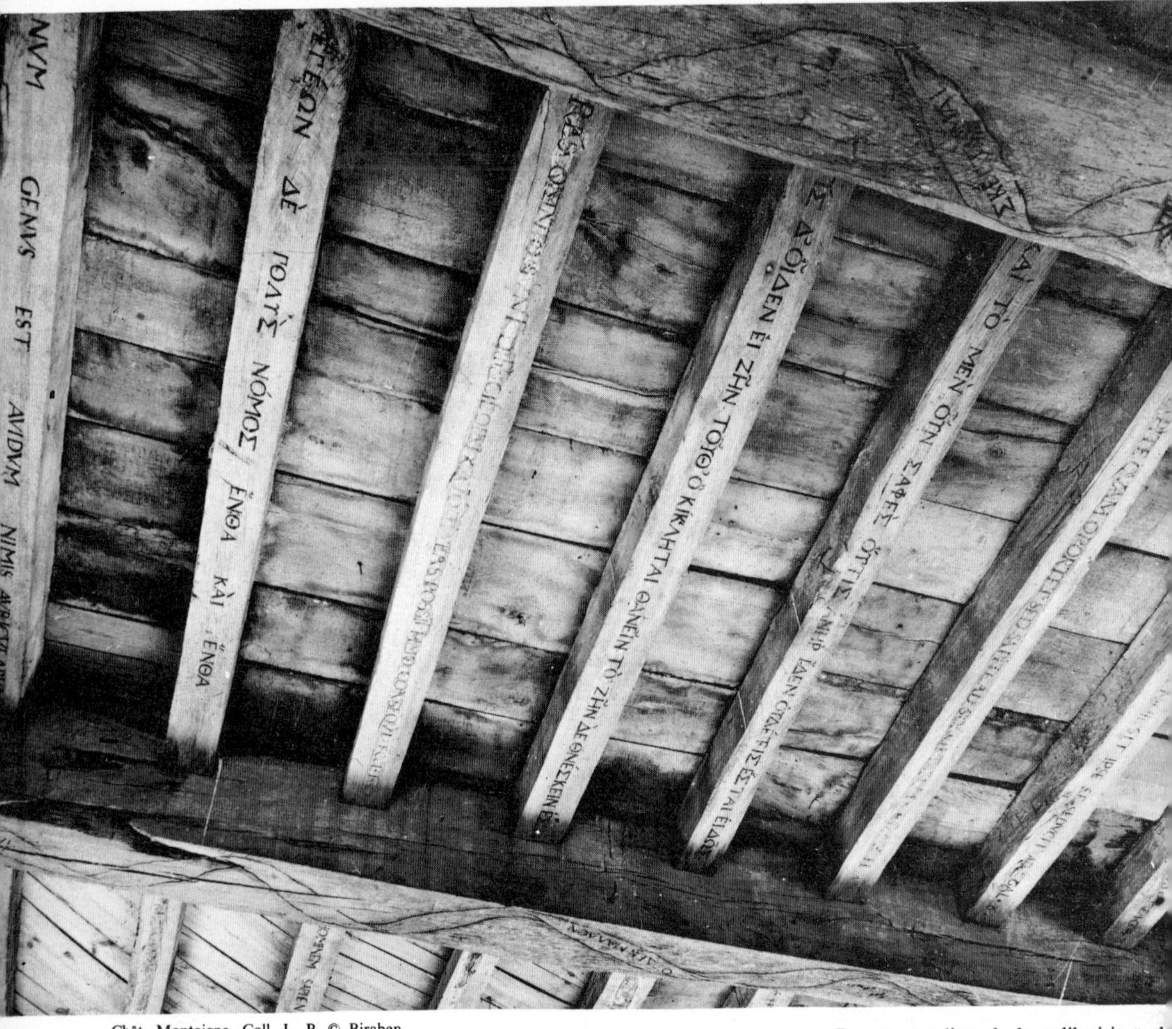

Chât. Montaigne. Coll. L. B. © Biraben.

Poutres et solives de la « librairie » d[e] Montaigne, gravées d'inscriptions grecque[s] et latines.

nostalgie de l'amitié perdue et désir de communication : « Je suis affamé de me faire connaître. » Car il y eut d'abord, c'est Montaigne qui nous le dit, « une humeur mélancolique [...] produite par le chagrin de la solitude » d'où naquit ce « livre de bonne foi » :

Je l'ai voué à la commodité particulière de mes parents et amis : à ce que m'ayant perdu [...] ils y puissent retrouver aucuns (1) traits de mes conditions et humeurs, et que par ce moyen ils nourrissent plus entière et plus vive la connaissance qu'ils ont eue de moi (2).

1. Certains.
2. Texte daté du 1er mars 1580 : « Avis au lecteur ».

Être connu, intimement, véritablement : rar[e] nourriture dont reste décidément « affamé » celui qui en a goûté.

Le résultat est un monologue à bâtons rompus « fagotage de tant de diverses pièces », où l'o[n] ne saurait chercher de pensée systématique ni d[e] principe théorique. Même, « les noms [des] cha[pitres] n'en embrassent pas toujours la matière ». Quel est donc le sens du titre : les *Essais?*

Le mot exclut d'emblée toute significatio[n] définitive et figée : « essayer », dans l'ancienn[e] langue, c'est « mettre à l'épreuve, expérimenter ». Chez Montaigne, qui traite d'abord, au débu[t] du livre I, de « cette continuelle variation de choses humaines », l'idée de procéder à des *coups d'essai* semble l'emporter. Puis apparaît celle de *mise à l'épreuve du jugement*, qui implique une vision plus aiguë du monde et une connaissance plus lucide de soi. Ensuite, de sa maladie, de ses expériences personnelles — des « essais » de sa vie —, Montaigne tire les enseignements qui se dégagent pour signifier finalement par ce mot une conception de l'existence qui n'est pas sans rapport avec la vision baroque du monde :

Je ne puis assurer mon objet. Il va trouble et chancelant, d'une ivresse naturelle. Je le prends en ce point, comme il est, en l'instant que je m'amuse à lui (1). Je ne peins pas l'être. Je peins le passage [...]. Si mon âme pouvait prendre pied, *je ne m'essaierais point* (2), je me résoudrais : elle est toujours en apprentissage et en épreuve.

« *Tout le monde me reconnaît en mon livre et mon livre en moi* »

Les *Essais* décrivent donc à peu près constamment leur auteur : de petite taille — et Montaigne le déplore —, maladroit de ses mains et de son corps sauf à cheval, piètre musicien. « Autrement, bon clerc » (3) : d'une intelligence « mousse et tardive » (4) mais pénétrante, d'une curiosité insatiable. Une haine de la contrainte et de la sottise qui n'a d'égal que son amour des livres, des voyages, de la conversation. De la franchise et de la sincérité poussées parfois jusqu'au paradoxe, souvent associées à l'humour et à l'ironie. Une pauvre mémoire, un goût prononcé pour la fantaisie, de la nonchalance, une vive défiance des passions — qui ne l'a pas empêché de partager l'une des plus belles amitiés dont l'histoire ait gardé le souvenir. Enfin malgré la maladie, la mort, la guerre et la solitude, une remarquable aptitude au bonheur.

Au bonheur ou à l'égoïsme? Ce point est controversé aujourd'hui comme hier. S'il est absurde, parce qu'inexact, de lui reprocher comme fait Michelet d'avoir passé vingt ans « à se tâter le pouls, à se regarder rêver », il est vrai que Montaigne, sans refuser l'action ni l'engagement, entend non seulement écarter la passion néfaste à toute entreprise, mais préserver un individualisme farouche : « Mon opinion est qu'il se faut prêter à autrui et ne se donner qu'à soi-même. »

C'est que « la plupart de nos vacations sont farcesques » (1) : il s'agit donc de ne pas être dupe des apparences. Mais c'est aussi, il nous le dit explicitement, que s'il accueillait les passions, il n'y résisterait pas : « Je n'y durerais pas : je suis trop tendre, et par nature et par usage... »

1. Je m'occupe de lui.
2. C'est nous qui soulignons.
3. Bon lettré.
4. Émoussée et lente.

1. *Vacations :* occupations; *farcesques* : de pure farce, de pure comédie.

Un exemple de corrections effectuées par Montaigne dans les *Essais* (fac-similé de l'exemplaire de Bordeaux).

B. N. Paris. © Arch. E. B.

« Trop tendre » : comprenez trop sensible, trop impressionnable. Mais cela n'interdit pas de retenir aussi le sens moderne. « Trop tendre » donc. Il arriva, en effet, à Montaigne de savoir se donner :

En la vraie amitié, de laquelle je suis expert, je me donne à mon ami plus que je ne le tire à moi.

N'allons pas imaginer Montaigne altruiste. « L'amitié de quoi [il] parle » reste un sentiment individuel. Aucun goût chez lui pour les communautés de quelque nature qu'elles soient. Homme de bonne compagnie certes, mais qui ne va pas confondre « ces autres amitiés communes » avec « cette souveraine et maîtresse amitié » que les mots sont impuissants à décrire :

Si on me presse de dire pourquoi je l'aimais, je sens que cela ne se peut exprimer (1) qu'en répondant : Parce que c'était lui, parce que c'était moi.

Le repli sur soi, qui caractérise souvent l'attitude de Montaigne dans les *Essais*, apparaît ainsi comme un trait de l'homme privé de son *alter ego* (2) et devenu l'ombre de ce qu'il fut : « Depuis le jour que je le perdis [...] je ne fais que traîner languissant. »

Un ami de Montaigne : Florimond de Rémond, conseiller au Parlement.

« *Le soin de la mort* »

Rien d'étonnant donc si le thème de la mort est l'un des plus importants des *Essais*. Dans un chapitre du livre I, Montaigne observe qu'il a « passé les termes accoutumés de vivre » : il a trente-neuf ans. N'est-ce pas à trente-trois ans que moururent le Christ, Alexandre le Grand et Étienne de La Boétie?

L'âge, cependant, n'atténue pas la peur qu'inspire la mort. D'où les grands principes stoïciens du célèbre chapitre « Que philosopher c'est apprendre à mourir » (3) : « le but de notre carrière, c'est la mort », « la préméditation de la mort est préméditation de la liberté ». On sent ici l'influence des penseurs anciens, de Sénèque (4) surtout, mais plus encore celle de La Boétie, mort en stoïcien, à l'antique, avec une force d'âme qui laissa Montaigne accablé et ébloui (1). Car ce n'est pas la mort qu'il s'agit de vaincre mais la peur qui l'accompagne, si bien qu'au début des *Essais* la réflexion sur la mort est largement une réflexion sur la peur.

Jusqu'à ce que, par hasard, Montaigne « essaie » la mort (2) : à la suite d'une chute de cheval, il reste « plus de deux grosses heures tenu pour trépassé », et il découvre dans ce voisinage de la mort qu'elle est beaucoup moins effrayante qu'il ne le croyait. Véritable révélation : c'est le « mourir » plus que l' « être mort » qui est redoutable. Dès lors, à quoi bon se préparer à mourir si la meilleure mort n'est plus la mort édifiante mais « la moins préméditée [...] et la

1. Dans la première édition des *Essais*, Montaigne arrêtait là sa phrase. La suite est une addition figurant sur l'exemplaire de Bordeaux.
2. Son autre moi-même.
3. I, 20.
4. Philosophe stoïcien (Ier s. ap. J.-C.) qui fut le précepteur de Néron.

1. Montaigne a raconté la mort de La Boétie dans un lettre à son père.
2. II, 6 : « De l'exercitation ».

plus courte »? A quoi bon « troubl[er] la vie par le soin de la mort, et la mort par le soin de la vie »? On assiste à un renversement total par rapport aux premières méditations : la mort devient « le bout, non pourtant le but de la vie ». « Savoir mourir », en somme, n'est plus que le dernier mot du « savoir vivre ».

« *Savoir vivre* »

On admet généralement, à la suite des travaux de Pierre Villey ([1]), que l'évolution de Montaigne l'a mené d'un stoïcisme qu'il pratiqua sous l'influence de La Boétie mais pour lequel il n'était guère fait, à une sagesse souriante — on parle parfois d'épicurisme ([2]) —, en passant par une crise sceptique que révèle notamment le plus long chapitre des *Essais*, l' « Apologie de Raymond Sebond » ([3]). En fait, rien ne serait plus faux que d'imaginer Montaigne successivement ou exclusivement stoïcien, pyrrhonien ([4]) et épicurien.

De la doctrine stoïcienne, le XVIe siècle retient surtout la morale : morale de l'énergie, de la grandeur d'âme, fondée sur la confiance en la raison, et qui enseigne à mépriser les coups du sort et les passions. Montaigne admire Sénèque. Il fait de Caton ([5]) son héros. Cela suffit-il pour être stoïcien? Dans le sillage de Pierre Villey, on considère en général que non. D'autres estiment au contraire que, si le stoïcisme n'épuise pas la pensée de Montaigne, il en constitue la « philosophie directrice » (F. Strowski, J. Maurens) : autant que par l'influence de La Boétie, Montaigne a été poussé au stoïcisme par la volonté de se libérer d'une sensibilité trop vive (qu'on se rappelle : « Je suis trop tendre... »). S'il relâche par la suite cette extrême tension, il n'en retient pas moins, sur bien des points, la solution stoïcienne aux problèmes de l'existence : s'affranchir des biens extérieurs pour être heureux, « savoir être à soi » — et voilà qui peut inciter à relire tant de pages attribuées à l'égoïsme de Montaigne; établir un compromis entre le respect des coutumes et la hardiesse de la pensée, parce que, si l'univers est transparent pour le sage stoïcien, l'homme ordinaire vit dans les ténèbres.

1. Qui protesta d'ailleurs contre la simplification excessive qu'on apportait parfois à ses vues.
2. Doctrine selon laquelle le plaisir est le souverain bien.
3. II, 12.
4. Disciple de Pyrrhon (Ier siècle av. J.-C.) dont la doctrine est le scepticisme : refus systématique d'affirmer ou de nier, de juger.
5. Caton d'Utique : stoïcien romain (Ier siècle av. J.-C.).

« *Que sais-je?* »

Quoi qu'il en soit, de nouvelles influences s'exercent, notamment celle de Plutarque et de Sextus Empiricus ([1]). En 1576, Montaigne choisit comme devise un adage pyrrhonien : « Que sais-je ? » Ce scepticisme, qui à certains semble l'expression profonde du tempérament de Montaigne, n'apparaît nulle part plus clairement que dans l'« Apologie de Raymond Sebond », au livre II des *Essais* (II, 12).

Curieuse apologie qui, au lieu de défendre les thèses du théologien espagnol, soutient des points de vue radicalement opposés! Alors que Sebond place l'homme au premier rang de la création, alors qu'il fonde la foi sur la raison, Montaigne ravale l'homme au rang des animaux et dénie toute valeur à sa raison.

Ce scepticisme est un signe des temps. Rien de ce qui semblait assuré moins d'un siècle plus tôt n'est resté stable. La raison humaine croyait avoir décrit l'univers, et l'incroyable est devenu réel : les frontières du monde ont reculé, on parle d'héliocentrisme ([2]), les voyages et les découvertes ont bouleversé ce qu'on savait de la terre. Dès lors, comment fonder quoi que ce soit sur cette raison infirme? Et Montaigne de démontrer que la seule vérité de l'homme, c'est l'instable et le relatif.

Mais d'un autre point de vue, le scepticisme met en cause la doctrine protestante du libre examen, évidemment fondée sur la raison. Loin d'ébranler les assises de la religion en effet, le doute philosophique est à la fin du XVIe siècle l'allié de l'Église : mettre l'homme en garde contre sa faiblesse, c'est l'inciter à ne pas présumer de ses forces.

C'est encore aboutir au fidéisme, qui sépare les royaumes terrestres du royaume de Dieu, la foi de la raison. C'est aussi, parfois, redécouvrir le *sequi naturam* (suivre la nature) des Anciens, devise des stoïciens aussi bien que des épicuriens.

« *Nature est un doux guide* »

De la nature, il est souvent question en effet dans les *Essais*. Cette « mère nature », véritable

1. Sextus Empiricus : disciple grec de Pyrrhon (IIe-IIIe siècle apr. J.-C.).
2. Conception de l'univers selon laquelle le soleil est au centre du monde : c'est l'hypothèse de Copernic.

divinité tutélaire, usurpe même parfois le rôle de Dieu : « Jusque dans les dernières pages des *Essais*, on peut remplacer le mot "Dieu", de plus en plus rare, par celui de "nature" sans rien changer au sens des phrases qui le contiennent » (H. Friedrich).

Montaigne se défie des « humeurs transcendantes » qu'il considère comme des faiblesses chez ceux mêmes qu'il admire le plus : « Et rien ne m'est à digérer fâcheux en la vie de Socrate que ses extases et ses démoneries » ([1]). La perfection, c'est de « savoir jouir loyalement de son être », c'est-à-dire ne pas être dupe des apparences, de ses nostalgies ni de ses rêves. Nous sommes déterminés par notre condition : « Ils veulent se mettre hors d'eux et échapper à l'homme. C'est folie : au lieu de se transformer en anges, ils se transforment en bêtes; au lieu de se hausser, ils s'abattent. » Une pareille leçon de « médiocrité » ([2]) ne manque pas de saveur : « Et au plus élevé trône du monde, si ([3]) ne sommes assis que sur notre cul. »

1. Socrate croyait à son démon, sorte de divinité intérieure.
2. Au sens étymologique : juste milieu, mesure.
3. *Si* : pourtant.

Cependant, obéir à la nature ne signifie nullement que tout est permis. C'est au contraire se soumettre à un ordre — et Montaigne insiste sur cette notion —, ordre qui fait la beauté d'une vie menée comme celle de Socrate, « conformément à l'humaine condition », — Socrate que Montaigne, dans les derniers chapitres des *Essais*, n'admire tant que parce que « le prix de l'âme ne consiste pas à aller haut, mais ordonnément ».

Obéir à la nature, obéir à sa nature. Rien de statique : le relativisme de Montaigne exclut qu'on puisse jamais découvrir en soi une vérité fixe. Il s'agit de s'exercer à établir un accord toujours éphémère entre les exigences mouvantes de la conscience et celles, encore plus fluctuantes, de la nature. Et c'est pourquoi, sans doute, « les plus belles vies sont, à [s]on gré, celles qui se rangent au modèle commun et humain, avec ordre, mais sans miracle et sans extravagance ».

La religion de Montaigne

Dans l' « Apologie de Raymond Sebond », parlant des croyances humaines, Montaigne avait observé que, vivant en d'autres temps, il aurait volontiers adoré le Soleil. Zélateur du

La terrasse du château de Montaigne.

Chât. Montaigne. Arch. E. B. © Biraben

Soleil, adepte d'un culte de la nature « sans miracle et sans extravagance » : quelle est donc la religion de cet homme qui confond la création avec le Créateur, qui ne se préoccupe pas du péché ni de la vie future, qui ne parle guère de Dieu et encore moins de Jésus-Christ, qui fait l'éloge de Julien l'Apostat (1), qui critique l'ascétisme, qui s'abstient prudemment sur les miracles, pour qui la religion est relative comme le reste : « Nous sommes chrétiens à même titre que nous sommes Périgourdins ou Allemands »?

A n'en pas douter, le catholicisme. Montaigne a toujours été en règle avec la religion romaine, il n'a pas été inquiété lorsqu'à Rome la première édition des *Essais* a été examinée par les Inquisiteurs du Saint-Office (2), il est mort pendant une messe célébrée chez lui.

De là, cependant, à en faire « un théologien catholique » (Marc Citoleux), voire un mystique (Père Sclafert), il y a un écart qu'il nous paraît téméraire de franchir. Observons simplement que sur ce point comme sur beaucoup d'autres, les divergences entre critiques sont radicales : pour les uns, Montaigne, même s'il est en règle avec la religion de son pays, est profondément païen (Sainte-Beuve, L. Brunschvicg, Charles Dédéyan); pour d'autres, c'est l'ennemi déclaré du Christ (Dr Armaingaud); certains le voient fidéiste (Janssen, Hugo Friedrich, Pierre Michel) : « Montaigne ne nie pas Dieu, loin de là, mais il l'installe sur son trône, "magnifiquement isolé", et vit comme si Dieu n'existait pas » (A. Maurois).

Il est un point, en tout cas, sur lequel tout le monde est d'accord, c'est que Montaigne fut un adversaire des protestants (3) : par scepticisme, parce que l'homme ne peut rien affirmer de ces mystères qui le dépassent; et par conservatisme, parce que les protestants sont, à ses yeux, responsables du désordre qui ravage la France.

Contre la nouveauté

C'est un trait constant sous la plume de Montaigne et de ses contemporains que la dénonciation des mœurs du temps. La conséquence :

Je suis dégoûté de la nouvelleté, quelque visage qu'elle porte, et ai raison (1), car j'en ai vu des effets très dommageables.

On peut certes regretter avec Francis Jeanson que Montaigne s'en prenne aux révoltes plutôt qu'aux « comportements abusifs qui ont pu les provoquer », mais il faut bien constater que ce conservatisme, sur le plan pratique, ne se dément jamais. Conservatisme à la fois politique et religieux, domaines inséparables à la fin du XVIe siècle (2). Montaigne, rappelons-le, se range dans l'histoire mouvementée de son temps du côté des « politiques », c'est-à-dire des modérés, hostiles aussi bien à la réaction désireuse d'abolir toutes les « nouvelletés » (la Ligue) qu'aux protestants qui souhaitent un changement radical en politique comme en religion.

Le même scepticisme qui l'incite à se défier des mots et des idées reçues fait donc que, par un mouvement qui nous semble paradoxal, Montaigne, à propos des faits, refuse de confirmer, quitte à se contredire, des désaccords qu'il n'hésite pas à formuler au niveau de la réflexion (3).

Contre la cruauté

Cependant, ne l'imaginons pas figé dans des attitudes de refus. Pas plus ici qu'ailleurs, il n'hésite à se contredire — encore que son réformisme ne porte que sur des points où la structure profonde de l'État et de la religion n'est pas en cause.

Il est magistrat. De ce fait, il connaît particulièrement bien certains problèmes. Ainsi la torture, procédure judiciaire *normale* à l'époque : Montaigne, qui estime « cruauté tout ce qui est au-delà de la mort simple », ne critique pas le but de la justice (obtenir des aveux des coupables afin de les punir), mais il proteste contre les moyens qu'elle utilise. Il s'élève contre l'absurdité et la cruauté des procès de sorcellerie, dont la recrudescence accompagnait alors l'aggravation des guerres et l'inquiétude des esprits.

Mais ce sont surtout ses pages indignées contre la colonisation de l'Amérique (4) qui surprennent par leur véhémence inhabituelle. Ici, les faits

1. Empereur romain (IVe siècle ap. J.-C.) qui s'efforça de rétablir le paganisme.
2. Les *Essais* finirent par être mis à l'Index, mais en 1676.
3. Ce qui ne l'empêcha pas d'être l'ami personnel du roi de Navarre (le futur Henri IV), lequel, il est vrai, n'avait rien d'un fanatique.

1. J'ai mes raisons, ce n'est pas sans motif.
2. Jacques Maurens voit dans le conservatisme de Montaigne un aspect de son stoïcisme (*La tragédie sans tragique*, A. Colin, p. 43). Voir ci-dessus, p. 165.
3. Voir ce que dit Montaigne de La Boétie à ce sujet : ci-dessus, p. 155.
4. III, 6.

sont d'accord avec les principes : la conquête est une « nouvelleté » haïssable parce qu'elle détruit les structures des sociétés conquises et parce qu'elle est l'occasion de violences abominables. L'entreprise est d'autant plus indéfendable qu'elle met à nu les vices du vainqueur :

> Tant de villes rasées, tant de nations exterminées, tant de millions de peuples passés au fil de l'épée, et la plus riche et belle partie du monde bouleversée pour la négociation des perles et du poivre : mécaniques (1) victoires.

L'Europe a perdu le sens de la vie, la guerre elle-même, depuis l'invention de l'artillerie, n'est plus le révélateur de la vaillance qui pouvait autrefois justifier la victoire (2). D'où, pendant un instant, la tentation de refaire l'histoire : « Que n'est tombée sous Alexandre ou sous ces anciens Grecs et Romains une si noble conquête...! »

Ce siècle dégénéré ne laisse plus aux imaginations des hommes que la ressource de rêver aux temps reculés de « ces anciens Grecs et Romains » ou aux espaces lointains sur lesquels se profile désormais la silhouette plus ou moins mythique du « bon sauvage ».

Montaigne et l'histoire

Cependant, puisque tout est relatif, si Montaigne regrette l'Antiquité et ses vertus, ce n'est pas qu'il reprenne à son compte le vieux mythe de l'âge d'or disparu à jamais (3). Rien n'est définitif : « Nous n'allons point, nous rôdons plutôt, et tournoyons çà et là. » Triste époque, mais qui n'engage pas l'avenir. Ces « tournoiements » eux-mêmes, d'ailleurs, ne sont-ils pas de simples mirages? N'est-ce pas la courte vue de l'homme qui, lui « représent[ant] volontiers une très fausse image des choses », crée de toutes pièces l'illusion qu'il existe de hautes époques de civilisation — mais aussi de basses?

On voit comment l'observation des changements, des altérations, qui est à l'origine du pessimisme de Montaigne, est en même temps source d'optimisme puisque, si rien n'est immuable, le mal — comme le bien — n'aura qu'un temps. L'inconstance universelle est à la fois destructrice et prometteuse : « Le monde n'est qu'une branloire pérenne » (1).

1. Matérielles et viles.
2. On trouve ailleurs au XVIe siècle cette malédiction de l'artillerie qui corrompt le sens de la guerre. Cf. Ronsard :
   ...mais Thersite aujourd'hui
   Tue Achille de loin, et triomphe de lui.
(Thersite : type du lâche, Achille : type du héros dans l'*Iliade*).
3. Selon ce mythe, l'histoire de l'humanité n'était qu'une longue dégénérescence.

Montaigne et l'éducation

C'est pourquoi l'éducation est nécessaire et a un sens. Éducation qui ne bridera pas la nature, mais qui la fortifiera. Que le précepteur (Montaigne dit le « gouverneur » ou le « conducteur ») ait « plutôt la tête bien faite que bien pleine », en d'autres termes qu'il ne soit pas imbu d'idées préconçues, qu'il adapte son enseignement à son élève et non l'inverse : « C'est l'une des plus ardues besognes que je sache. »

Plutôt que de parler des matières d'enseignement, dont il n'est guère question dans les *Essais*, on parlera de la manière d'enseigner, et de la destination de cet enseignement : il s'adresse à « un enfant de maison », comprenez un jeune gentilhomme (2), dont il s'agit de former le jugement. Ne pas se contenter des livres, mais visiter le vaste monde. Ne pas se fier à la mémoire, mais engager l'entendement. Ne pas seulement « raidir l'âme », mais aussi « raidir les muscles ». Faire enfin de l'enfant « un très loyal serviteur de son prince » mais en lui apprenant à ne pas s'asservir : en d'autres termes, à ne pas devenir courtisan.

On voit la différence avec Rabelais qui établissait des programmes démentiels mais précis pour un géant, par surcroît personnage de roman, dont il rêvait de faire « un abîme de science » : cinquante ans ont passé et on a cessé de croire si fermement aux vertus de l'encyclopédisme. Mais à cette réserve près, les points communs entre les idées de Rabelais et celles de Montaigne sur la pédagogie sont nombreux. Il s'agit ici et là d'éducation individuelle et aristocratique, visant à rendre un enfant heureux dans la société où il vivra, et parfaitement adapté au rôle qu'il devra y tenir. La contrainte est bannie ainsi que le pédantisme (chez Montaigne), ou la scolastique (chez Rabelais).

En somme, évoquant une éducation idéale, chacun des deux auteurs décrit plus ou moins la sienne : Rabelais, celle qu'il s'est donnée malgré bien des obstacles; Montaigne, celle qu'un admirable père (contemporain de Rabelais) lui a assurée.

C'est dire que parlant d'éducation, Montaigne continue de se peindre.

1. Une balançoire perpétuelle.
2. En fait, à un enfant à naître, celui qu'attend Diane de Foix, comtesse de Gurson.

Frontispice des *Essais* dans l'édition de 1588.

« *La vigueur et hardiesse poétique* »

De même, parlant du style dans ce chapitre « De l'institution des enfants » (1), c'est sa propre manière d'écrire qu'il dépeint :

Le parler que j'aime, c'est un parler simple et naïf (2), tel sur le papier qu'à la bouche.

« Non pédantesque, non fratesque (3), non plaideresque (4) » : en même temps qu'il invente un genre nouveau, l'essai, il en définit ainsi le ton. On a maintes fois remarqué la grâce de cette « allure poétique, à sauts et à gambades » qui caractérise aussi bien la phrase ou l'image que la composition des chapitres des *Essais*.

Mon style et mon esprit vont vagabondant de même : il faut avoir un peu de folie, qui ne veut avoir plus de sottise...

« Mais ce désordre apparent cache un ordre profond » : (5) pas plus que la pensée de Montaigne n'est arrêtée, son style n'est figé. Le jeu des digressions, des métaphores, les méandres de la phrase — à laquelle, en français, on ne voit guère que celle de Proust à lui comparer —, les rebondissements sur les mots, décrivent une pensée jaillissante mais non pas incohérente :

C'est l'indiligent lecteur qui perd mon sujet, non pas moi.

« Le style c'est l'homme — il faut que la mobilité de l'esprit de Montaigne se retrouve dans la mobilité de son style » (A. Thibaudet). Ajoutons : et dans le mouvement de ses chapitres. Michel Butor y distingue, pour le livre III, une composition en triade, musicale et vagabonde : « prélude, excursion, finale ». Mais, là encore, rien d'arrêté : « A l'intérieur de l'excursion primitive », qui donne son titre au chapitre, « vont pouvoir s'introduire des excursions secondaires, tertiaires, etc. souvent fort longues ». (De ce point de vue, l'un des chapitres les plus éblouissants des *Essais* est sûrement le sixième du livre III « Des coches ».)

« Gaillardes escapades » dont Montaigne admirait la beauté chez Plutarque comme tant de lecteurs ensuite l'ont admirée chez lui.

« *Pour moi donc, j'aime la vie* »

On peut être rebuté par certains aspects de Montaigne : son conservatisme, son individualisme, son égoïsme. On peut discuter certaines approbations encombrantes de la postérité : sur son préclassicisme, son humanisme, sa sagesse, son art de vivre, sa « prud'homie » (1). Il n'empêche que ce « livre consubstantiel à son auteur » reste fascinant. Livre unique qui met sous les yeux du lecteur non pas simplement un homme en train de se décrire — ce qui fut sans doute la première démarche de Montaigne : « C'est moi que je peins » —, mais une vie en train de se faire : « Je n'ai pas plus fait mon livre que mon livre ne m'a fait ». Dialectique sinon exceptionnelle — Rousseau pourra en dire autant des *Confessions* — mais ordinairement insaisissable : ici prise sur le vif.

Montaigne exemplaire? Il semble l'avoir dit : « Chaque homme porte la forme entière de l'humaine condition ». Pour comprendre, il n'est pas mauvais d'interroger les *Essais*. « Hu-

1. Montaigne parle aussi de ses goûts en matière de style à la fin du chapitre III, 9.
2. Naturel.
3. De prédicateur.
4. D'avocat.
5. E. Lablénie.

1. Dans l'ancienne langue, un prud'homme était un homme sage. Ce terme a été utilisé par Pierre Charron (voir p. 171) pour désigner la sagesse de Montaigne.

maine condition »? La réponse figure un peu plus loin : « C'est justement à l'homme que nous avons affaire, *duquel la condition est merveilleusement corporelle* » ([1]). « Forme entière de l'humaine condition »? Là, il faut replacer la phrase dans son contexte ([2]). Montaigne vient de dire : je parle de moi qui ne suis pas un héros, mais peu importe, puisque les grands hommes n'appartiennent pas à une autre espèce que ceux dont la vie est « basse et sans lustre ». « Chaque homme porte la forme entière de l'humaine condition », façon en somme de dire une fois de plus que les vies « sans miracle et sans extravagance » valent bien celles des héros.

Montaigne héritier de la pensée, des espoirs et des déceptions de son siècle, penseur baroque mais précurseur du classicisme, adepte de la morale du juste milieu mais sage sans illusion, inventeur du comportement de l'honnête homme, mondain raffiné et dilettante, doué d'un singulier privilège d'insensibilité et pourtant homme « trop tendre » : tout se passe comme si l'auteur des *Essais* tendait à chaque lecteur un miroir de lui-même. Conscient de ce risque, choisissons pour le quitter d'évoquer un trait que nul, nous semble-t-il, ne pourra lui dénier : c'est d'avoir parié pour le bonheur.

Toutes les opinions du monde en sont là, que le plaisir est notre but, quoiqu'elles en prennent divers moyens.

Partisan du bonheur, n'est-ce pas contre tout ce qui le menace que Montaigne s'insurge, contre toutes les mutilations, les prétentions, les présomptions, susceptibles de détruire ce qui fait le prix de la vie? Loin de s'enfermer dans le rêve d'un bonheur utopique, c'est pour un bonheur accessible que pariait ce sceptique au milieu des tempêtes de l'histoire, pour un bonheur très terrestre, le seul qui malgré sa fragilité ne soit pas une chimère pour l'homme, « duquel la condition est merveilleusement corporelle ».

1. C'est nous qui soulignons.
2. Début du chapitre III, 2.

BIBLIOGRAPHIE

ÉDITIONS COURANTES : *Œuvres complètes (Essais, Journal de voyage) :* Gallimard, coll. « Bibliothèque de la Pléiade »; Seuil, coll. « L'Intégrale ». — *Essais :* Les Belles Lettres, 6 vol.; Garnier-Flammarion, 3 vol. (n°s 210, 211, 212) [une bonne édition des *Essais* date les divers états du texte : 1580, 1588, exemplaire de Bordeaux]. Voir aussi les collections « 10/18 », Folio.

ÉDITIONS DE RÉFÉRENCE : Reproduction phototypique de l'exemplaire de Bordeaux, Hachette, 1912. — Édition « municipale » de la Ville de Bordeaux, Strowski-Gébelin-Villey, 1908-1933, 5 vol. — *Essais,* éd. Villey-Saulnier, Paris, P.U.F., réimpr. 1980, 2 vol.

ÉTUDES : G. LANSON, *Les essais de Montaigne,* Mellotée, 1930 (Montaigne professeur de sagesse et d'humanisme). — P. VILLEY, *Les essais de Montaigne,* Nizet, nouv. éd. 1961 (l'évolution de Montaigne). — F. JEANSON, *Montaigne par lui-même,* Seuil, 1951 (ressaisir à travers les *Essais* la progression d'une expérience de soi). — F. GRAY, *Le style de Montaigne,* Nizet, 1958 (sur la langue, le style, les images, le rythme des *Essais*). — A. THIBAUDET, *Montaigne,* éd. posthume établie par Fl. Gray, Gallimard, 1963 (une longue conversation avec Montaigne). — H. FRIEDRICH, *Montaigne,* trad. franç. de R. Rovini, Gallimard, 1968; réimpr. format poche, T.E.L. Gallimard, 1984 (demeure l'une des plus grandes études critiques sur Montaigne : absolument fondamentale). — M. BUTOR, *Essais sur les Essais,* Gallimard, 1968 (composition et structure des *Essais :* l'histoire d'un projet modifié). — F. JOUKOVSKY, *Montaigne et le problème du temps,* Nizet, 1972 (une étude alliant la finesse à l'érudition sur une question difficile et essentielle). — Antoine COMPAGNON, *Nous, Michel de Montaigne...,* Paris, Seuil, 1980 (par l'auteur de *La seconde main :* une lecture rhétorique). — R. E. LEAKE, *Concordance des Essais de Montaigne,* Genève, Droz, 2 vol., 1981 (un instrument de travail désormais indispensable). — Jean STAROBINSKI, *Montaigne en mouvement,* Paris, Gallimard, 1982 (Montaigne à la lumière des recherches de la critique moderne). — Géralde NAKAM, *Montaigne et son temps. Les événements et les Essais,* Paris, Nizet, 1982 (une lecture historique des *Essais*). — Jules BRODY, *Lectures de Montaigne,* French Forum Publishers, Lexington, Kentucky, 1982 (quelques aperçus fort nouveaux et toujours stimulants). — *Montaigne et les Essais. 1580-1980,* Paris-Genève, Champion-Slatkine, 1983 (une série d'articles dus aux meilleurs spécialistes : un bilan et un point de départ pour de nouvelles recherches). — Floyd GRAY, *La balance de Montaigne : exagium essai,* Paris, Nizet, 1982 (les *Essais* comme « pesée »). — M. A. SCREECH, *Montaigne and Melancholy,* Londres, Duckworth, 1983 (une nouvelle approche).

STOÏCIENS ET NÉO-STOÏCIENS

Une vie comme celle de La Boétie semblait admirable à Montaigne parce que c'était celle de son ami, mais aussi par le caractère de grandeur que lui conférait son adhésion au stoïcisme, sa pratique de la vertu stoïcienne. Être à la fois stoïcien et chrétien : on n'avait pas reculé, pendant la Renaissance, devant des alliances plus hardies encore (par exemple dans l'*Hercule chrétien* de Ronsard, qui assimile au Christ le héros Hercule). Mais, dans la deuxième moitié du XVIe siècle, c'est par les solutions que leur propose la morale stoïcienne que beaucoup d'hommes sont attirés. Associer le bonheur à la vertu, le réserver à celui qui par sa volonté et par sa raison a su se libérer de ses passions, croire en Dieu et en la providence (même si le Dieu et la providence des stoïciens ne sont pas exactement ceux des chrétiens) : si tel est le stoïcisme, il ne semble pas qu'il présente rien d'incompatible avec la croyance chrétienne.

Juste Lipse

Un humaniste flamand, Juste Lipse (1547-1606), fut le premier à tenter méthodiquement cette synthèse, en particulier dans son livre *De Constantia* (1584), que pratiqua Montaigne. Juste Lipse fonde ainsi le néo-stoïcisme, « la philosophie chrétienne mise à la portée du rationalisme par des arguments stoïciens, et par conséquent la philosophie chrétienne rationalisée » (1).

Guillaume du Vair.

En France, c'est à Guillaume du Vair (1556-1621) qu'il revenait de réaliser cet accord entre la raison stoïcienne et la foi chrétienne. Ce magistrat, d'abord ligueur puis rallié aux « politiques », qui joua un rôle éminent aux États

1. L. Zanta.

généraux de 1593, fut un diplomate et un homme politique actif, réputé pour son éloquence. Nourri des auteurs anciens, et en particulier de la tradition stoïcienne — il traduisit en 1585 le *Manuel d'Épictète* —, il fut le premier à écrire en français des ouvrages où la philosophie antique était mise au service de la religion chrétienne. Dans ses traités, « la grande œuvre de la philosophie morale de ce temps-là » (Lanson), *Philosophie morale des stoïques* (1592-1603), *De la sainte philosophie* (1588), *De la constance* (1593), du Vair tente de préciser les rapports entre foi et raison : celle-ci doit détourner l'homme des passions et le préparer à la foi. Il introduit ainsi le néo-stoïcisme en France, dans une œuvre qui est une véritable synthèse et dont l'influence au XVIIe siècle sera grande. « Et lorsque, sa première ébauche faite, il laisse à d'autres l'atelier, nous découvrons une figure qui présente sur certains points d'une manière émouvante la ressemblance de Descartes » (1).

Pierre Charron

Maître de morale néo-stoïcienne et disciple lui-même de Montaigne, de Juste Lipse et de du Vair, avocat puis prêtre, lié avec Montaigne et se considérant même comme son héritier spirituel, Pierre Charron (1541-1603) fait paraître en 1593 ses *Trois vérités contre tous athées : idôlatres, juifs, mahométans, hérétiques et schismatiques* (première vérité : il y a un Dieu; deuxième vérité : il y a une Église; troisième vérité : l'Église catholique est la seule église du Christ). Puis il publie en 1601 à Bordeaux son ouvrage le plus célèbre, *De la sagesse*, qui suscite un véritable scandale dans le monde religieux. Comme Juste Lipse, comme du Vair, Charron entend associer la philosophie stoïcienne à la religion chrétienne mais au lieu de le faire dans un même livre, il réserve la foi aux *Trois vérités* et la raison à *La sagesse*.

1. P. Mesnard.

En outre, très influencé par Montaigne, il emprunte aux *Essais* leur scepticisme, qu'il entend utiliser comme une arme contre le dogmatisme de la science et les certitudes de la sagesse humaine. Mais Charron a le goût des classifications et des systématisations — c'est ainsi que le « Que sais-je? » de Montaigne devient chez lui « Je ne sais » — et, s'il compile Montaigne et du Vair, il sépare si bien les choses dans les chapitres de son livre qu'il en arrive à donner des raisons tout humaines de mener une vie chrétienne et à professer une morale naturelle fondée sur la raison. Il apparaît ainsi, malgré qu'il en ait, comme le maître à penser des libertins et comme « le patriarche des esprits forts » (1).

1. Père Garasse.

Musée Rennes. © Giraudon.

Pierre Charron, disciple de Montaigne et « patriarche des esprits forts », auteur de *La sagesse.*

ÉTUDES : Léontine ZANTA, *La renaissance du stoïcisme au XVIe siècle,* Champion, 1914 (présentation très claire; deux chapitres importants sur Juste Lipse et du Vair). — Pierre MESNARD, « Du Vair et le néo-stoïcisme », *Revue d'histoire de la philosophie,* 1928, pp. 142-166 (exposé exhaustif de la synthèse effectuée par du Vair). — Marc FUMAROLI, *L'âge de l'éloquence,* Genève, Droz, 1980.

LE XVIIe SIÈCLE

Figé trop souvent dans une unité factice, le « Grand Siècle » doit en réalité sa grandeur à la profusion de ses écrivains, à leur diversité. Rarement époque a connu pareil chatoiement.

Survie de l'aristotélisme et essor fulgurant des sciences, embrasement catholique et progrès de la libre pensée, culte de l'Antiquité et ironie sur les Anciens, triomphe du théâtre et condamnation des comédiens, développement du genre le plus souple — le roman — en un temps d'adoration croissante des règles, rudesse des mœurs et préciosité, goût du « bon sens » et passion pour le merveilleux, triomphe apparent de l'ordre au moment même où couve « la crise de la conscience européenne » ([1])... voilà quelques-uns des contrastes dont ces décennies sont riches.

Quel siècle a autant rêvé sur l'amour? Alors naissent *Dom Juan*, *Phèdre*, *La princesse de Clèves*... dans un univers où règnent l'ambition et la religion la plus hostile à l'empire de ces passions.

Siècle fascinant pour le sociologue de la littérature, en ce que l'aristocratie décline rapidement devant les bourgeois conquérants : c'est pourquoi le roman de chevalerie — après un règne d'un demi-millénaire — se meurt avec les derniers romans de la préciosité et cède progressivement la place aux thèmes du réalisme bourgeois : situation sociale, métier, famille.

Si divers et changeant que paraisse ce temps (1598-1715), on peut sans trop d'artifice voir se succéder deux « siècles », au sens où l'on parle de « siècle de Périclès » ou de « siècle d'Auguste » :

— le « siècle de Louis XIII » (1598-1660), caractérisé par le foisonnement, les expériences, la mobilité;

— le « siècle de Louis XIV » (1661-1715), où l'ordre préconisé par les théoriciens des années 1630-1660 paraît près de s'établir, mais se lézarde bientôt.

1. C'est le titre d'un ouvrage de Paul Hazard.

Musée Carnavalet. © Bulloz.

LE SIÈCLE DE LOUIS XIII

UNE ÉPOQUE BIGARRÉE

En France, les années 1598-1661, entre l'Édit de Nantes et le début du règne personnel de Louis XIV, présentent en commun tant d'aspects originaux que se justifie aisément le titre de « siècle de Louis XIII ». Après les troubles politiques et religieux du XVIe siècle s'amorce, non sans régressions, un redressement facilité par une tendance favorable de l'économie (jusque vers 1640). Si les distances et l'ambition des grands favorisent les particularismes locaux, le pouvoir royal ne cesse de s'affirmer : caractéristique de l'époque Louis XIII est le régime du ministériat, où les régentes et le monarque gouvernent en accord avec un ministre puissant. L'État doit faire face à la turbulence des nobles, plus sensibles aux rêves chevaleresques de gloire et à la volonté de dominer qu'à la notion abstraite d'unité nationale. En 1604, Sully lève toute entrave à l'hérédité des charges: alors commence l'ascension des « officiers », la formation d'une classe et d'un corps politique dont les cadres supérieurs — bientôt anoblis — constituent la noblesse de robe, d'abord au service de la monarchie, puis soucieuse d'en limiter les pouvoirs.

Portraits du cardinal de Richelieu, par Philippe de Champaigne (National Gallery).

Au cours de ce demi-siècle s'affirme un extraordinaire renouveau catholique : les églises se multiplient, des ordres nouveaux fleurissent (Carmélites, Ursulines, Oratoriens, Visitandines, etc.). Ce réveil ne va pas sans esprit de croisade : les protestants ne sont que tolérés; de nombreux catholiques supportent mal les alliances de la France avec des États réformés et favorisent les menées espagnoles. C'est un miracle, dans ces conditions, que la puissante Espagne n'ait pu imposer sa volonté. La lutte contre les Espagnols dure jusqu'en 1659, ponctuée de menaces d'invasion : 1636 (Corbie), 1643 (Rocroi), 1648 (Lens), 1650 (Rethel), 1654 (Arras), 1656 (Valenciennes), 1658 (les Dunes). Ainsi la politique obéit de moins en moins à des motifs religieux, se laïcise, en même temps qu'elle se modernise par l'utilisation systématique de l'espionnage et de la propagande: Richelieu dispose de pamphlétaires stipendiés.

Dans les idées, les sciences, les lettres et les arts règne un rare foisonnement. C'est le siècle de la diversité. La littérature se développe surtout sous le signe du romanesque.

LES ÉVÉNEMENTS POLITIQUES

HENRI IV	1594	Sacre d'Henri IV.
	1598	*Édit de Nantes*, qui assure à 1 250 000 protestants (sur 17 millions de Français) la liberté de conscience, tous les droits civils ordinaires, des lieux de culte, une centaine de places fortes.
	1603	Édit de Rouen, qui autorise les Jésuites à se réinstaller en France.
	1610	Assassinat d'Henri IV par Ravaillac.
LOUIS XIII (1601-1643)		*Régence de Marie de Médicis*, mère de Louis XIII. — en droit jusqu'en 1614 (majorité officielle du roi), — en fait jusqu'en 1617, date où Louis XIII fait assassiner le ministre de sa mère, Concini.
	1624	*Richelieu* est nommé « principal ministre ». Sa politique vise trois objectifs essentiels : 1) L'abaissement des grands (exécutions, campagnes militaires...) 2) La suppression des privilèges politiques et militaires des protestants : — siège de La Rochelle (1627-1628); Édit d'Alès (1629). 3) Le démantèlement de l'hégémonie austro-espagnole : après cinq ans de « guerre couverte », Richelieu doit entrer ouvertement en 1635 dans la guerre de Trente ans (1618-1648).
	1638	Naissance de Louis XIV.
	1642	Mort de Richelieu.
	1643	Mort de Louis XIII.
Régence d'ANNE d'AUTRICHE		*Régence d'Anne d'Autriche*, femme de Louis XIII, avec Mazarin pour Premier ministre.
	1648	Traités de Westphalie, avec les Impériaux; ils permettent l'annexion d'une partie de l'Alsace. La guerre avec l'Espagne continue.
	1648-1653	La Fronde, guerre civile déclenchée contre Mazarin et l'absolutisme royal : — Fronde parlementaire (1648-1649), — Fronde des princes (1650-1653).
	1659	Traité des Pyrénées, avec l'Espagne : la France annexe le Roussillon, la Cerdagne, l'Artois et plusieurs places fortes. Louis XIV épousera (en 1660) l'infante Marie-Thérèse.
	1661	Mort de Mazarin. Règne personnel de Louis XIV, sans Premier ministre.

CHRISTIANISME ET BAROQUE

Comme celui des siècles précédents, le christianisme du XVIIe siècle est foncièrement augustinien. Il insiste sur la faiblesse de l'homme déchu, livré à l'ignorance, aux convoitises et à la mort. Tout l'univers gît dans une corruption dont seule la grâce divine peut retirer ceux qu'elle choisit. Ces « vrais chrétiens » ne doivent vivre que pour Dieu : d'où la condamnation des divertissements (le théâtre, les romans), la dénonciation de la folie des passions (l'amour et l'ambition, notamment), la satire de la duperie de l'héroïsme (par Pascal, La Rochefoucauld). Aux épuisantes agitations du monde s'oppose la radieuse stabilité divine à laquelle aspirent les croyants.

Ce caractère augustinien, qui rend les chrétiens du XVIIe siècle en partie différents de ceux d'aujourd'hui, est une composante importante de la mentalité « baroque » apparue dès la seconde moitié du XVIe siècle sous diverses influences (ébranlement causé par les grandes découvertes, la Réforme, les guerres continuelles). L'essor des études sur saint Augustin, constamment réédité, l'influence de Montaigne et le progrès des sciences, qui disloque les idées reçues, vont accentuer dans les esprits l'obsession de l'inconstance et de l'inconsistance de tous et de tout. La littérature, par ses thèmes et ses formes, traduit cette vision tourbillonnante du monde : c'est la naissance de Don Juan, l'homme aux mille femmes; la faveur de l'ostentation (le héros cornélien) et de la métamorphose (magie des pièces à machines); le règne du mouvement, de l'inattendu, des jeux de miroirs. Certains écrivains ressentent ces vertiges comme un bonheur, se jouent à la surface des choses, développent une joyeuse poésie des éléments (eaux, neige, grêle, glace, nuages) ou des bêtes (papillons, oiseaux). Mais d'autres perçoivent ce chatoiement comme une instabilité menaçante, et sont « déçus par l'inconstance des apparences » (Pascal) : ils se font les célébrants du tragique de l'existence et de la contemplation de la mort (Bossuet).

ÉPICURISME ET NÉO-STOÏCISME

La redécouverte des sagesses antiques par les hommes de la Renaissance continue à marquer les esprits éclairés. A la lecture directe des œuvres grecques et latines s'ajoute l'influence de Montaigne — extrêmement lu —, de Guillaume du Vair, de Charron et de bien d'autres modernes. La philosophie sceptique contribue à l'essor de la libre pensée. Mais les deux doctrines les plus importantes sont le stoïcisme et l'épicurisme.

Dès le XVIe siècle, les maîtres stoïciens, Sénèque et Épictète, sont constamment réédités. Sénèque est étudié dans les collèges réorganisés par Henri IV; les générations de la première moitié du siècle s'enchantent de la grandeur et des vertus romaines, rêvent d'un héroïsme souvent lié à l'idéal stoïcien : maîtrise de soi, souveraineté à l'égard du monde extérieur, primauté d'un ensemble de valeurs morales réunies dans la notion de « générosité », la supériorité de l'homme bien né (Corneille, puis Descartes dans son traité *Des passions de l'âme*). La faveur d'une telle morale peut s'expliquer par la dureté de l'époque (guerres, misère, mortalité...), par l'importance sociale de nobles encore féodaux, mais aussi par la vigueur du renouveau catholique. L'élévation des idéaux stoïciens séduit bien des chrétiens, qui tentent d'élaborer un « humanisme dévot », malgré l'opposition farouche des augustiniens à un art de vivre dont ils dénoncent l'orgueil dérisoire.

Longtemps suspects, malgré l'autorité de Montaigne, à cause des débauches imputées à certains « libertins », l'épicurisme progresse en même temps que le XVIIe siècle. Pierre Gassendi s'efforce de concilier Épicure et l'Évangile. En 1674, l'*Abrégé de la philosophie de Gassendi*, dû à Bernier, mettra l'épicurisme à la mode dans les salons. Le poète latin Lucrèce est des plus lus. On se désintéresse des spéculations sur l'au-delà ou sur l'âme pour se tourner avec curiosité vers ce bas monde livré au hasard et à la nécessité, et tenter d'y élaborer un bonheur modeste et fragile, mais réel : l'amitié, la nature, les amours, les plaisirs... A partir de 1660 une progression continue va conduire l'épicurisme à un rôle dominant et faire de lui l'une des tendances profondes du XVIIIe siècle.

LES INFLUENCES ITALIENNES ET ESPAGNOLES

Comme au XVIe siècle, l'Italie fascine les créateurs, artistes ou écrivains. L'italien est compris de beaucoup. Marie de Médicis, Mazarin n'ont cessé d'attirer à Paris des compatriotes. Le théâtre s'inspire des théoriciens, des trouvailles scéniques et des comédiens de la Péninsule. On n'en finirait pas d'inventorier cet apport : Machiavel et la réflexion politique, l'École de Padoue (Pomponnazi) et la libre pensée, Castiglione et la théorie de la vie mondaine, Le Tasse et la pastorale, Marini (qui vit en France de 1615 à 1623) et la préciosité... sans parler du succès des grandes œuvres de chevalerie : le *Roland amoureux* (1486-1506), de Boiardo; le *Roland furieux* (1502-1532), de l'Arioste, et *La Jérusalem délivrée* (1580), du Tasse.

Bien que les écrivains espagnols paraissent parfois bizarres à leurs émules d'outre-Pyrénées, l'âge d'or de la littérature ibérique force

Don Quichotte passionna un siècle épris de chevalerie (B.N. Paris).

l'admiration. Les grands mystiques (Louis de Grenade, Thérèse d'Avila, Jean de la Croix) marquent le catholicisme français. Les pièces espagnoles sont mises au pillage. Les romans passionnent la France, d'*Amadis de Gaule* (1508) aux romans picaresques ou hispano-mauresques. Le *Don Quichotte* (1605-1615) de Cervantès devient rapidement célèbre. La *Diane* (1559) de Montemayor a marqué l'*Astrée*. Mais les poètes Gracian et Gongora, s'ils sont appréciés, sont encore trop profonds pour séduire les précieux français.

LE COURANT PRÉCIEUX

Au sens étroit, la préciosité désigne une mode qui se manifeste avec intensité au cours des années 1650-1660. Mais avec elle s'épanouit un mouvement déjà ancien, où la femme exerçait une sorte de royauté.

La fin du XIIe siècle avait vu briller en France — grâce à l'importance nouvelle du rôle des femmes dans la haute société aristocratique — la « courtoisie », avec sa passion pour les questions d'amour, pour l'élégance et le raffinement. Passé de Provence en Italie, où il marqua Dante et Pétrarque, ce courant revint en France au XVIe siècle par Lyon, où il s'enrichit de platonisme (Maurice Scève). La chevalerie s'est métamorphosée en galanterie. Cette longue tradition aboutit à Desportes, qui la transmet au XVIIe siècle commençant. Au même moment, toute la frange occidentale de l'Europe produit des œuvres subtiles et recherchées : entre autres l'*Euphues* (1579-1581) de l'Anglais Lily, l'*Ode sur la prise de Larache* (1610) de l'Espagnol Gongora, l'*Adone* (1623) de l'Italien Marini, qui vit à la cour de Louis XIII. Si ces poètes italiens et espagnols sont connus en France, ils y sont diversement appréciés. En fait, ce sont Desportes et ses imitateurs qui semblent avoir nourri le mouvement précieux : avec l'avènement d'Henri IV, les guerres venaient de cesser, les esprits les plus fins déploraient la grossièreté de la noblesse et regrettaient le raffinement des derniers Valois (Henri II, Henri III). Plusieurs phénomènes naquirent de ces aspirations et les renforcèrent : la publication de l'*Astrée*, le grand roman sentimental d'Honoré d'Urfé (1607-1625), la multiplication des salons, les *Lettres* de Guez de Balzac, les *Poésies* de Voiture, Malleville et Sarasin. L'importance considérable des salons explique que la préciosité française, et elle seule, apparaisse comme un fait social, un fait de civilisation, et non pas seulement une tendance littéraire.

Les salons

La cour de Louis XIII demeure sensible à la « naissance » et à la gloire militaire plus qu'aux arts et à l'élégance de la conversation. Le roi ne se passionne guère que pour le ballet. Mais une intense vie de société se développe rapidement dans un certain nombre d'hôtels aristocratiques, dont le plus célèbre est de loin celui de la marquise de Rambouillet (1588-1665), fille d'un ambassadeur français et d'une princesse romaine. Cultivée et spirituelle, parlant l'italien et l'espagnol, « l'incomparable Arthénice » (anagramme du prénom de la marquise : Catherine) reçoit dans la célèbre « chambre bleue » à partir de 1606. D'abord très aristocratique, son salon s'ouvre peu à peu à des écrivains bourgeois : Voiture, de 1626 à sa mort, en 1648, contribue par sa fantaisie à l'attrait du cercle, dont cette période constitue l'apogée. La société de l'hôtel

Grâce à l'importance de la vie mondaine, des salons, la préciosité devint en France un véritable fait social.

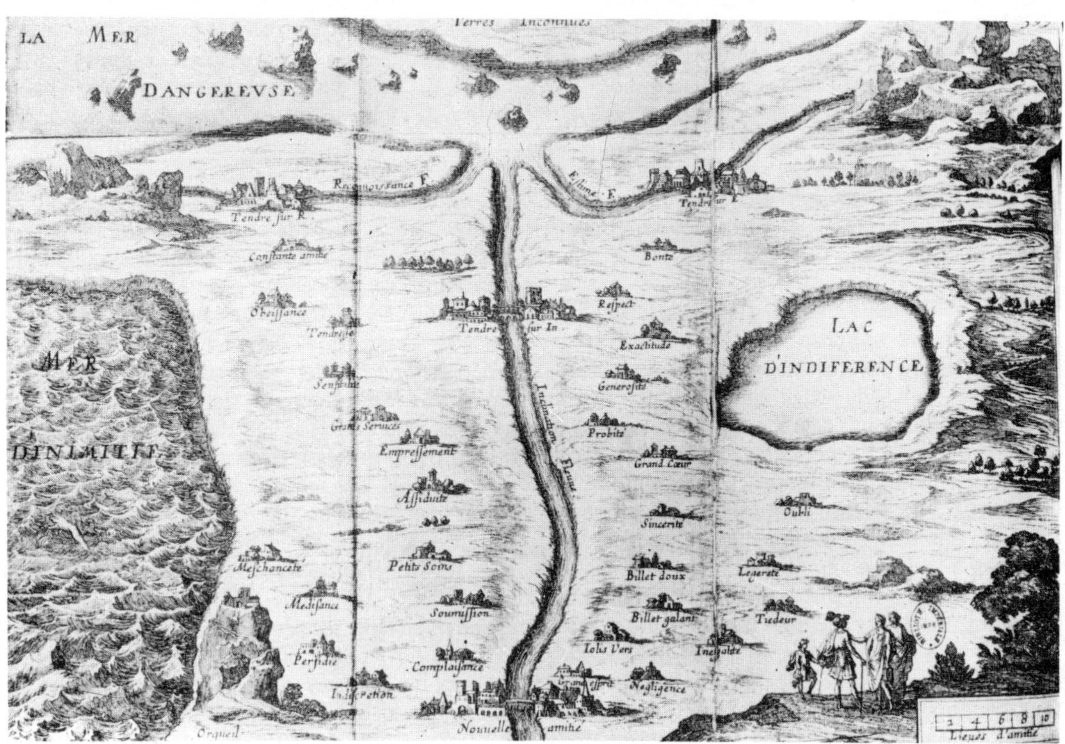

La carte du Tendre fut publiée en 1654 dans la *Clélie*, roman de Mlle de Scudéry. Elle distinguait trois sortes d'amour : la passion (« inclination ») et deux cheminements très lents, l'amour fondé sur l'estime ou sur la reconnaissance. Elle mettait en garde contre les égarements dans l'inimitié ou l'indifférence (B.N. Paris).

de Rambouillet est fort gaie, hostile à tout pédantisme. Les jeux et les bals s'y mêlent aux divertissements littéraires : on y cultive évidemment les petits genres, qui font appel à l'esprit, à l'ingéniosité (épigrammes, madrigaux, sonnets, lettres, blasons, rondeaux, énigmes, bouts-rimés...). Ainsi, en 1641, le duc de Montausier, amoureux depuis dix ou douze ans de Julie d'Angennes, fille de Mme de Rambouillet, lui offre *La guirlande de Julie*, recueil de soixante-deux poèmes floraux dus à de multiples auteurs. Des camps se forment pour arbitrer entre deux écrivains : Voiture et Malleville (sur le thème de « la Belle matineuse »; Voiture (sonnet d'Uranie) et Benserade (sonnet de Job)... La marquise exige la simplicité élégante du langage et des manières, rejette également la pruderie et les gaillardises : le badinage marotique est en honneur, mais non la truculence rabelaisienne. Indubitablement, la qualité de cette vie mondaine a marqué l'aristocratie parisienne et intéressé de nombreux esprits à la littérature.

Dès les années de la Fronde, l'hôtel de Rambouillet commence à décliner. Mais d'autres salons attirent l'élite : ceux de Mme de Sablé, de Mlle de Montpensier, de Mme de la Suze... Le plus important, celui de Mlle de Scudéry, moins aristocratique et plus littéraire, organise des tournois poétiques, contribue au succès de la maxime et du portrait.

La polémique

C'est au cours des années 1650-1663 que tout à coup les critiques se multiplient. Les plus connues sont *La précieuse* (1656-1658) de l'abbé de Pure, le *Dictionnaire des précieuses* (1660) de Somaize, et surtout *Les précieuses ridicules* (1659) de Molière. Malheureusement il s'agit là, du moins pour les deux derniers, d'ouvrages qui nous renseignent peu sur la grande préciosité. Molière ne s'attaque qu'aux excès et peint des bourgeoises provinciales qui singent l'aristocratie parisienne. Beaucoup considèrent comme une curiosité le féminisme des précieuses et leur théorie de l'amour. C'est sur l'affectation de leurs manières et plus encore sur leur langage que pleuvent leurs sarcasmes. Mais le mouvement était d'une qualité dont ces attaques ne donnent aucune idée.

Le goût de la distinction

Là préciosité suppose une supériorité naturelle, qui n'est pas forcément liée à une haute naissance. Mais elle exige que ces dons soient cultivés : de là l'importance des lectures, de la conversation, de l'expérience de l'amour. Toutefois les acquisitions livresques sont jugées bien inférieures à l'enrichissement que procurent les échanges mondains. Pas d'érudition, ni de pédantisme! La critique esthétique des salons est spontanée, elle ne s'embarrasse pas de théories littéraires, mais procède du « goût » : elle contrebalance heureusement les dogmes des doctes. D'ailleurs les précieuses optent résolument pour tout ce qui est moderne, préfèrent l'italien et l'espagnol au latin ou au grec, s'intéressent plus aux œuvres récentes qu'aux modèles antiques.

La théorie de l'amour

Au XVIIe siècle, il existe entre les sexes une facilité de rapports qui est particulière à la France. La jalousie des Espagnols et des Italiens, qui cloîtrent leurs femmes, est déjà un thème littéraire. Ces conditions sociales ont évidemment favorisé le développement de la galanterie française. Les exigences du développement harmonieux de la vie mondaine, l'attrait du sentiment amoureux et de ses délicatesses contribuent à expliquer que la préciosité se soit opposée à la débauche, à la sensualité. Sans tomber dans la pruderie, les précieuses ont voulu dégager l'amour de la hantise de la jouissance physique. Elles ont fait l'éloge de la « tendre amitié » et lancé un débat encore moderne sur les frontières entre l'amitié et l'amour, sur l'amitié entre un homme et une femme.

Si l'amour apparaît aux précieuses comme dangereux, il est pour la plupart le plus agréable des dangers. Assurément cette passion, à laquelle il est impossible de résister (c'est déjà le fatalisme de Racine et de Mme de Lafayette), apporte bien des souffrances. Mais aimer, c'est véritablement vivre. L'expérience sentimentale est d'autant plus merveilleuse que la durée lui permet de se nuancer et de s'affirmer. La précieuse pressent que le plus beau moment de l'amour, c'est le parcours des émois du cœur (un temps dont Stendhal manifestera la richesse), et elle souhaite le prolonger. Ainsi se développent ces analyses minutieuses du voyage sentimental, ces explorations du royaume de l'amour, dont, en 1654, Mlle de Scudéry publie dans la *Clélie* le croquis géographique : la « Carte du Tendre ». La précieuse condamne l'ambition et la recherche de l'argent, elle rêve à l'innocence pastorale des premiers âges.

Cette conception de l'amour procède aussi d'aspirations à l'émancipation de la femme. Dans la société du XVIIe siècle, le mariage était souvent lié à l'ambition, à l'argent. Son caractère d'institution paraissait contraire à la spontanéité, à la mobilité des sentiments. Il plaçait la femme dans une situation de dépendance. Dans ces conditions, la méfiance des précieuses à l'égard de la sexualité tendait à se muer en hostilité. Elles redoutaient des maternités qui, à l'époque, étaient souvent rapprochées, épuisantes, dangereuses. Elles étaient donc sans illusions sur leurs chances de bonheur dans la vie conjugale. Certaines ont préconisé des expériences hardies : le mariage à l'essai (un an), la dissolution du couple après la naissance du premier enfant (confié alors au père)... Elles réclamaient l'égalité des droits, l'indépendance.

L'affinement de la conversation

La volonté d'élégance dans la conversation, qui devient un art, pouvait aisément conduire à des abus. Somaize a donné plusieurs listes de périphrases destinées à éluder l'emploi de termes réputés bas ou seulement trop ordinaires : *le supplément du soleil* (la chandelle), *le conseiller des grâces* (le miroir), *les trônes de la pudeur* (les joues), *les commodités de la conversation* (le fauteuil), *les écluses du cerveau* (le nez), *subir le contrecoup des plaisirs légitimes* (accoucher). Mais on ne trouve rien de tel dans les documents du temps. Et, en ce qui concerne l'usage éventuel de ces tours dans la langue parlée, qui dira ce qu'il pouvait s'y cacher d'humour? Il importe donc de ne pas imaginer la préciosité d'après les seuls ouvrages de ses adversaires. Les précieuses ont sans cesse recherché la pureté du vocabulaire, « *l'extirpation des mauvais mots* » : elles ont donc proscrit les jargons, les termes trop techniques, les archaïsmes (malgré une mode du vieux français vers 1640), le langage populaire, les termes dont les syllabes ou le sens sont désagréables *(lavement, cracher, vomir, cadavre)* ; les mots qui offensent la pudeur : *conil* remplacé par *lapin* ; ces proscriptions n'ont été que partiellement compensées par l'invention de termes nouveaux *(bravoure, anonyme, incontestable, enthousiasmer...)*. Mais elles ont abusé des superlatifs *(furieusement, horriblement, effroyable, ravissant, du dernier galant, non pareil)* et souvent subtilisé à l'excès. Dans son désir de conjurer les laideurs de la vie, la préciosité s'est ingéniée à constituer une langue qui ne renvoie qu'à un univers plus pur que le monde réel.

Préciosité et littérature

Pendant toute la période où la préciosité fut vivante — après 1660 elle s'appauvrit et se limite au bel esprit —, elle a entretenu avec la littérature des rapports étroits. Astrée, Alcidiane (dans le *Polexandre* de Gomberville) présentent des traits précieux. Sans parler des romans à clés de Mlle de Scudéry. Pourtant, le mouvement n'a suscité aucun grand poète. Les habitués des salons ne pratiquent la poésie que comme un divertissement; désireux de plaire, ils sont portés à l'ingéniosité, aux traits piquants, à l'inattendu, aux pointes, aux hyperboles et aux antithèses. Ils recourent aux petits genres et aux petits sujets.

En revanche, plusieurs des créateurs du siècle sont redevables au courant précieux pour l'analyse de l'amour, la pureté de la langue, l'élégance : Corneille, Racine, La Fontaine. La vogue des maximes conduit à La Rochefoucauld, celle des portraits à La Bruyère. Mme de Sévigné n'a cessé de fréquenter l'hôtel de Rambouillet qu'à la mort de la marquise. Enfin, la préciosité, qui raffolait tant des romans, préside à la naissance de l'œuvre romanesque de Mme de Lafayette.

LE COURANT LIBERTIN

Tout au long d'un XVIIe siècle dominé en France par la réforme catholique se développe un courant de libre pensée, appelé alors « libertinage », bien que ses tenants ne soient pas nécessairement débauchés. Ce courant, tantôt visible, tantôt dissimulé, assure la transition entre l'humanisme de la Renaissance et la philosophie des Lumières.

La découverte du Nouveau Monde, l'ébranlement des Réformes, le pullulement des sectes, les guerres de religion, une meilleure lecture d'Aristote (qui ne croit pas à l'immortalité de l'âme) et de son commentateur arabe Averroès, les influences de Machiavel et de Montaigne, tout cela explique que certains esprits se détachent de la religion traditionnelle. Venues surtout d'Italie, les idées nouvelles se répandent en France sous la régence de Marie de Médicis. Une « cabale » de libre pensée se forme, qui compte Théophile de Viau, Boisrobert... Épicuriens, ces sceptiques raillent le christianisme officiel, les pratiques religieuses, et mènent une vie dissolue. Ils nient qu'une Providence conduise les destinées des hommes : l'univers est un jeu de forces aveugles, et la sagesse est de « jouir de nous ».

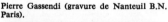

Pierre Gassendi (gravure de Nanteuil B.N. Paris).

Le « libertinage érudit » [1]

A partir de 1628 se constitue autour des frères Dupuy un cercle érudit, l'Académie *putéane* [2], où fréquentent des hommes divers par leurs positions religieuses, mais tous attachés à l'indépendance de pensée : le sceptique La Mothe Le Vayer, Chapelain, le philosophe Gassendi (1592-1655), le médecin Guy Patin, le machiavélien Naudé... Hostiles à la métaphysique carté-

1. R. Pintard.
2. Du latin *puteus*, puits.

sienne et à la scolastique, les gassendistes ont entendu la leçon relativiste de Montaigne et sont sensibles surtout à la variété des hommes, à la connaissance positive des mœurs (enquêtes livresques, voyages...). Le gassendisme est la philosophie marquante du milieu du siècle, avant la victoire du cartésianisme. Il est souvent difficile d'apprécier jusqu'où vont les hardiesses de ces érudits, car le régime interdit d'imprimer des thèses trop hétérodoxes, et il ne nous reste rien des « conversations ». Au cours des années 1650-1655, ce foyer intellectuel disparaît. Le libertinage se diffuse alors chez certains Grands (Condé, la Princesse palatine, Retz) ou dans des salons comme celui de Ninon de Lenclos. Mais la prudence reste de rigueur.

LA PHILOSOPHIE CARTÉSIENNE

René Descartes (1596-1650) publie en 1637 le *Discours de la méthode pour bien conduire sa raison et chercher la vérité dans les sciences :* c'est la première grande œuvre philosophique en langue française. Passionné par les mathématiques « à cause de la certitude et de l'évidence de leurs raisons », cet esprit enclin au dogmatisme avait découvert en 1619 — lors d'une campagne militaire en Bavière — l'idée d'une méthode universelle pour accéder au vrai. Retiré en Hollande à partir de 1629, il s'adonne à des recherches philosophiques et scientifiques. Le *Discours de la méthode* affirme la présence en chaque homme de la même raison; les erreurs viennent seulement d'une mauvaise application de cette faculté. Descartes propose donc des « règles » à son activité : faire table rase de tout ce que nous avons appris, pratiquer le doute méthodique, ne recevoir que les idées qui nous apparaissent clairement comme évidentes (« Je pense, donc je suis »). Ainsi se dégageront les fondements inébranlables sur lesquels s'édifiera toute la construction philosophique : existence du moi pensant, existence de Dieu, existence du monde extérieur. Ce système sépare nettement l'âme pensante de la matière régie par des lois purement mécaniques (dualisme radical) : les animaux sont de simples machines. Descartes développe sa pensée dans ses *Méditationes* (1641) en latin, bientôt traduites par le duc de Luynes, puis dans le traité *Des passions de l'âme* (1649) et dans sa correspondance.

Portrait de Descartes, par Franz Hals. (Musée du Louvre.)

Catholique convaincu, Descartes pensait ouvrir la voie à une théologie rénovée, et de grands esprits religieux (Arnauld, Malebranche...) ont jugé son apport décisif. En revanche, un Pascal a dénoncé les limites de ce rationalisme — extrêmement fécond dans la recherche scientifique, mais incapable de rendre compte des virtualités multiples de l'âme humaine — et compris avec quelle facilité le système cartésien se retournerait contre la foi qu'il prétendait défendre. L'influence du cartésianisme grandit rapidement à partir de 1650 : sur lui vont s'appuyer beaucoup des entreprises critiques du XVIIIe siècle et l'essor scientifique du XIXe.

L'IDÉAL DE L'« HONNÊTE HOMME »

« Honnête homme, honnêtes gens » : au XVIIe siècle, ces formules renvoient à une image idéale de la vie en société. Une foule de théoriciens accumulent les traités sur la conversation, l'art de vivre... Ils s'inspirent de certains auteurs antiques (Sénèque), de l'Italien Castiglione (*Le courtisan*, 1528), de l'Espagnol Guazzo (*La conversation civile*, 1574), de Montaigne (*De l'art de conférer*, III, VIII). Les uns sont des bourgeois aisés, comme Nicolas Faret (*L'honnête homme ou l'art de plaire à la cour*, 1630); les autres sont des nobles, comme le chevalier de Méré (*Conversations*, 1668).

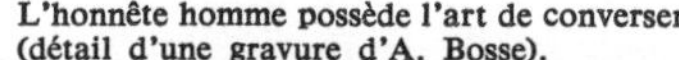
L'honnête homme possède l'art de converser (détail d'une gravure d'A. Bosse).

L'honnête homme a un train de vie honorable. Ses qualités sont celles qui plaisent au monde : danser, converser, être élégant, spirituel, courtois.. Il doit avoir des clartés de tout, mais ne se piquer de rien (sauf d'honneur). Il représente l'aisance, le tact, la facilité, le naturel, fût-ce au prix d'un long travail. Son expérience de l'amour l'a rendu propre à faire une cour discrète. Sa sagesse a pour précepte essentiel la mesure, le juste milieu. Entre les revendications tumultueuses des grands féodaux du début du siècle et l'apparition de la contestation à la fin du siècle, « l'honnêteté » fait figure d'acceptation des ordres politique, social, religieux. Elle a pourtant ses exigences : il faut parfois un peu d'héroïsme pour se contraindre ainsi constamment à plaire aux autres, pour empêcher le « moi » de se faire envahissant.

L'honnête homme est-il un homme honnête? Pour les théoriciens bourgeois, sans aucun doute. Pour les nobles, il semble que soit exigée surtout une probité mondaine, qui n'exclut pas ailleurs quelques libertés.

Cette longue méditation sur l'idéal de l'homme en société habite de nombreuses œuvres littéraires : le roman héroïque et précieux, une part du théâtre (dont *Le misanthrope*), la littérature de salon, Pascal, La Rochefoucauld... Elle appelle à mesurer l'écart qui nous sépare d'un tel modèle aujourd'hui.

BIBLIOGRAPHIE

TEXTES : DESCARTES, *Œuvres complètes,* 12 vol., éd. Adam-Tannery, 1897-1913; *Discours de la méthode,* éd. Gilson, Vrin, 1925; *Œuvres et lettres,* Gallimard, coll. « Bibliothèque de la Pléiade », 1952. — *Les libertins français au XVIIe siècle,* anthologie par A. ADAM, Buchet-Chastel, 1964.

ÉTUDES : Antoine ADAM, *Histoire de la littérature française au XVIIe siècle,* Dormat-Del Duca, 1952-1962 (la meilleure synthèse historique). — Geneviève RODIS-LEWIS, *L'œuvre de Descartes,* 2 vol., Vrin, 1971 (une remarquable introduction aux divers aspects de la pensée cartésienne, avec un bilan des interprétations). — Pierre CAHNE, *Un autre Descartes,* Vrin, 1980 (l'écrivain). — René BRAY, *La préciosité et les précieux de Thibaut de Champagne à Jean Giraudoux,* Nizet, 1960 (six chapitres sur le XVIIe siècle). — Maurice MAGENDIE, *La politesse mondaine et les théories de l'honnêteté en France au XVIIe siècle, de 1600 à 1660,* P.U.F., 1925 (des analyses substantielles plutôt qu'une synthèse). — Roger LATHUILLÈRE, *La préciosité, étude historique et linguistique,* Droz, 1966 (l'étude la plus précise). — Jean-Marie PELOUS, *Amour précieux, Amour galant* (1654-1675), Klincksieck, 1980 (d'excellents passages sur la représentation de l'amour, mais une distinction peu sûre entre « galant » et « précieux »). — René PINTARD, *Le libertinage érudit dans la première moitié du XVIIe siècle,* Slatkine, 1983 (une étude magistrale). — Jean ROUSSET, *La littérature de l'âge baroque en France,* Corti, 1965 (la redécouverte d'une littérature oubliée). — Philippe VAN TIEGHEM, *Les influences étrangères sur la littérature française,* P.U.F., 1961 (deux chapitres : « L'Espagne », « L'Italie »).

LA PROFUSION POÉTIQUE

Foisonnante est la production poétique des années 1600-1660. Si Malherbe et ses disciples s'instituent les défenseurs d'une poétique rigoureuse qui, après avoir marqué nombre de leurs contemporains, deviendra l'une des composantes de l'esthétique classique, la variété des théories et des œuvres est étrangère au classicisme. Beaucoup de ces écrivains sont résolument modernes et — tout en demeurant indépendants — s'intéressent plus à leurs devanciers français ou italiens qu'à l'Antiquité. Le statut social des poètes — qui dépendent du mécénat aristocratique — explique l'importance de la poésie de circonstance, qui vante les Grands et leurs hauts faits. L'essor de la vie mondaine suscite une poésie de salon, dont le maître est Voiture. En dépit de ces contraintes sociales s'épanouit une poésie personnelle, dont les principaux thèmes sont le mysticisme chrétien (La Ceppède), l'amour et la nature (Théophile de Viau, Tristan l'Hermite), l'extase devant la vie (Saint-Amant). La plupart des poètes changent aisément de registre : de l'ode officielle au poème « satyrique » (1), de la célébration de la femme à la méditation pénitente.

Riche en contrastes, distordant le réel quotidien au profit de la grandeur exaltée, de l'affinement précieux, du burlesque, de l'outrance « satyrique » ou de l'émerveillement mystique, cette poésie apparaît comme oscillant entre le maniérisme et le baroque.

1. *Satyrique* : l'orthographe du temps est flottante : *satyre* ou satire.

POUR OU CONTRE MALHERBE

Aux alentours de 1600, la poésie française est florissante, à Paris et en province. De 1597 à 1630 paraissent des recueils qui attestent sa vitalité et son succès. Bien que le grand Ronsard ne soit mort qu'en 1585, sa poétique a commencé dès 1570 à perdre de son attrait. Les gens du monde sont rebutés par son érudition mythologique, ses tours et termes pris du grec ou du latin, ses archaïsmes, ses emprunts à des dialectes ou à des métiers mal connus. Le chef de file de la Pléiade avait lui-même commencé à atténuer ces défauts. Toute la fin du XVIe siècle progresse vers la pureté et la simplicité du vers : de Desportes à du Perron. Néanmoins Bertaut (1552-1611), les milieux parlementaires et de nombreux cercles provinciaux conservent leur admiration à Ronsard, qui incarne à leurs yeux une conception élevée de la poésie. A Paris, de 1605 à 1615, la reine Marguerite (épouse répudiée d'Henri IV), dernière princesse de la Renaissance, réunit des poètes qui cultivent encore les grands genres du XVIe siècle (ode, épopée). Son hôtel du quai Malaquais tranche nettement sur le Louvre, où les poètes de la cour annoncent des temps nouveaux. L'un d'eux, l'épicurien Vauquelin des Yveteaux (1567-1649), est de ceux qui recommandent Malherbe à Henri IV.

La carrière de Malherbe (1555-1628)

François de Malherbe est né à Caen. A l'exception de deux brefs séjours en Normandie, il a longtemps vécu à Aix, où il avait suivi son maître, le duc d'Angoulême, gouverneur de Provence. A cinquante ans, il n'avait encore composé que quelques poèmes, dont *Les larmes de saint Pierre* (1587), renié plus tard, et la *Consolation à M. du Périer* (vers 1590). En 1605, Henri IV lui commande un poème. Malherbe écrit sa *Prière pour le roi Henri le grand allant en Limousin*, très admirée par le roi. Désormais il s'installe à Paris, reçoit une pension et devient

Portrait de Malherbe (Musée de Chantilly).

le poète le plus en vue de la cour. Jusqu'à sa mort, il célèbre les événements importants, encense les puissants, chante quelque belle dame ou paraphrase les psaumes. Orgueilleux et brusque, persuadé de sa supériorité sur tous, d'une intelligence claire mais limitée, il s'impose comme chef d'école, réunit ses disciples, dont les plus brillants sont Mainard et Racan.

Peu abondante, l'œuvre de Malherbe présente des poèmes d'une rare perfection formelle. Le poète ne croit pas à l'inspiration, mais aux pouvoirs du langage : il se veut un technicien du vers. Ce baroque sait aboutir à la formule éclatante, à la plénitude de la strophe, à une harmonie qui évoque à la fois celle de l'architecture et celle de la musique, comme dans cette « Chanson à Caliste » (1609) où il célèbre les embellissements apportés par Henri IV à Fontainebleau :

Beaux et grands bâtiments d'éternelle structure
Superbes de matière et d'ouvrages divers,
Où le plus digne Roi qui soit en l'Univers
Aux miracles de l'art fait céder la Nature...

Si, presque toujours, le lyrisme malherbien paraît d'une froideur marmoréenne et se limite à l'orchestration des lieux communs (la mort, la paix, l'inconscience des hommes...), l'univers du poète s'égaie quelquefois de radieuses apparitions végétales :

Tu nous rendras alors nos douces destinées;
Nous ne reverrons plus ces fâcheuses années
Qui pour les plus heureux n'ont produit que des [pleurs.
Toute sorte de biens comblera nos familles,
La moisson de nos champs lassera les faucilles,
Et les fruits passeront la promesse des fleurs.

(Prière pour le roi Henri le grand...)

Sans doute, Malherbe cède-t-il fréquemment à l'emphase, mais l'aisance et la fermeté de tels vers expliquent leur attrait sur les contemporains et sur bien des poètes des siècles suivants, de Chénier à Baudelaire et à Francis Ponge.

Sa doctrine

Malherbe n'a rédigé aucun traité, mais sa doctrine nous est connue par les annotations dont il a criblé son exemplaire des *Œuvres* de Desportes, et par les propos qu'a consignés son disciple Racan.

Le maître est résolument moderne, hostile non seulement à presque tous les Italiens, mais même aux plus grands artistes grecs et latins (sauf Horace, Ovide et quelques auteurs secondaires). Il exécute sommairement Ronsard et Desportes. Ayant ainsi fait table rase, Malherbe pose les principes d'une poésie nouvelle : rigueur logique, clarté absolue. Rien ne doit faire hésiter le lecteur : ni ambiguïtés, ni inversions maladroites, ni allusions mythologiques ou autres qui ne renvoient à des connaissances communes, ni mots rares (archaïsmes, provincialismes, néologismes artificiels). Dans sa passion pour une langue nette et précise, Malherbe est entraîné à se faire grammairien : il fixe le sens ou le genre des mots. S'il vante le parler des portefaix, c'est dans la mesure où il reflète l'usage vivant, mais il prend modèle sur l'élite parisienne. Les exigences de la métrique n'autorisent aucun écart par rapport à ce langage limpide (ni libertés orthographiques, ni chevilles...).

En matière de technique poétique, Malherbe ne remet pas en question les genres en vogue au XVIe siècle : ode, élégie, sonnet... Mais il limite le nombre des combinaisons strophiques, décide vers 1612 que la strophe de six alexandrins doit être partagée en deux parties égales. La strophe de dix octosyllabes doit marquer un arrêt après le quatrième et le septième. Soucieux de la régularité du rythme, le poète impose la césure à l'hémistiche, réglemente le rejet et l'enjambement. Sur la musicalité du vers, Malherbe est encore plus exigeant que du Bellay : il proscrit l'hiatus, les rimes intérieures, les rimes de mots voisins *(gendarmes/armes)*, l'accord d'une longue et d'une brève à la rime *(grâce/glace)*. Selon lui « *contenance* et *sentence* riment comme un four

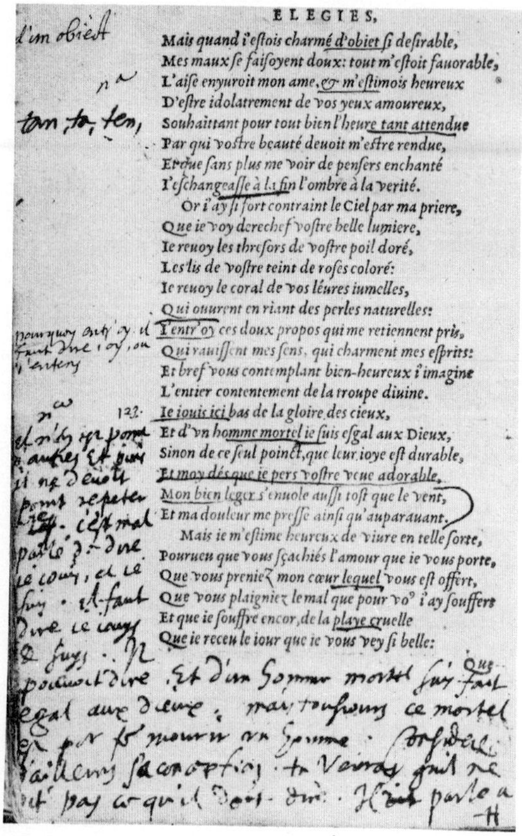
ELEGIES.

Mais quand i'estois charmé d'obiet si desirable,
Mes maux se faisoyent doux: tout m'estoit fauorable,
L'aise enyuroit mon ame, & m'estimois heureux
D'estre idolatrement de vos yeux amoureux,
Souhaittant pour tout bien l'heure tant attendue
Par qui vostre beauté deuoit m'estre rendue,
Et que sans plus me voir de pensers enchanté
I'eschangeasse à la fin l'ombre à la verité.
Or i'ay si fort contraint le Ciel par ma priere,
Que ie voy derechef vostre belle lumiere,
Ie reuoy les thresors de vostre poil doré,
Les lis de vostre teint de roses coloré:
Ie reuoy le coral de vos léures iumelles,
Qui ouurent en riant des perles naturelles:
I'entr'oy ces doux propos qui me retiennent pris,
Qui rauissent mes sens, qui charment mes esprits:
Et bref vous contemplant bien-heureux i'imagine
L'entier contentement de la troupe diuine.
Ie iouis ici bas de la gloire des cieux,
Et d'vn homme mortel ie suis esgal aux Dieux,
Sinon de ce seul poinct, que leur ioye est durable,
Et moy dés que ie pers vostre veue adorable,
Mon bien leger s'enuole aussi tost que le vent,
Et ma douleur me presse ainsi qu'auparauant.
Mais ie m'estime heureux de viure en telle sorte,
Pourueu que vous sçachiés l'amour que ie vous porte,
Que vous preniez mon cœur lequel vous est offert,
Que vous plaigniez le mal que pour vo' i'ay souffert
Et que ie souffre encor, de la playe cruelle
Que ie receu le iour que ie vous vey si belle:

Annotations de Malherbe sur son exemplaire des *Œuvres poétiques* de Desportes. (B.N. Paris.)

et un moulin ». Autant dire qu'en fin de vers les accords musicaux doivent être parfaits, pour l'œil comme pour l'oreille! Ce souci d'harmonie s'étend à tout le vers, qui ne doit rien offrir de rude; ainsi Malherbe annote son *Desportes :* « Si la foi plus certaine en une âme non feinte » *N'en, nu, n'a.*

Cette rigueur impitoyable procède de la conviction que le poète n'est qu'un artisan. Loin d'être des inspirés, des prophètes, comme l'avait pensé la Pléiade, les poètes doivent être d'« excellents arrangeurs de syllabes ». Ils doivent construire difficilement des vers faciles. La poésie est un métier. Aucune révélation à attendre d'elle, elle est un luxe : « Un bon poète n'est pas plus utile à l'État qu'un bon joueur de quilles. » Pourtant, ô paradoxe, ces arrangements de syllabes résistent mieux au temps que les empires :

« Ce que Malherbe écrit dure éternellement. »

L'importance de sa poétique

Malherbe n'a pas eu pour disciples les seuls Mainard et Racan. Dès 1615-1630, les recueils attestent l'emprise croissante de sa poétique. Le « grammairien à lunettes et aux cheveux gris..., tyran des mots et des syllabes » (Guez de Balzac) a marqué non seulement Balzac, Vaugelas et tous les puristes, mais aussi Corneille. Théophile de Viau lui-même parle d'

...égaler dans son art
La douceur de Malherbe et l'ardeur de Ronsard,

tout en méprisant d'ailleurs les « regratteurs de syllabes ». Assurément, une poésie indépendante s'est maintenue, dominée par Théophile, Saint-Amant et Tristan l'Hermite, mais l'époque louis-quatorzienne l'a ensevelie dans l'oubli pour un siècle et demi. Que penser de l'enthousiasme de Boileau dans son *Art poétique* (1, 131-134)?

Enfin Malherbe vint, et, le premier en France,
Fit sentir dans les vers une juste cadence,
D'un mot mis en sa place enseigna le pouvoir,
Et réduisit la muse aux règles du devoir.

A bien des égards, Malherbe n'a fait que codifier les aspirations de tout un mouvement. Depuis 1560, la poésie s'était rapprochée de plus en plus de la vie mondaine, s'était simplifiée et disciplinée. Elle avait pris ses distances par rapport aux Anciens. Avant Malherbe, Bertaut s'était interdit l'hiatus. Dès 1600, de jeunes poètes se vantent de parvenir par un travail rigoureux à une extrême musicalité. Plus originale semble chez le maître sa condamnation de l'italianisme, et notamment de Pétrarque. La fermeté de sa poétique a sans aucun doute exercé un effet purifiant sur la poésie française. Mais à quel prix! Cette étroite rigueur a entraîné un incroyable appauvrissement des possibilités poétiques : ce système condamne par avance les trouvailles de Rimbaud, la variété rythmique et les « visions » d'Hugo, le flou verlainien, le fascinant hermétisme mallarméen, le vers libre, la virtuosité musicale des symbolistes : jeux sur l'hiatus, allitérations, correspondances sonores autres que la rime, diérèses (dissociation des éléments d'une diphtongue). Le vers malherbien va régner jusqu'aux abords du romantisme. Que de grands poètes comme Corneille ou Racine aient réussi à faire chanter cet instrument un peu fruste, cela ne saurait faire oublier la longue nuit qui s'étend sur la poésie française entre 1680 et 1820. On ne définit pas impunément le poète comme un amuseur ou un simple fabricant.

Un opposant : Mathurin Régnier (1573-1613)

Neveu de Desportes, Régnier se fixe à Paris en 1605. Il a composé des pièces officielles, des vers d'amour pétrarquistes, mais son œuvre maîtresse est constituée par ses *Satires*, inspirées des maîtres latins (Horace, Juvénal) et de l'italien Berni (1497-1535) qui préfère l'outrance caricaturale et les traits cocasses à l'intention morale des Anciens. Le genre satirique est à la mode. Régnier s'attaque aux poètes besogneux (II), aux gens de cour (III), aux jeunes gens à la mode (VIII). Plus encore que *Le souper ridicule* (X) ou *Le mauvais gîte* (XI) s'impose la satire XIII : *Macette*, qui campe de façon inoubliable une entremetteuse, sœur de Tartuffe :

Son œil tout pénitent ne pleure qu'eau bénite.

Le seul vers utilisé est l'alexandrin à rimes plates (deux vers à rime masculine, puis deux vers à rime féminine), qui rappelle l'hexamètre de la satire latine. Régnier est en effet soucieux de se rattacher à la grande tradition : les Anciens, la Pléiade, Desportes, Bertaut. Il a une conception élevée de la poésie, qu'il met au service d'un sentiment amer de la sottise et de la corruption universelles. Son traditionalisme fait de lui un défenseur passionné de la liberté du créateur, comme Ronsard, et explique son opposition à Malherbe, dont il a raillé dès 1606 les minuties, l'absence d'imagination, le métier de maquilleuse (satire IX). Mort prématurément, Régnier a influencé certains des poètes satiriques de ce début de siècle.

Jusque vers 1623, une foule de recueils se situent dans le prolongement de la veine pittoresque et gaillarde du XVIe siècle : *La muse folâtre* (1600), *Les muses gaillardes* (1609), le *Cabinet satyrique* (1618-1620), etc. Parmi ces poètes, Sigogne, Motin et Berthelot se rattachent aux bernesques [1] : ils cultivent l'outrance, le saugrenu, l'obscénité, l'attaque ricanante, la dislocation du langage, opposent aux poèmes pétrarquistes l'éloge d'affreuses vieilles (Baudelaire s'en souviendra). En revanche, Courval, du Lorens et Angot — tous Normands — composent vers 1620-1625 des œuvres inspirées de la satire pratiquée par Régnier : chez eux dominent la critique morale, la dénonciation des vices. *L'espadon satyrique* (1619) de Claude d'Esternod s'apparente tantôt aux tendances de Sigogne, tantôt à celles de Régnier : son vocabulaire concret et coloré échappe au purisme malherbien. Si beaucoup de ces satiriques se soucient peu des arrêts de Malherbe, ils ne sont généralement pas de ses ennemis déclarés. D'ailleurs Malherbe et Mainard voisinent avec Sigogne dans les recueils libres.

1. C'est-à-dire à ceux qui imitent les satires de Berni.

Un partisan : Mainard (1582-1646)

Arrivé à Paris en 1605, le Toulousain François Mainard, secrétaire de la reine Marguerite, suit dès 1606 les « petites conférences » de Malherbe. Une charge le conduit à Aurillac (1612-1628), d'où il vient souvent à Paris voir le maître et des poètes viveurs comme Théophile de Viau ou Saint-Amant. Il est secrétaire d'ambassade à Rome en 1635-1636, puis — à la suite d'une disgrâce soudaine — il se retire dans son domaine de Saint-Céré, où il crée quelques-uns de ses plus beaux poèmes, dont l'*Ode à Alcippe* (1642) et l'admirable élégie *La belle vieille* (1644).

Qu'il compose une chanson à boire, une déclaration d'amour ou une pièce religieuse, Mainard ne se départit pas d'une rigueur plus grande encore que celle de Malherbe. Burlesque ou précieux, son art est impeccable : simplicité et plénitude du vers, harmonie, tout cela le situe bien dans le sillage de Malherbe. Mais la poésie malherbienne a plus de force : elle évoque des architectures puissantes, des arcs de triomphe; celle de Mainard a la perfection élégante des châteaux de la Loire. La fluidité de certains quatrains annonce Nerval :

L'âme pleine d'amour et de mélancolie,
Et couché sur des fleurs ou sous des orangers,
J'ai montré ma blessure aux deux mers d'Italie
Et fait dire ton nom aux échos étrangers.
(La belle vieille)

Racan (1589-1670)

Officier sans passion pour le métier militaire, Honorat de Racan manifeste très tôt son dégoût des intrigues et son attachement à la nature, au loisir nonchalant. En 1605, il rencontre Malherbe dont il devient comme le « fils ». Vers 1618, il compose son chef-d'œuvre, les *Stances sur la retraite*, où l'expérience personnelle assume toute une tradition poétique (des Anciens à du Bartas et à Desportes) et s'exprime en harmonies préromantiques :

Agréables déserts, séjour de l'innocence,
Où, loin des vanités, de la magnificence,
Commence mon repos et finit mon tourment,

Vallons, fleuves, rochers, plaisante solitude,
Si vous fûtes témoins de mon inquiétude,
Soyez-le désormais de mon contentement.

La pastorale dramatique des *Bergeries* (vers 1619) le rend célèbre. Esprit religieux, Racan est aussi l'auteur de nombreuses pièces chrétiennes. Retiré dans ses terres de Touraine en 1630, il ne les quitte que pour remplir ses fonctions de soldat (jusqu'en 1639) et d'académicien (à partir de 1634). Richement doué, disciple assez indépendant de Malherbe, il voit avec inquiétude grandir l'emprise des théoriciens, s'élève contre la tyrannie des règles, défend — lui, le malherbien — la spontanéité et les dons. La sincérité de l'émotion, la science des rythmes et la douceur musicale font de Racan l'un des meilleurs poètes du siècle. La Fontaine l'admirait vivement.

Théophile de Viau (1590-1626)

Malherbe n'exerce son emprise que sur une partie limitée du domaine poétique. Le début du siècle est riche de talents originaux : Jean de Lingendes (1580-1616), subtil poète des intermittences du cœur dans *Les changements de la bergère Iris* (1605), inspiré de la médiocre pastorale d'Honoré d'Urfé, *Sireine* (1604); Étienne Durand (1590-1618), auteur de belles *Stances à l'inconstance;* Pierre Motin (1566-1613), qui non content de composer des satires, a signé des stances d'amour et des paraphrases de psaumes. Ce foisonnement ne saurait dissimuler la supériorité de celui que les contemporains considèrent comme « le grand poète de la France » : Théophile de Viau.

Théophile de Viau (B.N. Paris).

Né à Clairac-en-Agenais, Théophile a évolué du protestantisme à la libre pensée. La joyeuse vie qu'il mène à Paris et ses boutades imprudentes le font considérer comme le chef de « la bande épicurienne » et lui valent de nombreux ennemis. La représentation de sa tragédie *Pyrame et Thisbé,* puis en 1621 la publication du premier recueil de ses *Œuvres* le rendent célèbre. Mais, en 1623 il est accusé d'impiété, emprisonné pendant vingt-cinq mois, puis condamné au bannissement. Les années de cachot semblent avoir ruiné sa santé : il meurt à trente-six ans.

Comme Malherbe, Théophile est un moderne. Il a raillé « la sotte antiquité ». Mais au lyrisme d'apparat et aux recettes de Malherbe, il oppose le libre jaillissement, la sincérité : il préfère les risques de la négligence à ceux de la minutie. Il rompt bientôt avec les procédés du pétrarquisme et les artifices de la poésie de salon pour s'abandonner aux impressions des sens et du cœur :

J'aime un beau jour, des fontaines claires, l'aspect des montagnes, l'étendue d'une grande plaine, de belles forêts; l'Océan, les vagues, son calme, ses rivages; j'aime encore tout ce qui touche plus particulièrement les sens : la musique, les fleurs, les beaux habits, la chasse, les beaux chevaux, les bonnes odeurs, la bonne chère.

Il célèbre la nature en vers nonchalants et harmonieux, « doux-coulants » :

Un froid et ténébreux silence
Dort à l'ombre de ces ormeaux,
Et les vents battent les rameaux
D'une amoureuse violence.

Écrite entre 1610 et 1625, son œuvre a évolué : après les frais et gracieux poèmes de sa première manière (*Le matin, La solitude)* et ses odes charmantes et sensuelles, il définit sa position — admiration et réserve — à l'égard de Malherbe *(Élégie à une dame)* et tend à exprimer, dans une forme plus ambitieuse, des confidences pathétiques, des réflexions morales et philosophiques, les tourments d'un amour profond *(Satyres, Élégies).* Le naturalisme épicurien de l'écrivain oscille entre l'optimisme et le pessimisme. Dans sa prison, l'angoisse colore les évocations les plus heureuses *(Plainte à son ami Tircis, Lettre à son frère, La maison de Silvie).* Les apologies qu'il rédige en vue de son procès révèlent une prose incisive qui annonce les *Provinciales.*

Rééditée quatre-vingt-treize fois au cours du XVIIe siècle (contre seize à Malherbe), l'œuvre de Théophile fut méprisée par le classicisme. Sa réhabilitation a commencé avec les romantiques.

Saint-Amant (1594-1661)

Contemporain et ami de Théophile, Antoine de Saint-Amant est un bourlingueur. Ses voyages le conduisent en Amérique, au Sénégal, aux Indes. Après un séjour à Belle-Isle, où il aurait composé son premier poème, *La solitude* (1619), il arrive à Paris, où il mène joyeuse vie, rédige des poèmes de ripaille et se façonne un personnage de goinfre et de franc buveur : « Le bon gros Saint-Amant ». En 1625, il abjure le calvinisme et se convertit au catholicisme, sans pour autant renoncer à sa liberté de manières. Diverses missions le conduisent à travers l'Europe, de l'Italie à la Suède. Cette activité n'a pas empêché le poète de publier plusieurs recueils de ses œuvres (1629, 1631, 1643, 1658) et une épopée manquée, *Moïse sauvé* (1653).

Saint-Amant chante les plaisirs de la vie avec une allégresse qui n'appartient qu'à lui :

Parbieu! j'en tiens, c'est tout de bon,
Ma libre humeur en a dans l'aile,
Puisque je préfère au jambon
Le visage d'une donzelle.

(L'énamouré)

Chez lui la mélancolie n'est que fugitive, il se laisse griser par les mille richesses de l'univers, célèbre indifféremment le vin, le melon, les saisons sous les diverses latitudes (des Alpes aux Canaries), mêle les tons héroïque et bachique (*Le passage de Gibraltar*, vers 1637). Il a le don du croquis rapide, de l'humour, de la caricature, de l'invention d'un univers « grotesque » (1), de la fantaisie burlesque. Ce chantre du bonheur de vivre est un excellent technicien du vers, mais — contre Malherbe — il proclame : « Aimant la liberté, comme je fais, je veux même avoir mes coudées franches dans le langage. » Bien qu'il connaisse les Latins, il est résolument moderne et s'inspire surtout de la tradition rabelaisienne du XVIe siècle, de Ronsard ou de certains Italiens, comme l'héroï-comique Tassoni (1565-1635) et surtout Marini, dont il partage le goût pour les descriptions sensuelles et brillantes. Aucune œuvre poétique du XVIIe siècle n'est aussi éloignée du classicisme que celle de ce

Les fumeurs (gravure d'A. Bosse). Introduit en France vers 1560 par Nicot, le tabac fut bientôt l'objet d'un engouement extrême. (B.N. Paris.)

génie heureux, dionysiaque et par moments préromantique :

J'écoute, à demi transporté,
Le bruit des ailes du silence,
Qui vole dans l'obscurité.

(Le contemplateur)

Tristan l'Hermite (1601-1655)

Après une jeunesse aventureuse, qu'il a transposée dans son roman *Le page disgracié* (1643), François Tristan — dont la famille prétend descendre de Pierre L'Hermite, qui prêcha la première croisade — entre au service de Gaston d'Orléans, frère de Louis XIII, puis à celui du duc de Guise. Ses tragédies *Marianne* (1636) et *La mort de Sénèque* (1644) remportent un succès éclatant, alors que sa poésie est injustement méconnue par les contemporains : *Les plaintes d'Acante* (1633), les *Amours*, où se trouve le célèbre « Promenoir des deux amants » (1638), *La lyre* (1641), *Les vers héroïques* (1648).

D'humeur indépendante, Tristan est resté plutôt à l'écart des modes mondaines. Ses maîtres sont Malherbe, Théophile, Saint-Amant, Marini... dont il s'inspire très librement. Ses éloges des Grands sont d'une densité et d'une perfection rythmique qui font de lui un malherbien plus rigoureux que Mainard et Racan. Mais la variété de ses dons l'entraîne dans de

1. *Grotesque :* dérivé de grotte (car on avait trouvé au début de la Renaissance dans certaines grottes italiennes des dessins « capricieux »). Comme catégorie esthétique, le grotesque implique irrégularité, étrangeté, extravagance, exaspération du réel.

multiples voies : il contemple avec acuité la nature (*La mer*, 1627), s'abandonne à de voluptueuses rêveries de luxe et à des évocations de jardins enchantés (*La maison d'Astrée*, 1625; *Les plaintes d'Acante*) qui rappellent Marini. Tristan est surtout le poète du rêve intérieur, du désenchantement, de la hantise de la fragilité universelle, de l'inconsistance des reflets dans les eaux :

Je tremble en voyant ton visage
Flotter avecque mes désirs,
Tant j'ai de peur que mes soupirs
Ne lui fassent faire naufrage

(*Le promenoir...*)

Si sa subtilité semble parfois excessive, il reste que cette poésie sensuelle et magique séduit souvent par sa grâce et ses inquiétudes préverlainiennes.

LA POÉSIE DE SALON

Le développement rapide de la vie mondaine crée un nouveau public, où les femmes jouent un rôle prépondérant et où se mêlent aristocrates et grands bourgeois. Un divorce se prononce entre la grande poésie, laissée aux « doctes », et une poésie légère, cultivée par une foule d'esprits superficiels qui ne pratiquent que les « petits genres ». Dans les salons, en effet, il importe de ne pas lasser. La belle société raffole des éclairs d'esprit, des trouvailles ingénieuses, des pointes, de la virtuosité. Au cours des années 1630-1660, dans ces cercles, l'idéal poétique, rendu déjà bien pauvre par Malherbe, s'affadit encore. A la perfection technique du monument succède, dans les meilleurs cas, celle du bibelot.

Si Colletet (1598-1659), Gombauld (1590-1666) ou Vion d'Alibray (1600-1655) ne se limitent pas à la poésie galante, l'œuvre élégante de Boisrobert (1589-1662) constitue une transition entre la première manière de Théophile et le style mondain. Les plus célèbres des poètes de salon sont Georges de Scudéry (1601-1667), Malleville (1596-1647), Sarasin (1614-1654), Godeau (1605-1672), Benserade (1613-1691), qui triomphe dans l'épigramme et le blason, Cotin (1604-1682), le maître de l'énigme en vers... Mais aucun n'atteint la réputation de Vincent Voiture (1597-1648), l'animateur de l'hôtel de Rambouillet, aussi spirituel et badin dans ses *Lettres* — parmi les meilleures du siècle — que dans ses *Poésies*. Leur thème est à peu près toujours l'amour, célébré avec les artifices les plus usés du pétrarquisme (clichés, hyperboles, métaphores filées...) ou les pointes de Marini; mais Voiture et ses admiratrices savent fort bien que tout cela est un jeu. L'humour est au cœur de cette littérature amoureuse. Par ailleurs, le poète mêle fréquemment à des soupirs éthérés les allusions les plus grivoises. Voiture a exercé une grande influence : il a débarrassé la poésie de l'emphase et transmis le secret d'une désinvolture alliée à une parfaite maîtrise. Il a multiplié les chansons gaies, ressuscité certains poèmes médiévaux à forme fixe (ballade, rondeau) et continué le badinage de Marot : il jouait à la poésie. Boileau l'égalait à Horace, et l'on comprend que La Fontaine ait placé « maître Vincent » au même rang que « maître François » (Rabelais) et « maître Clément » (Marot). Dans l'entourage mondain du surintendant Fouquet, aux côtés de Pellisson, Ménage, Brébeuf, Maucroix, Charles Perrault, La Fontaine lui-même a commencé sa carrière par la poésie de salon.

Portrait de M. de Voiture (Musée de Chantilly).

LA MODE DU BURLESQUE (1643-1653)

Pendant une dizaine d'années apparaît dans une partie de la production poétique un comique lié à la disproportion entre la noblesse des sujets et la bassesse voulue de l'expression : le burlesque. C'est « l'explication des choses les plus sérieuses par des expressions tout à fait plaisantes et ridicules ». Les Italiens avaient déjà fait leurs délices de cette dissonance (Berni, Caporali, Bracciolini, Lalli...). Le badinage marotique de Voiture et de ses émules, certains poèmes de Saint-Amant ne sont pas sans la rappeler. Mais celui qui, en France, lance cette mode est l'auteur du célèbre *Roman comique*, Scarron, qui publie en 1643 un *Recueil de quelques vers burlesques*, en 1644 *Typhon* et en 1648-1652 son *Virgile travesti :* on y voit le grand Énée, fuyant Troie en flammes, rafler « six chemises » et enfourner « dans une hotte » son vieux père et les statuettes des dieux domestiques. Alors se succèdent le *Jugement de Pâris* (1648) et l'*Ovide en belle humeur* (1650) de d'Assoucy, ainsi que plusieurs parodies de l'*Énéide* (entre 1649 et 1653). Le burlesque gagne les pamphlets politiques (notamment les Mazarinades) et même le domaine religieux, avec une *Passion de Notre Seigneur* (1649). Hélas! bien des imitateurs sont incapables de retrouver la fine verve de Scarron. Le burlesque dégénère en grossièretés et en sottises. Rapidement une réaction se dessine, Scarron lui-même se proclame dès 1649 « tout prêt d'abjurer un style qui a gâté tout le monde ». Cette mode s'achève à peu près en même temps que la Fronde.

LA POÉSIE RELIGIEUSE

Le siècle de Louis XIII a été appelé le « Siècle des saints » (1). Catholiques et protestants rivalisent de ferveur : à une poésie qui, au XVIe siècle, fut souvent de combat, succède l'épanchement du mysticisme. La plupart des poètes, de Malherbe ou Tristan à Saint-Amant ou aux mondains, ont consacré une partie de leur œuvre à l'expression d'une foi sincère. En dépit de sa richesse, cette explosion lyrique s'ordonne autour de quelques thèmes privilégiés.

La Passion du Christ

Comme les médiévaux et sur l'invitation des célèbres *Exercices spirituels* (1526) d'Ignace de Loyola, de nombreux poètes aiment s'attacher aux scènes de la Passion, mais ils dépassent les apparences pour contempler les mystères qu'elles voilent. De là tant de poèmes sur le *sang versé*, le *couronnement* d'épines, le *sceptre* de roseau, le *cœur* transpercé. Ces créateurs baroques retrouvent là bien des traits qui leur sont chers : scènes violentes et mouvementées, vives couleurs (rouge du sang, robe blanche, manteau pourpre, roseau vert, noirceur de la nuit), métamorphoses rapides (les tombeaux s'ouvrent, les ténèbres couvrent la terre), qui sont une image de la fin du monde — autre enchantement de bien des imaginations (de d'Aubigné à Sacy). Tout cela constitue le plus fascinant des spectacles funèbres. Les poèmes au Crucifié abondent, œuvres de Selve, Motin, Nostredame, Saint-Amant, Zacharie de Vitré, Javerzac... Les plus remarquables sont les 515 sonnets que le magistrat aixois Jean de La Ceppède (1548-1623) a consacrés à la Passion, à la Mort et à la Résurrection du Christ : les *Théorèmes spirituels* (1613 et 1622). La densité de la langue, la puissance de l'imagination, les élans lyriques — qui annoncent le Bossuet du sermon *Sur la Passion* — font oublier certaines subtilités :

> Le beau Printemps n'a point tant de feuillages [verts,
> L'Hiver tant de glaçons, l'Été tant de javelles,
> Que durant cette nuit le Roi de l'univers
> Souffre d'indignités et de peines nouvelles.

Ces poètes n'hésitent pas à reprendre, pour les offrir à leur Sauveur, figures mythologiques et formes profanes.

Les splendeurs de la création

A l'exemple des *Psaumes* de David et des *Fioretti* de saint François d'Assise, beaucoup de poètes — souvent prêtres ou religieux — ont chanté la gloire de Dieu à travers les merveilles de la création. Ici aussi, la sensibilité baroque s'enchante des métamorphoses et de la profusion chatoyante du monde, des oiseaux, des nuages, des eaux courantes et miroitantes, des vents, bref

1. Condren.

de ce que Jean Rousset a nommé « l'inconstance blanche » : le flux des choses est ressenti avec délices comme un reflet de la richesse vertigineuse de Dieu. Ainsi les *Œuvres spirituelles* (1641) du père Cyprien, si admiré de Valéry; les fastueuses *Descriptions poétiques* (1641) de Jean de Bussières; *La nuit des nuits et le jour des jours* (1641) de Du Bois Hus, poète des soleils couchants et des nuits; les *Œuvres poétiques et saintes* (1653) du capucin Martial de Brives; l'œuvre séduisante du Jésuite Pierre Le Moyne (1603-1671).

La Madeleine repentante, de Georges de La Tour. Marie-Madeleine est alors la sainte la plus honorée en France.

Musée du Louvre. © Bulloz.

Les mystiques du dépouillement, en revanche, sont sensibles à un univers moins coloré, s'efforcent de chanter la permanence inaccessible de Dieu au moyen d'images d'ombre et de lumière, de brume, de nuée, de clair-obscur. Ce lyrisme métaphysique caractérise souvent Hopil (*Les divers élancements d'amour*, 1629), le protestant Labadie (*Les saintes décades*, 1658), Malaval (*Poésies spirituelles*, 1671) qui, à la fin du siècle, sera mêlé aux controverses sur la mystique du pur amour, aux côtés d'un autre poète de l'extase spirituelle, Mme Guyon (1648-1717).

La méditation pénitente

Sous l'influence de la liturgie et de la spiritualité jésuite, bien des poètes chrétiens examinent leur propre vie, se considèrent « sur le point de mourir ». La *Madeleine* repentante du peintre Georges de la Tour (1593-1652) symbolise tout un courant de réflexion. On paraphrase les *Psaumes* (Racan, de 1630 à sa mort), les *Hymnes* du Bréviaire (Corneille, Racine), l'*Imitation de Jésus-Christ* (Corneille, en 1652). Ou bien l'on s'abandonne à d'austères confessions ou prières. Cette veine se rencontre chez Arnauld d'Andilly (*Stances...*, 1642), Gombauld (*Poésies*, 1646) et surtout Patrix (*La miséricorde de Dieu...*, 1660) et l'émouvant Brébeuf (*Entretiens solitaires*, 1660). Les auteurs de ces graves bilans éprouvent le changement universel comme une course au néant, ils se désolent d'appartenir à un monde périssable et aspirent à la stabilité divine. Chez eux « l'inconstance » est « noire ».

BIBLIOGRAPHIE

GRANDES ŒUVRES : MALHERBE, *Les poésies,* 2 vol. éd. Lavaud, Droz, 1936; *Œuvres,* éd. Adam, Gallimard, « Bibliothèque de la Pléiade », 1971. — Mathurin RÉGNIER, *Œuvres complètes,* éd. Raibaud, Didier, 1958. — Théophile DE VIAU, *Œuvres poétiques,* 2 vol., éd. Streicher, Droz, 1951-1958. — LA CEPPÈDE, *Les théorèmes,* éd. Rousset, Droz, 1966. — MAINARD, *Œuvres poétiques,* t. II et III, éd. Garrisson, Paris, 1885. — RACAN, *Poésies et Bergeries,* 2 vol., éd. Arnould, Droz, 1930 et 1937. — Tristan L'HERMITE, *Choix de pages,* par A. Carriat, Limoges, 1960. — SAINT-AMANT, *Œuvres,* éd., Lagny-Bailbé, Nizet, 5 vol., 1967-1981.

ANTHOLOGIES POÉTIQUES : Jean ROUSSET, *Anthologie de la poésie baroque française,* 2 vol., Colin, 1961. — Raymond PICARD, *La poésie française de 1640 à 1660 — poésie religieuse, épopée, lyrisme officiel,* S.E.D.E.S., 1964. — Maurice ALLEM, *Anthologie poétique française, XVIIe siècle,* Garnier-Flammarion, 1965, n° 74.

ÉTUDES : Antoine ADAM, *Histoire de la littérature française au XVIIe siècle,* t. I et II, Del Duca, 1948-1956 (riche en renseignements biographiques, présente de nombreux poètes mal connus). — Jacques MOREL, *Littérature française. De Montaigne à Corneille (1572-1660),* Poche-Arthaud, t. 3, 1986 (les apports les plus récents). — Jean ROUSSET, *La littérature de l'âge baroque en France,* Corti, 1954 (la découverte de toute une littérature oubliée). — Jean-Charles PAYEN et Jean-Pierre CHAUVEAU, *La poésie des origines à 1715,* A. Colin, 1968, coll. « U » (historique anthologie et bibliographie détaillée). — Henri LAFAY, *La poésie française du premier XVIIe siècle (1598-1630),* Nizet, 1975 (étude extrêmement riche et neuve).

L'ESSOR DU ROMAN

A partir des toutes dernières années du XVIe siècle, le roman commence une ascension qui va progressivement faire de lui le plus riche de tous les genres littéraires. Cet essor, au cours de l'époque Louis XIII, n'est pas étranger aux influences italiennes et surtout espagnoles. Ni l'absence de grands modèles antiques, ni l'indifférence de la plupart des théoriciens à l'égard de ce genre mouvant, ni les réticences de nombreux chrétiens, plus soucieux du réel et de l'histoire que de l'évasion et des sortilèges de la fiction, n'ont pu empêcher l'épanouissement romanesque.

Le roman sentimental, le roman héroïque, les histoires tragiques, les romans comiques ne sont pas sans parenté. Leur profusion, la mobilité des personnages et des situations, l'importance du décor, l'entrelacs des intrigues, le jeu des temps du récit, le goût de l'inattendu, le règne du romanesque, l'oscillation entre le sublime et la caricature... autant de traits qui expliquent que cette production ait reçu le titre de « roman baroque ».

ROMAN ET ÉPOPÉE

Dès le retour de la paix, après les guerres de religion, la production romanesque monte en flèche. De 1600 à 1610 paraissent soixante romans. Jusqu'à l'avènement de Louis XIV, la moyenne se maintient, en dépit des guerres, à cinq ou six œuvres par an. Si l'on pense à la vogue persistante des romans du Moyen Age ou du XVIe siècle, français ou étrangers (*Les guerres de Grenade*, de Perez de Hita, 1595, ou *Amadis de Gaule*, de Montalvo, 1508), si l'on considère qu'une faible partie de la population savait lire, on prend une juste idée de la vogue extraordinaire du genre, en dépit des critiques des prédicateurs et d'une médiocrité presque générale des œuvres.

Considéré par beaucoup comme une épopée en prose, le roman noble se nourrit, lui aussi, d'amour et de guerre, à ces nuances près qu'il donne plus de place à l'amour et préfère le vraisemblable au merveilleux. Il peut se contenter d'un style moins élevé, mais — hélas — il reste souvent recherché. Libre à lui d'accumuler les épisodes, et il s'en prive de moins en moins. De son cousinage avec l'épopée découlent encore des « règles » un peu moins vagues : unité de lieu (une région, une ville, où le « hasard » va rassembler des caravanes de soupirants), unité de temps (un an), début saisissant qui jette en pleine action (un combat singulier sur une falaise, avec chute des héros à la mer, ouvre le *Polexandre* de Gomberville), recours aux récits rétrospectifs (pour échapper aux contraintes excessives des unités de temps et de lieu), multiplicité d'intrigues plus ou moins habilement liées à l'intrigue principale, haute naissance des personnages, utilisation (fort libre) de l'Histoire comme toile de fond, enfin portée morale.

En fait, plus ces « règles » sont observées, plus le roman sombre dans l'artifice. La longueur de bien des œuvres, la reprise de situations et de sentiments devenus des stéréotypes, les invraisemblances sans grandeur ni humour, la prolixité des récits expliquent assez que de cette immense production si peu ait survécu.

Les romans sentimentaux ou héroïques suscitent bientôt des parodies, des anti-romans : en 1633, Sorel intitule *L'anti-roman* son *Berger extravagant*. Les contemporains appelaient histoires « comiques » ces œuvres qui faisaient penser à la naissance du roman picaresque espagnol vers 1540 (*Lazarillo de Tormes*), où sont évoquées les aventures, non plus de chevaliers, mais de vagabonds faméliques *(picaros)*.

Certaines de ces parodies se souviennent du *Don Quichotte* (1605-1616) de Cervantès.

Quant à l'épopée elle-même, le genre noble par excellence, toute l'époque du roman héroïque (1625-1660) en rêve. Existera-t-il un Homère, un Virgile ou un Tasse français? De 1650 à 1670 paraissent une quinzaine d'œuvres dues à Saint-Amant (*Moïse sauvé*, 1653), Godeau, Chapelain (*La Pucelle*, 1656-1670), etc. Elles rivalisent de médiocrité. Des écrivains bardés de théories et de recettes, mais sans génie épique, ne produisent guère que des platitudes. A la suite de ces échecs répétés s'impose la croyance que le Français n'a pas la tête épique. Les auteurs avaient eu l'heureuse idée de recourir, comme le Tasse dans *La Jérusalem délivrée* (1580), à un merveilleux chrétien : le ridicule de leurs œuvres entraîne dès 1664 le triomphe de la mythologie antique. Les effets d'un tel désastre se feront sentir jusqu'à Chateaubriand.

L'« ASTRÉE » ET LE ROMAN SENTIMENTAL

Sur un fond de petites œuvres conventionnelles et emphatiques se détache le roman qui va passionner tout le XVIIe siècle : l'*Astrée*, d'Honoré d'Urfé (1567-1625), un gentilhomme du Forez qui a consacré à la création littéraire les loisirs que lui laissait la vie militaire. Les trois premières parties de cette somme romanesque de 5 000 pages parurent en 1607, 1610 et 1619. Baro, secrétaire de l'auteur, publia en 1625 les deux dernières, en partie seulement de la main d'Honoré d'Urfé. L'*Astrée* s'est inspirée des pastorales italiennes et espagnoles du XVIe siècle, mais aussi des romans de chevalerie. L'action se déroule, en quelques mois, au Ve siècle, dans le Forez, au bord du Lignon. La fiction pastorale crée une atmosphère de simplicité élégante et de loisir. Sur l'intrigue principale se greffent une cinquantaine de récits secondaires. Certains d'entre eux sont déjà d'admirables nouvelles : « Histoire de Parténice, Florice et Dorinde », où apparaît l'inconstant Hylas, si admiré de La Fontaine; « Histoire de Damon et de Madonthe ». Merveilleux casuiste de l'amour, d'Urfé peut, grâce à cette multiplicité, envisager toutes les expériences des cœurs épris, selon que leur amour est payé de retour, ignoré, méprisé, incertain, indécis...

Portrait d'Honoré d'Urfé (d'après un tableau de Van Dyck) : un des maîtres de la sensibilité du XVIIe siècle.

Astrée et Céladon. — Céladon aime depuis trois ans la bergère Astrée. Mais celle-ci, sur un faux rapport, croit Céladon infidèle et le bannit de sa présence. Désespéré, le malheureux se jette dans la rivière. Astrée alors découvre son erreur et la regrette. Cependant Céladon, déposé sur la berge, a été sauvé par la princesse Galatée, qui s'éprend de lui; mais il résiste à cet amour et s'enfuit. N'osant reparaître devant Astrée, le jeune homme vit dans la forêt. Mais le druide Adamas lui suggère un stratagème : il l'habille en fille et le fait passer pour sa propre fille. Astrée se lie avec cette nouvelle venue, qui lui rappelle celui qu'elle aime. Elle lui confie ses sentiments. [Ici s'arrête le texte d'Honoré d'Urfé, la suite est de Baro.]

Céladon se fait enfin reconnaître. Outrée de cet artifice, Astrée le chasse à nouveau. Au terme de merveilleuses aventures, les deux amoureux sont définitivement réunis et se jurent une éternelle fidélité.

S'il conserve les conventions de la pastorale, le roman séduit par la profondeur de sa méditation sur la nature et les métamorphoses de l'amour. Un amour dont les obstacles font prendre une conscience plus claire et plus intense. Loin d'avoir peur des réalités amoureuses, d'Urfé veut seulement qu'elles soient ennoblies, assumées par la volonté libre et la raison. A ses yeux, l'amour est fondé sur l'estime, même si cette estime subjective paraît parfois une folie : « Toute la sagesse du monde n'est point estimable au prix de cette heureuse folie » (II, 9). Selon les récits, le romancier annonce tantôt Corneille ou le Descartes du *Traité des passions*

Céladon se précipite dans le Lignon. (Bibl. Nat., Cabinet des estampes.)

(1649), tantôt Stendhal. Accordé aux rêveries, aux plaintes, aux confidences et aux souvenirs, le décor agreste joue ici un rôle analogue à celui des lacs et des montagnes dans *La nouvelle Héloïse* de Rousseau. L'abondance des épanchements lyriques et des débats psychologiques convient à un écoulement très ralenti du temps qui, à l'opposé de la rapidité des romans d'action chevaleresques, caractérise ce paradis sentimental.

L'*Astrée* n'a pu être imitée. Mais elle a fourni aux poètes, aux romanciers, aux hommes de théâtre de tout le siècle une foule de situations, de personnages et de « cas d'amour ». L'élégance et l'aisance de son style ouvrent une nouvelle carrière à la prose française. Mais surtout, ce roman a façonné les esprits et les cœurs, il a orienté la vie et les rêves de plusieurs générations. Dans la gamme étendue des sentiments qu'il a analysés, la préciosité a retenu surtout « l'honnête amitié », l'amour spirituel et mystique.

LE ROMAN HÉROÏQUE

Entre 1625 et 1660 environ paraissent de nombreux romans où se répondent grandes actions et nobles sentiments. A partir de 1640, on prête de plus en plus souvent ces aventures à des personnages célèbres de l'histoire antique ou médiévale. Elles s'étirent sur des milliers de pages, conformément à des modèles stéréotypés et aux « règles » de l'épopée. Les trois auteurs les plus connus sont Gomberville, La Calprenède et Mlle de Scudéry. Le *Polexandre* de Gomberville, achevé en 1637, déroule ses cinq gros volumes sous Charles VIII : le héros court le monde, dans une quête incessante de pays inconnus. Les tableaux exotiques abondent. Le profusion et l'optimisme de l'ouvrage, la présence d'une Providence aux desseins fantastiques et surchargés font penser à l'art baroque et au *Soulier de satin* de Claudel. Le solennel et ennuyeux La Calprenède fut très lu en son temps, malgré les dix volumes de sa *Cassandre* (1642-1645), les douze de sa *Cléopâtre* (1647-1658) et les douze encore de son *Faramond* (1661-1670). Tout, dans ses livres, est d'une cérémonieuse fausseté. De Corneille il a pris l'ostentation, mais oublié la grandeur.

Madeleine de Scudéry (1607-1701) occupe une place particulière dans cette production romanesque. Chez elle l'invraisemblance recule, l'intérêt se porte davantage sur la vie intérieure des personnages, sur les conversations de psychologie et de morale. Entre les belles actions du roman héroïque grandit, au fil des ans, l'analyse des sentiments. Les deux romans les plus célèbres de Mlle de Scudéry sont *Le grand Cyrus* (10 vol., 1649-1653) et la *Clélie* (10 vol., 1654-1661) : ces œuvres à clé évoquent, sous des noms persans ou romains, les habitués de l'hôtel de Rambouillet ou les amis de l'auteur, qui se flatte de savoir

Madeleine de Scudéry, par Nanteuil, d'après le frontispice de la *Clélie*.

« si bien faire l'anatomie d'un cœur amoureux ». La *Clélie* contient la fameuse « Carte du Tendre », véritable géographie de l'amour.

Dans les années 1650-1660, un changement se produit dans la mentalité de la haute société française. L'échec de la Fronde et l'ascension de la bourgeoisie mettent en cause les idéaux aristocratiques (héroïsme, honneur, gloire), tandis que pèse d'un poids croissant une conception quasi officielle de l'art (régularité, unité, vraisemblance...). Le roman héroïque subit un prompt déclin : il brillera encore dans la *Zayde* (1670-1671) de Mme de Lafayette ou le *Télémaque* (1694-1696) de Fénelon, avant de disparaître, puis d'être oublié. Contrairement aux romans de chevalerie, il n'a jamais suscité de renouveau d'intérêt.

LES HISTOIRES COMIQUES

Les romans héroïques embellissaient la vie à l'extrême. Pourtant les horreurs des guerres civiles n'étaient pas loin, et les troubles furent fréquents jusqu'au règne personnel de Louis XIV. Plusieurs romanciers publièrent des « histoires tragiques ». Ainsi François de Rosset, partagé entre l'admiration et l'épouvante devant les crimes qu'il raconte dans ses *Histoires tragiques* (1614); l'auteur pressent l'existence de profondeurs ténébreuses dans l'homme. Constamment réédité, il annonce Prévost, Sade et le roman noir anglais. De même Jean-Pierre Camus, évêque de Belley, accumule entre 1620 et 1644 romans et nouvelles où la foi est aux prises avec des passions déchaînées.

Parallèlement à la littérature héroïque, parfois contre elle, s'est développé un autre type de création romanesque que ces récits d'horreur : c'est ce que les contemporains désignent sous le nom d'« histoires comiques ». Le *Satyricon* de Pétrone, *L'âne d'or* d'Apulée et les romans picaresques espagnols sont souvent les modèles de ces écrivains. La réalité concrète retrouve ses droits, non sans des outrances voulues et de savoureuses caricatures. La vie quotidienne, trop terne, intéresse moins que ses à-coups, ou que le monde des aventuriers et des entremetteuses. Le roman prend la plus grande liberté d'allure et de ton.

Charles Sorel (1600-1674)

L'œuvre de Sorel est abondante et variée. Mais il demeure estimé surtout pour deux romans, l'*Histoire comique de Francion* (1623) et *Le berger extravagant* (1627), où le fils d'un marchand parisien se prend réellement pour un héros de l'*Astrée*, va garder des moutons au bord de la Seine, se croit changé en une vierge pure... On reconnaît ici la critique de l'intoxication par la lecture des romans, comme dans *Don Quichotte* ou *Madame Bovary*.

Mais le grand livre de Sorel, c'est le *Francion*. Il conte les multiples aventures du héros, jeune et gaillard, qui a donné son nom au roman. Sorel s'est inspiré à la fois du roman épique (début saisissant, récits rétrospectifs, quête de la bien-aimée, malentendus...) et du roman picaresque (importance des rencontres de route ou d'auberge, peinture d'un monde interlope, recherche de la subsistance). Ces deux influences expliquent l'extraordinaire liberté de la composition. Le romancier emprunte aux conteurs du XVIe siècle une foule de traits plaisants, de mystifications et de gaillardises. Comme Rabelais, il veut faire rire, et il ne manque assurément pas de verve. Pourtant la personnalité de Francion et la présence de quelques fortes

Charles Sorel (B.N. Paris).

figures secondaires assurent au roman une unité.

Francion est un gentilhomme. De là souvent une certaine élégance jusque dans le libertinage. Ses aventures le mettent en contact avec plusieurs mondes, admirablement observés. Sous son rire se cache une pensée originale : croit-il en Dieu? L'immortalité de l'âme est raillée, la hiérarchie sociale, le culte de l'argent et de la puissance sont dénoncés. Il critique une corruption qu'il juge presque générale, liée aux routines de pensée et aux diverses tyrannies qui étouffent l'homme. Le *Francion* appelle à la liberté de l'amour et à la « générosité », à une élévation d'âme « qui résiste à tous les assauts que lui peut livrer la fortune, et qui ne mêle rien de bas à ses actions ». Sa quête de l'amour est portée par une vision naturaliste de l'univers, où « l'âme véritablement généreuse » apparaît comme un reflet de la magnificence du monde : « Mon naturel n'a de l'inclination qu'au mouvement... mon souverain plaisir est de frétiller, je suis tout divin, je veux être toujours en mouvement comme le ciel ». Les actions du héros procèdent d'un individualisme exacerbé : « Je ne songeai plus, dit-il, qu'à procurer le contentement de moi seul. »

Hostile au purisme des salons et des malherbiens, Sorel use d'un langage savoureux, riche en proverbes, en tournures populaires, en termes colorés. Il a le don de faire parler à ses personnages la langue de leur milieu.

Le *Francion* témoigne de la liberté relative qui régnait encore en 1623. Quelques mois plus tard, Théophile de Viau est jeté en prison et échappe de justesse à la peine capitale. Un climat nouveau s'établit rapidement dans la société. Dès 1626, Sorel retranche les passages les plus hardis de son roman. L'édition de 1633 multiplie les commentaires édifiants.

Le roman personnel

Avec son intérêt pour les conditions matérielles de l'existence et son caractère autobiographique, le roman picaresque espagnol a inspiré plusieurs autobiographies romancées : les *Fragments d'une histoire comique* (1623), de Théophile de Viau, malheureusement trop courts, inachevés; *Le page disgracié* (1643), de Tristan l'Hermite, qui insiste sur l'histoire intérieure de son héros et oscille entre les mémoires poétiques et le roman réaliste. Comme dans *Adolphe* ou la *Recherche du temps perdu*, la fiction est déjà au service de la méditation et de l'approfondissement.

Les *Aventures* de d'Assoucy, malgré la date tardive de leur rédaction (1674) et leur appartenance au genre mal défini du *voyage*, se situent dans le prolongement de ces confessions romancées. Mais elles sont plus proches des faits (un voyage et un séjour à la cour de Savoie en 1654-1658), plus réellement picaresques (d'Assoucy, poète errant et suspect, est lui-même un *picaro*).

Scarron (1610-1660)

Scarron a composé une épopée burlesque, des œuvres dramatiques, une parodie des sept premiers chants de l'*Énéide* de Virgile (*Le Virgile travesti*, 1649-1659, en vers burlesques), des *Satires*, mais son principal titre de gloire est *Le roman comique* (1651-1657).

Le roman comique. — L'avant-garde d'une troupe de comédiens descend, un soir, à l'auberge de la Biche, au Mans. Pour payer leur séjour, ceux-ci jouent une pièce qui se termine en rixe. Le prévôt La Rapinière les emmène loger chez lui. Divers incidents se produisent. Dans la troupe se trouve une charmante comédienne, l'Étoile, bientôt très entourée par certains Manceaux, dont le petit avocat Ragotin, sur qui s'abattent plaisamment malheur sur malheur. Au milieu de tous ces événements s'intercalent des nouvelles espagnoles ainsi que l'histoire romanesque du jeune comédien le Destin et de l'Étoile. Après l'enlèvement de l'actrice Angélique, puis celui de l'Étoile, tout commence à s'arranger... [mais le roman, inachevé, s'interrompt].

Le roman comique est une œuvre d'observation. Scarron avait séjourné au Mans entre 1632 et 1640. Son évocation du Maine, la peinture de la vie d'une troupe de comédiens ambulants sous Louis XIII sont aiguës. On ne saurait pour autant parler de réalisme, car les traits parodiques abondent. Aux nobles combats de l'épopée répondent les grêles de coups de poing et les taloches. Les « disgrâces » de l'inoubliable Ragotin, héros bavard et ridicule, sont peintes en termes épiques. Scarron se moque des romans-fleuves de son temps, du *Cyrus*, « le livre du monde le mieux meublé ». Lui-même ne renonce pas pour autant au romanesque, il insère dans son récit de belles nouvelles espagnoles.

L'un des caractères les plus originaux de Scarron, c'est son humour, qui le pousse à multiplier les intrusions d'auteur : clins d'œil au lecteur, commentaire amusé de ce que le romancier fait advenir à ses créatures, réflexions ironiques sur la difficulté d'écrire un roman : « J'ai

© Coll. L. B.

Scarron (Musée Condé, Chantilly), dont Pascal, si hostile aux romans, admirait *Le Roman comique*.

fait le précédent chapitre un peu court, peut-être que celui-ci sera plus long; je n'en suis pourtant pas bien assuré, nous allons voir » (I, 18). Une telle attitude annonce le Diderot de *Jacques le Fataliste*, Stendhal et Lautréamont. Cet homme infirme (presque entièrement paralysé depuis 1638) a écrit l'un des romans les plus gais de notre littérature. Son esprit inépuisablement inventif, une verve jamais vulgaire, un don de saisir la vie sous ses aspects réjouissants, le naturel des dialogues, l'enchaînement des « gags », la fantaisie d'une composition en harmonie avec la bohème des personnages, tant de talents expliquent que *Le roman comique* demeure aujourd'hui encore d'une lecture passionnante.

Cyrano de Bergerac (1619-1655)

Célèbre pour sa bravoure militaire et ses idées libertines, le gentilhomme parisien Savinien de Cyrano, dit de Bergerac (un fief proche de Chevreuse), a écrit une intéressante tragédie, *La mort d'Agrippine* (jouée en 1653), une comédie dont Molière s'est souvenu, *Le pédant joué* (composée vers 1646). Mais il est surtout connu comme l'auteur de deux contes philosophiques d'inspiration baroque : *Les États et empires de la lune* (1657) et l'*Histoire comique des États du soleil* (1662). Le premier, qui avait été expurgé de ses audaces, n'a été connu intégralement qu'en 1910.

Il s'agit de « voyages imaginaires », inspirés de l'*Utopie* (1516) de Thomas Morus, de *La cité du soleil* de Campanella et des traités des Anglais Wilkins et Godwin qui, dans les années 1638-1640, avaient imaginé un débarquement de l'homme sur la lune. Grâce à une machine de son invention, Cyrano aborde la lune, où la population est divisée à son égard. Les rencontres entraînent des conversations sur de nombreux problèmes philosophiques ou moraux. De même, dans son second livre (inachevé), il parvient à gagner le soleil, où les oiseaux mènent une vie heureuse grâce à leur parfaite organisation politique; il y rencontre Campanella.

Cyrano est matérialiste et athée. Il voit dans les religions les effets de l'imposture des prêtres (comme Voltaire). Il dénonce l'orgueil de l'homme, qui croit sa planète et lui-même au centre du monde. Paradoxalement, ce penseur hardi imagine l'univers comme un immense organisme vivant — selon les représentations du XVIe siècle — où les désirs et l'imagination de l'homme sont des forces réelles et agissantes : ainsi s'expliquent les miracles. Soucieux de préserver les hommes de l'angoisse de l'inconnu, Cyrano, comme son maître Épicure, leur propose d'étonnants rêves scientifiques, qui voisinent avec les jeux d'une imagination brillante. Il prend à la lettre les expressions figurées du langage (« être emporté par le feu de la charité », etc.), il anime les objets les plus froids. Le style est vigoureux et coloré.

Cyrano a inspiré Swift, Voltaire et Diderot. Mais en 1897 la pièce d'Edmond Rostand n'a donné de lui qu'un portrait fort infidèle.

BIBLIOGRAPHIE

TEXTES : H. D'URFÉ, *Astrée*, éd. Vaganay, réimpr. Slatkine, Genève, 1966; éd. Lafond, « Folio », n° 1523, 1984 (excellents extraits). — *Romanciers du XVIIe siècle*, Gallimard, « La Pléiade », 1958 (éd. Adam de l'*Histoire comique de Francion* et du *Roman comique*). — Tristan L'HERMITE, *Le page disgracié*, P.U. Grenoble, 1980. — Cyrano de BERGERAC, *Œuvres complètes*, éd. Prévot, Belin, 1977; *Voyage dans la lune*, G.F. n° 232, 1970; *L'autre monde*, éd. Alcover, Champion, 1977. — Francion a paru aussi en G.F., n° 321, éd. Giraud, 1979.

ÉTUDES : ADAM et MOREL (cités p. 192). — Henri COULET, *Le roman jusqu'à la Révolution*, 2 vol., Colin, 1967. — Maurice LEVER, *Le roman français au XVIIe siècle*, P.U.F., 1981.

LA MONTÉE DES THÉORICIENS

Au moment même où la poésie, le roman et le théâtre sont en plein épanouissement, grandit l'influence de théoriciens dont les excès vont appauvrir pour longtemps notre langue et notre littérature. Malherbe avait légiféré en poésie, Balzac devient un maître de la prose, Vaugelas rétrécit le français au parler d'une caste, Chapelain et ses émules — fermés aux immenses possibilités de l'art — sacralisent une conception esthétique particulière qui va donner naissance au classicisme (clarté, concentration et convergence des effets, vraisemblance, bienséance...).

Le théâtre est le premier touché. La poésie, elle, résiste encore quelques années. Heureusement le roman, genre moderne et mal défini, a échappé en partie — malgré sa parenté avec l'épopée — aux théoriciens : lui seul va poursuivre son ascension.

DE MALHERBE A BALZAC

Disciple de « l'incomparable » Malherbe, avec lequel il a eu « mille conférences », Jean-Louis Guez de Balzac (1594-1654) lui doit pour une part sa doctrine et apparaît comme son continuateur, comme une sorte de Malherbe de la prose.

Attaché au duc d'Épernon, Balzac le suit à Metz et à Rome, d'où il envoie ses premières lettres. Publiées en 1624, elles obtiennent un vif succès. Du jour au lendemain, leur auteur est sacré « empereur des esprits », « roi de l'éloquence de son temps » *(l'unico eloquente)*. Déçu dans ses ambitions politiques, Balzac se retire dans son domaine de Charente, publie des traités comme *Le prince* (1631) et le *Socrate chrétien* (1652), mais surtout se voue à l'art épistolaire. Ses lettres, qui sont destinées à être lues dans les salons et recopiées, sont accueillies comme des merveilles : groupées en vingt-sept livres, elles occuperont un in-folio entier dans l'édition posthume de ses *Œuvres complètes* (1665).

Les *Lettres*, adressées à de grands personnages, à des écrivains, à des amis, abordent les sujets les plus divers : évocations de la nature, problèmes philosophiques ou moraux... et surtout réflexions sur l'art et les ouvrages littéraires. Moins vétilleux que Malherbe, Balzac travaille cependant soigneusement son style : il aime éblouir par la métaphore, l'hyperbole, des sonorités choisies. Épris de clarté, il se veut « intelligible aux femmes et aux enfants ». Il proscrit les pointes forcées, les jargons (des pédants, des Gascons venus à Paris avec Henri IV), les phrases embrouillées. Son étude des procédés de l'éloquence latine (il pose au Cicéron français) le conduit à l'éloge et à la pratique d'un

Guez de Balzac, « roi de l'éloquence de son temps » (Portrait anonyme de 1635. Musée de Versailles).

« style tempéré », souvent un peu emphatique, mais moins orné que l'écriture de ses premières *Lettres*.

S'il nous paraît aujourd'hui guindé, Balzac a enchanté ses contemporains. Avec Chapelain et Vaugelas, il a contribué à porter à la perfection la prose française. Ses *Lettres* constituent le couronnement des efforts de du Vair (1556-1621), du Perron (1556-1618), d'Urfé et surtout d'un ami de Malherbe, Coëffeteau (1574-1623), qui devint vers 1615-1620 le modèle du bien-dire, le maître de Malherbe prosateur, de Balzac et de Vaugelas. Mais la pureté grandissante de la prose ne fut pas l'œuvre de quelques écrivains seulement : ceux-ci, en effet, vivaient et pensaient en symbiose avec la haute société mondaine.

VAUGELAS ET L'ÉTAT DE LA LANGUE

Admirateur de la prose d'Amyot (1513-1593) et de celle de Coëffeteau, Claude de Vaugelas (1585-1650) commence vers 1620 à recueillir les faits de langue qu'il rassemblera en 1647 dans les célèbres *Remarques sur la langue française*. Habitué de la cour et des salons, Vaugelas se veut « un simple témoin, qui dépose ce qu'il a vu et ouï ». A ses yeux, « l'usage » est « le maître et souverain des langues vivantes ». Mais quel usage? Celui de l'élite, c'est-à-dire de « la plus saine partie » des gens du monde et des écrivains.

Les *Remarques* vont contribuer à la fixation d'une langue qui, au début du XVIIe siècle, est encore très mobile, pleine d'incertitudes. Vaugelas définit la prononciation (h muettes ou aspirées; imparfaits, qui s'écrivent encore *oi*, mais que déjà la cour prononce *ai;* finales en *-er* des infinitifs, dont les Normands font à tort sonner l'*r*). Il fixe l'orthographe, pose les règles de la francisation des noms propres latins ou grecs. Quant au lexique, il ne voit pas la nécessité de l'augmenter : il veut que les termes techniques, qui sont « fort bons », soient employés seulement « dans l'étendue de leur juridiction ». Sont à éviter les mots populaires, poétiques *(discord, face...)*, déshonnêtes *(vomir des injures)*, dialectaux ou archaïques. Il condamne les néologismes, à l'exception de quelques trouvailles au sens évident *(brusqueté, impolitesse, plumeux...)*, simples prolongements de mots connus, selon des processus courants. Il distingue minutieusement le sens des mots voisins *(consommer/consumer; fleurissant/florissant; embrasement/incendie...)*. Une foule de remarques déterminent les formes des mots ou la syntaxe : beaucoup de mots dont le genre était incertain s'en voient attribuer un; les particularités des conjugaisons sont signalées ainsi que les régimes des verbes...

Vaugelas (portrait anonyme de 1635. Musée de Versailles).

Les limites des « Remarques »

Vaugelas ne se conforme pas toujours à l'usage, qu'il prétend pourtant suivre. Ses adversaires (La Mothe Le Vayer, Scipion Dupleix) et ses continuateurs ont relevé un certain nombre de ses erreurs ou préférences personnelles. Plus grave est son ignorance de l'ancienne langue : elle le rend incapable de saisir les tendances du français. Bien qu'il soit plus libéral que Malherbe, Vaugelas s'est asservi au code d'une caste. Il a appauvri la langue.

Malherbe, Vaugelas, l'Académie... sont mus par des idéaux de clarté, de justesse, de sobriété élégante et harmonieuse. En accord avec la

« bonne » société, ils veulent des idées simples, des images sages, des connotations correctes, des phrases bien ordonnées. L'écrivain tend à devenir quelqu'un qui reçoit les mots et les combine suivant des règles rigides, strictes. Est-ce la plus riche conception de l'art?

L'ACADÉMIE FRANÇAISE

L'Académie française : une séance de janvier 1672. Les ecclésiastiques seuls portent le chapeau. (B.N. Paris.)

Né à Florence en 1462, dans un cercle d'humanistes qui redécouvraient l'Antiquité grecque et jugeaient les rencontres de lettrés plus fécondes que le système universitaire des cours, le mouvement académique a proliféré en Italie, avant de gagner la France, où il connut son plus grand éclat. En 1629, un groupe de jeunes gens cultivés, dont Chapelain, Godeau, Gombauld, Malleville..., se réunit chaque semaine chez un secrétaire du roi, Conrart. Informé, Richelieu, qui aime les belles-lettres et surtout l'ordre, lui impose son patronage et une organisation. Ainsi naît en 1634 l'Académie française : sa fonction essentielle, dit le décret de fondation, est « de travailler avec tout le soin possible à donner des règles certaines à notre langue, à la rendre pure, éloquente et capable de traiter les sciences et les arts ». Les académiciens se proposent de rédiger un dictionnaire, une grammaire, une poétique et une rhétorique : tous malherbiens, ils sont convaincus que ces ouvrages devront « servir de règle à ceux qui voudraient écrire en vers et en prose » (Chapelain). Ils prétendent juger des œuvres qui paraissent : ce qui leur vaut une hostilité générale et l'accusation — en grande partie justifiée — de docilité au pouvoir despotique. Certains d'entre eux sont à la solde du cardinal qui, renouant avec une tradition abandonnée depuis Henri III, recommence à pensionner les écrivains qui lui agréent. En France, l'essor académique est lié à la politique d'ordre et de

L'essor académique en France

1634 : Académie française.
1648 : Académie royale de peinture et de sculpture.
1661 : Académie de danse.
1663 : Académie des inscriptions et médailles.
1666 : Académie des sciences (ébauchée en 1635, avec l'Académie parisienne).
1669 : Académie royale de musique.
1671 : Académie d'architecture.

gloire du pouvoir royal (Richelieu, Mazarin, Colbert). En 1663, Colbert commence à établir avec Chapelain la liste des écrivains pensionnés ou gratifiés par le roi.

L'Académie française n'a jamais eu l'initiative des réformes, au XVIIe siècle. Les résultats de son activité sont, à première vue, décevants : seul le *Dictionnaire*, commencé en 1639, verra le jour... en 1694, après ceux de Richelet (1680) et de Furetière (1684). Mais son existence même a introduit un changement important dans la vie intellectuelle : elle a facilité les contacts entre les écrivains, réuni les théoriciens. A ne s'en tenir qu'aux œuvres françaises, elle a précipité le recul du latin. Elle a aussi contribué à préparer l'ascension sociale des gens de lettres.

CHAPELAIN ET LES RÈGLES

A l'effort pour rendre parfaits les arts de la conversation, de la poésie et de la prose écrite s'ajoute l'ambition, nourrie par de nombreux critiques, d'établir des règles précises pour la pratique de chaque genre littéraire. Ces théoriciens s'inspirent essentiellement de la *Poétique* d'Aristote étudiée à travers le prisme déformant de commentateurs italiens et hollandais : Vida (1527), Scaliger (1561), Castelvetro (1570), Heinsius (1611), Vossius (1647), fondateurs d'une véritable orthodoxie esthétique qui va inspirer le classicisme français. De 1630 à 1660 se multiplient les apologies des règles aristotéliciennes, signées par Scudéry, La Mesnardière, d'Aubignac et surtout l'influent Chapelain (1595-1674), dont les *Lettres* et les *Opuscules* divers ont joué le rôle le plus important.

La célébration des « règles »

1630 : Chapelain, *Lettre à Godeau sur les vingt-quatre heures.*
1631 : Mairet, Préface de sa tragi-comédie *Silvanire.*
1635 : Chapelain, essai *De la poésie représentative.*
1637-1638 : Polémiques sur *Le Cid* de Corneille.
1639 : La Mesnardière, *Poétique.*
1641 : Scudéry, préface au roman *Ibrahim.*
1653-1658 : Colletet, *Discours, Traités.*
1654 : Scudéry, préface à son épopée *Alaric.*
1656 : Chapelain, préface à son épopée *La Pucelle.*
1657 : D'Aubignac, *Pratique du théâtre.* Desmarets de Saint-Sorlin : préface à son épopée *Clovis.*
1660 : Corneille, *Examens; Discours* (les règles et la liberté).

Ce qui intéresse ces critiques, ce sont les lois du beau éternel, les « préceptes invariables », les « dogmes d'éternelle vérité » (Chapelain). Or ces règles ont été abstraites des belles œuvres antiques par Aristote et ses commentateurs. Leur exacte application doit, presque à coup sûr, produire des chefs-d'œuvre. Les productions des Anciens ne sont grandes que parce qu'elles se sont, dans une large mesure, spontanément conformées à ces lois du beau, en chaque genre. Ainsi prend forme un idéal de la tragédie, de l'épopée... auquel le XVIIe siècle ne cesse plus de comparer les tragédies, les épopées particulières. On blâme certains passages d'Homère ou de Virgile, parce qu'ils sont infidèles à cette « idée de l'art » (Chapelain), mais on loue les « beaux endroits ». On s'intéresse peu aux trouvailles, on ne reconnaît la nécessité des dons naturels que pour accabler de recettes. Il semble même, parfois, que la connaissance des règles peut suppléer à la pauvreté des dons. Ce qui compte, ce sont les proportions, la vraisemblance, la

Jean Chapelain, poète et critique, par Nanteuil. (B.N. Paris.)

rigueur, les bienséances, l'unité d'action, l'unité de lieu, l'unité de temps, la distinction des genres et les lois propres à chaque genre. La beauté est fille de la raison :

Il faut avoir recours à la lumière de la raison. Elle est simple et certaine, et c'est par son moyen qu'on peut trouver la vraie beauté naturelle... Un des principaux avantages de la vraie beauté, c'est qu'elle n'est ni variable ni passagère, mais qu'elle est constante, certaine, et au goût de tous les temps.

(d'Aubignac)

C'est à partir de 1630 que les partisans des règles vont peu à peu l'emporter sur ceux de la liberté. La bataille décisive se livre autour des lois de la tragédie. Chapelain et Mairet défendent l'ordre, la concentration des effets, les trois unités (action, lieu, temps). En 1634, Mairet fait représenter une tragédie parfaitement « régulière », *Sophonisbe :* la formule de la tragédie classique est désormais fixée et s'impose rapidement. Corneille lui-même, mal à l'aise dans ce corset de recettes, va plier son génie à leur contrainte.

Boileau, dans son *Art poétique* (1674), ne fera guère que donner un profil de médaille à des préceptes déjà organisés en corps de doctrine avant 1660.

La Pucelle, ou la France délivrée, **épopée de Chapelain, (frontispice).**

TEXTES : On trouvera des extraits des œuvres de Guez de Balzac, de Voiture et de Vaugelas dans les Nouveaux Classiques Larousse. — BALZAC, *Premières lettres (1618-1627),* 2 vol., éd. Bibas-Butler, Droz, 1933; *Œuvres,* éd. Conrart de 1665, réimprimée par Slatkine en 2 vol., Genève, 1971; *Entretiens* (1657), éd. Beugnot, Didier, 1972. — VAUGELAS, *Remarques sur la langue française,* Champ libre, 1982. — CHAPELAIN, *Opuscules critiques,* éd. Hunter, Droz, 1936. — D'AUBIGNAC, *La pratique du théâtre,* éd. Martino, Champion, 1927.

ÉTUDES : René BRAY, *La formation de la doctrine classique en France,* Nizet, 1951 (la meilleure étude actuelle sur les origines littéraires et les principes du classicisme français). — Ferdinand BRUNOT, *Histoire de la langue française,* rééd. A. Colin, 1966, t. III et IV (la somme en la matière). — Roger ZUBER, *Les belles infidèles et la formation du goût classique. Perrot d'Ablancourt et Guez de Balzac,* Colin, 1968 (une voie d'accès originale à l'esthétique classique : les traductions; résultats remarquables). — Jean JEHASSE, *Guez de Balzac et le génie romain,* Université de Saint-Étienne, 1977 (riche monographie). — *Critique et création littéraire en France au XVIIe siècle,* C.N.R.S., 1977 (les Actes d'un colloque exceptionnellement fructueux tenu à Paris en 1974). — Alain VIALA, *Naissance de l'écrivain,* Minuit, 1985 (une sociologie de la littérature à l'âge classique).

L'ÂGE D'OR DU THÉÂTRE

Les désordres qui suivirent la mort d'Henri IV ont porté un coup à la vie théâtrale. Mais à partir de 1628-1630, le raffermissement politique permet l'établissement à Paris de deux troupes permanentes. Le nombre des dramaturges et la production annuelle des pièces s'élèvent. On voit apparaître un public cultivé, affiné par les salons. Des patronages aristocratiques (rois, reines, ministres, princes...) protègent les comédiens, encore excommuniés, contre les attaques de l'Église. En 1630, la France s'inspirait encore étroitement de l'Espagne et de l'Italie. En 1680, son théâtre est répandu dans toute l'Europe.

Dans le foisonnement créateur qui caractérise les années 1630-1677 — l'époque la plus féconde du théâtre français — domine la figure de Corneille : une carrière dramatique qui couvre un demi-siècle (on pense à Hugo!); trente-cinq pièces de la plus étonnante variété; une imagination d'une rare puissance, de plain-pied dans l'héroïsme; une technique sans cesse renouvelée; l'art de travailler des vers métalliques et pleins de rumeurs; les textes de critique dramatique les plus originaux du siècle. Tant de qualités font de Corneille l'homme de théâtre le plus complet qu'ait produit la France.

TRÉTEAUX, JEUX DE PAUME ET THÉÂTRES

Jusque dans les petites villes du royaume, la vie théâtrale est intense. Dans leurs collèges, les Jésuites multiplient les représentations, auxquelles ils invitent aristocrates et notables. Dès la fin du XVIe siècle, des troupes ambulantes parcourent les provinces (Scarron a peint l'une d'elles dans *Le roman comique*, Callot a gravé leur misère).

A Paris, des bateleurs comme Montdor et Tabarin jouent la farce sur les tréteaux des foires et remportent un vif succès. Des représentations sont données dans les salles de jeu de paume. Car la capitale ne possède pendant longtemps qu'une seule salle, l'Hôtel de Bourgogne, que ses propriétaires, les Confrères de la Passion, louent aux troupes de passage. Mais, au cours du XVIIe siècle vont se multiplier les théâtres réguliers :

— *L'Hôtel de Bourgogne* (1548-1680) : à partir de 1599, le public parisien applaudit surtout la troupe de Valleran-Lecomte, qui porte le titre honorifique de « Comédiens du Roi ». Bien qu'ambulante, elle joue de longs mois à l'Hôtel de Bourgogne. Le spectacle comprend en général une tragédie ou une tragi-comédie, suivie d'une farce, où excelle le célèbre trio composé de Gros-Guillaume, Gaultier-Garguille et Turlupin. La troupe est populaire, les entrées sont bon marché. Les représentations — deux ou trois par semaine — commencent en début d'après-midi. En 1627-1629, diverses fusions assurent à la troupe, désormais attachée à l'Hôtel de Bourgogne, une suprématie qui va durer jusqu'en 1680. Les acteurs les plus célèbres sont Bellerose, Montfleury, la Champmeslé, la Du Parc. Ils semblent avoir pratiqué une diction noble et soutenue, à l'opposé de celle que préconisait Molière, plus variée et plus simple.

— *Le Marais* (1634-1673) : arrivée à Paris en 1629, la troupe du tragédien Montdory se fixe de 1634 à 1673 dans un jeu de paume du quartier du Marais, où elle fait longtemps concurrence à la troupe royale, notamment grâce au comédien Jodelet.

— *La troupe de Molière* (1658-1673) : après treize ans de pérégrinations (1645-1658), la troupe de Molière s'établit à Paris, d'abord au Petit Bourbon (1658-1660), puis au Palais-Royal (1661-1673). En 1673, par ordonnance royale, les comédiens du Marais et ceux de Molière, qui

Tabarin (Bibli. Arsenal. Paris).

vient de mourir, fusionnent et se transportent au tout nouveau théâtre Guénégaud, rue Mazarine.

— *La Comédie-Francaise* (1680) : les deux troupes rivales de l'Hôtel de Bourgogne et du théâtre Guénégaud ayant formé le vœu de fusionner, une décision royale attribue aux « comédiens-français », nés de cette fusion, le monopole de « représenter des comédies dans Paris ». Ainsi naît la Comédie-Française, qui s'installe en 1687 au nº 14 de l'actuelle rue de l'Ancienne-Comédie. Aux luttes et aux grandes créations succède le service du « répertoire ».

— *Les comédiens-italiens :* amenés en France et choyés par Marie de Médicis, ils sont appréciés pour leur virtuosité technique et leur maîtrise de la *commedia dell'arte*, où des personnages très typés (Arlequin, Polichinelle, Scaramouche...) improvisent sur un simple canevas dramatique. Après avoir joué, en alternance, dans les mêmes salles que Molière, ils s'installent en 1680 à l'Hôtel de Bourgogne.

— *L'opéra :* spectacle fastueux où se mêlent poésie, musique et danse, l'opéra a connu en Italie une vogue grandissante tout au long du XVIIe siècle. Après quelques essais isolés, il ne s'acclimate en France qu'en 1669, où Pierre Perrin reçoit le privilège d'établir « des Académies d'opéras ou représentations en musique, en vers français ». A partir de 1673, les représentations sont données dans la peu spacieuse salle du Palais-Royal, trois fois par semaine, à cinq heures et quart. A Perrin succède Lully (1632-1687).

LE SPECTACLE

Généralement assez longues et étroites, les salles comprennent des galeries ou loges, réservées aux hautes classes, et le parterre, où un public exclusivement masculin, bruyant, en grande partie populaire, reste debout. A partir de 1636 (et jusqu'en 1759) des sièges sont installés sur la scène, à droite et à gauche, pour des nobles qui souhaitent être vus ou faire la cour aux actrices. La scène est petite : elle est éclairée par des chandelles ou par des lustres et séparée du parterre par une grille.

Les décors simultanés, hérités du Moyen Age (sur la scène sont figurés ensemble plusieurs lieux, devant lesquels viennent jouer les acteurs), font place peu à peu au décor unique, correspondant à l'unité de lieu : « un palais à volonté » (tragédie), « une place de ville » ou un intérieur (comédie). Mais ce dépouillement est compensé par le luxe croissant des décors et surtout des costumes; ces derniers, de teintes vives et brodés d'argent ou d'or, ne visent pas à l'exactitude historique; ils situent conventionnellement les personnages : ainsi se distinguent les costumes « à la romaine » (chapeau à plume, ou casque à panache, cuirasse, gants, brodequins), « à la turque » (turban)...,

Pendant un siècle (1636-1759) on disposa des sièges sur la scène pour les spectateurs de marque (gravure de Lepeautre. B.N. Paris).

« à l'espagnole ». De 1640 à 1670, avant son remplacement par l'opéra, se développe le théâtre à machines, qui multiplie les effets lumineux, les métamorphoses, les modifications de décor : Corneille et Molière ont excellé dans la création de ces fastueux divertissements poétiques et musicaux dont raffolait un siècle épris de romanesque et de féerie.

PRÉDÉCESSEURS ET CONTEMPORAINS DE CORNEILLE

Quatre grands types d'œuvres coexistent ou se mêlent au cours des premières décennies du siècle :

— *la comédie;*

— *la tragédie*, qui conserve les caractères lyriques et statiques d'une longue élégie dramatique (comme au XVIe siècle) et traverse une crise sérieuse vers 1620-1630. Les meilleurs auteurs tragiques sont Montchrétien (1575-1621), Jean de Schélandre (1584-1635) et Hardy (1570-1631);

— *la tragi-comédie*, drame romanesque et mouvementé, insoucieux des règles et qui finit bien. Sa vogue vers 1630-1640 est inouïe;

— *la pastorale*, idylle de bergers et de bergères, dans un décor champêtre, à fin heureuse. L'influence de l'Italie, de l'Espagne, puis de l'*Astrée* dans l'essor de la pastorale a été déterminante.

Avant 1630, le grand initiateur est Alexandre Hardy, notre premier dramaturge professionnel, auteur de tragédies, tragi-comédies, pastorales. Hardy est doué d'un sens étonnant du rythme dramatique, mais il écrit trop vite, et mal. Entre 1630 et 1660 s'affrontent deux tendances : le goût baroque de la liberté, du mouvement et de la profusion face à l'emprise croissante des règles. Des esprits de plus en plus nombreux réclament :

— le respect des « trois unités » : une seule intrigue, sobre, se déroulant en un seul jour et en un seul lieu (antichambre, place...). Que les évocations du passé ou les batailles fassent simplement l'objet de « récits »!

— la séparation des genres : que la tragédie soit d'une dignité soutenue, sans personnages ni traits bouffons! Chaque genre a lui-même ses règles particulières (sujet, personnages, style, technique dramatique);

— le respect de la vraisemblance : pas de surnaturel, pas de caractères forcenés, pas de situations incroyables!

— le respect des bienséances : pas de violences ni d'indécences sur la scène, pas de dialogues licencieux ou orduriers.

Si Chapelain est le théoricien le plus influent, à Mairet (1604-1686) revient le mérite d'avoir appliqué ces préceptes avec un bonheur qui a frappé les contemporains et influencé les autres dramaturges : s'affranchissant du baroque de ses débuts, il fait jouer en 1631 *Silvanire*, tragicomédie pastorale dans les règles, et en 1634 *Sophonisbe*, tragédie régulière. Tristan L'Hermite lui emboîte le pas avec deux belles tragédies, *Marianne* (1636) et *La mort de Sénèque* (1645). Nombreux sont alors les écrivains de théâtre, mais trois d'entre eux ont été particulièrement célèbres :

— Rotrou (1609-1650), auteur de comédies, de tragi-comédies, mais dont les meilleurs réussites sont deux tragédies inspirées d'auteurs espagnols : *Saint-Genest* (1647) et *Venceslas* (1648).

— Thomas Corneille (1625-1709), plus habile qu'original, et pourtant aussi célèbre que son frère au XVIIe siècle.

— Philippe Quinault (1635-1688), auteur de pièces d'une galanterie mièvre qui marquera le jeune Racine. A partir de 1672, il compose pour Lully d'élégants livrets d'opéras qui resteront longtemps appréciés.

CORNEILLE

Pierre Corneille est né en 1606 à Rouen, d'une famille aisée de gens de robes. Après de brillantes études au collège jésuite de sa ville natale, où il se passionne pour les auteurs latins (Sénèque, Lucain...) et découvre le théâtre, il se tourne vers le droit et se fait recevoir en 1624 comme avocat au Parlement de Rouen. Mais, s'il maîtrise la technique des plaidoiries, son élocution laisse à désirer. Aussi préfère-t-il s'établir en 1628 dans la magistrature : il obtient les deux offices d'avocat du roi au siège des Eaux et Forêts et au Palais de Rouen, charges qu'il conservera jusqu'en 1650. Marié en 1641, il aura six enfants. Ce bourgeois timide, rangé, pieux va créer l'œuvre dramatique la plus puissante et la plus variée de la littérature française.

Jalons de cinquante ans de théâtre

1635 *La place Royale* (comédie).
Médée (tragédie).
1636 *L'Illusion comique* (comédie).
Le Cid (tragi-comédie).
1640 *Horace* (tragédie).
1642 *Cinna* (tragédie).
1643 *Polyeucte* (tragédie).
1644 *Rodogune* (tragédie).
1651 *Nicomède* (tragédie).
. . . .
1662 *Sertorius* (tragédie).
1667 *Attila* (tragédie).
1674 *Suréna* (tragédie).

© Bulloz.
Corneille, par Lebrun.

Les premières comédies (1629-1636)

Une intrigue sentimentale avec une jeune Rouennaise, Catherine Hue, dont la main lui fut refusée, semble à l'origine de la première comédie de Corneille, *Mélite* (1629). Acceptée par le célèbre acteur Montdory, de passage à Rouen, elle remporte à Paris un succès éclatant. A la frontière du rêve pastoral et de la vie courante, la pièce faisait rire sans recourir aux personnages grossiers et simplistes ni aux vulgarités d'expression de tant de comédies antérieures.

Désormais célèbre, Corneille fréquente à Paris Scudéry, Mairet et leurs amis, découvre les débats sur les « règles ». Aussi entreprend-il d'enfermer la plus enchevêtrée des tragi-comédies dans le cadre resserré des « unités » : *Clitandre* (1631). Ses trois comédies suivantes reviennent à plus de liberté et aux qualités qui avaient fait le succès de *Mélite :* évocation piquante de scènes et de lieux familiers, simplicité et naturel du style. Ainsi *La veuve* (1632), qui dépeint avec charme les timidités de l'amour; *La galerie du Palais* (1633), où les échoppes du Palais de Justice servent de décor aux chassés-croisés amoureux. Déjà pourtant s'atténue le comique, comme dans *La suivante* (1634) et surtout *La place Royale* (1635), où Alidor — amoureux et aimé d'Angélique — s'arrache à cet amour pour préserver sa liberté : une telle ivresse de la maîtrise de soi, malgré les complications de la psychologie, annonce les héros des grandes tragédies. Ces héros ne tendraient-ils pas leur volonté par peur d'une fragilité secrète?

Devenu un auteur en vue, Corneille fait partie des cinq écrivains chargés par Richelieu de mettre en vers *La comédie des Tuileries* (1635), dont il a lui-même conçu le sujet. Mais bientôt le dramaturge, d'humeur indépendante, se détache de ce groupe. Devant le succès de la tragédie « régulière » de Mairet, *Sophonisbe*, prompt à prendre le vent, il compose lui aussi une tragédie, *Médée* (1635), inspirée d'Euripide et de Sénèque : certains vers sont d'une force toute nouvelle au théâtre. Corneille revient ensuite à la comédie avec *L'illusion comique* (1636), qu'il nomme lui-même un « étrange monstre » : des personnages de comédie bourgeoise côtoient un capitan de *commedia dell'arte* et un magicien de pastorale; comique romanesque et tragique s'entremêlent.

Théâtre et magie. — Un bourgeois de Rennes, Pridamant, sans nouvelles de son fils Clindor, va en Touraine consulter le magicien Alcandre qui, d'un coup de baguette magique, fait apparaître une garde-robe superbe appartenant, dit-il, à Clindor, et fait le récit des premières aventures du jeune homme (acte I). Par sa magie, Alcandre fait assister Pridamant à la vie de son fils : Clindor apparaît au service du capitan Matamore, qui s'enivre de ses prétendus exploits guerriers. Tous deux aiment Isabelle, que courtise aussi Adraste. Mais elle n'aime que Clindor (acte II). Géronte somme inutilement sa fille d'épouser Adraste. Matamore surprend les protestations d'amour de Clindor et d'Isabelle. Adraste jaloux se bat avec Clindor, qui le blesse et est emprisonné (acte III). Condamné à mort, Clindor s'évade grâce à l'aide de Lyse, servante d'Isabelle (acte IV). Pridamant ébloui voit maintenant Clindor vêtu en grand seigneur : il délaisse Isabelle et courtise la femme du prince Florilame, qui le fait assassiner. Pridamant est au désespoir. Mais le magicien lui montre alors Isabelle, Clindor et leur troupe se partageant les recettes : ils sont devenus comédiens, et la scène précédente était la fin d'une tragédie interprétée par eux (acte V).

L'acte V représente une des réussites du « théâtre dans le théâtre » : des comédiens jouent une pièce dans laquelle est interprétée une autre pièce. Féerie, réussite technique, cet habit d'Arlequin dramatique est aussi parabole sur les sortilèges du théâtre : Alcandre symbolise le dramaturge, Pridamant le spectateur, Clindor l'acteur.

A trente ans, Corneille apparaît surtout comme épris de romanesque et de fantaisie. Il mêle avec bonheur comique poétique et verve truculente. Il est « le d'Artagnan du théâtre » (R. Brasillach).

La gloire par le service de la race : « Le Cid » (1636)

Les tragi-comédies continuaient de plaire au public, mais tentaient déjà de concilier le romanesque de leurs sujets avec les règles nouvelles. Corneille, s'inspirant d'une pièce de l'Espagnol Guilhem de Castro, *Las Mocedades del Cid* (1618), écrit *Le Cid*. Jouée au Marais dans un décor simultané (cinq moments, quatorze tableaux), la pièce est un triomphe.

Chimène va prochainement épouser Rodrigue. Mais leurs pères, deux grands seigneurs castillans, se querellent à propos d'une charge : Don Gomès, père de Chimène, gifle Don Diègue, père de Rodrigue. Accablé par l'âge, Don Diègue confie à son fils le soin de le venger. Celui-ci, après une brève hésitation (les Stances), comprend que le souci impérieux de sa « gloire » lui impose de laver l'affront fait à sa famille (acte I). Rodrigue défie et tue en duel Don Gomès. Chimène vient réclamer, malgré son amour, le châtiment de Rodrigue (acte II). Tandis que Chimène exprime ses souffrances à sa gouvernante, survient Rodrigue. Il offre sa vie à Chimène, puis se justifie : c'est pour garder son estime qu'il a fait son devoir. Chimène, elle, veut venger son père, pour être digne de Rodrigue. Les deux jeunes gens s'abandonnent à un pathétique duo sur leur bonheur perdu. Mais les Maures menacent la ville : Don Diègue encourage Rodrigue à s'illustrer contre eux (acte III). Rodrigue a vaincu les Maures. Le roi lui fait un accueil triomphal et écoute de sa bouche le récit du combat. Chimène vient pourtant réclamer justice et choisit pour champion son soupirant, Don Sanche. Le roi déclare qu'elle appartiendra au vainqueur (acte IV). Rodrigue vient dire à Chimène qu'il ne se défendra pas : éperdue, celle-ci laisse échapper un cri d'amour. Exalté, Rodrigue triomphe de Don Sanche. Le roi annonce qu'il accorde à Chimène un deuil d'un an, au cours duquel Rodrigue, par ses exploits, achèvera de la mériter (acte V).

Une pièce « d'époque Louis XIII » (Valéry). *Le Cid* fait étinceler l'idéal aristocratique qui va s'affaiblir après la Fronde : orgueil du nom, du sang, des exploits guerriers; affirmation exaltée de soi; indépendance féodale. Peu soucieux de reconstituer l'ambiance du XIe siècle, où se situe l'action, Corneille se contente de nimber de chevalerie des héros « Louis XIII ». Baroque par l'importance du sang et de la vengeance, précieuse par les paroles de l'Infante et parfois de Rodrigue, pleine de romanesque et fugitivement comique, la pièce est le miroir des luttes et des rêves du temps.

Une pièce jeune. Pleine d'allant, la tragicomédie oppose à la suffisance des pères la charmante spontanéité de Chimène et de Rodrigue, ce « couple sportif et brillant » (R. Brasillach). Le dynamisme conquérant et non-conformiste de Rodrigue s'exprime en formules inoubliables :

> Je suis jeune, il est vrai, mais aux âmes bien [nées
> La valeur n'attend pas le nombre des années
> (II, 2).

La force des caractères. Couronnant les pièces passées et annonçant les tragédies suivantes, *Le Cid* est remarquable par la diversité des tons. Mais la grande nouveauté, c'est — chez tous les protagonistes — la fascination de l'héroïsme : liberté, volonté, lucidité. A la tension des âmes correspond la dureté métallique des alexandrins. Créateur épique, Corneille va désormais se trouver confronté à cette difficulté : célébrer des surhommes qui soient encore humains. A cet égard aussi, le coup d'essai du *Cid* s'avère un coup de maître.

La gloire par le service de la patrie : « Horace » (1640)

Le succès du *Cid* et certaines maladresses de Corneille suscitent bientôt des attaques contre la pièce : les *Observations sur le Cid*, de Scudéry, puis les *Sentiments de l'Académie sur le Cid* (1638). On reprochait à Corneille d'avoir manqué aux règles, aux bienséances, d'avoir plagié son modèle espagnol... La querelle s'envenime à tel point que Richelieu lui impose une fin. Elle décourage Corneille, qui reste trois ans sans créer de pièce. Mais il réfléchit sur la valeur des règles et le métier dramatique. En 1640, il compose *Horace*, tragédie régulière inspirée de Tite-Live et Denys d'Halicarnasse. Ainsi s'ouvre le cycle des pièces romaines.

Albe et Rome sont en guerre, mais les deux cités décident de choisir chacune trois champions, dont l'affrontement réglera leur différend (acte I). Albe choisit trois frères, les Curiaces, et Rome en élit trois autres, les Horaces. Hélas, les deux familles sont unies : l'aîné des Horaces a épousé Sabine, sœur des Curiaces; l'aîné des Curiaces est fiancé à Camille, sœur des Horaces. Horace se prépare au combat avec allégresse, tandis que Curiace l'attend avec résignation (acte II). On annonce que le combat est en cours, puis que deux des Horaces ont été tués et que le troisième est en fuite. Le vieil Horace s'apprête à tuer ce lâche (acte III). Mais cette fuite était une feinte : ayant séparé ses poursuivants, Horace les a abattus séparément tous les trois. Le vieil Horace exulte. Camille pleure et maudit Rome. Son frère vainqueur la tue (acte IV). Horace est jugé pour ce fratricide : au terme de diverses plaidoiries, le roi Tulle décide qu'il devra se soumettre à une cérémonie expiatoire et qu'il vivra (acte V).

Comme *Le Cid*, *Horace* présente des héros passionnés de « gloire », mais l'intransigeance brutale du protagoniste n'a cessé de susciter des réactions diverses. La pièce atteste la souplesse du génie dramatique de Corneille : concentration, rebondissements... Elle paraît pourtant inférieure au *Cid*, non seulement par la raideur d'Horace, mais par suite de quelques longueurs (l'acte V tient de la plaidoirie). On a beaucoup reproché au dramaturge d'avoir exposé son héros à deux périls successifs, violant ainsi l'unité d'action.

La gloire par le pardon : « Cinna » (1642)

Alors que Richelieu incarne l'image d'un pouvoir fort et que les conspirations se succèdent (Cinq-Mars est exécuté en septembre 1642), Corneille fait représenter *Cinna*, tragédie inspirée d'un passage du traité *De la clémence* de Sénèque. Le succès est très vif.

Émilie, dont l'empereur Auguste a jadis fait périr le père, a promis sa main à Cinna s'il assassine le prince. Cinna vient lui révéler que la conspiration est prête : le tyran sera tué le lendemain. Mais l'empereur convoque Cinna et Maxime, un autre conjuré. Tout serait-il découvert (acte I)? En fait, ignorant le complot, Auguste consulte ceux qu'il croit encore ses amis, sur son dessein d'abdiquer. Cinna, tout au complot, dissuade l'empereur d'abandonner l'État. Maxime, au contraire, le presse de rétablir la liberté. Auguste se rallie à l'avis de Cinna, à qui il promet Émilie (acte II). Maxime, qui aime en secret Émilie, décide de découvrir le complot pour perdre Cinna. Ce dernier, se rappelant les bienfaits d'Auguste, hésite devant le meurtre, mais réduit par l'intransigeance d'Émilie il se résout à tenir parole (acte III). Le complot est découvert : dans une longue méditation solitaire Auguste dresse le bilan d'un pouvoir sanglant et menacé. Faut-il punir? abdiquer? Sa femme Livie lui conseille la clémence comme une habileté politique. Émilie accable Maxime de son mépris (acte IV). Auguste énumère à Cinna les bienfaits dont il l'a comblé et lui montre qu'il sait tout. Émilie vient braver l'empereur, et Maxime avoue ses trahisons. Dans un suprême effort, Auguste s'élève au pardon et contraint les conjurés à s'incliner devant tant de magnanimité. Livie prédit aux Romains un règne grand et heureux (acte V).

Méditation morale et politique, *Cinna* rappelle par sa simplicité les tragédies du XVIe siècle, tableaux émouvants d'un bref moment de l'Histoire. Elle constitue l'une des meilleures réussites techniques du dramaturge. L'intérêt se déplace lentement des conjurés à l'empereur, dont la crise de conscience s'achève en apothéose. Si le XVIIe siècle s'est attaché surtout aux conspirateurs (serment d'amour, traître jaloux, machinations et fiançailles secrètes), l'admiration s'est bientôt portée sur l'évolution d'Auguste. Véritable fête oratoire, la pièce abonde en vers-médailles et en puissantes tirades. Mais ce caractère même explique certains défauts : rhétorique parfois lassante, vocabulaire trop abstrait, grandeur un peu statique et figée.

La gloire par la sainteté : « Polyeucte » (1643)

Profondément chrétien, ayant découvert chez ses maîtres jésuites le théâtre néo-latin, ami de l'évêque-écrivain Jean-Pierre Camus, familier de l'hôtel de Liancourt, Corneille avait de multiples raisons pour porter au théâtre des récits religieux. S'inspirant des *Vies des saints* de Surius et Mosander (XVIe siècle), il compose sa première tragédie sacrée, *Polyeucte.* Lue en 1642 à l'hôtel de Rambouillet, elle n'y reçoit qu'un accueil mitigé : selon Voiture, « le christianisme avait extrêmement déplu ». Mais à l'Hôtel de Bourgogne les représentations ont un énorme succès.

En 250, sous le règne de l'empereur Décius, les chrétiens sont persécutés. Un seigneur arménien, Polyeucte, se dispose à recevoir le baptême. Alarmée par un songe, sa femme Pauline le presse de ne pas sortir : elle a vu un chevalier romain sans fortune, Sévère, qu'elle aima autrefois mais que son père Félix ne lui permit pas d'épouser. Ce Sévère, qu'on croit mort, poignardait Polyeucte. Tandis que Polyeucte sort avec son ami chrétien Néarque, Félix bouleversé vient annoncer que Sévère est vivant : favori de l'empereur, il arrive dans la capitale arménienne. Redoutant sa vengeance, Félix décide Pauline à tenter de le fléchir (acte I). Sévère, malgré son amertume, et Pauline, malgré son trouble, s'inclinent devant le destin et conviennent de ne plus se revoir. Cependant se prépare un sacrifice aux dieux païens : Polyeucte se propose d'y détruire les idoles (acte II). Le scandale éclate. Félix furieux espère une rétractation de Polyeucte, qui n'est pas ébranlé par le supplice de Néarque. Il multiplie les pressions sur Polyeucte (acte III). A Pauline, qui tente de le fléchir, Polyeucte répond en l'appelant à la conversion. Puis, avant de mourir, il la confie à Sévère. Mais Pauline fait appel à la générosité de Sévère qui se décide à s'entremettre en faveur de Polyeucte (acte IV). A de nouvelles sollicitations de Pauline et de Félix, Polyeucte oppose une profession de foi chrétienne. Après avoir assisté au martyre de son mari, Pauline se convertit au christianisme. Félix, lui aussi, est touché par la grâce. Sévère, ébranlé, annonce qu'il va s'attacher à promouvoir une politique de tolérance à l'égard de la religion nouvelle (acte V).

Les hésitations de l'amour. Le XVIIe et le XVIIIe siècle ont été frappés surtout par le « roman d'amour mélancolique » (Brasillach) de Sévère et de Pauline. Les modernes sont plutôt sensibles à la « question d'amour » que pose le flottement d'une jeune femme entre un premier amour enseveli et un très réel amour conjugal. Dans toute la pièce règne une merveilleuse tendresse. Aux alexandrins martelés d'*Horace* ont succédé les vers les plus musicaux :

> Dans Rome où je naquis, ce malheureux visage
> D'un chevalier romain captiva le courage;
> Il s'appelait Sévère...

Les tête-à-tête exercent la même fascination que ceux du *Cid,* bien que leur atmosphère soit plus sereine. Polyeucte lui-même flotte, dans sa recherche d'un accord entre son amour pour Pauline et son amour pour son Dieu.

La confrontation du héros et du saint. Péguy a magnifiquement montré que les trois tragédies précédentes trouvent leur couronnement dans *Polyeucte.* L'héroïsme humain du *Cid,* d'*Horace* et de *Cinna* se trouve promu en sainteté. Polyeucte, puis Pauline se convertissent. Sévère campe en face du saint le héros stoïcien. *Polyeucte* appartient au grand débat sur la vertu des païens, qui fait rage autour de 1640. La tragédie est toute pénétrée de la lumière de la grâce; la foi y apparaît comme chaleureuse, vivante et enthousiaste. Le martyre de Polyeucte est une apothéose.

La gloire par la volonté de puissance : « Rodogune » (1644)

Toujours en quête de voies nouvelles, Corneille compose au cours de l'hiver 1642-1643 *La mort de Pompée* (la tragédie préférée de Valéry), dans le goût du roman héroïque alors en vogue, et une comédie pleine de vivacité et de fantaisie verbale, *Le menteur.* Il explore ensuite les abîmes du Mal avec la trilogie des grandes criminelles : *Rodogune* (1644), *Théodore* (1645), sa seconde tragédie sacrée, et *Héraclius* (1647). Le dramaturge y recourt de plus en plus à la surprise et prend des libertés grandissantes avec ses sources historiques : cette trilogie abonde en faiblesses, mais aussi en sombres beautés. Parmi toutes ses pièces, Corneille préférait *Rodogune.*

Cléopâtre, reine de Syrie, a tué son mari, parce qu'il se proposait de la répudier et d'épouser la princesse Rodogune. Mais ses deux fils, Antiochus et Séleucus, sont amoureux de Rodogune. La reine, qui éprouve à la fois une profonde haine pour son ancienne rivale et une vive passion pour le pouvoir propose le trône à celui de ses fils qui tuera Rodogune. Indignés, tous deux refusent. La reine alors décide de les frapper (actes I-IV). Elle fait poignarder Séleucus et, au cours des noces de Rodogune et d'Antiochus tend à ce dernier une coupe empoisonnée. Mais un messager annonce l'assassinat de Séleucus : en mourant, il a prononcé des paroles imprécises qui accusent soit Cléopâtre, soit Rodogune. Les deux femmes s'affrontent. Rodogune exige que sa rivale boive la première à la coupe. Dans son délire de vengeance, celle-ci boit espérant faire périr avec elle un couple détesté. Mais le poison agit de façon foudroyante : la reine expire. Antiochus et Rodogune échappent à la mort (acte V).

Frontispice de *Rodogune* (gravure de Chauveau, d'après une composition de Le Brun) : la course à la mort.

Cette héroïne farouche fascinait Corneille : « Tous ses crimes sont accompagnés d'une grandeur d'âme qui a quelque chose de si haut qu'en même temps qu'on déteste ses actions, on admire la source dont elles partent » *(Examen de 1660)*. Si le début de la tragédie n'est pas exempt de faiblesses, l'acte V, véritable course à la mort, est grandiose : debout au seuil du dénouement, aimant d'amour le crime et la puissance, la reine ne rêve plus que d'apocalypse et de catastrophe :

> Tombe sur moi le ciel, pourvu que je me venge...
> Il est doux de périr après ses ennemis...

Corneille était à juste titre fier de « la force des vers », de « la nouveauté des fictions » et de « la chaleur des passions » dans cette tragédie.

La gloire par l'indépendance politique : « Nicomède » (1651)

Après *Andromède* (1650), un divertissement musical à machines qui lui avait été commandé par Mazarin, Corneille revient à la tragi-comédie avec *Don Sanche d'Aragon* (1650), « comédie héroïque », où le romanesque des situations et l'éclat verbal annoncent le drame romantique. Si un certain romanesque se maintient dans *Nicomède* (1651), cette tragédie est d'une sobriété de facture qui la distingue nettement des six pièces précédentes. Jouée en pleine Fronde, dominée par l'ombre du grand Condé, cette fresque historique et politique connaît un vif succès.

Au deuxième siècle avant J.-C., Rome commence à étendre sa puissance sur tout le bassin méditerranéen. Le roi de Bithynie, Prusias, est soumis aux volontés de sa femme Arsinoé. Il a deux fils : le valeureux Nicomède, né d'un premier lit, et Attale, élevé à Rome. Arsinoé veut faire disparaître Nicomède pour assurer le trône à Attale; Nicomède quitte l'armée et revient à la cour pour défendre la reine d'Arménie Laodice, qu'on veut marier malgré elle à Attale. Laodice et Nicomède se jurent de lutter ensemble (acte I). L'ambassadeur romain Flaminius, soucieux de diviser Bithynie et Arménie, demande pour Attale Laodice et le trône d'Arménie. Nicomède lui répond avec insolence (acte II). Laodice résiste aux pressions de Prusias et de Flaminius. Nicomède dénonce à Prusias les machinations d'Arsinoé, qui tente en vain d'associer Attale à ses desseins criminels (acte III). Arsinoé joue l'innocente calomniée. Prusias cède son trône à Attale et livre Nicomède aux Romains. Mais Rome ne se soucie pas de voir Attale maître de deux royaumes : Attale, indigné de ces manœuvres, décide de sauver Nicomède (acte IV). Le peuple se soulève, Nicomède est libéré par un inconnu (qui se révélera être Attale). Magnanime, il rassure ses persécuteurs. Flaminius doit partir pour Rome (acte V).

Le mélange des genres. Plus encore que *Le Cid* ou *Polyeucte*, cette pièce mêle les personnages et les tons : le bonhomme Prusias (comme Félix dans *Polyeucte*) a des côtés comiques; Nicomède et Laodice tranchent sur le couple de comédie bourgeoise formé par Prusias et Arsinoé.

L'inflexibilité héroïque. Laodice et Nicomède sont deux âmes royales, si souveraines que rien ne peut les fléchir : leur amour apparaît dur comme du diamant, sans flottements. Leur domination morale sur les médiocres qui les entourent les conduit à manier une ironie méprisante. Aucune autre tragédie de Corneille ne fait un tel appel au ressort dramatique de l' « admiration ».

Une parabole politique. Ce tableau des manœuvres de l'impérialisme romain et d'une résistance nationale au « géant » politique du second siècle est en lui-même admirable. Mais il séduit aussi de nombreux metteurs en scène modernes par la similitude entre la situation présente du monde et le « rapport de forces » qui existait au temps de Nicomède.

« *Sertorius* » *(1662)*

L'échec de *Pertharite* (1652) décide Corneille à « sonner la retraite ». Il se consacre à une paraphrase poétique de l'*Imitation de Jésus-Christ* (1651-1656), le joyau mystique de la fin du xve siècle, le livre longtemps le plus lu de l'Europe après la Bible. Cette adaptation remporte un grand succès : son lyrisme grave, la puissante simplicité des strophes la situent parmi les sommets de la poésie religieuse du siècle. C'est une commande du surintendant Fouquet qui ramène Corneille au théâtre avec *Œdipe* (1659), vivement applaudi. Il publie en 1660 les *Examens* de ses pièces et trois *Discours* sur le poème dramatique. Après sa seconde pièce à machines, *La toison d'or* (jouée en 1660-1661), un succès d'estime est réservé à *Sertorius* (1662).

Corneille y évoque le général Sertorius qui, en Espagne, s'est soulevé contre le dictateur romain Sylla. Sertorius aime la reine Viriate et en est aimé, mais il se demande s'il ne doit pas conclure plutôt un mariage politique qui lui assurerait des partisans. L'acte III, dominé par la rencontre de Sertorius et de Pompée, est plein de grandeur.

Andromède, de Corneille (gravure de Berin). Le XVIIe siècle raffolait de merveilleux. (B.N. Paris.)

Mais toute la conduite de Sertorius est minée pa la lassitude : il sait qu'il a des cheveux gris, qu'u amour jeune n'est plus pour lui, que Rome es lointaine. Cet homme à la fois courageux et san illusions se sent condamné d'avance : il es finalement assassiné par son lieutenant Perpenna.

Cette tragédie illustre l'infléchissement de l création cornélienne : la tendresse occupe désormais une place grandissante. L'héroïsme s colore d'amertume et de détachement.

La gloire par l'amour : « Suréna » (1674)

Corneille fait jouer en cinq ans quatre tragédies *Sophonisbe* (1663), *Othon* (1664), *Agésilas* (1665) et l'étonnant *Attila* (1667), qui malgré le relie saisissant du protagoniste, est un échec. Le poèt commence à passer, aux yeux même de se admirateurs, pour un génie épuisé. En 1670, so *Tite et Bérénice* souffre de la comparaison ave la *Bérénice* de Racine. Si *Psyché* (1671), tragédie ballet écrite en collaboration avec Molière, es un succès, *Pulchérie* (1672) tombe. La dernièr tragédie de Corneille, *Suréna* (1674), reçoit u accueil mitigé : elle est pourtant l'une de ses plu belles œuvres.

Le roi des Parthes, le médiocre Orode, doit l conservation de son royaume au valeureux généra Suréna. Suréna aime la princesse d'Arménie Eurydice qui l'aime. Mais elle est promise par traité au fil d'Orode, Pacorus, dont Palmis, sœur de Suréna, es secrètement amoureuse (acte I). Pacorus, découvrant qu'Eurydice ne l'aime pas, cherche en vain découvrir le nom de son rival (acte II). Craignan la popularité de Suréna, Orode veut se l'attache en lui faisant épouser sa fille, Mandane. Surén refuse (acte III). Les nuages s'accumulent au-dessu de Suréna (acte IV). Orode exige que Suréna épous Mandane et qu'Eurydice épouse Pacorus. Surén préfère s'exiler que de manquer à un amour inviolable. Au moment où Eurydice, pour sauver Suréna cède aux sollicitations pressantes de Palmis et sembl accepter le mariage avec Pacorus, on apprend qu Suréna a été assassiné par ordre du roi. Eurydic meurt de douleur (acte V).

« On n'a jamais plus merveilleusement pein l'illumination intérieure et l'isolement splendid de l'amour » (Brasillach). C'est la tragédie d renoncement au monde, du mysticisme d l'amour. Suréna et Eurydice préfèrent leur rêv intérieur aux compromissions de la vie.

Je veux qu'un noir chagrin à pas lents me consume,
Qu'il me fasse à longs traits goûter son amertume,
Je veux sans que la mort ose me secourir,
Toujours aimer, toujours souffrir, toujours mourir.

Seule Palmis, dans son admirable amitié fraternelle, se bat pour faire triompher la vie, mais elle est cruellement atteinte au dénouement :

...Que fais-tu du tonnerre,
Ciel, si tu daignes voir ce qu'on fait sur la terre?

Abondant en vers musicaux, en dialogues hiératiques ou cinglants, toute la tragédie baigne dans une lumière automnale.

Après ce chef-d'œuvre, Corneille abandonne définitivement le théâtre. Ses pièces sont jouées et admirées dans toute l'Europe. Il meurt en 1684.

La grandeur cornélienne

La puissante création cornélienne surgit à l'époque des derniers sursauts d'une noblesse féodale dont les Rodrigue ou les Nicomède incarnent les idéaux et les rêves à l'époque de Richelieu et du grand Condé. Depuis le début du XVIe siècle s'est par ailleurs développé un fort courant néo-stoïcien, que certains catholiques tentent d'intégrer à leur foi. Enfin, les Jésuites — qui ont formé Corneille et Descartes — professent une conception optimiste de l'homme. Les tragédies ne sont évidemment pas sans rapport avec un tel climat.

La tragédie... veut pour son sujet une action illustre, extraordinaire..., de grands périls pour ses héros. Sa dignité demande quelque grand intérêt d'État ou quelque passion plus noble et plus mâle que l'amour, telles que sont l'ambition ou la vengeance... Il est à propos d'y mêler l'amour, parce qu'il a toujours beaucoup d'agrément et peut servir de fondement à ces intérêts et à ces autres passions dont je parle; mais il faut qu'il se contente du second rang dans le poème.

Les grands sujets qui remuent fortement les passions, et en opposent l'impétuosité aux lois du devoir ou aux tendresses du sang, doivent toujours aller au-delà du vraisemblable, et ne trouveraient aucune croyance parmi les auditeurs, s'ils n'étaient soutenus, ou par l'autorité de l'histoire qui persuade avec empire, ou par la préoccupation de l'opinion commune qui nous donne ces mêmes auditeurs déjà persuadés.

(*Discours du poème dramatique*, 1660)

Ces « grands sujets » seront donc empruntés soit aux légendes mythologiques les plus connues (*Médée*, *Andromède*, *Œdipe*), soit à l'histoire. Corneille a puisé surtout dans l'histoire romaine exploits et crimes fascinants, des origines de la République (*Horace*) aux invasions barbares (*Attila*). Ses héros se trouvent toujours mêlés à d'importantes affaires d'État, ouverts sur le vaste monde (c'est l'opposé du huis clos racinien!). Méditations et maximes politiques abondent, opposant les chefs stoïciens (Auguste, Nicomède) aux maîtres machiavéliens — que ces derniers apparaissent comme des êtes vils (Prusias, Orode) ou comme des poètes du Mal (Cléopâtre, dans *Rodogune*). D'aussi puissantes fresques ne s'accommodent pas toujours facilement des « unités » de temps et de lieu!

La « gloire ». Les personnages principaux, eux aussi, sont « hors de l'ordre commun » (*Horace*). Non seulement par leur rang (souverains, chefs d'armée, princes...), mais par leur royauté morale (héros, saints) : force des passions, tension de la volonté, intelligence politique, imagination visionnaire. Ces êtres supérieurs obéissent à un unique principe d'action, le souci de leur « gloire » :

Je sais ce que je suis et ce que je dois faire
Et j'ai pour seul objet ma gloire à satisfaire.

(*Sophonisbe*)

« Gloire » est le mot-clé du théâtre cornélien. Presque toujours associé, à la rime, à « victoire » ou à « mémoire » (au sens de renommée), il désigne la réalisation passionnée de ce que le « moi » a choisi, que ce choix consiste en crimes grandioses (*Rodogune*) ou coïncide à peu près avec la morale reçue dans une caste (*Le Cid*), dans l'Occident stoïcien (*Cinna*) ou chrétien (*Polyeucte*). Corneille s'enchante visiblement de ce vocable splendide, sphérique et irradiant comme le soleil : il l'imagine éblouissante, ternie, montante, à son zénith.

Ma vertu pour le moins ne me trahira pas :
Vous la verrez, brillante au bord des précipices,
Se couronner de gloire en bravant les supplices.

(*Cinna*)

Entourée d'un cortège de mots parents (*vertu*, *honneur*, *vaillance...*), la « gloire » suppose la supériorité de la race, l'énergie (la *virtus* latine), le rêve exalté de sa propre grandeur. Mais bien souvent l'intériorisation est telle que cette éthique de la gloire dépasse toute classe sociale et annonce les théories d'un autre créateur de grandes âmes, Barbey d'Aurevilly : « Il y a des individualités qui valent des races, peut-être parce qu'elles sont faites pour en fonder! ... Ce sont là des noblesses vierges, tombées du ciel pour empêcher la noblesse éternelle de s'en aller de ce monde, dans la décrépitude des familles, usées par l'excès et le temps » (*Un prêtre marié*).

Univers héroïque et admiration. Selon Aristote, les deux ressorts de la tragédie sont la *terreur* et la *pitié*, provoquées par le spectacle d'un personnage attachant — ni tout à fait innocent, ni tout à fait coupable — victime de l'acharnement du destin. Si Corneille suscite parfois la terreur et souvent la pitié dans l'âme des spectateurs (le pathétique), jamais ses héros ne sont véritablement vaincus par le sort (le tragique). Certains sont visiblement vainqueurs de l'adversité *(Nicomède)*. La défaite apparente des autres cache en réalité une apothéose. Aussi a-t-on pu parler, à propos de Corneille, de « tragédies sans tragique ». Dans le cadre de la tragédie, le dramaturge épanouit, en effet, une imagination épique. Ses héros ne sont ni l'homme tel qu'il est, ni l'homme tel qu'il devrait être, mais *l'homme tel qu'il se rêve* dans ses moments d'exaltation. De là une psychologie juste, mais souvent peu fouillée, le règne des grands contrastes mythiques (inconnu se révélant tout à coup au monde, vaincu qui est en réalité un vainqueur...); les épreuves ou « travaux » qu'affrontent les héros :

> Faut-il combattre encor mille et mille rivaux,
> Aux deux bouts de la terre étendre mes travaux,
> Forcer moi seul un camp, mettre en fuite une [armée,
> Des héros fabuleux passer la renommée?
> *(Le Cid)*

De là ces héros-sauveurs, qui dominent des rois et des fonctionnaires médiocres ou ridicules *(Le Cid, Nicomède, Suréna...)*, et apparaissent nimbés d'une gloire solaire. Et les femmes? Ou bien elles sont elles-mêmes des héroïnes (Laodice, dans *Nicomède*), ou bien elles ne sauraient détourner durablement les héros de la route qu'ils se sont tracée, de leur « gloire », mais alors — au lieu d'être brutalement rejetées, comme dans tant d'épopées — elles enrichissent les pièces de scènes pathétiques où se manifestent toutes les nuances de l'amour, « tour à tour sensuel, héroïque, précieux, raisonnable, amusant, religieux, chevaleresque, tendre, fatal, galant, politique » (J. Schérer), mais surtout courtois, selon l'idéal des romans de chevalerie.

En présence d'un tel univers, le spectateur est saisi par l'*admiration*, qui constitue le ressort dramatique par excellence du théâtre cornélien.

La fermeté des grands cœurs, qui n'excite que de l'admiration dans l'âme du spectateur, est quelquefois aussi agréable que la compassion que notre art nous ordonne d'y produire par la représentation de leurs malheurs. (Examen de *Nicomède*)

La maison natale de Corneille à Rouen.

Une « poésie de l'animation dramatique » (J. Schérer). Vigoureuse et souple, la poésie cornélienne est d'une extrême variété. Elle s'élève de la plus grande simplicité aux sommets du « sublime », cet idéal du « naturel dans l'extraordinaire » qui a hanté tant d'esprits du XVIIe siècle. Mais son caractère le plus saisissant est sa nécessité théâtrale.

Si enjoué dans ses comédies, Corneille est pathétique dans certaines échappées lyriques, comme le duo d'amour de Chimène et de Rodrigue (III, 4), les stances de Rodrigue et de Polyeucte ou les élégies de *Suréna*...

> Mais si, dans ce séjour de gloire et de lumière,
> Ce Dieu tout juste et bon peut souffrir ma prière,
> S'il y daigne écouter un conjugal amour,
> Sur votre aveuglement il répandra le jour.
>
> Mon Polyeucte touche à son heure dernière.

La somptuosité verbale règne dans les tirades éloquentes où s'affrontent les passions; dans les délibérations politiques, construites comme des plaidoiries mouvementées, tour à tour solennelles ou véhémentes; dans d'étonnantes évocations :

> Je n'appelle plus Rome un enclos de murailles,
> Que ses proscriptions comblent de funérailles;
> Ces murs, dont le destin fut autrefois si beau,
> N'en sont que la prison ou plutôt le tombeau :
> ...Rome n'est plus dans Rome, elle est toute où [je suis.
>
> *(Sertorius)*

Les formes à effet dramatique abondent : Corneille est un maître de la sentence. Il manie vigoureusement l'antithèse. Il excelle dans la stichomythie, où les répliques s'entrechoquent vers à vers, ou hémistiche à hémistiche, et évoquent le cliquetis des épées :

> Retire-toi d'ici.
> Marchons sans discourir.
> Es-tu si las de vivre?
> As-tu peur de mourir?
>
> *(Le Cid)*

Le dramaturge sait tirer des répétitions les effets les plus divers : martèlement, ironie, solennité...

Entre Corneille et Racine, sous l'angle de la réussite poétique, s'établit un peu le même rapport qu'entre Victor Hugo et Baudelaire. La robustesse et le jaillissement chez les uns, chez les autres l'acuité et le raffinement.

BIBLIOGRAPHIE

TEXTES : *Théâtre du XVIIe siècle,* éd. Schérer, Gallimard, Pléiade (œuvres de Montchrestien, Hardy, Tabarin, Théophile, Racan, Mairet, Rotrou). — CORNEILLE, *Œuvres complètes,* éd. Stegmann, Seuil, coll. « L'Intégrale », 1963; éd. Couton, Gallimard, « La Pléiade », 1981, 3 vol. Les diverses collections de Poche et de « Classiques » ont édité la plupart des pièces.

ÉTUDES : Charles PÉGUY, *Victor-Marie, comte Hugo* (1911), dans *Œuvres en prose,* Gallimard, coll. « Bibliothèque de la Pléiade » (les pages célèbres de l'initiateur du retour à Corneille). — Robert BRASILLACH, *Corneille,* Fayard, 1938 (une critique éclairée et chaleureuse). — Octave NADAL, *Le sentiment de l'amour dans l'œuvre de Pierre Corneille,* Gallimard, 1948 (la complexité de Corneille). — Paul BÉNICHOU, *Morales du Grand Siècle,* Gallimard, 1948, rééd. dans la collection « Idées » (situe excellemment l'œuvre de Corneille parmi les conceptions morales du XVIIe siècle). — Jacques SCHÉRER, *La dramaturgie classique en France,* Nizet, 1950 (une étude fouillée de la technique dramatique de 1600 à 1680). — Serge DOUBROVSKY, *Corneille ou la dialectique du héros,* Gallimard, 1964 (une interprétation originale et contestée, à la lumière de Hegel et de Sartre). — Jacques MOREL, *Rotrou dramaturge de l'ambiguïté,* Colin, 1968 (la meilleure étude). — Jacques TRUCHET, *La tragédie classique en France,* P.U.F., 1976 (la première synthèse, et excellente). — Marie-Odile SWEETSER, *La dramaturgie de Corneille,* Droz, 1977. — Roger GUICHEMERRE, *La tragi-comédie,* P.U.F., 1981. — Georges COUTON, *Corneille et la tragédie politique,* P.U.F., « Que sais-je? », 1984.

LE GRAND SIÈCLE RELIGIEUX : PASCAL (1623-1662)

Pascal n'est que la plus haute figure littéraire d'un prodigieux renouveau religieux. Avant l'avènement de Louis XIV, une soudaine floraison de théologiens et de mystiques a donné au catholicisme français du XVIIe siècle un exceptionnel relief. Au même moment, dans les sciences, se produit un véritable « miracle européen ».

Mort à trente-neuf ans, Pascal laisse une œuvre scientifique abondante et variée. Dans l'ordre littéraire, ses créations les plus éclatantes sont les *Provinciales* (1657) et les *Pensées* (1670). Le rayonnement des *Provinciales* tient à la pureté, à l'admirable intransigeance qui les ont inspirées, tout autant qu'à leur réussite artistique. Comme les *Pensées*, elles font étinceler le christianisme augustinien qui, après avoir régné pendant douze siècles sur presque toute l'Europe, commence à s'affaiblir au moment même où meurt Pascal. Rares sont, en fin de compte, les grandes « visions du monde ». Celle de Pascal, contrairement au désastreux divorce instauré par le cartésianisme, suppose une intelligence ouverte à la fois aux sciences, à l'art et à l'expérience mystique : elle conserve intact son pouvoir de fascination.

« L'INVASION MYSTIQUE »

Sur la toile de fond de l'embrasement chrétien qui saisit la France entre 1600 et 1660 se détachent plusieurs écrivains marquants.

François de Sales (1567-1622)

Évêque de Genève en 1602, fondateur de la Visitation en 1610, François de Sales publie deux ouvrages célèbres, l'*Introduction à la vie dévote* (1609) et le *Traité de l'amour de Dieu* (1616). Pour prouver que la sainteté n'est pas enfermée dans les monastères, qu'on peut et doit la vivre dans toutes les activités de l'existence ordinaire, l'écrivain multiplie les images savoureuses, les traits aigus; son style est animé par une « gaieté » qui rappelle le fameux « sourire de Montaigne ».

Pierre de Bérulle (1575-1629)

Fondateur de l'Oratoire (1611), Bérulle est l'auteur d'un *Discours de l'état et des grandeurs de Jésus* (1622) et d'une *Vie de Jésus* inachevée. L'élévation métaphysique de la pensée s'allie chez lui à une ardente tendresse pour le Christ. La plénitude de la langue place certaines pages parmi les plus belles du XVIIe siècle commençant.

Bérulle et ses disciples : Charles de Condren (1588-1641), Jean Eudes (1601-1680), Jean-Jacques Olier (1608-1657) ont constitué une tendance mystique qui a marqué la France pendant deux siècles : « l'École française ».

Vincent de Paul (1580 1660)

D'origine humble, Vincent de Paul ne s'ingénia pas seulement à lutter contre la misère, il orienta l'éloquence religieuse vers le dépouillement qui convient à la prédication évangélique. Proposée aux missionnaires et aux auditeurs de ses conférences, les « mardis », sa *Petite méthode* — ne prêcher que l'Évangile, parler avec son cœur — exerça une influence considérable sur les prédicateurs du siècle, notamment sur Bossuet.

Le monastère de Port-Royal

Port-Royal était une communauté de religieuses cisterciennes fondée en 1204, dans la vallée de Chevreuse, un peu au sud de Paris.

Le grand Arnauld. (B.N. Paris), interlocuteur de Descartes, Pascal, Leibniz, Spinoza, Malebranche...

Progressivement le monastère avait glissé dans le relâchement, mais en 1609 une jeune et énergique abbesse, Angélique Arnauld, ramena la maison à sa pureté primitive. En 1625, par suite du climat insalubre du lieu, les religieuses s'installèrent à Paris, dans le quartier Saint-Jacques. En 1636, la mère Angélique prit pour directeur du monastère Duvergier de Hauranne, abbé de Saint-Cyran. Celui-ci commença en 1638 à réunir dans l'ancien monastère un certain nombre d'hommes résolus à vivre dans la retraite, la prière et le travail : Antoine Le Maître, Le Maître de Sacy, Arnauld d'Andilly... parents de la mère Angélique. A ces premiers Solitaires vinrent se joindre bientôt d'autres hommes éminents : le théologien et moraliste Nicole, le grammairien Lancelot et surtout l'un des esprits les plus puissants du siècle, le théologien Antoine Arnauld (1612-1694). En 1648, une partie des religieuses revint dans la maison de la vallée de Chevreuse, et l'on distingua désormais Port-Royal de Paris et Port-Royal des Champs. Les « Messieurs de Port-Royal » se retirèrent dans une ferme voisine, « les Granges ». Beaucoup d'entre eux enseignèrent dans ce qu'on appelle les « Petites Écoles », dispersées aux environs du monastère (Racine en fut l'un des élèves). La qualité de leur enseignement était telle que Port-Royal en vit grandir encore son rayonnement.

Les théologiens de Port-Royal

Port-Royal était ouvert à l'ensemble de la tradition catholique. La Bible, les Pères de l'Église, saint Bernard, François de Sales, Bérulle... y étaient en honneur. Mais, comme presque toute l'Église à cette époque, le monastère plaçait au-dessus de tous les penseurs chrétiens saint Augustin. Or en 1640 avait paru à Louvain une volumineuse étude sur la grâce selon saint Augustin, l'*Augustinus* de Corneille Jansen (Jansénius), évêque d'Ypres (mort en 1638). Contre les nouvelles doctrines qui étaient apparues depuis la fin du XVIe siècle, l'ouvrage rappelait

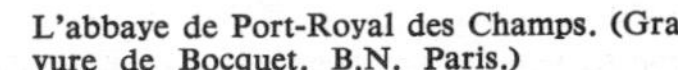

L'abbaye de Port-Royal des Champs. (Gravure de Bocquet. B.N. Paris.)

la stricte théologie augustinienne. Dans une grande partie de l'Europe, ce fut un incendie!

Or Saint-Cyran était un grand ami de Jansénius dont il appréciait le savoir et l'intelligence. Autour de Port-Royal gravita un groupe de théologiens qui considéraient Jansénius comme le meilleur historien des idées de saint Augustin. En 1644, Arnauld publiait une *Apologie pour M. Jansénius.* Douze ans plus tard, Pascal entrait à son tour dans la bataille.

LA TRAJECTOIRE PASCALIENNE

Pascal est né à Clermont-Ferrand en 1623. Orphelin de mère à trois ans, Blaise fut élevé avec ses deux sœurs, Gilberte et Jacqueline, par un père magistrat qui était très versé dans les mathématiques. Pascal n'a jamais mis le pied dans un collège. En 1631, la famille s'intalle à Paris. Étienne Pascal, le père, fréquente, reçoit des savants comme Fermat, Desargues, Le Pailleur, Roberval, et le Père Mersenne, fondateur de l'Académie mathématique (1635). A neuf ans, Blaise compose un *Traité sur les sons.* A douze ans, il est surpris par son père, alors qu'il essayait de démontrer seul la trente-deuxième proposition d'Euclide. A seize ans, il rédige un *Traité des coniques*, qui suscite un chœur d'éloges.

En 1640, Étienne Pascal est envoyé par Richelieu à Rouen en qualité de commissaire pour l'impôt. Pour l'aider, Blaise invente la machine arithmétique (1642). Chez les Pascal, la culture scientifique va de pair avec une profonde culture religieuse. Les élucubrations de la scolastique décadente sont délaissées, au profit d'une lecture directe de la Bible et des grands penseurs chrétiens, notamment le plus illustre de tous, saint Augustin. Or, en 1646, à la suite d'un accident, Étienne Pascal est soigné par deux gentilshommes jansséniens. Toute la famille change de vie, « se convertit », se met à lire les livres de Saint-Cyran, de Jansénius et d'Arnauld. Dès 1648, Pascal se range du côté de Jansénius. A la même époque, en 1646-1648, le jeune savant se tourne vers un problème de physique : reprenant des expériences qui n'avaient pas été poussées à leur terme, il découvre l'existence du vide et la pression atmosphérique.

Revenu à Paris en 1650, Étienne Pascal meurt l'année suivante. Jacqueline entre au couvent de Port-Royal de Paris (janvier 1652). Pascal — dont la santé a toujours été chancelante — doit se reposer. Il fréquente davantage la société mondaine, noue des relations importantes : le duc de Roannez, le chevalier de Méré, Miton... Sous l'influence de Méré, grand joueur, il jette les bases du calcul des probabilités. Il se livre à des recherches sur le calcul infinitésimal et l'analyse combinatoire. Parallèlement à cette profusion de travaux scientifiques, il réfléchit sur Épictète et sur Montaigne, alors en grande vogue.

Mais tout au long de l'année 1654, Pascal éprouve un dégoût grandissant pour une vie qu'il juge superficielle et vide. Dans la nuit du 23 novembre, une expérience mystique qu'il a évoquée dans le *Mémorial* le bouleverse et le conduit à

Pascal (sanguine de son ami Domat). « Un génie juvénile » (A. Béguin).

une vie chrétienne plus ardente : c'est la seconde « conversion ». En janvier 1655, Blaise va faire une retraite à Port-Royal des Champs. Il y revient en janvier 1656, où Arnauld et ses amis lui demandent d'intervenir dans la controverse théologique.

Remarquable théologien, disciple de saint Augustin et de Jansénius, Pascal publie de janvier 1656 à mars 1657 ses *Provinciales.* Au plus fort de la bataille, le 24 mars 1656, à Port-Royal, une de ses nièces est guérie d'une fistule lacrymale par le contact avec une relique. Ce miracle joue un rôle capital dans l'évolution pascalienne : il confirme à l'écrivain qu'il lutte pour la vérité, il lui donne l'idée de rédiger un *Traité des miracles,* et épanouit en lui le projet d'une apologie de la religion chrétienne. A partir de 1657, en dépit de la maladie, Pascal accumule les notes. Au début de 1659, peu après avoir résolu le problème géométrique de la cycloïde, le savant est si accablé par la souffrance qu'il ne répond même plus à ses correspondants. Il abandonne les sciences, vend une grande partie de ses livres. Bien qu'il s'oppose à la moindre concession théologique, il cesse de participer aux controverses. Le 19 août 1662, il meurt à une heure du matin, après avoir murmuré : « Que Dieu ne m'abandonne jamais! »

LES PROVINCIALES

L'envergure de la controverse

C'est de l'homme qu'il s'agissait, de ses pouvoirs, de sa liberté. La doctrine catholique affirme que l'être humain naît dans un état de faiblesse qui le rend incapable de s'orienter durablement vers le bien si Dieu ne lui communique lumière et force intérieures. Mais comment concilier action divine et libre arbitre humain? Contre le moine Pélage, saint Augustin (354-430) avait soutenu que la grâce est toujours *efficace*, c'est-à-dire atteint infailliblement le but que Dieu, tout-puissant, lui assigne. Selon lui, l'homme demeure libre, car il conserve toujours le pouvoir de résister à Dieu, mais la grâce s'accompagne d'une joie si profonde qu'en fait le libre arbitre, sentant où se situe le vrai bonheur, s'y précipite. L'élan de l'homme suit et accompagne l'impulsion divine.

Conservée par le dominicain Thomas d'Aquin (1225-1274), cette conception fut aggravée par Calvin (1509-1564), qui professa que la grâce sauve les élus sans qu'ils s'associent à l'influx divin par un libre arbitre qui n'existe pas.

En réaction contre cette position, et même contre celle de saint Augustin, le jésuite Molina publia en 1588 son *Accord du libre arbitre avec les dons de la grâce divine*, où apparaît la notion de *grâce suffisante :* Dieu propose à l'homme une grâce qui, si l'homme veut l'utiliser, lui suffit pour bien agir. A l'homme donc d'accepter ou de rejeter l'invitation de Dieu!

Le but de Jansénius et, à sa suite, des grands théologiens de Port-Royal (Arnauld, Nicole, Pascal...) était de combattre le molinisme, qui leur semblait l'union contre nature du stoïcisme païen et de l'Évangile, et de maintenir dans sa pureté la théologie augustinienne de la grâce, en faveur dans l'Église depuis douze siècles. Ils se dressaient contre le courant néo-stoïcien issu de la Renaissance, contre les tentatives d'élaboration d'un humanisme chrétien (assumant la « sagesse » antique), contre l'orgueil propre à l'éthique aristocratique de l'époque Louis XIII.

La campagne des « Provinciales » (janvier 1656 - mars 1657)

En 1653, le pape Innocent XI avait condamné cinq propositions extraites du livre de Jansénius. Arnauld riposta par sa célèbre distinction du *droit* et du *fait :* il reconnaissait qu'en droit ces propositions étaient hérétiques et il les condamnait, mais il faisait remarquer qu'en fait elles ne se trouvaient pas dans Jansénius. Pourtant, devant le risque d'une condamnation par la Sorbonne, l'urgence d'agir s'imposa à la fin de janvier 1656. Sollicité par ses amis, Pascal écrivit d'un seul jet ce qui allait être la *Première provinciale.* La publication des « Petites lettres » fut un triomphe. Les Jésuites, furieux, cherchaient en vain à identifier l'auteur, qui avait pris le pseudonyme de Louis de Montalte.

Pascal a rédigé dix-huit lettres et avait déjà réuni des éléments pour une dix-neuvième, qui ne fut pas publiée. Après avoir consacré quatre lettres aux difficiles questions de la grâce, le polémiste se rendit compte qu'on frapperait beaucoup plus sûrement les Jésuites en attaquant les théories morales scandaleuses de plusieurs de leurs théologiens. Néanmoins, il revint au débat sur la grâce dans ses deux dernières lettres. Par ailleurs, l'écrivain, après avoir eu recours à une forme très fine de dialogue, se met, à partir de la onzième lettre, à apostropher directement les Jésuites. La violence du ton s'accroît. Enfin, les deux dernières *Provinciales* s'en prennent au Père Annat, jésuite, confesseur du roi.

Les questions de la grâce (1-4). — Le jeune narrateur court de théologien en théologien pour se faire préciser le sujet des controverses. On lui parle en particulier du *pouvoir prochain;* et il s'aperçoit que les ennemis d'Arnauld célèbrent en chœur cette expression, alors qu'ils sont en total désaccord sur son sens (lettre 1). — L'enquête se poursuit à propos de la *grâce suffisante.* Pascal s'aperçoit qu'elle ne suffit pas (lettre 2). — Arnauld vient d'être condamné par la Sorbonne : injustice et absurdité de cette condamnation (lettre 3). — Montalte rend visite à un jésuite et se fait expliquer la position de la Compagnie sur les *péchés d'ignorance.* Ce sont encore deux conceptions de la grâce qui s'affrontent, mais déjà s'amorce la transition vers la morale (lettre 4).

La morale relâchée des Jésuites (5-16). — Lettres 5-7 : Pascal attaque les bases mêmes de la morale relâchée : le *probabilisme,* doctrine selon laquelle toute opinion soutenue par un docteur sérieux est probable, même si un autre docteur sérieux porte un jugement opposé et plus sûr (lettre 5); le *jeu sur les mots* ou *les circonstances* (lettre 6); la *direction d'intention,* qui permet de commettre une mauvaise action, pourvu que l'intention soit orientée vers l'obtention d'un bien légitime (lettre 7). Les exemples, tristes ou plaisants, abondent dès ces premières attaques.

Lettres 8-10 : Dénonciation de maximes concrètes des casuistes.

Lettre 11 : Admirable traité de la polémique chrétienne.

Lettres 12-16 : Retour aux maximes concrètes, notamment sur l'homicide (lettres 13-14) et la calomnie (lettres 15-16).

Retour à la théologie de la grâce (17-18).— Apologie de Jansénius. Défense de la distinction du droit et du fait. Il n'y a aujourd'hui nulle hérésie dans l'Église.

« Le premier livre de génie qu'on vit en prose » (Voltaire)

Pour quiconque s'est informé de l'enjeu du débat, l'ouvrage paraît d'hier. Pas une ride! Une langue simple, admirable de limpidité. La mobilité du ton, le don du dialogue, la virtuosité dialectique, l'art de la réponse inattendue, la maîtrise du rythme, le recours à l'ingénuité feinte (avant Montesquieu), l'éloquence passionnée... tant de talents expliquent assez l'admiration sans réserve que les contemporains vouèrent aussitôt à l'œuvre. Boileau voyait en elle la seule création qui fût supérieure à tout ce qu'avait produit l'Antiquité. Bossuet, Saint-Évremond, La Bruyère, Montesquieu, Voltaire, Rousseau et bien d'autres jusqu'à Mauriac ont formé un immense concert de louanges. L'importance du débat sur l'homme et les dons de l'écrivain n'épuisent pas l'intérêt de ces *Lettres :* elles s'imposent, en effet, comme le modèle, peut-être inégalé, de toute polémique qui se veut grande.

LES « PENSÉES »

Pour mener à bien la rédaction de son *Apologie*, Pascal souhaitait dix ans de santé. Il n'eut que cinq ans de maladie. A sa mort, il laissait seulement un millier de fragments, malaisés à déchiffrer. Ces reliques furent aussitôt recopiées avec soin. Il nous reste aujourd'hui deux « Copies » et le « Recueil », constitué en 1711 par un neveu de Pascal, des fragments autographes.

Les éditions

Un comité de parents et d'amis se constitua qui, après de nombreuses discussions, mit au point l'édition dite de Port-Royal (1670). Ces *Pensées sur la religion et sur quelques autres sujets* ne comprenaient, groupés dans un ordre logique et quelquefois récrits, que les fragments les plus clairs et les plus achevés. On ne voulait ni rallumer les controverses religieuses, ni heurter une mentalité classique plus sensible au « fini » esthétique qu'à la puissance d'une vision du monde et aux raccourcis fulgurants. Tel fut le texte dont disposèrent les « philosophes » du XVIIIe siècle.

Diverses éditions se succédèrent ensuite : Condorcet (1776), Bossut (1779), Faugère (1844),

Havet (1852)... jusqu'à la célèbre édition Brunschvicg (1897), qui répartit en quatorze sections, selon un ordre logique, l'ensemble des fragments. On semblait donc renoncer à retrouver un ordre prévu par Pascal.

Mais à partir de 1935, plusieurs érudits établirent que les « Copies » reflétaient un classement effectué par l'écrivain lui-même. Loin d'avoir laissé ses papiers dans le désordre où ils se trouvent dans le « Recueil original » (par suite de diverses manipulations), Pascal avait classé un certain nombre de ses « Pensées » en vingt-sept liasses. Ces découvertes aboutirent à la grande édition Lafuma (1951), qui se conforme à l'ordre des « Copies ». Elles inspirent aussi l'édition monumentale préparée actuellement par Jean Mesnard.

Le mouvement de l' « *Apologie* »

La succession des liasses permet d'entrevoir un dessein grandiose. Pascal eût-il profondément remanié ce classement provisoire? Nous n'en saurons jamais rien. L'important, c'est qu'il existe un ordre proprement pascalien. La période des reconstructions arbitraires est close.

		Liasse
L'ATTRAIT DE L'HYPOTHÈSE CHRÉTIENNE	Misère et grandeur de l'homme et des sociétés	1. *Ordre.* Réflexions sur l'organisation de l' « Apologie ».
		2. *Vanité.*
		3. *Misère.*
		4. *Ennui.*
		5. *Raisons des effets* — Ces « effets », cette situation de fait, tous les voient. Mais qui en démêle la cause?
		6. *Grandeur.*
		7. *Contrariétés.* Les mystérieuses contradictions de l'homme.
	L'ignorance du vrai bonheur	8. *Divertissement.* Ne pouvant éluder le malheur, les hommes en détournent puérilement leur pensée.
		9. *Philosophes.* Ils sont divisés, vaniteux, n'entrevoient le vrai que par bribes.
		10. *Le Souverain Bien.* Tous le cherchent. Qui le trouvera?
		11. *A. P. R.* [1]. « Écoutez Dieu ». Conclusion et ouverture.
	La recherche du Dieu inconnu	12. *Commencement.* Commencer par plaindre les incrédules : ils sont incertains. Mais ils doivent « parier ».
		13. *Soumission et usage de la raison.* Du bon usage de la raison dans la recherche de l'infini.
		14. *Excellence* du cheminement vers Dieu par Jésus-Christ, et non par les élucubrations philosophiques.
		15. *Transition* de la connaissance de l'homme à Dieu.
		16. *Fausseté des autres religions.* L'Islam, la religion chinoise... ne résistent pas à l'examen.
		17. *Rendre la religion aimable.* Elle appelle tous les hommes.
LES PREUVES		18. *Fondements.* Dieu est caché : toute enquête doit partir de ce fait révélé.
		19. *Loi figurative.* La Bible est sublime, pour qui décèle son sens caché.
		20. *Rabbinage* / 21. *Perpétuité* — La religion judéo-chrétienne remonte aux origines du monde.
		22. *Preuves de Moïse* / 23. *Preuves de Jésus-Christ* — les deux sommets de la Révélation divine.
		24. *Prophéties.* / 25. *Figures particulières* — Jésus-Christ et l'Église ont été annoncés par les « Prophètes ».
		26. *Morale chrétienne.* La sainteté d'une morale toute divine, animée par l'amour.
		27. *Conclusion.* Le cœur humain est fait pour Dieu. Souveraineté du Saint-Esprit.

Les liasses classées comprennent 382 fragments. Suivent 31 « séries » (fragments 383 à 829) qui appartiennent également à l' « Apologie » et 3 « séries » intitulées « Miracles », vestiges du *Traité sur les miracles* entrepris par Pascal. Ici s'arrête la « Copie ». Cependant, l'édition Lafuma donne encore une centaine de fragments d'origines diverses : écrits intimes (le *Mémorial*, le « Mystère de Jésus »), notes pour des ouvrages scientifiques ou théologiques *(Provinciales...)*.

1. On ignore le sens de ces sigles. *A Port-Royal*, selon certains : cette liasse serait constituée de notes destinées à une conférence donnée par Pascal à Port-Royal en 1658. Selon d'autres, *Apologie Pour la Religion.*

Le clair-obscur du monde

Visionnaire, Pascal est sensible à l'universel écoulement qui caractérise l'univers physique aussi bien que l'être humain : inconsistance du monde, inconstance de l'homme, fragilité des amitiés, des institutions, des empires. L'homme est égaré, vacillant entre l'infiniment grand de l'espace et l'infiniment petit des particules, entre les temps qui le précèdent et ceux qui le suivent. « Nous voguons sur un milieu vaste, toujours incertains et flottants, poussés d'un bout vers l'autre ». Nos connaissances sont pareillement chancelantes, nous sommes « incapables de savoir certainement et d'ignorer absolument ». Nos sciences n'atteignent qu'un « milieu des choses », mais rien de fondamental. Notre raison est saisie de vertige devant le problème de l'existence de Dieu ou celui, pourtant vital, d'une éventuelle immortalité de l'âme. Bien plus, nous qui ne cessons de rechercher le bonheur, nous ignorons où réside le véritable bien pour l'homme. Chacun y va de sa théorie, les modes s'en mêlent. « Où trouverons-nous un port dans la morale? » En l'homme et autour de lui flotte une « obscurité douteuse dont nos doutes ne peuvent ôter toute la clarté, ni nos lumières naturelles en chasser toutes les ténèbres ». En attendant la mort, que fera l'homme?

Le règne du cœur mauvais

Théologien, Pascal décèle avec admiration une harmonie profonde entre les constats de l'expérience et ce que la Sagesse divine a révélé du mystère humain. Face à la raison, qui n'est efficace que si on l'applique à une frange étroite du réel (sciences...), l'apologiste met en lumière les immenses possibilités du « cœur ». Le *cœur* pascalien est le siège de connaissances intimes, immédiates, non démontrables et pourtant essentielles : en effet, ou bien elles constituent le point de départ de toutes les autres (intuition des premiers principes), ou elles président à la conduite quotidienne de l'homme et à ses décisions les plus vitales (amitiés, amours, sentiment esthétique, découverte de Dieu...). Mais en même temps, le cœur inclut tout ce que Pascal appelle la « volonté » : l'ensemble des tendances ignorées, des désirs conscients, des décisions libres. Bref, le cœur représente la profondeur, l'intimité, la spontanéité, l'être véritable de l'homme.

Créé pour jouir de l'amour infini de Dieu, le cœur humain a préféré jouir de sa propre excellence. Le *moi* humain s'est placé au-dessus de tout et de tous. Mais un tel amour de soi (ou « amour-propre ») est impuissant à remplir le vide que Dieu a laissé. Voilà l'homme dans l'inquiétude et l'angoisse! Ni les voluptés, ni la passion effrénée de savoir (ou « curiosité »), n l'orgueil ne peuvent le rendre heureux. La cor ruption universelle des cœurs explique celle de sociétés : le grand politicien est celui qui sai tirer la paix de l'affrontement sournois ou furieu de tous les *moi* totalitaires. Il faut désormai choisir entre Machiavel (le mensonge, le meur tre...) et la guerre civile. Beau résultat, don l'homme sans Dieu peut être fier!

La grâce souveraine

Les thèmes fondamentaux des *Pensées* gra vitent autour de la théologie augustinienne de l grâce, entièrement reprise par Pascal. Le contradictions actuelles de l'homme s'expli quent par une déchéance mystérieuse, « le péch originel ». Créé fort, sain, innocent, l'homm s'est précipité par orgueil dans la misère, l'aveu glement et la condition mortelle. Toute l'huma nité a été corrompue : elle est comme un arbr né d'une mauvaise semence. Mais elle a conserv des vestiges de sa « première nature ». De l tant d' « étonnantes contrariétés »! Elle form une « masse de perdition », tout entière viciée sans la grâce, l'homme est incapable de s'oriente durablement vers le bien; la plupart des vertu des païens ne sont qu'apparence offerte pa l'équilibre des vices, l'hypocrisie. Abandonn à lui-même, l'être déchu ne peut s'évader de l corruption. La grâce de Jésus-Christ est le seu « remède » qui puisse le guérir et remplacer le ténèbres par une aurore, rendre déchiffrables l monde, les événements, l'Écriture, la sainteté Elle seule lève « le voile... qui couvre Dieu ».

Les principes généraux de l' « Apologie »

Pascal sait qu'il s'adresse à un être déchu soumis à la concupiscence, à l'ignorance, à l fragilité physique et psychique. N'ayant qu'u sentiment confus de Dieu, l'incroyant ne par viendra à la foi qu'au terme d'une métamor phose qui affecte toutes les « pièces » de son être De là quatre positions capitales de Pascal

1) *Dieu est un Dieu caché :* contre les apolo gistes naïfs, les *Pensées* affirment que trouve Dieu est difficile. Dans la nature comme dan l'Écriture, un voile cache Dieu à ceux qui n'on pas le cœur pur, qui ne brûlent pas de rencontre celui dont ils déplorent en eux l'absence. L'un des grandes nouveautés de l' « Apologie » pas calienne est l'importance du dialogue ave l'incroyant sur la condition même de l'homm

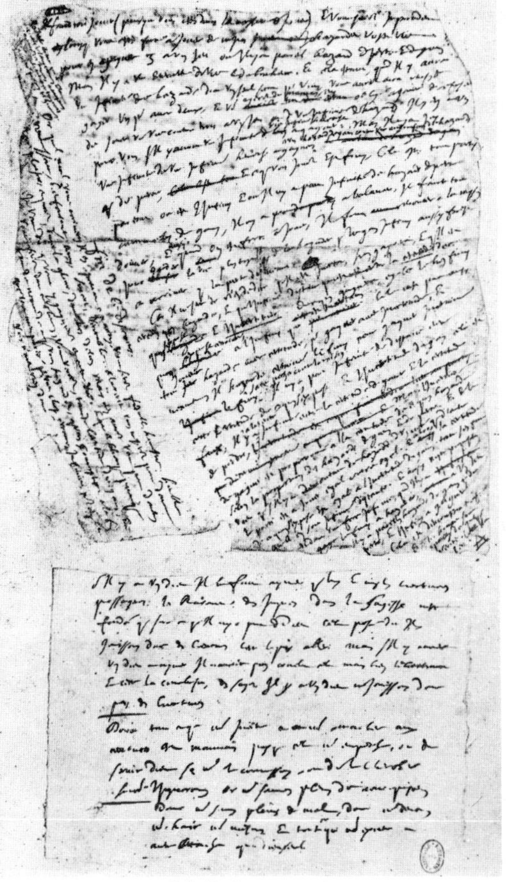

Détail du manuscrit autographe du texte appelé « le pari ». (B.N. Paris.)

(17 liasses), avant tout exposé des raisons de croire.

2) « *On n'entre dans la vérité que par la charité* » : dans l'homme, la « volonté » dispose de l'intelligence, qu'elle tourne vers les objets qu'elle aime et détourne de considérer ce qu'elle déteste. L'essentiel n'est donc pas le savoir, mais la limpidité du cœur. Il faut lutter contre les passions mauvaises, rechercher l'humilité...

3) *Le rationalisme est une sottise :* dans l'accès à la foi, c'est le « cœur » et la grâce qui sont décisifs. Les prétentions totalitaires de la raison, « qui voudrait juger de tout », sont ridicules. De là les attaques de Pascal contre la raison spéculative, forme dérisoire de l'orgueil humain : « Qu'elle est sotte! » Mais, dépouillée de sa boursouflure, la raison montre sa grandeur : il lui appartient de reconnaître ses échecs, d'en chercher la cause, d'accepter elle-même ses limites, et, ultérieurement, de contrôler — dans le cheminement vers la foi — les faits, les témoins et les témoignages : la foi n'est pas crédulité!

4) *L'importance de « la machine » :* alors que la France du XVIIe siècle accepte, dans son ensemble, le recours à la force pour « convaincre » les esprits opiniâtres, Pascal s'y oppose violemment. Il sait pourtant que, par sa chair et une partie de son psychisme, l'homme plonge dans le règne animal : cette « pièce » de son être est objet de dressage, la coutume y installe certains mécanismes. Cette « machine » n'est jamais neutre. La vie païenne crée des mécanismes qui écrasent les velléités de croire. Quand l'incroyant a pris conscience de l'action hypocrite des routines, il lui appartient de détruire les vieux mécanismes. Mais pourquoi consentirait-il cet effort? Parce qu'il est raisonnable de « parier » pour l'existence d'un Dieu.

Les preuves pascaliennes

Ce sont ses propres raisons de croire que Pascal donne. De là le lyrisme contenu, la passion des *Pensées*. Nul doute que pour lui la plus pressante invitation à la foi ne provienne des harmonies infinies qu'il découvre entre la vie et la Révélation évangélique. Auprès de cette expérience intime, les autres arguments font figure de « preuves du dehors ». Le plus grand de ceux-ci lui paraît être l'existence des prophéties, liées elles-mêmes au mystère du peuple juif et à celui de l'Écriture : la réalisation exacte de tant de promesses constitue un « miracle subsistant » pour toutes les générations. Pascal considère encore comme des preuves de la Transcendance la présence de la sainteté dans l'Église (on y voit des hommes qui semblent échapper à la corruption universelle), l'essor si pur et si soudain de l'Église visible au cours des premiers siècles, la « perpétuité » d'une foi qui a « toujours été sur la terre ». En revanche, il est peu probable que les fragments sur les miracles auraient été intégrés à l' « Apologie ».

La fascination des « Pensées »

Les *Pensées* connaissent un succès immédiat. Mais évidemment ce brûlot antihumaniste se heurte bientôt à l'hostilité des « philosophes ». Voltaire n'a cessé de guerroyer contre Pascal. Condorcet l'accuse d'ôter à l'homme « le courage de devenir meilleur et plus heureux ». En revanche, le romantisme annexe Pascal : Chateaubriand célèbre « l'effrayant génie », Sainte-Beuve compose son monumental *Port-Royal* (1837-1859), Barbey d'Aurevilly voit en Pascal un « Hamlet du catholicisme », Baudelaire le paraphrase et lui consacre son poème « Le gouffre ». Se rattachant à l'humanisme hérité du XVIIIe siècle, l'enseignement laïque courant tend à considérer que Pascal est grand, quoique chrétien : il fait donc étudier une partie, qu'il déclare « philosophique », des *Pensées*, mais délaisse les fragments les plus évidemment religieux. Contresens commode, mais stupéfiant, qui annexait à la philosophie l'adversaire le plus acharné de toute démarche philosophique! L'Église catholique elle-même, pathologiquement antijanséniste, se méfie de Pascal; des théologiens s'évertuent à « prouver » que Pascal, « naturellement catholique », s'est « un peu » fourvoyé dans le jansénisme à cause de son ignorance théologique. Ce sont peut-être les protestants qui restent les moins réticents devant l' « Apologie ».

Cependant tout le monde lit Pascal, de Nietzsche à Zola et à Péguy.

Au lendemain de la Première Guerre mondiale, au moment où Valéry écrit sa médiocre *Variation sur une pensée* (1923), les travaux de Jean Laporte commencent à établir que Pascal est un pur jansénien. Puis on découvre l'ordre pascalien des liasses : le classement logique de Brunschvicg, qui facilitait le contresens scolaire, est battu en brèche. L'unité théologique de l'œuvre apparaît dans une lumière de plus en plus vive. Vers la même époque, l'existentialisme glorifie en Pascal l'un de ses plus éclatants précurseurs, tandis que les théologiens s'avisent enfin que Pascal est un des leurs et découvrent dans les *Pensées* l'ébauche d'un prodigieux traité de théologie fondamentale ([1]). La décadence rapide de l'humanisme, miné par les atrocités du XXe siècle et par sa difficulté à assumer les acquisitions du monde moderne, ne peut que valoir plus d'influence au penseur le plus hostile aux naïvetés rationalistes et à toute croyance en un progrès moral de l'homme.

1. La théologie fondamentale est une réflexion sur les « fondements » de la foi, sur les raisons que l'homme a de croire le message évangélique. Pascal a intitulé l'une de ses liasses « Fondements ».

THÉOLOGIE, SCIENCE, LITTÉRATURE

Aucune cloison entre les différentes activités de Pascal! Il est, d'un seul jaillissement, théologien, savant et artiste. Il possède à la fois ce qu'il a nommé lui-même « l'esprit de géométrie » — qui rend capable de raisonnements rigoureux à partir de quelques principes clairs, mais éloignés de l'usage commun (postulats...) — et « l'esprit de finesse », où l'activité dominante du cœur se prolonge en des ébauches de raisonnement (interprétation des mille indices de la vie, relations avec nos semblables, sens des affaires, ouverture à l'art et au monde de Dieu...).

Certes Pascal, fidèle à la pensée augustinienne, juge la vérité (théologique, et même scientifique) infiniment plus importante que la beauté. Mais, conscient de la faiblesse humaine, il sait que l'homme déchu ne va guère à la vérité nue. Les sortilèges de l'art sont malheureusement nécessaires pour le convaincre. Quelques grands traits caractérisent l'art pascalien.

1) *Le contact immédiat avec les créateurs.* Pascal raille les « recettes » : « La vraie éloquence se moque de l'éloquence. » Ses guides ne sont pas Horace ou Quintilien, mais la Bible (avec ses images hardies ou brutales, l'envoûtement de ses versets), saint Augustin, Montaigne...

2) *La clarté :* « Un des principaux points de l'éloquence qu'il s'était faite était de ne rien dire que l'on n'entendît [comprît] pas ou que l'on entendît avec peine », a écrit sa sœur Gilberte. De là l'hostilité de Pascal à tous les jargons, que ce soit celui des précieux ou celui des scolastiques. Ici la volonté religieuse de faire comprendre l'Évangile rejoint l'idéal mondain de l' « honnêteté », qui veut que le spécialiste disparaisse devant l'homme. Cette exigence de clarté explique aussi chez Pascal la passion du mot propre, même s'il est réputé « bas » *(suer, cloaque, barbouiller, purger...)*, le recours à la répétition, la multiplication des distinctions lumineuses à deux termes (cupidité/charité; géométrie/finesse; les deux « états » de l'homme; misère/grandeur...) ou à trois termes (les trois concupiscences, les trois ordres...).

3) *Le naturel :* Pascal est plein d'admiration pour la « naïveté » du style des évangiles, pour la

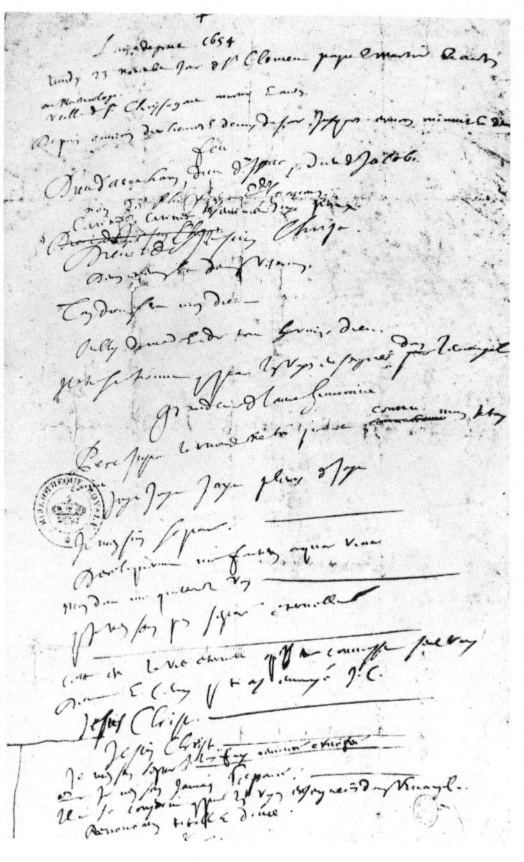

Le *Mémorial*, texte trouvé dans la doublure des vêtements de Pascal après sa mort.

spontanéité de Montaigne. « Quand on voit le style naturel, on est tout étonné et ravi, car on s'attendait de voir un auteur, et on trouve un homme. »

4) « *L'ordre du cœur* » *:* contrairement à la rigueur « classique », Pascal propose une esthétique du vagabondage, qu'il rencontre aussi bien dans la Bible que chez saint Augustin ou Montaigne. Il rêve d'une composition de type musical, incantatoire, faite d'infinies variations sur un seul thème : « Le Royaume de Dieu ». La musicalité des phrases devait concourir à l'enchantement : « Notre raison est toujours déçue par l'inconstance des apparences », « Que de royaumes nous ignorent! »

5) *Entraîner :* la tradition de la rhétorique proposait à l'orateur un triple idéal : instruire-plaire-entraîner. Par la nature même de son œuvre, Pascal « instruit ». Mais il se méfie des ambiguïtés du « plaire », de la complaisance; il veut que « l'agréable... soit lui-même pris du vrai ». Pas de faux ornements! Le polémiste, l'apologiste veulent saisir plus encore que séduire. Le connaisseur du cœur humain adapte son argumentation à des interlocuteurs réels. Le savant fait preuve d'une éblouissante virtuosité dialectique, recourt aux métaphores scientifiques, évoque l'univers nouveau des astronomes, confère une armature mathématique à son argument du « Pari ». La sensibilité ardente de l'homme éclate en confidences, en interrogations, en cris, en apostrophes, en périodes passionnées. Pourtant la caractéristique la plus frappante de ce style, c'est son allure impérieuse : l'attaque, les coups de fouet de l'ironie, les invitations pressantes, les secousses produites par les hyperboles (« L'homme n'est qu'un sujet plein d'erreur », jamais, toujours, rien, tout) et les cassures du rythme. L'unique but était de coopérer avec Dieu à « incliner le cœur » de l'homme vers la vérité de l'Évangile.

BIBLIOGRAPHIE

TEXTES : PASCAL, *Œuvres complètes,* 14 vol., éd. Brunschvicg major, Hachette, 1904-1914; éd. Lafuma, Seuil, 1963; éd. Mesnard, Desclée de Brouwer, depuis 1964. — *Les provinciales,* éd. Cognet, Garnier, 1983. — *Pensées,* 3 vol., éd. Lafuma, éd. du Luxembourg, 1951 (édition savante, mise à jour et améliorée par M. Le Guern, malheureusement avec un changement de numérotation, en 2 vol., Gallimard, 1977). — Éd. Sellier, Mercure de France, 1976 (d'après la copie de référence de Gilberte Pascal).

ÉTUDES : SAINTE-BEUVE, *Port-Royal,* 3 vol., Gallimard, 1953 (le chef-d'œuvre du grand critique). — Henri BREMOND, *Histoire littéraire du sentiment religieux en France depuis la fin des guerres de religion,* 11 vol., rééd. A. Colin, 1967 (la redécouverte de toute une littérature presque oubliée, mais le volume IV, sur Port-Royal, est en partie gâté par des partis pris). — Jean MESNARD, *Pascal,* Hatier (la meilleure introduction, constamment remise à jour, aux problèmes posés par l'œuvre pascalienne; bibliographie excellente). — Philippe SELLIER, *Pascal et saint Augustin,* A. Colin, 1970 (l'ensemble de la vision pascalienne du monde, qui s'est élaborée presque toujours dans le sillage ou en face ou en marge du « maître », saint Augustin). — Jean MESNARD, *Les Pensées de Pascal,* S.E.D.E.S., 1976 (une remarquable synthèse). — *Méthodes chez Pascal,* P.U.F., 1978 (les Actes d'un colloque riche d'apports de toutes sortes). — Gérard FERREYROLLES, *Pascal ou la raison du politique,* P.U.F., 1984 (excellente étude).

LE SIÈCLE DE LOUIS XIV

LE TRIOMPHE APPARENT DE L'ORDRE

Le 9 mars 1661, Louis XIV assume personnellement la direction d'une nation puissante, aux 19 millions de sujets. Il abolit le régime du ministériat et décide seul, conseillé par un état-major essentiellement bourgeois. Il confère à la monarchie « un caractère quasi solaire et pharaonique » (1), emprunte à l'Espagne les rites d'un cérémonial minutieux, s'efforce de limiter les particularismes en étendant sur le pays un réseau administratif qui durera jusqu'en 1789. Au point de vue social, si l'immense monde rural reste pauvre et menacé par les famines (notamment celle du terrible hiver de 1709) et par les guerres, le fait marquant est l'ascension de la bourgeoisie, qui se rue vers les terres, les « offices » et l'anoblissement. Beaucoup de nobles ne réussissent à échapper à la pauvreté que grâce à de riches mariages bourgeois ou aux faveurs royales. La cour, qui s'installe définitivement à Versailles en 1682, compte 7 000 à 8 000 personnes : gaie au début du règne, l'atmosphère s'y assombrit peu à peu, à mesure que le roi vieillit et devient dévot.

1. H. Méthivier.

Louis XIV en visite au Jardin du Roi le 1er mai 1682 (par Leclerc).

Versailles : le château, côté jardin (par Sylvestre. B. N. Paris).

Les débuts du règne sont heureux : redressement économique, victoires militaires, éclat des lettres et des arts, succès de la réforme catholique... Mais au cours des années 80 s'amorce le déclin : revers militaires, effets désastreux de l'intolérance religieuse (lutte contre les jansénistes et les protestants), crise économique et sociale, naissance d'une opposition intellectuelle. Un moment imposante, la façade louis-quatorzienne ne tarde pas à se lézarder.

LES ÉVÉNEMENTS POLITIQUES

1661	Règne personnel de Louis XIV (âgé de vingt-deux ans). — Arrestation de Fouquet (1661).
1666	Mort d'Anne d'Autriche.
1667-68	Guerre de Dévolution et paix d'Aix-la-Chapelle.
1672-78	Guerre de Hollande et paix de Nimègue. — Mort de Turenne (1675)
1680	Début des dragonnades (contre les protestants).
1682	Déclaration des Quatre Articles (affirmation du gallicanisme).
1683	Mort de la reine Marie-Thérèse.
1685	Révocation de l'Édit de Nantes.
1689-97	Guerre de la Ligue d'Augsbourg et congrès de Ryswick.
1702	Insurrection des Camisards.
1702-13	Guerre de la Succession d'Espagne et paix d'Utrecht.
1710	Naissance de Louis XV. Destruction de Port-Royal.
1713	Bulle *Unigenitus* (contre les jansénistes).
1715	Mort de Louis XIV.

L'ESTHÉTIQUE CLASSIQUE

La mythologie louis-quatorzienne propose l'image d'un « roi-mécène », inspirant une pléiade d'écrivains et d'artistes « classiques ». Il est hors de doute que la protection royale et l'éclat du début du règne ont contribué à stimuler les créateurs, à leur donner le sentiment qu'ils participaient à une grande œuvre collective. Mais la réalité diffère notablement de la légende.

Le corps de préceptes, qui constitue au sens le plus précis l'esthétique classique, s'est élaboré en France au cours des années 1630-1660 ([1]). Il est essentiellement l'œuvre de théoriciens influents. Les véritables créateurs, s'ils partagent le goût de leur temps pour les Anciens et les modèles italiens ou espagnols, le souci de l'utilité morale des œuvres, la tendance à la simplicité, à la clarté, à la retenue, à l'ordre..., ne se sont pas inféodés aux préceptes des « doctes ». Ils ne constituent guère ce chœur classique que la critique bien pensante a inventé. Corneille est plein d'ironie pour les inconditionnels d'Aristote, et cultive une merveilleuse invraisemblance, Bossuet est un baroque, Mme de Lafayette une précieuse, La Fontaine un indépendant. Qui soutiendrait que l'auteur des *Pensées* ou celui de *Dom Juan* ont eu un culte pour les « règles »? Il ne s'agit pas d'objecter que Mme de Lafayette est classique sous prétexte que son style est retenu, qu'elle analyse les passions humaines... car Stendhal — théoricien romantique — serait alors plus classique qu'elle et que Racine. De même, on trouve moins d'ordre et de rigueur chez les écrivains du siècle de Louis XIV que chez Baudelaire. Il s'impose donc — si l'on veut introduire quelque précision dans un domaine mouvant — de ne considérer comme classiques que les créateurs qui adoptent *toutes* les lignes principales de l'esthétique élaborée par les « doctes ». En définitive, l'esthétique classique

1. Voir le chapitre « La montée des théoriciens ».

n'a inspiré avec quelque pureté que les œuvres mineures de Boileau et (non sans nuances) de La Bruyère ainsi que la prodigieuse création racinienne.

Lucidité et raison

La philosophie de Descartes ne semble pas avoir marqué les grands écrivains français du XVIIe siècle. La plupart d'entre eux ne croyaient pas que la vie humaine fût gouvernée par la raison. Ils ont un sens aigu de la puissance des passions, du mystère des sentiments, du « je ne sais quoi ». Aucun siècle n'a donné tant de place aux variétés de l'amour dans la littérature. Imprégnés d'augustinisme, bien des artistes sont persuadés de la faiblesse irrémédiable de la raison philosophique et morale (Pascal, La Rochefoucauld, Bossuet, Racine, Mme de Lafayette...). Mais au sein des orages du désir, la plupart cherchent à y voir clair, à analyser ce qui leur arrive. Cette volonté de lucidité, gratuite (car on ne croit pas que cette analyse puisse influer beaucoup sur le tumulte de la vie), est inhérente au classicisme. Elle suppose la même sorte de distance, de recul que la réserve et la pureté aristocratique de l'expression.

En revanche, dans l'activité créatrice et dans le jugement critique, le classicisme exige la suprématie de la « raison » :

> Aimez donc la raison : que toujours vos écrits
> Empruntent d'elle seule et leur lustre et leur prix.
> BOILEAU, *Art poétique*, I, 37-38.

Le mot « raison » revient chez tous les théoriciens et chez les écrivains. Sa signification oscille entre le sentiment esthétique et la réflexion, le bon sens, le calcul. La « raison » du classicisme, c'est le sentiment esthétique innervé par la réflexion. La mention de cette faculté est en elle-même banale. L'art suppose évidemment un certain contrôle : le surréalisme a combattu simultanément ce contrôle et la notion d'art. Mais le classicisme se caractérise par son insistance sur la suprématie de la raison, par sa défiance de l'imagination et de la fougue, par l'importance qu'il attribue à des recettes fondées à la fois sur l'autorité d'Aristote (jusque vers 1680) et sur de discutables raisonnements : a-t-on le droit de resserrer dans le temps d'une représentation une action qui a duré plusieurs années, objecte-on au *Cid* de Corneille? Et de faire passer de Bohême en Silésie des spectateurs immobiles?

Cette oscillation de sens du mot « raison » explique tout ensemble son emploi par les artistes les plus authentiques et son glissement vers un rationalisme étriqué, décelable chez Boileau, et funeste à la poésie jusqu'au romantisme.

La raison apparaît alors comme aussi éternelle et invariable que la beauté et les « règles » dont elle constitue le fondement. Sa fragilité semble pourtant singulière, et son obscurcissement aisé. Non seulement des peuples entiers l'ignorent : ainsi l'Espagne n'a aucune « idée de la raison » (Chapelain), mais le peuple en est privé. En définitive, le « bon goût » n'appartient qu'à quelques cercles de la haute société, avec lesquels les écrivains vivent en symbiose intellectuelle et qui sont présents au cœur de la création littéraire, car jamais peut-être le créateur n'a autant travaillé pour un public précis. L'art médiéval était en grande partie populaire. L'art classique est aristocratique.

Nature et naturel

« Imiter la nature » est un principe aussi ancien que vague. Quelle imitation? Quelle nature? « On ne sait ce que c'est que ce modèle naturel qu'il faut imiter » (Pascal). Certains textes théoriques laisseraient supposer qu'il s'agit d'un appel au réalisme : ne pas peindre les hommes plus beaux ni plus laids qu'ils ne sont... Mais en réalité toute l'époque préconise une transposition artistique du réel. D'Aubignac a bien compris qu'au théâtre l'expression naturelle de la grande douleur serait l'onomatopée ou le silence : il demande donc des discours pathétiques, mais pas trop artificieusement ordonnés. Autre liberté prise avec la nature : l'artiste peut fort bien exclure de son univers toute une partie du réel, notamment la laideur physique ou morale.

La « nature », selon les doctes, n'est guère que la nature humaine. Le classicisme a ignoré la poésie descriptive (paysages...); il répugne à peindre le laid, le bizarre, le fantastique; chez lui, le réalisme social est des plus faibles. Dans le domaine étroit qui est le sien (les passions humaines, essentiellement), l'esthétique classique préconise à la fois une observation aiguë de la réalité vivante et une transposition, une stylisation telles qu'on doit en définitive parler d'idéalisme artistique.

Dans l'ordre de l'expression, la nature devient le naturel. Il faut proscrire « les phrases trop étudiées, un style trop fleuri, les manières trop compassées, les beaux mots, les termes trop recherchés et toutes les expressions extraordinaires » (Rapin). L'idéal est un style coulant, apparemment facile, dont chacun trouve qu'il exprime bien sa propre pensée.

Vraisemblance, bienséances et utilité morale

Le vraisemblable n'est ni le réel, ni le possible; c'est ce qu'un public donné croit pouvoir s'être passé. On conçoit qu'une telle notion soit d'une portée extrêmement incertaine : le XVIIe siècle jugeait vraisemblables les horreurs de la mythologie grecque, parce que l'éducation les lui avait rendues familières. En revanche, certains désirs que la psychanalyse nous a habitués à considérer comme courants lui eussent paru révoltants et incroyables. La règle de la vraisemblance n'a triomphé qu'assez tard. Corneille la rejetait au nom de la fidélité au réel : l'histoire n'est-elle pas une extraordinaire collection de crimes grandioses et confondants? Les partisans de la vraisemblance la jugeaient nécessaire à la réalisation d'un autre précepte fondamental : l'utilité morale des œuvres. Le spectateur ou le lecteur ne peuvent s'identifier aux héros et ainsi se « purger » de leurs passions (la *catharsis*) que si ces héros sont assez proches d'eux.

La règle des bienséances, aussi capitale que vague, s'est imposée en France à partir de 1630. La bienséance inclut des préceptes moraux (bannir ce qui choque la pudeur, ou même la sensibilité, ne pas se mettre en avant dans une œuvre), des préceptes techniques (tenir compte du temps, des mœurs, du rang des personnages; préparer les événements futurs de l'intrigue; maintenir les héros dans leur caractère), des préceptes esthétiques (ne pas mêler le sérieux et le plaisant, ne pas s'abandonner à l'anarchie créatrice). Aucune exigence peut-être ne traduit mieux les aspects moralisateur et rationaliste de l'esprit classique.

Faut-il souligner que ces règles heurtaient de front le précepte de fidélité à la nature et accentuaient le caractère idéaliste des représentations artistiques du classicisme?

Concentration et convergence

Le classique rêve d'une œuvre organique, ni trop grande, ni trop petite, et où tout se tienne dans l'harmonie. Il répugne au foisonnement, à la verve, au jeu débridé : tous les détails doivent converger vers un unique but. Ce qui est inutile à l'action doit être retranché. L'œuvre idéale implique ordre, travail, concision, rapidité, concentration des effets. La règle des trois unités n'est qu'un affleurement particulier de cette exigence profonde. De là l'impression (parfois trompeusement) lumineuse que l'on retire de la première lecture des œuvres classiques.

Réserve et perfection

Le classicisme n'aime guère l'étalage du moi. Au XVIIe siècle, plusieurs explications de ce fait se proposent : l'hostilité religieuse à l'amour-propre (ou amour exclusif de soi), le caractère peu individualiste des œuvres gréco-latines, le souci du public et de la postérité, le goût d'universaliser l'expérience personnelle, le culte du vraisemblable (défini comme ce qui peut arriver à tous). Sans doute autant que les romantiques, le XVIIe siècle est sensible à l'appel de l'infini. Mais l'art classique vit d'un idéal de pudeur et de perfection. Les éditeurs de Pascal sont gênés de l'inachèvement des *Pensées*, les romantiques s'en enchanteront.

Le style préfère à l'éclat la discrétion. Les vers raciniens abondent en « effets de sourdine » [1]. On a appelé « art de la litote » ce pouvoir magique d'exprimer l'intensité des passions au moyen de l'expression la plus retenue, d'allusions pudiques, de termes apparemment sans force. Le lecteur moderne, habitué à l'inflation verbale des moyens de communication de masse, a besoin d'une sérieuse accommodation pour pénétrer dans ces œuvres voilées.

Une esthétique normative

Sans contester l'importance du génie, à leurs yeux indéfinissable, les théoriciens classiques insistent sur la nécessité pour lui de se plier à un corpus de préceptes, de règles du beau éternel. Tout d'abord règne l'idée que la beauté, la vérité et le bien sont convertibles : « Rien n'est beau que le vrai » (Boileau). Une belle œuvre est nécessairement vraie, nécessairement profitable à la morale.

Outre ce postulat platonicien s'imposent des normes plus précises : l'imitation des Anciens qui les premiers ont découvert les règles du beau; l'imitation de la nature; la soumission aux « règles », générales ou particulières à chaque genre, à la fois par admiration pour les belles

1. Léo Spitzer.

œuvres antiques et par réflexion sur l'esthétique.

Rien de commun, donc, avec le splendide isolement auquel prétend souvent l'écrivain romantique. Mais le sens d'un beau éternel, de lois pour l'atteindre, de modèles à imiter librement, d'un travail acharné pour parvenir au naturel, de la suprématie de l'intelligence, d'une dure victoire à remporter sur le chaos des impressions et des pulsions. Au terme : une œuvre-diamant.

Classicisme et patrimoine

Ce corpus esthétique a été accepté et célébré par les thuriféraires du siècle de Louis XIV, entre 1730 et 1750, notamment Voltaire, lui-même profondément « classique » dans ses créations comme dans ses jugements *(Le siècle de Louis XIV)*. Au XIXe siècle, le classicisme devient la valeur suprême dans les prises de position scolaires et universitaires (en réaction contre les nouveautés romantiques) et la pièce maîtresse d'une reconstitution globale du passé national et des héritages. Dans une culture conçue désormais comme « patrimoine » et « conservation des monuments », la plupart des grands créateurs du XVIIe siècle sont placés dans des niches « classiques et françaises », au prix de distorsions aujourd'hui évidentes.

L'esthétique classique a sa grandeur. Persistante est sa fascination : Valéry, Gide, T. S. Eliot, Camus, le peintre Braque... Son discrédit actuel, dans une époque marquée par le romantisme et le surréalisme, ne présente probablement aucun caractère définitif. Les idéaux de lumière, de travail rigoureux, d'ordre impeccable, de concentration, de retenue... trouveront sans doute toujours des adeptes.

LA CRISE DE LA CONSCIENCE EUROPÉENNE (1680-1715)

Dans une étude justement célèbre, Paul Hazard a mis en évidence les grands changements qui s'annoncent en Europe, et notamment en France, dès la seconde partie du règne de Louis XIV.

L'évolution des mentalités

A l'idéal de stabilité et d'ordre qui caractérise l'esprit classique succède peu à peu le mouvement : les voyages, les explorations révèlent de plus en plus la relativité des coutumes et des croyances. Le Bon Sauvage, ou le Mahométan, ou l'Oriental... sont présentés comme plus sages, plus vertueux que les Occidentaux chrétiens. On perd confiance dans le passé. La puissance politique se déplace des pays latins vers les puissances du Nord (Angleterre, Hollande, Prusse), ce qui confère un poids nouveau à l'hétérodoxie et à l'anticonformisme. Les croyances traditionnelles sont partout assaillies : la raison devient essentiellement une faculté vouée à la destruction des croyances. On raille les miracles, les devins, les sorciers. L'athéisme et le déisme grandissent, malgré les combats incessants de Bossuet ou de ses émules contre la philosophie antichrétienne de Spinoza (1632-1677), les hardiesses de la critique biblique de l'oratorien Richard Simon (1638-1712) ou le rationalisme d'un autre oratorien, le grand Malebranche (1638-1715). Dans son traité *La recherche de la vérité* (1674), ce disciple de Descartes et de saint Augustin avait élaboré une théorie de l'erreur qui

Malebranche, l'un des derniers grands oratoriens du XVIIe siècle, après Bérulle, le fondateur de l'Oratoire, Condren, Richard Simon...

Musée Carnavalet. © Bulloz.

exerça immédiatement une immense influence : parmi les causes de l'erreur le philosophe rangeait l'habitude, le conformisme humain. Il montrait que l'esprit tend spontanément à élaborer des synthèses qui valent ce que valent les connaissances dont il dispose. Dix ans plus tard, Fontenelle appliquait déjà cette théorie à l'origine des religions.

Les nouvelles perspectives

A la suite du philosophe anglais Locke, la plupart des penseurs se défient de la métaphysique, des abstractions, et se proposent — conscients des limites de l'entendement — de le tourner vers ce qui est à sa portée : les sensations, d'où procèdent les idées. Cet empirisme va exercer une action profonde. Dans l'ordre socio-politique, au droit divin se substitue peu à peu le droit naturel; la morale se laïcise, se sépare du dogme. On recherche l'obtention d'un bonheur immédiat, dès cette terre. Les sciences progressent, la méthode expérimentale se répand, et l'on se persuade que le bonheur va suivre le progrès. Un nouveau modèle d'humanité se substitue à l'honnête homme : le « philosophe », à la fois savant, sage, indépendant d'esprit et de mœurs, ardent et sociable.

Imagination et sensibilité

Si la poésie demeure en plein crépuscule, si une certaine sécheresse critique gagne, les valeurs imaginatives se maintiennent dans le roman, le conte de fées, les contes orientaux, les relations de voyage, les récits picaresques. La sensibilité et même la sensiblerie s'affirment : au théâtre, dans le roman. Aux progrès du rationalisme répond une immense fermentation mystique (quiétisme fénelonien, piétisme...).

Ces années du déclin de Louis XIV voient donc naître « une crise si rapide et si brusque qu'elle surprend : alors que, longuement préparée par une tradition séculaire, elle n'est en réalité qu'une reprise, une continuation.

Totale, impérieuse et profonde, elle prépare à son tour, dès avant que le XVIIe siècle soit achevé, à peu près tout le XVIIIe siècle. La grande bataille d'idées a lieu avant 1715, et même avant 1700 » (P. Hazard).

BIBLIOGRAPHIE

TEXTES : BOILEAU, *Œuvres complètes,* éd. Adam-Escal, Gallimard, coll. « Bibliothèque de la Pléiade », 1966. — RAPIN, *Les réflexions sur la poétique de ce temps,* Droz, 1970. — MALLEBRANCHE, *Œuvres,* I, éd. Rodis-Lewis, Gallimard, Pléiade, 1979.

ÉTUDES : René BRAY, *La formation de la doctrine classique en France,* Nizet, 1963 (la meilleure étude actuelle sur les origines littéraires et les principes du classicisme français). — Marc FUMAROLI, *L'âge de l'éloquence,* Droz 1979 (le classicisme comme triomphe de la tradition « gallicane » sur le « style jésuite », ample et fleuri). — Paul HAZARD, *La crise de la conscience européenne, 1680-1715,* Fayard, 1961 (l'ouvrage capital sur l'évolution des idées). — Henri PEYRE, *Qu'est-ce que le classicisme?* Nizet, 1965; article « Classicisme » in *Encyclopaedia universalis,* 1969 (souligne la difficulté de fixer de façon trop rigide l'acception du terme; ouverture sur les littératures étrangères). — Paul VERNIÈRE, *Spinoza et la pensée française avant la Révolution,* 2 vol., 1951 (met en évidence l'influence énorme des idées spinozistes dès la fin du XVIIe siècle). — Roger ZUBER, *Littérature française. Le classicisme,* Poche Arthaud, t. 4, 1984 (un excellent panorama).

MOLIÈRE (1622-1673)

La carrière dramatique de Molière a été brève, mais exceptionnellement féconde. Il a dominé le théâtre comique du XVIIe siècle beaucoup plus que Corneille ou Racine n'ont dominé la tragédie.

Comme La Fontaine, Molière est un indépendant, et un éclectique : il puise dans tout le théâtre connu, amalgame, invente... Les « doctes » n'ont pas toujours apprécié ses réussites : ils ont critiqué le dénouement de *Tartuffe*, le défaut d'unité de *Dom Juan*, l'absence d'action du *Misanthrope*, et un peu partout la présence du « galimatias ». Les joyeuses singeries de *Scapin* faisaient grimacer Boileau.

Chez Molière s'allient la puissance comique et l'acuité d'une satire qui s'attaque aux manies éphémères suscitées par les modes aussi bien qu'aux hantises les plus inexpugnables de l'être humain. Document-caricature sur la société de 1660, expression de sa morale, la comédie moliéresque excelle à détacher sur cet arrière-plan les ravages d'une obsession. « Molière a épinglé l'animal-homme comme un insecte, et avec une pince délicate il fait jouer ses réflexes. Et l'insecte-homme n'en a qu'un, toujours le même, qui fait tressaillir sa maigre patte au moindre attouchement : celui de l'égoïsme » (Jean Anouilh). Telle est, dans les meilleures pièces de Molière, la matière première du rire! On conçoit aisément qu'une si prodigieuse tentative ait conduit à un théâtre ambigu.

LA COMÉDIE AVANT MOLIÈRE

La comédie littéraire ne s'est dégagée que lentement de la farce et de l'imitation des comédies latines et italiennes avec leurs personnages stéréotypés : parasites, pédants, soldats fanfarons, valets, entremetteuses... De 1610 à 1640 ne sont jouées que 46 comédies, contre 48 pastorales, 88 tragédies et 116 tragi-comédies. Pourtant, le naturel des premières comédies de Corneille a heureusement influencé Claveret (*L'esprit fort*, 1631) et du Ryer (*Les vendanges de Suresnes*, 1633). Des dramaturges de talent créent des pièces originales : Mairet (*Les galanteries du duc d'Ossone*, 1632), Rotrou, Desmarets (*Les visionnaires*, 1637).

L'impulsion essentielle est donnée au genre par l'invasion du théâtre espagnol en France entre 1640 et 1660 : Lope de Vega, Tirso de Molina, Calderon, Montalvan... inspirent d'Ouville et son frère Boisrobert (auteur également d'une excellente comédie tirée d'un fait divers, *La belle plaideuse*, 1653), Pierre Corneille (*Le Menteur*, 1644), Cyrano (*Le pédant joué*, 1646), Scarron *(Don Japhet d'Arménie*, 1653), Thomas Corneille (*Le geôlier de soi-même*, 1655). Ces comédies « à l'espagnole » allient souvent le romanesque (galants vifs à l'épée, amoureuses passionnées et hardies) et la farce (avec le *gracioso*, valet timoré, fanfaron, raisonneur et gourmand). A partir de 1650, la comédie s'impose comme un genre aussi « noble » que les autres : de 1652 à 1659 sont jouées 39 comédies contre 28 tragi-comédies, 27 tragédies et 5 pastorales.

Molière a connu cette riche production. Il a interprété nombre de pièces de ses devanciers. Il était familier de la *commedia dell'arte*, dont les virtuoses ont joué longtemps en alternance avec lui. Mais les structures vides de la comédie humaniste, les procédés de la farce, les types de la comédie latine, les intrigues compliquées *(l'imbroglio)* des pièces italiennes, l'extravagance inspirée des dramaturges espagnols..., tous ces éléments vont nourrir une création neuve, dont les meilleures réussites saisissent l'homme réel dans la société réelle. Comique et profondeur se réconcilient.

LA CARRIÈRE DRAMATIQUE DE MOLIÈRE

De la vie bourgeoise aux roulottes du théâtre (1622-1659)

A vingt ans, Jean-Baptiste Poquelin, fils d'un tapissier ordinaire du roi, décide — après de solides études chez les Jésuites du Collège de Clermont (l'actuel lycée Louis-le-Grand), et l'obtention d'une licence en droit à Orléans — de consacrer sa vie au théâtre. Il prend le pseudonyme de Molière, après avoir fondé en 1643, avec l'actrice Madeleine Béjart, l'*Illustre Théâtre*, une troupe d'une dizaine de comédiens qui tente en vain de s'imposer à Paris contre les deux troupes permanentes de l'Hôtel de Bourgogne et du Marais. Après avoir été emprisonné pour dettes, Molière gagne la province avec la troupe.

Celle-ci est d'abord dirigée par Du Fresne (1645-1650), et protégée par le duc d'Epernon, gouverneur de la Guyenne. Elle joue à Albi, Carcassonne (1647), Nantes (1648), Toulouse (1649). En 1650, les comédiens — qui mènent une vie assez aisée — prennent pour directeur Molière et pour port d'attache Lyon, d'où ils rayonnent sur le Languedoc. De 1653 à 1657, leur protecteur devient le prince de Conti (frère de Condé). En 1658, la troupe s'établit à Rouen et obtient la protection de Monsieur, frère du roi. Dès octobre, elle connaît le succès à Paris en interprétant devant le roi la farce du *Docteur amoureux* (après *Nicomède*). Le roi autorise les comédiens à s'installer dans la salle du Petit Bourbon où ils jouent quatre jours par semaine, les trois autres étant réservés aux comédiens italiens.

Au cours de ces treize années de pérégrinations, Molière a approfondi son expérience du théâtre et côtoyé les mondes humains les plus divers. Il a composé des farces dont ne nous restent que *Le médecin volant* et *La jalousie du barbouillé*. Ses deux premières comédies connues sont *L'étourdi* (Lyon, 1655) et *Le dépit amoureux* (Béziers, 1656), imbroglios pleins de gaieté qui remportent un vif succès.

1659	*Les précieuses ridicules.*
1662	*L'école des femmes.*
1663	*La critique de l'école des femmes; L'impromptu de Versailles.*
1664	*Tartuffe* (version en trois actes).
1665	*Dom Juan.*
1666	*Le misanthrope; Le médecin malgré lui.*
1668	*Amphitryon; George Dandin.*
1669	*L'avare; Tartuffe* (version en cinq actes).
1670	*Le bourgeois gentilhomme.*
1671	*Psyché; Les fourberies de Scapin.*
1672	*Les femmes savantes.*
1673	*Le malade imaginaire.*

« Les précieuses ridicules » (1659)

Le 18 novembre 1659, Molière obtient un triomphe avec une farce *Les précieuses ridicule* (après *Cinna*). Cette caricature bouffonne de la préciosité met en scène deux précieuses de pro vince, Cathos et Madelon, qui arrivent à Pari la tête encombrée des romans de Mlle de Scudéry Elles éconduisent deux gentilhommes dont la simplicité leur paraît vulgarité. Ceux-ci, pour se venger, leur envoient leurs laquais, Mascarill et Jodelet, costumés en seigneurs. Les deux pro vinciales sont éblouies par les prétentieuse sottises des faux courtisans, et entrevoient u avenir radieux... Mais les maîtres surviennent e forcent les laquais à montrer leur livrée aux pré cieuses humiliées. La farce s'achève sur une dia tribe contre les romans précieux, qui égarent le femmes.

Une telle situation est typique de la farc comme les déguisements, soufflets et coups d bâtons. Les scènes s'enchaînent avec vivacit Mais le succès vint aussi d'une innovation impo tante : la satire aiguë d'une mode et de perso nages réels, de l'immédiate actualité.

« L'école des femmes » (1662)

Molière obtient encore un succès avec un autre farce en un acte *Sganarelle ou le co imaginaire* (1660). Accusé par ses ennemis d'êt incapable de s'élever au-dessus du bouffon, fait jouer — pour inaugurer sa nouvelle salle Palais-Royal — une comédie héroïque en ci actes et en vers, *Dom Garcie de Navarre* (ja vier 1661). C'est un échec. Quelques mois pl tard triomphe *L'école des maris*, qui reprend av bonheur la traditionnelle histoire du tuteur ber par sa pupille, mais où apparaît un de ces pe sonnages auxquels l'auteur va de plus en pl confier la défense du bon sens : ici, en matiè d'éducation des filles, la confiance vaut mieux q les « grilles » et les « verrous ». Puis Moliè

Molière, par Mignard qui était l'un de ses amis.

s'affirme comme auteur de cour avec une amusante revue-ballet, commandée par Fouquet, *Les fâcheux*.

Le 20 février 1662, l'écrivain épouse Armande Béjart (fille ou sœur de Madeleine), plus jeune que lui de vingt ans. Le 26 décembre, il s'impose avec la première de ses grandes comédies, *L'école des femmes*, en cinq actes et en vers.

La hantise d'être trompé. — Arnolphe (quarante-deux ans), qui se fait appeler M. de la Souche, a fait élever sa pupille Agnès à la campagne, dans l'ignorance la plus complète : il espère s'être préparé ainsi une femme qui lui sera fidèle et aveuglément soumise. Survient le fils d'un de ses amis, Horace, qui conte naïvement à Arnolphe ses premières entreprises auprès d'une charmante jeune fille cloîtrée par un certain M. de la Souche (acte I). Arnolphe, qui craint le pire, fait parler Agnès sur Horace et l'invite à lui jeter des pierres s'il revient. Pour parer au danger, il décide d'épouser sa pupille sans tarder (acte II). — Arnolphe fait un sermon à Agnès sur les commandements du mariage et lui parle du diable, qui « fait bouillir dans les enfers » les femmes infidèles. Horace vient confier à Arnolphe qu'Agnès lui a lancé « un grès », mais accompagné de la lettre la plus tendre (acte III). — Horace apprend à Arnolphe qu'il a pu s'introduire chez Agnès et qu'il va l'enlever pendant la nuit. Arnolphe fait préparer son contrat de mariage et organise avec ses serviteurs un guet-apens à Horace (acte IV). Surpris et à moitié assommé par les serviteurs, Horace fait le mort. Il est rejoint par Agnès, qui s'est enfuie — Pour ne pas ternir sa réputation, Horace la confie à... Arnolphe, qui l'entraîne. Mais éclairée par l'amour, la jeune fille lui tient tête. Arnolphe, grotesque, la supplie en vain. C'est alors qu'arrive d'Amérique le père d'Agnès. Il unit sa fille à Horace (acte V).

Sur un thème rebattu (le dupeur dupé) et avec des « trucs » un peu gros (les deux noms d'Arnolphe et la naïveté d'Horace, le dénouement désinvolte), Molière a élaboré une merveilleuse comédie, qui oscille perpétuellement entre le fabliau et un marivaudage rustique, et cela dans un langage « cossu » qu'admirait Sainte-Beuve.

La pièce recèle de multiples leçons, inspirées de la sagesse populaire : l'amour rend inventif; chassez le naturel, il revient au galop; on n'attrape pas les mouches avec du vinaigre; plus fait douceur que violence; place aux jeunes! l'amour ne se commande pas; souvent femme varie... Ce n'est évidemment pas de là que lui vient cette prodigieuse profondeur, toute nouvelle en France dans une comédie, où le comique finit par apparaître comme « aussi désespérant que le tragique » (Ionesco). La nouveauté réellement saisissante, c'est la peinture cruelle du premier de ces obsédés qui vont servir de générateurs de malheur dans la plupart des grandes pièces suivantes. Maniaque de l'asservissement, hanté par la peur d'être trompé, Arnolphe ouvre la procession des pantins tragiques de Molière.

« *Tartuffe* » *(1664)*

Le triomphe de *L'école des femmes* vaut à Molière une pension et la protection du roi, mais augmente le nombre de ses ennemis : précieux, petits marquis, bigots, auteurs envieux... On pense à la querelle du *Cid* ! Le dramaturge riposte aux attaques par deux courtes pièces où il expose ses conceptions : *La critique de l'école des femmes* (juin 1663) et *L'impromptu de Versailles* (octobre 1663). Devenu le fournisseur des spectacles royaux, il compose rapidement *Le mariage forcé*, une comédie-ballet où les intermèdes sont pour la première fois liés à l'intrigue. Du 8 au 13 mai 1664, Molière anime les fêtes données à Versailles par le roi en l'honneur de Louise de La Vallière : « Les Plaisirs de l'Ile enchantée ».

Sa troupe y joue une fantaisie, *La princesse d'Élide*, et trois actes d'une comédie en vers, *Tartuffe ou l'hypocrite*. Devant les violentes attaques des dévots, Molière — à une exception près, en 1667 — doit se contenter de donner de sa pièce des représentations privées au cours des années 1664-1669. Enfin, le 5 février 1669, il reçoit du roi l'autorisation de jouer *Tartuffe* dans sa version définitive, en cinq actes.

La hantise de « faire son salut ». — Mme Pernelle, mère du bourgeois Orgon, morigène sa bru, Elmire, et ses petits-enfants, Mariane et Damis, soutenus par la servante Dorine et par Cléante, frère d'Elmire : contre eux elle fait l'apologie d'un étrange personnage, Tartuffe, d'une dévotion tapageuse et auquel le dévot Orgon — hanté par le salut de son âme — a confié le soin de « tout contrôler » dans sa maison. De retour de la campagne, Orgon répond évasivement aux questions de Cléante à propos du mariage projeté entre Mariane et Valère (acte I). — Orgon voudrait, en effet, unir Mariane à Tartuffe, mais Dorine veille (acte II). Tartuffe paraît enfin. A Elmire qui lui demande de renoncer à Mariane, il fait une cour pressante, que surprend Damis. Ce dernier indigné révèle à Orgon ce qu'il vient d'entendre. Mais l'imposteur se disculpe. Orgon chasse son fils et annonce qu'il va faire à Tartuffe donation de tous ses biens (acte III). Tous les efforts échouent pour faire renoncer Orgon ou Tartuffe au mariage. Mais Elmire convainc son mari de se cacher sous une table, tandis qu'elle-même feindra de répondre à la passion de Tartuffe. Orgon, enfin désabusé, veut chasser l'hypocrite. Mais celui-ci, devenu propriétaire par la donation, se répand en menaces (acte IV). — Orgon constate avec angoisse la disparition d'une cassette de papiers compromettants qu'il avait confiée à Tartuffe. Survient un huissier avec un ordre d'expulsion pour toute la famille. Tartuffe, qui a remis la cassette au roi, vient assister à l'arrestation de son bienfaiteur. Mais le roi a reconnu en lui un escroc recherché par la police. C'est Tartuffe qu'on arrête. Orgon est pardonné par le roi. Mariane épousera Valère (acte V).

La virtuosité technique. L'exposition de *Tartuffe*, si admirée de Goethe, est justement célèbre : grâce à une « scène de famille », tous les personnages nous sont présentés rapidement. Molière fait attendre son intrigant jusqu'au troisième acte. Après avoir conduit les personnages sympathiques jusqu'au bord de la catastrophe et assombri sa comédie policière, le créateur retourne tout à coup la situation et fait appel à un dénouement qui laisse le spectateur pantois. Tout au long de la pièce une utilisation magistrale du comique réussit à contenir le pathétique et le tragique parfois menaçants.

Une portée contestée. La pièce est doublement ambiguë. D'une part, il y a chez le déplaisant Tartuffe un côté séduisant : « Un certain courage, un goût du jeu, de l'aventure, et du risque aussi, il ira jusqu'au bout de l'expérience grinçante qu'il fait de la bêtise des "autres" » (1).

Cette intelligence active, cette absence d'hypocrisie à l'égard de soi-même ne sont enrayés qu'à cause d'une faiblesse, le sentiment amoureux pour Elmire. D'autre part, en dénonçant l'hypocrisie religieuse dont se sert si habilement le machiavélique personnage, Molière n'atteint-il pas en même temps les vrais chrétiens? Vocabulaire et gestes sont en partie analogues, nécessairement... Seuls diffèrent les sentiments du cœur (mais qui voit les cœurs, dans la vie réelle?) et de subtiles apparences (naturel ou affectation?). Enfin, l'apologie d'une religion moyenne, mise dans la bouche de Cléante, ne pouvait qu'aggraver le malaise des chrétiens exigeants, qui rejetaient à la fois l'hypocrisie de Tartuffe et la parcimonie d'idéal de Cléante.

« *Dom Juan* » *(1665)*

L'interdiction de *Tartuffe* plonge la troupe dans des difficultés financières. Hâtivement, Molière s'empare d'un thème apparu en Espagne vers 1630 et qui fait fureur depuis quelques années à Paris : il donne en février 1665 *Dom* (2) *Juan*, comédie en cinq actes et en prose.

La hantise de l'inconstance. — Don Juan évoque devant son valet Sganarelle, scandalisé et fasciné, le charme des « conquêtes amoureuses ». Il ne saurait s'enchaîner à aucune femme, pas même à Done Elvire, qu'il a jadis enlevée d'un couvent, puis épousée et abandonnée (acte I). — Au terme d'une promenade sur mer, où il comptait arracher une jeune fille à son fiancé, Don Juan est jeté par la tempête sur la côte. Là il séduit à la fois deux paysannes. Mais il doit les abandonner précipitamment, car les frères d'Elvire le poursuivent pour venger leur sœur (acte II). — A Sganarelle Don Juan expose son scepticisme religieux. Puis il s'amuse à essayer, pour un écu, de faire blasphémer un pauvre. Il sauve la vie à un frère d'Elvire, attaqué par des voleurs. Enfin, arrivé au tombeau d'un Commandeur qu'il tua autrefois, il invite par bravade la statue funéraire à dîner. Celle-ci accepte d'un signe de tête (acte III).

1. M. Bouquet, interprète du *Tartuffe* de la télévision en 1971.
2. *Dom :* Molière écrivait *Dom* (du latin *dominus*, seigneur). Cette orthographe archaïque a été conservée dans le titre.

— Don Juan éconduit successivement un créancier, son père, Elvire. Il se met à table, quand survient la statue du Commandeur (acte IV). — Don Juan feint le repentir, et fait devant Sganarelle l'apologie de l'hypocrisie religieuse. Il joue le dévot devant un frère d'Elvire; puis refuse les avertissements d'un spectre, qui l'invite au repentir réel. Alors réapparaît la statue, qui entraîne Don Juan dans l'enfer (acte V).

Un thème baroque. Depuis la fin du XVIe siècle la célébration de l'inconstance est un des thèmes majeurs de la littérature. Don Juan, l'homme aux mille femmes, est frère du Hylas de l'*Astrée*. Un tel tourbillonnement ne pouvait s'accommoder de l'esthétique classique. De fait, les unités ne sont pas respectées; les genres se mêlent : tragédie (acte I), farce (II), tragicomédie (III), éléments de fantastique; les tons les plus divers se côtoient, du patois paysan à l'aristocratique langue de Don Juan; le vraisemblable est heureusement négligé.

Une réussite dramatique. Comme toujours, Molière règle en virtuose l'alternance des moments de tension et des scènes de détente. Malgré la profondeur de Don Juan et d'Elvire, la présence papillonnante de Sganarelle maintient le spectacle aux frontières de la comédie. Cette marionnette, agitée seulement par trois ficelles (les façons de voir populaires, la poltronnerie, le désir de singer son maître), tient à la fois du jouet et du bouffon royal. L'acte II atteste chez Molière un sens prodigieux des « scènes à faire ». L'action progresse sûrement vers le dénouement. Enfin les dialogues sont écrits dans une prose rythmée d'une telle beauté qu'on se prend à regretter que Molière ait ailleurs recouru à l'alexandrin.

La multiplicité des interprétations. La pièce peut être déchiffrée comme la révélation progressive de l'âme de Don Juan, comme l'illustration des refus successifs de la grâce par un esprit endurci ou un révolté romantique, comme la perpétuelle fuite en avant d'un Don Juan obsédé par l'écoulement du temps et une sorte d'Absolu... Inconnu avant le XVIIe siècle, ce personnage mythique a fasciné depuis lors toutes les générations, et suscité une foule d'œuvres. Il s'oppose à Tristan, le héros de l'amour unique.

Molière en habit de Sganarelle dans *Le Médecin malgré lui* (par Simonin).

« *Le misanthrope* » *(1666)*

Malgré son succès, *Dom Juan* ne dépasse pas quinze représentations, sans doute à cause de l'hostilité des dévots. Molière, devenu cependant chef de la Troupe du Roi, donne une satire en musique des médecins de la cour, *L'amour médecin*, puis *Le misanthrope ou l'atrabilaire amoureux*, comédie en cinq actes et en vers, dont le succès est mitigé.

La hantise de la droiture. — Le jeune Alceste reproche à son ami Philinte ses complaisances mondaines. Il déteste le mensonge. Il est pourtant amoureux d'une coquette, Célimène. A Oronte qui lui lit ses vers, Alceste finit par déclarer qu'ils sont bons à mettre au panier (acte I). — Alceste reproche à Célimène son humeur volage et la presse de choisir parmi ses soupirants. En voici deux, justement, les petits marquis Acaste et Clitandre, avec lesquels la coquette médisante daube sur tout le monde. Indigné par ces « portraits » malveillants, Alceste tempête. Mais il est convoqué devant un tribunal d'honneur pour avoir insulté Oronte (acte II). — Acaste et Clitandre conviennent que, si l'un d'entre eux prouve qu'il est aimé de Célimène, l'autre s'effacera. Une prude, Arsinoé, secrètement amoureuse d'Alceste, lance à Célimène de perfides insinuations sur sa galanterie. Celle-ci réplique avec ironie. Arsinoé offre à Alceste troublé de lui prouver l'infidélité de Célimène (acte III). — Alceste survient, furieux, avec un billet tendre adressé par Célimène à Oronte. La coquette réussit à éluder les reproches. Mais un valet burlesque vient annoncer qu'Alceste est menacé par des hommes de loi (acte IV). — Alceste, malgré son innocence, a perdu un procès important, bien mené par une fripouille. Il veut se retirer de la société et demande à Célimène de le suivre, si elle l'aime. Celle-ci tergiverse. Mais voici Oronte, Acaste et Clitandre : tous ont des billets tendres de la coquette et l'accablent de leur mépris. Seul Alceste pardonnerait, si Célimène voulait quitter le monde avec lui. Celle-ci se dérobe, Alceste rompt avec elle, et se prépare à se retirer dans la solitude. Philinte espère le détourner cependant de son projet (acte V).

Une peinture de la société mondaine. Molière évoque une noblesse imprécise, mais dans une civilisation aisément reconnaissable. Sa pièce est un document sur la vie mondaine au début du règne de Louis XIV : la rudesse du temps d'Henri IV a fait place à la politesse, aux jeux de société (poésie), à la conversation raffinée, à une galanterie plus subtile. Mais sous ce vernis s'agitent « des singes malfaisants et des loups pleins de rage ». Presque tout est gangrené : la conversation par la médisance ou la calomnie, l'amour par la médiocrité des cœurs. Presque tout le monde ment.

Un personnage romantique? Le coup de génie de Molière a été d'imaginer dans une telle société, et amoureux d'une coquette, un personnage qui, par bien des aspects, incarne déjà l'idéal romantique. Certes, il a voulu d'abord son Alceste ridicule et lui a prêté une auto-satisfaction et un manque d'humour déplaisants. Mais, très vite sa créature semble lui avoir échappé : l'intransigeance du jeune homme, ses propos sur le « mystère » de l'amitié, sur la simplicité du langage « d'un cœur vraiment épris », sur le caractère absolu de l'amour... lui attirent toute la sympathie des spectateurs.

La profondeur d'une telle opposition entre Alceste et la vie sociale ordinaire, le tragique d'un amour tout-puissant et condamné à l'échec, expliquent qu'on ne rie guère au *Misanthrope*. Malgré quelques scènes plaisantes, on se borne à sourire.

Une pièce ambiguë. C'est la seule comédie de Molière qui mette en scène les « excès » d'une qualité : l'intransigeance morale. On conçoit donc qu'elle ait suscité des polémiques, qu'un Rousseau ait fait l'apologie d'Alceste et que les modernes — encore tout imprégnés de romantisme — soient surtout sensibles à la dénonciation de la corruption sociale par un homme exigeant.

« *L'avare* » *(1668)*

Malade depuis la fin de 1665, Molière multiplie cependant les créations : *Le médecin malgré lui* (1666), la meilleure de ses farces; *Le ballet des muses*, un divertissement composé pour les fêtes de Saint-Germain (décembre 1666-février 1667); une comédie mythologique, inspirée de Plaute et de Rotrou, et à laquelle l'emploi du vers libre confère grâce et fantaisie, *Amphitryon* (janvier 1668). En juillet, une farce cruelle, *George Dandin*, campe un paysan parvenu qui a pour son malheur épousé une noble. Le 9 septembre est joué *L'avare*. Sans grand succès.

La hantise de l'argent. — L'avare est le riche bourgeois Harpagon, père de Cléante et d'Élise. Élise est secrètement fiancée à Valère. qui s'est introduit

Molière jouant Harpagon (III, 1). Frontispice de *L'Avare* (édition de 1682. B.N. Paris).

incognito chez Harpagon comme intendant. Cléante aime une jeune fille sans fortune, Mariane. Harpagon projette d'épouser Mariane et de marier Élise à un vieux gentilhomme, Anselme, qui l'accepte « sans dot » (acte I). — Cléante découvre que l'usurier qui abuse de son besoin d'argent est son propre père. L'entremetteuse Frosine assure à Harpagon que Mariane aime les gens âgés et est économe (acte II). — Harpagon ordonne pour recevoir Mariane la préparation d'un dîner peu coûteux. Mariane laisse entendre à Cléante ses sentiments grâce à un langage à double sens. Cléante prend à Harpagon furieux une bague qu'il offre à Mariane au nom de son père (acte III). — Soupçonnant une intrigue, Harpagon feint d'abandonner Mariane à son fils, qui tombe dans le piège et avoue ses sentiments. L'avare déshérite et chasse Cléante. Mais il s'aperçoit qu'on lui a dérobé sa cassette et s'abandonne à l'affliction (acte IV). — Un serviteur d'Harpagon accuse faussement Valère du vol de la cassette. Interrogé sur son « crime », Valère croit qu'il s'agit de son amour pour Élise et avoue ses sentiments. La fureur d'Harpagon est suspendue par l'arrivée du seigneur Anselme. Une rocambolesque « reconnaissance » sauve tout : Valère et Mariane sont des enfants d'Anselme, jadis perdus lors d'un naufrage. Les amoureux vont à l'autel. Harpagon retrouve sa « chère cassette » (acte V).

L'avare évoque les ravages d'une idée fixe. Mais au lieu de procéder à l'analyse fouillée d'un « type » moral dans une société datée, comme le fera Balzac, Molière se comporte en homme de théâtre : il emprunte à ses devanciers les plus lointains comme à ses contemporains, situations et traits comiques. Il fait ressortir la manie d'Harpagon en l'opposant à son amour sénile pour Mariane. Malgré les procédés de farce, la cocasserie de certaines scènes et les aspects bouffons d'Harpagon, il se dégage de la pièce une certaine amertume. Comme dans *Tartuffe*, on n'échappe au malheur que par un dénouement qui tient de la prestidigitation.

LES DERNIÈRES ANNÉES DE MOLIÈRE

Enfin autorisé à donner *Tartuffe* (5 février 1669), qui obtient le plus grand succès, Molière triomphe. Il écrit pour les divertissements royaux une farce un peu lourde, *Monsieur de Pourceaugnac* (2 octobre 1669), puis une comédie romanesque, *Les amants magnifiques* (février 1670). En octobre 1670, il fait représenter une comédie-ballet composée en collaboration avec Lulli, *Le bourgeois gentilhomme*. Cette « revue », follement amusante, ridiculise les prétentions nobiliaires d'un bourgeois parvenu, M. Jourdain.

Pour le carnaval de 1671, Molière, Corneille, Quinault et Lully concourent à la création d'une somptueuse « pièce à machines », *Psyché*. Quelques mois plus tard, Molière fait jouer *Les fourberies de Scapin*, une farce pleine de verve où de jeunes amoureux, contrariés par leurs parents, sont secourus par les mille ruses d'un valet. Après une pochade, *La comtesse d'Escarbagnas*, le dramaturge obtient les plus vifs applaudissements pour les *Les femmes savantes*, comédie en cinq actes et en vers (mars 1672), où il ridiculise le pédantisme et le féminisme culturel, montre que l'obsession du savoir chez les femmes compromet l'harmonie de la vie familiale. Il suffit qu'une femme ait « des clartés de tout ».

Cette réussite est, hélas! l'avant-dernière. Le 10 février 1673, Molière présente une comédie en trois actes et en prose, *Le malade imaginaire*. Le dernier des maniaques de son théâtre, Argan, est obsédé par le souci de sa santé, prétend marier sa fille à un de ces médecins que l'écrivain stigmatise comme des charlatans. A la quatrième représentation (17 février), Molière est pris d'un malaise en scène et expire quelques heures plus tard. Il faut l'intervention du roi pour que le grand comédien obtienne, de nuit, des funérailles religieuses.

COMIQUE ET PROFONDEUR

Peinture sociale et « caractères »

Bien que Molière regarde la réalité de son temps avec des lunettes grossissantes et déformantes, ses pièces constituent des documents intéressants sur la vie en 1660-1670 : la caste mondaine *(Le misanthrope)*, le libertinage de certains Grands *(Dom Juan)*, une noblesse ruinée qui commence à lorgner les dots bourgeoises *(Le bourgeois gentilhomme)*, mais aussi la droiture d'une part de l'aristocratie *(Dom Juan, Le misanthrope)*. S'il évoque aussi les paysans *(Dom Juan, George Dandin)*, les intrigants peu situables *(Tartuffe, L'avare)*, c'est surtout la bourgeoisie qui apparaît dans son théâtre : marchands, hommes de loi, médecins... *Le malade imaginaire* fait vivre sous les yeux du spectateur une famille aisée.

Tous les protagonistes sont membres d'une société précise, même si leur « rôle » est vieux comme la comédie. Mais certains d'entre eux incarnent des « caractères » (comme chez La Bruyère) qu'on a dits « éternels » : l'hypocrite, l'avare, le misanthrope... De fait, ces personnages renvoient à des hommes réels dans toutes les sociétés qui nous sont familières. Autant que le théâtre comique le permet, Molière les individualise en nuançant leur vice principal à l'aide d'autres traits (gourmandise, sensualité... chez Tartuffe) et en laissant s'exprimer leurs contradictions. Ces personnages ont un tel relief, sont si vivants que souvent leurs noms sont passés dans la langue : un Tartuffe, une Célimène, un Harpagon, un Don Juan...

Morale, comédie et société

Que n'a-t-on écrit sur la « philosophie » et la « morale » de Molière! Molière est en réalité un des écrivains français dont la vie et les idées personnelles nous sont le moins connues. Si l'on peut dégager de ses pièces certaines leçons, préciser ce qui correspond à sa pensée est une entreprise périlleuse, aux résultats nécessairement conjecturaux. On se heurte, en effet, à une difficulté analogue à celle qui concerne la « morale » des *Fables* de La Fontaine. Molière est un homme de théâtre : son premier souci est de « plaire », et en particulier — dans la comédie — de faire rire un public disparate. Même s'il veut aussi « corriger les vices des hommes », le dramaturge est obligé de ne clouer au pilori que les conduites condamnées par la plupart des spectateurs. Il peindra des comportements aberrants aux yeux de la société de 1660-1670. La morale de ce théâtre est souvent moins celle de Molière que celle du public.

Cette morale moyenne porte condamnation de toutes les affectations (préciosité, pédantisme des nouvelles savantes), de toutes les manies *(L'avare)*. Elle est étrangère à tous les extrémismes, y compris celui de la droiture *(Le misanthrope)* : il faut, selon elle, accepter quelques compromissions, ne pas se singulariser (c'est le message de Philinte dans *Le misanthrope*). Elle est hostile à l'hypocrisie *(Tartuffe)*, s'attendrit peu sur les jaloux *(George Dandin)*, incline à donner raison aux jeunes contre les vieux. Sur le statut social de la femme, elle est particulièrement datée : les jeunes filles ne doivent plus être laissées dans l'ignorance *(L'école des femmes)*, mais une science excessive les détournerait de leur vrai rôle d'épouse, de maîtresse de maison et de mère *(Les femmes savantes)*. L'amour est un sentiment spontané, qui doit triompher des calculs ou des manies des parents. Les époux doivent être en rapport « d'âge, d'humeur et de sentiments » *(L'avare)*, mais aussi de condition sociale *(George Dandin)*.

Une telle morale ne met évidemment pas en cause l'ordre social. Elle le consacre : chacun dans sa classe *(Le bourgeois gentilhomme, George Dandin)*! Elle approuve d'autre part un christianisme moyen : soyez chrétien, mais pas trop *(Tartuffe)*! Les saints feraient un peu figure de fanatiques.

Il est trop clair que cet « idéal du juste milieu », comme on dit, s'il stigmatise certains travers méprisables, est quelque peu rampant. Ceux qui croient à une influence morale de la comédie ont raison de dénoncer les limites de « cette horreur de n'être pas comme tout le monde » (Stendhal). Mais la comédie exerce-t-elle une pareille influence? Et peut-elle sans se détruire cesser de s'appuyer sur le consensus social? L'une des richesses des grandes pièces de Molière, c'est qu'elles flottent entre ces jugements stéréotypés et une appréhension plus profonde des personnages. Mais alors le tragique se profile *(Le misanthrope)*. Peut-être l'écrivain, loin de s'identifier à ses médiocres « raisonneurs », vivait-il précisément dans cette tension entre le Philinte et l'Alceste du *Misanthrope*?

La construction des comédies

Molière connaît une foule d'œuvres dramatiques (Grecs, Latins, Italiens, Espagnols, Français), et incorpore avec bonheur à ses propres pièces tout le matériel (situations, personnages, « mots ») de la tradition comique antérieure. Mais il excelle aussi à créer entièrement une comédie *(Les précieuses ridicules, Le misanthrope)*. Capable d'agencer une intrigue compliquée *(L'avare)*, il préfère la simplicité : l'action s'organise tantôt autour d'un valet sorti de la comédie italienne *(L'étourdi, Le dépit amoureux, Amphitryon, Les fourberies de Scapin)*, tantôt

Frontispice des *Femmes savantes* (édition de 1682). B.N. Paris.

autour d'un personnage fascinant *(Dom Juan)*. Parfois la pièce n'est qu'une joyeuse « revue » *(Le bourgeois gentilhomme)*.

En dépit de leurs éléments réalistes (évocation de mœurs ou de caractères), les comédies de Molière se soucient peu de la vraisemblance. La plupart des personnages ont la sorte de vérité qui est celle de la caricature, malgré leur diversité. Beaucoup sont assez typés et leurs rapports les uns avec les autres sont reconnaissables d'une œuvre à l'autre : *maniaques*, manipulés par des *intrigants*, et s'opposant aux gens de bon sens, *servantes fortes en gueule* ou *oncles... raisonneurs*, au sujet de *fils* ou de *filles* rêvant de mariage. Les situations sont souvent loufoques (Orgon entiché de Tartuffe, Horace prenant pour confident Arnolphe...). D'où la souplesse d'une dramaturgie qui s'embarrasse peu des « règles » dès qu'un « effet comique » doit être obtenu contre elles. Si un Flaubert devait achever les grandes comédies, quoi de plus tragique ? Agnès sacrifiée, Tartuffe triomphant, Argan rançonné par les médecins, des familles détruites et haineuses... Mais Molière sait qu'existe dans la comédie la nécessité interne d'une fin heureuse, plus impérieuse que la vraisemblance. De là ces dénouements fabuleux, ces pirouettes, ce recours aux plus énormes ficelles, qui suffiraient à attester chez Molière l'instinct du théâtre, le don du retournement comique : reconnaissances, papas d'Amérique (déjà !), déguisements... Deux exceptions cependant : *George Dandin* et surtout, à la limite de la tragédie, *Le misanthrope*.

Le comique

Si le romantisme a mis en lumière la profondeur de certains personnages, il a souvent oublié la profusion du comique dans le théâtre de Molière. L'importance croissante prise par le metteur en scène depuis la fin du XIXe siècle a permis à certains directeurs de comédiens de gommer davantage encore ce comique. Leur entreprise est légitime, dès lors que le théâtre est reconnu comme émanant de deux créateurs : l'auteur (passé) du texte, l'auteur (présent) de tous les autres éléments qui font une action théâtrale (jeu des acteurs, scénographie, costumes, éclairage...). La plasticité du *texte* de Molière à tant de réalisations diverses atteste sa richesse. Il n'est évidemment pas possible d'inventorier toutes ces interprétations, dont beaucoup sont d'ailleurs à venir. Mais on peut méditer sur ce que semble avoir voulu Molière, à la fois auteur, acteur et metteur en scène.

Le jeu de Molière. Molière était un acteur complet, capable d'intégrer à ses interprétations des éléments de chant et de danse. Il usait des possibilités de l'acrobatie et de la gesticulation, comme ses rivaux italiens. Extraordinaire mime, il pouvait faire pleurer de rire une salle avant même d'avoir ouvert la bouche. « Ceux qui l'ont vu nous disent qu'il court, fait des révérences, bouscule ou est bousculé, souffle, écume, grimace, se contorsionne, fait mouvoir avec furie les burlesques ressorts de son corps ou avec humour ses gros sourcils ou ses yeux ronds » (J. Schérer). La mise en scène organisait les moindres détails avec une précision qui frappait, vers 1660, comme une nouveauté.

Les procédés du comique. Le texte de Molière recèle de nombreux éléments comiques. Les uns procèdent du comique extérieur de la farce : déguisements, gifles, bastonnades, poursuites, répétitions, litanies rimées de maladies *(Le malade imaginaire)* ; jeux de scène variés, tels qu'entrées non remarquées, menaces derrière le dos de celui qui pérore... D'autres sont constitués par les situations mêmes des personnages, qu'il s'agisse d'une situation physique (Orgon sous la table) ou d'un contraste de mœurs et de langage (les braves bourgeois Gorgibus ou Chrysale face aux précieuses ou aux femmes savantes), ou d'une opposition de caractères (Alceste amoureux d'une coquette). Les « mots de nature », c'est-à-dire ceux qui trahissent une hantise fondamentale (« Sans dot »...), tiennent à la fois de la farce et du cri du cœur. La caricature et la parodie, par leurs déformations plaisantes, renforcent le ridicule des affectations. En revanche, Molière est très inférieur à Beaumarchais pour l'esprit.

Mais si l'on veut dépasser la simple énumération et se demander quelles sont les sources essentielles du rire dans ce théâtre, on découvre l'importance de l'inconscience et de la raideur des personnages. Ceux-ci ne soupçonnent pas qu'ils sont drôles. Coupés du réel, ils vivent dans leurs obsessions (préciosité, maladie illusoire, dévotion bornée, science, noblesse...). Le spectateur rit de les voir si clownesques, empêtrés avec le plus grand sérieux dans leurs vaines hantises. D'autre part, ces maniaques, mus chacun par une idée fixe, réagissent mécaniquement : Harpagon ne pense plus qu'à l'argent, la raideur d'Alceste est frappante.

La matière verbale. Le style de Molière — abusivement confondu avec les styles de ses divers personnages — n'a jamais beaucoup plu aux puristes, qui ont parlé de « galimatias » (Fénelon). De telles critiques émanent d'écrivains qui n'ont pas le sens du théâtre. En réalité, Molière s'interdit généralement les mots d'auteur et laisse parler chacun selon sa culture, sa classe sociale, sa province. Ayant côtoyé tous les milieux, il connaît la variété de leurs langages. De là le franc-parler, opposé à l'affectation d'expression des précieuses ou des pédantes. De là aussi le ton des prophètes juifs dans le dernier message d'Elvire, l'onction dévote des paroles de Tartuffe. Une partie du comique tient à ces différences de registre verbal, ainsi qu'aux redondances, accumulations, délires jargonnants... M. Jourdain court après le beau langage, les médecins s'enivrent de mots bizarres. Les servantes truffent leur français de locutions de leur province. Dans *Dom Juan*, le patois picard envahit l'acte II, les valets parlent un langage boursouflé dans leurs vaines tentatives de s'exprimer avec l'élégance de leurs maîtres. Si l'on veut juger de la pureté dont Molière peut faire preuve, il suffit de se tourner vers la prose poétique prêtée aux aristocrates de la pièce : ainsi le « couplet » de Don Juan sur la douceur de l'inconstance amoureuse (I, 2), où se rencontrent groupes ternaires, vers blancs : « Les charmes attrayants d'une conquête à faire », « Et nous nous endormons dans la tranquillité d'un tel amour ». Le recours savant aux finales féminines, la présence de clausules, une subtile préciosité... tout cela fait sourire de la prétendue incapacité de Molière à « bien » écrire. Comme le comique grec Aristophane, qui égale parfois la pureté de Platon, mais annonce la truculence de Rabelais quand il fait parler les paysans, Molière dispose d'un instrument admirablement souple et toujours maîtrisé.

BIBLIOGRAPHIE

TEXTES : *La comédie au XVIIe siècle avant Molière,* extraits choisis par A. Tissier, Classiques Larousse, 2 vol., 1967. — MOLIÈRE, *Œuvres complètes,* Seuil, coll. « L'Intégrale », 1962; éd. Couton, Gallimard, coll. « Bibliothèque de la Pléiade », 2 vol., 1971.

ÉTUDES : Paul BÉNICHOU, *Morales du Grand Siècle,* Gallimard, coll. « Idées », 1969 (Molière face à Corneille, à Port-Royal, à Racine). — Henri BERGSON, *Le rire,* P.U.F., rééd. constantes (une tentative d'élucidation de ce qu'est le rire). — Roger GUICHEMERRE, *La comédie classique en France,* P.U.F., « Que sais-je? », 1975 (avec une riche bibliographie). — A. JASINSKI, *Molière,* Hatier, rééd. constantes (une bonne introduction). — Jacques SCHÉRER, *La dramaturgie classique en France,* Nizet, 1966 (la somme en la matière). — Robert GARAPON, *La fantaisie verbale et le comique dans le théâtre français,* Armand Colin, 1957 (pour une « situation »). — Jean-Pierre COLLINET, *Lectures de Molière,* Colin, 1974 (un excellent panorama). — Gabriel CONESA, *Le dialogue moliéresque,* P.U.F., 1983. — Jacques TRUCHET, *Thématique de Molière,* S.E.D.E.S., 1985.

MÉMOIRES, MAXIMES, LETTRES

Au XVIIe siècle la vie mondaine, loin d'être ressentie romantiquement comme une menace pour la création littéraire, apparaît le plus souvent comme son humus. Rarement le public a joué un tel rôle dans l'élaboration des œuvres.

Les *Mémoires* de ce temps sont des chroniques sociales plus que l'exploration d'une personnalité. Les *Maximes* sont un divertissement de salon. Les *Lettres* servent de gazette et s'interdisent les confidences profondes. Chacun de ces genres alors en grand honneur a été illustré par un véritable écrivain : Retz pour les *Mémoires*, La Rochefoucauld pour les *Maximes*, Mme de Sévigné pour les *Lettres*.

LES MÉMOIRES : RETZ

L'absence de l'Histoire

Malgré son intérêt pour l'Antiquité, le XVIIe siècle a été incapable de susciter de grands historiens. Pendant longtemps la France est trop divisée, les conflits sont trop dramatiques pour que puisse apparaître la sérénité d'un Thucydide français. On ne rencontre que des érudits ou des auteurs d'histoires romancées : Du Cange (1610-1688); les Bénédictins de Saint-Maur; Mézeray (1610-1683), auteur d'un *Abrégé chronologique* (1667-1668), Varillas (1624-1696), Saint-Réal (1639-1692), Maimbourg (1610-1686). En 1680 encore, on déplore, parmi les réussites du siècle, l'absence des grands genres : l'Histoire (en prose) et l'épopée (en vers). Le roman, qui se fait volontiers épique et historique, s'est efforcé de remédier à cette absence. Mais c'est surtout du côté des *Mémoires* qu'il faut chercher la matière historique.

Les mémoires, genre français?

L'aristocratie la plus chatouilleuse d'Europe sur la question du pédantisme (les nobles ne veulent pas être pris pour des écrivains) va donner naissance à une littérature de *Mémoires* si riche qu'au XVIIIe siècle le genre passera pour typiquement français. Cette floraison a été provoquée d'abord par les guerres de religion, puis par les troubles divers de toute l'époque Louis XIII (conspirations, meurtres, la Fronde...). Les acteurs de ces événements (Rohan, Guise, d'Estrées, Montrésor, et même Richelieu) éprouvent le besoin de se justifier, de se faire connaître à leurs descendants, de rétablir une vérité qui a souffert des polémiques, d'occuper leur exil ou leur vieillesse. Sous l'influence de la traduction des *Confessions* de saint Augustin par Arnauld d'Andilly (1649), qui connaît un vif succès, se développent des autobiographies religieuses (Lancelot, Fontaine, Hamon). Peu après apparaissent des *Mémoires* plus nettement mondains, qui peignent, dans une prose unie, les désillusions de la vie privée (Hortense Mancini, 1675; la connétable Colonna, 1676; Pontis, 1676).

Cette profusion de *Mémoires* constitue « une sorte de basse continue, de conversation infinie, un dialogue perpétuel avec la grande littérature » (M. Fumaroli). Ils sont le refuge du vraisemblable, et influencent le roman, l'histoire, la nouvelle, la maxime, le portrait... Dans *La princesse de Clèves*, Mme de Lafayette cherchait à imiter leur vérité partielle et imparfaite, non à rejoindre la grande histoire. Toute cette production où se rencontrent La Rochefoucauld, Mme de Lafayette, Mme de Motteville, Bussy-Rabutin, Mme de Caylus..., est dominée par les *Mémoires* du cardinal de Retz.

Le cardinal de Retz (1613-1679)

Descendant d'une famille florentine anoblie en 1581, François-Paul de Gondi embrasse, à neuf ans, la carrière ecclésiastique, avec « l'âme peut-être la moins ecclésiastique qui fût dans l'univers ». Il s'agissait pour les Gondi de conserver dans leur famille l'archevêché de Paris. Malgré quelques duels, il devient en 1643 coadjuteur de son oncle l'archevêque. Sous des dehors décents, il est décidé à satisfaire ses folles passions (il a un cortège de maîtresses) et plus encore un orgueil sans limites (il veut supplanter Mazarin). Intriguant sans cesse, passant d'un camp à l'autre au cours de la Fronde, il est nommé cardinal en 1652. Mais le triomphe de Mazarin consomme la ruine de ses ambitions : il est arrêté, s'évade (1654), séjourne en Espagne, aux Pays-Bas, à Rome. En 1662, Louis XIV l'autorise à rentrer en France : ayant renoncé à l'archevêché de Paris et reçu en échange diverses abbayes, il vit en grand seigneur dans son château de Commercy où, sans doute, il rédige ses *Mémoires*, entre 1671 et 1676 (publiés en 1717). Au cours de ses dernières années, il fait preuve d'une ferveur religieuse qui semble sincère.

Prodigieusement cultivé, nourri de Plutarque, Salluste, Tacite, Machiavel..., Retz ne voyait dans le monde qu'une vaste comédie et se jugeait au-dessus des conventions auxquelles s'arrête la foule. Il possédait la *virtù* chère à Stendhal, l'amour de la « belle gloire », de l'héroïsme, un sens exigeant de l'amitié.

A une date inconnue, Retz avait refait l'histoire de la conjuration montée en 1547 par Fieschi contre le maître de Gênes, Andrea Doria, et déjà exposée par l'Italien Mascardi en 1629. Salluste et son *Catilina* étaient à la mode. Retz se libérait du moralisme de son prédécesseur et analysait en termes de rapports de force l'affrontement pour le pouvoir.

Dans ses *Mémoires*, qui s'arrêtent à l'année 1655, sont évoqués notamment les remous politiques de la Fronde. Souvent irréfléchi dans l'action, Retz se révèle après coup un subtil analyste politique : il pressent parfois sous les agitations de surface les courants de l'Histoire, mais surtout, il est sans égal pour suivre et commenter les combinaisons de partis et les intrigues individuelles. Le peuple, absent de tant de *Mémoires* aristocratiques, devient un acteur important. L'écrivain, s'il excelle dans les anecdotes, les portraits (Richelieu, Mazarin, La Rochefoucauld), la recréation des « journées » d'émeute, sait aussi faire apparaître certaines lois de la lutte pour le pouvoir : comment se prépare ou s'arrête une émeute, pourquoi elle échoue... Il souligne l'importance de l'irrationnel, l'influence de facteurs méconnus : « Comme il était tard et que l'on avait bon appétit, ce qui influence plus que l'on ne peut imaginer dans les délibérations... ». Les maximes abondent : « On a plus de peine dans les partis à vivre avec ceux qui en sont qu'à agir contre ceux qui y sont opposés. » Il faut « se faire honneur de la nécessité, [ce] qui est une des qualités les plus nécessaires à un ministre ». Son style, parfois archaïsant, souvent élégant, allègre, fourmille de mots à l'emporte-pièce, de trouvailles qui annoncent Saint-Simon.

Portrait du cardinal de Retz, par Nanteuil. Un subtil analyste des combinaisons politiques.

LES MAXIMES : LA ROCHEFOUCAULD

Le XVIIe siècle a hérité de l'humanisme l'intérêt pour les traités de morale, les réflexions sur la conduite de l'homme en société. Ce goût semble s'être confirmé à partir de 1640. De 1668 à 1682 paraissent les livres du chevalier de Méré, théoricien de l'aisance mondaine, de « l'honnêteté ». Les traités *De l'usage de l'histoire* (1671), de Saint-Réal, et *De la fausseté des vertus humaines*

(1678), de Jacques Esprit, communient dans le pessimisme. Les célèbres *Essais de morale* de Pierre Nicole (1625-1695), l'un des théologiens de Port-Royal, sont publiés de 1671 à 1678. Illustres surtout grâce à La Rochefoucauld, les « Maximes » sont un genre en vogue vers 1660-1680, et l'abbé d'Ailly en édite en 1678 un recueil dû à Mme de Sablé.

La Rochefoucauld (1613-1680) et ses « Mémoires »

Le duc François de La Rochefoucauld, contemporain de Corneille, est encore un personnage de l'époque Louis XIII : romanesque, amoureux de l'intrigue, téméraire, il ne renonce à l'action et aux ambitions qu'après une trentaine d'années d'agitations aussi brouillonnes que vaines. Il fréquente à partir de 1656 les salons, notamment celui de Mme de Sablé, puis se lie en 1665 avec Mme de Lafayette d'une amitié qui durera jusqu'à sa mort, survenue en 1680 après dix ans de souffrances. Sa carrière d'écrivain a débuté en 1656 : il a alors médité les historiens et les moralistes latins et entrepris la rédaction de ses *Mémoires* (1662), intéressants par la lucidité avec laquelle le duc décèle derrière les actes individuels les mobiles inavoués, mais écrits dans une prose un peu solennelle et dépourvus de perspective historique.

Les « Maximes » (1665)

A partir de 1658 commence, dans le cercle jansénisant de Mme de Sablé, l'élaboration du recueil qui va assurer la gloire à La Rochefoucauld. Il s'agit d'une véritable joute mondaine, où les hôtes de la marquise allient pénétration psychologique et concision des formules. La condensation s'opère à partir d'un énorme ensemble de lectures et d'observations. Une telle collaboration n'enlève rien au mérite du duc, dont les *Maximes* l'ont tout de suite emporté sur celles de ses amis, Jacques Esprit et Mme de Sablé elle-même. Du vivant de leur auteur, les *Maximes* eurent cinq éditions, sans cesse remaniées (1665, 1666, 1671, 1675, 1678).

La diversité des « sentences » ne les empêche pas de graviter presque toutes autour d'une affirmation unique :

> Les vertus se perdent dans l'intérêt comme les fleuves dans la mer (Max. 171).

Les thèmes essentiels du livre procèdent du pessimisme de saint Augustin et renvoient aux *Pensées* de Pascal, intime de Mme de Sablé. Sans l'action de la grâce divine, l'homme déchu est le jouet de son orgueil, de son amour-propre (culte de soi-même) ou même de l'état de son organisme (climat, maladies...). Ses vertus ne sont qu'apparentes, ou instables. La Rochefoucauld fait tomber tous les masques :

> La vanité, la honte, et surtout le tempérament, font souvent la valeur des hommes et la vertu des femmes (Max. 220).

L'équilibre des vices fait paraître homme de bien; certaines passions sont « sur la frontière de plusieurs vertus » (max. posthume 13), comme la paresse (max. 169); l'éclat esthétique des grands crimes les fait passer pour glorieux... Ainsi les conquérants sont célébrés, et les artisans criminels pendus.

Ce pessimisme n'avait rien d'original. Si les *Maximes* ont tant de prix, c'est que la sombre théologie augustinienne est ici illustrée par l'apport de toute une culture (Antiquité, Machiavel, Montaigne, Charron, écrits contemporains, conversations...), nuancée par une connaissance neuve de l'amour, prolongée (ou menacée?) par l'apologie de « l'honnêteté », véritable art de vivre dans la comédie du monde. Cette richesse s'exprime en aphorismes, en formules lapidaires dont les meilleures rapprochent La Rochefoucauld des maîtres du « Fragment », dense et éblouissant : Héraclite, Pascal, Nietzsche, toute une part de la poésie moderne.

La Rochefoucauld (portrait anonyme XVIIe siècle. Musée de Versailles).

LES LETTRES : Mme DE SÉVIGNÉ

L'art épistolaire

Le journal ne commence que timidement sa carrière au XVIIe siècle : en 1631, Théophraste Renaudot lance sa *Gazette* hebdomadaire, qui diffuse surtout des nouvelles politiques; en 1665 débute le *Journal des savants ;* c'est seulement en 1672 que Donneau de Visé fonde *Le Mercure galant*, trimestriel puis mensuel, riche en informations sur la vie mondaine. Cette apparition tardive de la presse, la difficulté des voyages, les loisirs des hautes classes et notamment des femmes contribuent à expliquer l'importance considérable des échanges épistolaires. Il n'est guère de personnalité éminente dont nous ne possédions des lettres. Mais les domaines les plus riches de cette correspondance sont :

— les méditations et exhortations religieuses;
— les informations scientifiques, érudites, philosophiques;
— les potins et reportages sur la belle société.

Parmi les plus connus de ces épistoliers figurent — après Balzac et Voiture — Bussy-Rabutin (1618-1693), Saint-Evremond, Guy Patin (1601-1672), Méré, Mme de Sablé, Mme de Villars (1627-1708), Coulanges (1633-1716), Mme de Maintenon (1635-1719), Bossuet, Fénelon...

Ces lettres étaient écrites non seulement pour le destinataire, mais pour tout le cercle auquel l'expéditeur pouvait penser qu'elles seraient lues. De là le caractère *social* de cette correspondance, la rareté ou l'absence des lettres intimes (confidences, dialogue amoureux...), la retenue, la recherche d'un art d'écrire. A partir de la publication des *Lettres* de Voiture (1649), nombre de femmes du monde aspirent à se faire valoir par leur correspondance. Aucune n'y a mieux réussi que Mme de Sévigné.

Page de titre du recueil des gazettes de Théophraste Renaudot constitué pour la seconde année de sa publication.

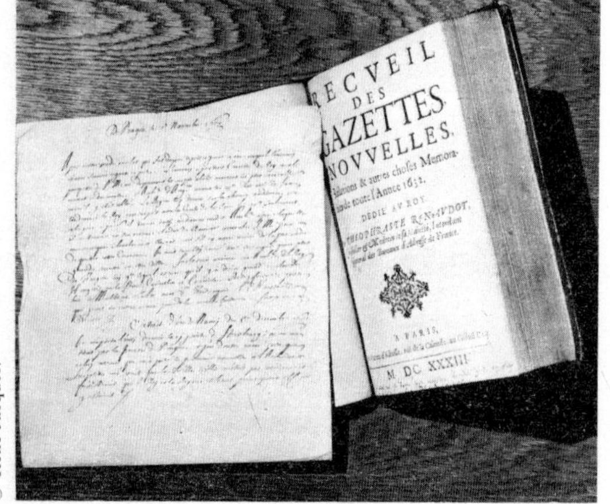

© René-Jacques.

La marquise de Sévigné (1626-1696)

Marie de Rabutin-Chantal est née à Paris. Orpheline de bonne heure, elle est élevée par son oncle Christophe de Coulanges, qui lui fait donner l'éducation la plus soignée (italien, espagnol, un peu de latin...). Mariée en 1644 au marquis de Sévigné, elle fréquente les salons précieux, rencontre les écrivains. Veuve sept ans plus tard, elle reporte sa tendresse sur ses deux enfants, et surtout sur sa fille, Françoise-Marguerite, qui épouse en 1669 le comte de Grignan et doit bientôt le suivre en Provence (1671). La marquise avait déjà une réputation d'épistolière, mais à partir de cette séparation, c'est à sa fille surtout qu'elle va écrire, deux lettres par semaine, parfois plus (selon la poste) : de Paris, de Livry, des Rochers (en Bretagne), de Vichy... Quand elle meurt, lors de sa troisième visite à Grignan, en 1696, les correspondants ont précieusement gardé au moins 1155 lettres d'elle. Celles-ci ne seront retrouvées que peu à peu et publiées au cours du XVIIIe et du XIXe siècle. Mais d'autres sont perdues, en particulier celles qui avaient été adressées à Mme de Lafayette et au cardinal de Retz.

La chronique d'un quart de siècle

Dans cette correspondance s'épanchent l'idolâtrie de l'auteur pour sa fille, ses amitiés, un sentiment impressionniste de la nature, sa hantise de la mort (qui inspire tant de récits de « morts célèbres »), une longue méditation religieuse (qui révèle l'attrait de Port-Royal). Les *Lettres*, malgré leur réserve, dessinent donc peu à peu l'un de ces « Portraits de femmes » chers à Sainte-Beuve.

Mais elles restituent aussi le climat d'une époque, saisissent sur le vif des événements que l'Histoire a momifiés : le procès de Fouquet, la mort de Turenne, l'exécution des condamnées dans l'Affaire des poisons, les révoltes et la répression en Bretagne, dont elle parle avec une dureté qu'on lui a beaucoup reprochée. La vie à la cour, la vie en province, les séjours aux eaux... font l'objet de notations aiguës.

Le charme et la variété

Les *Lettres* de Mme de Sévigné frappent d'abord par leur variété : sensible et spirituelle, gaie, voire truculente, la marquise passe de l'anecdote légère à la méditation religieuse, du récit au dialogue plein de vie, de l'énigme concertée au bavardage primesautier. Elle sait peindre avec brièveté et précision. Elle a le don de la mise en scène, adore l'imprévu. Par sa vivacité, par l'abondance des images comme par beaucoup de ses goûts littéraires, elle se rattache à l'âge précédent, à Voiture qui fut l'un de ses maîtres à écrire.

Comme beaucoup d'écrivains de son siècle, elle recherche et souvent obtient à force d'art le naturel. Les expressions charmantes abondent : éveillée « comme une potée de souris »; faner, « c'est retourner du foin en batifolant dans une prairie ». Rien n'est banal. Proust a célébré aussi chez elle l'immédiateté des « choses vues » et une technique qui annonce celle du peintre impressionniste Claude Monet : « Il arrive que Mme de Sévigné, comme Elstir [le peintre impressionniste idéal], comme Dostoïevski, au lieu de présenter les choses dans l'ordre logique, c'est-à-dire en commençant par la cause, nous montre d'abord l'effet, l'illusion qui nous frappe. »

Marie de Rabutin-Chantal, marquise de Sévigné (Musée de Versailles).

BIBLIOGRAPHIE

TEXTES : Cardinal de RETZ, *Œuvres,* Gallimard, coll. « Bibliothèque de la Pléiade », 1983. — LA ROCHEFOUCAULD, *Œuvres complètes,* Gallimard, coll. « Bibliothèque de la Pléiade », 1964; *Maximes,* Garnier, éd. Truchet, 1967 (excellente introduction, bibliographie); éd. Lafond, Gallimard, 1977. — Mme DE SÉVIGNÉ, *Correspondance,* éd. Duchêne, Gallimard, coll. « Bibliothèque de la Pléiade », 3 vol., 1972-1978.

ÉTUDES : André BERTIÈRE, *Le cardinal de Retz mémorialiste,* Klincksieck, 1977. — Roger DUCHÊNE, *Mme de Sévigné et la lettre d'amour,* Bordas, 1970 (l'amour pour Mme de Grignan comme clé de toute cette correspondance); *Mme de Sévigné ou la chance d'être femme,* Fayard, 1982 (la biographie). — Jean LAFOND, *La Rochefoucauld. Augustinisme et littérature,* Klincksieck, 1981 (désormais la meilleure introduction au plus grand seigneur de notre littérature). — *Images de La Rochefoucauld,* P.U.F., 1984 (un bilan, à l'occasion du tricentenaire). — Louis VAN DELFT, *Le moraliste classique,* Droz, 1982 (« essai de définition et de typologie »).

RACINE (1639-1699)

Miracle unique du classicisme, Racine oppose une œuvre de diamant à l'érosion de l'Histoire. Bien que l'esthétique classique n'inspire plus aujourd'hui que de rares créateurs, les tragédies raciniennes s'imposent comme la preuve expérimentale qu'une telle esthétique demeure l'un des pôles, l'une des grandes possibilités de l'art. Racine tendait naturellement à la simplicité, au resserrement d'une action saisie à son point de crise et se dénouant en champ clos : il commença sa carrière au moment où triomphaient les unités de temps et de lieu. Le poète, habité de hantises inavouables, devait — vers 1670 — les dissimuler sous d'élégantes apparences : il hérita d'une langue épurée et d'une tradition de pudeur et de discrétion. De telles obsessions suscitaient d'emblée la pitié et la terreur : après les tragédies sans tragique de Corneille apparut en France le tragique à l'état pur. Tant d'heureuses rencontres furent couronnées par une maîtrise poétique inouïe, par une « sorcellerie évocatoire » qui rapproche la tragédie de la cérémonie liturgique ou de l'oratorio.

Faire carrière

Né à la Ferté-Milon, pauvre, orphelin à quatre ans, le jeune Jean Racine fut recueilli et formé par les religieuses et les Solitaires de Port-Royal. Auprès de ces éducateurs remarquables il acquit une profonde connaissance de la tradition chrétienne, des œuvres grecques et latines, de la rhétorique française. Ses premiers vers évoquent *Le paysage de Port-Royal* (1656). En 1658, il s'installe à Paris chez son oncle, fréquente une société assez libre, se lie avec La Fontaine. Déjà anxieux de réussir, il célèbre le mariage du roi par une ode remarquée, *La nymphe de la Seine* (1660), et commence à écrire pour le théâtre. Soudain, attiré par l'appât d'un bénéfice ecclésiastique, Racine envisage de se faire prêtre et part pour Uzès (1661-1662). Vain espoir, le bénéfice escompté tarde à venir. Racine regagne Paris, où la convalescence du roi lui inspire une nouvelle ode, *La renommée aux muses*, qui lui vaut une gratification (1663).

C'est en 1664 qu'est jouée sa première pièce, *La Thébaïde :* elle met en scène le conflit célèbre des fils d'Œdipe, Étéocle et Polynice. Sous les maladresses, qui expliquent l'échec, se laisse deviner une nouvelle forme du tragique : la catastrophe est imminente dès les premières paroles des personnages. L'année suivante, un subtil amalgame de sentiments héroïques et de galanterie, bien dans la sensibilité de ce début de règne, *Alexandre*, connaît un vif succès de mode. Alors se produisent plusieurs incidents qui expliquent la réputation d'arrivisme et de malveillance que ses contemporains firent à Racine : sans même avertir Molière, qui jouait *Alexandre*, le poète confie sa pièce aux comédiens

Racine (portrait attribué à De Troy. Musée de Langres).

— jugés plus prestigieux — de l'Hôtel de Bourgogne (fin de 1665). Un mois plus tard, pour plaire à l'archevêque de Paris qui lui faisait miroiter un canonicat, il saisit un prétexte futile pour s'attaquer violemment à ses bienfaiteurs de Port-Royal. En 1668 meurt sa maîtresse, la comédienne Thérèse Du Parc, empoisonnée : une rumeur persistante accuse Racine et son « extrême jalousie ».

De 1667 à 1677, le dramaturge accumule les réussites : sept grandes tragédies, une comédie raillant dans des vers alertes et brillants les procès du temps. Mais, en 1677, une cabale littéraire cause l'échec de *Phèdre*. Est-ce cet insuccès, ou son mariage, ou son rapprochement avec Port-Royal qui ont conduit Racine à se détourner alors du théâtre? En fait, il venait d'être nommé historiographe du roi, charge enviée et rémunératrice. Il fallait choisir. L'écrivain, tout à fait étranger à la conception romantique qui sacralise la création, délaisse seulement un métier qui ne passait pas toujours pour honorable. Désormais, il mène une vie rangée, travaille pour le roi, élève chrétiennement ses sept enfants. C'est seulement à la demande de Mme de Maintenon qu'il écrit pour une institution de jeunes filles pauvres deux pièces religieuses : la pâle *Esther* (1689) et sa dernière grande œuvre, *Athalie* (1691). Il travaille aussi à défendre Port-Royal, où il est enseveli le 22 avril 1699.

Les douze pièces de Racine

1664	*La Thébaïde.*
1665	*Alexandre le Grand.*
1667	*Andromaque.*
1668	*Les plaideurs* (comédie)
1669	*Britannicus.*
1670	*Bérénice.*
1672	*Bajazet.*
1673	*Mithridate.*
1674	*Iphigénie en Aulide.*
1677	*Phèdre.*
. . . . . .	. . . . . .
1689	*Esther.*
1691	*Athalie.*

L'AUTONOMIE POÉTIQUE DES GRANDES TRAGÉDIES

« *Andromaque* » *(1667)*

Inspirée surtout de Virgile et de Sénèque, *Andromaque* fut créée le 17 novembre 1677 chez la reine.

Entre l'amour et la haine. — A la suite de la ruine de Troie, Andromaque, veuve d'Hector, et son fils Astyanax sont captifs de Pyrrhus, fils d'Achille. Pyrrhus devait épouser Hermione, mais il aime sa prisonnière. Or les Grecs lui envoient un ambassadeur pour exiger la vie d'Astyanax : Oreste, épris d'Hermione. Pyrrhus promet à Andromaque de sauver son fils, si elle l'épouse (acte I). Hermione se torture, mais Pyrrhus se dit maintenant résolu à livrer l'enfant : Andromaque, veuve inconsolable, a refusé son offre (acte II). Tandis qu'Oreste se désespère, Hermione exulte, repousse durement Andromaque venue la supplier pour son fils. Au terme d'une nouvelle entrevue, Pyrrhus accorde à sa captive un délai. Andromaque hésite (acte III). Andromaque consent à épouser Pyrrhus, mais a décidé dans son cœur de se tuer après la cérémonie. Hermione égarée demande à Oreste d'assassiner Pyrrhus. Une ultime entrevue met en présence un Pyrrhus tout à son bonheur et une Hermione ulcérée qui l'accable de menaces (acte IV). — Hagarde, Hermione flotte... Mais Oreste lui annonce la mort de Pyrrhus : elle l'accueille par des imprécations et se poignarde. On apprend qu'Andromaque a soulevé le peuple contre les Grecs. Oreste sombre dans la folie (acte V).

Avec *Andromaque* apparaissent déjà en pleine lumière la plupart des caractéristiques de la tragédie racinienne :

1) La *pureté du tragique*, qui naît du spectacle de l'homme écrasé par la fatalité, condamné. La formule de ce tragique est donnée par Oreste :

> Je me livre en aveugle au destin qui m'entraîne.

2) *L'arrière-plan légendaire :* tous liés aux héros de la guerre de Troie, les personnages se détachent sur un fond de feu et de sang. Toute une poésie des noms et des lieux contribue à la création d'une atmosphère.

3) *Une succession d'états d'âme :* aucun événement extérieur! Dès que ces passions nous sont connues, nous savons qu'il n'y a pas d'issue sans meurtre. La durée de la pièce ne tient qu'à l'indécision des personnages, au vertige qui les saisit, à leur flottement entre l'amour et la haine.

4) *L'élégie*. Impitoyables, murés, fermés sur la poursuite de leur propre bonheur, les protagonistes sont seuls et habités par la souffrance. Chacun exhale sa douleur, Andromaque pleure sur la ruine de Troie, sur Hector, sur son fils :

> Je ne l'ai point encore embrassé d'aujourd'hui.

5) *Les effets de sourdine*. Racine a créé une poésie qui estompe les contours de la réalité, atténue, évite d'expliciter. Elle rase la prose, tout en demeurant musicale. L'ostentation de Corneille fait place à des paroles voilées, lourdes de menaces :

> Le fils me répondra des mépris de la mère.
> Madame, en l'embrassant, songez à le sauver.

« *Britannicus* » *(1669)*

Les partisans de Corneille n'avaient pas ménagé leurs attaques contre *Andromaque*. Le 13 décembre 1669, Racine, se plaçant sur le terrain favori de son rival, fait représenter une tragédie romaine et politique, inspirée de Tacite, *Britannicus*.

« *Un monstre naissant* ». — L'impératrice Agrippine a dépossédé Britannicus de l'empire au profit de son fils Néron. Ingrat, celui-ci la tient à l'écart et fait même enlever Junie, qu'Agrippine destinait à Britannicus. Elle promet son aide à Britannicus (acte I). — Junie refuse d'épouser Néron. Celui-ci exige qu'elle rompe avec Britannicus, qu'elle pourra ainsi sauver de la mort. En présence de Néron dissimulé, la jeune fille affecte la froideur à l'égard de Britannicus (acte II). Alors que les intrigues se multiplient, les deux jeunes gens se rencontrent et se confirment leur amour. Néron, qui les surprend, les fait arrêter ainsi qu'Agrippine (acte III). Néron feint de se réconcilier avec son rival. Son gouverneur, Burrhus, cherche à lui faire abandonner ses projets de meurtre. Néron hésite, puis, sous l'ascendant du funeste Narcisse, se décide au fratricide (acte IV). — Agrippine se réjouit de la réconciliation, mais Britannicus meurt empoisonné. Junie s'enfuit chez les Vestales. Néron s'abandonne à un désespoir farouche (acte V).

Contrairement à Corneille, Racine s'intéresse peu à l'art politique, aux maximes et aux délibérations sur la conduite des États. L'Histoire sert de grandiose toile de fond et procure des personnages princiers qui sont à la fois lointains (par leur condition, par leur légende) et en vue. Surtout, Tacite abondait en réflexions psychologiques et morales, et Racine avoue « qu'il n'y a presque pas un trait éclatant... dont il ne [lui] ait donné l'idée ». Car les princes offrent la révélation de la folie humaine.

Les hésitations de Néron en marche vers le crime, les sollicitations de sa conscience (Burrhus) et de ses mauvaises inclinations (Narcisse), l'apparition de ses tendances sadiques... constituent le cœur de la tragédie.

« *Bérénice* » *(1670)*

A l'instigation d'Henriette d'Angleterre, belle-sœur du roi, Racine aborda l'histoire des amours contrariées de Titus et de Bérénice. La pièce fut jouée le 21 novembre 1670. Sans doute averti, Corneille avait préparé de son côté un *Tite et Bérénice*, qui fut créé huit jours plus tard. La comparaison établit la supériorité de Racine.

Les cinq actes de *Bérénice* sont nés d'une phrase de l'historien Suétone : « Titus, qui aimait passionnément Bérénice, et qui même, à ce qu'on croyait, lui avait promis de l'épouser, la renvoya de Rome, malgré lui et malgré elle [*invitus invitam dimisit*], dès les premiers jours de son empire. » On assiste aux hésitations, aux revirements, aux déchirements des malheureux héros, qui doivent renoncer à leur bonheur privé au nom des intérêts de l'État romain. Cette « situation cornélienne », loin de conduire les personnages à l'exaltation de leur moi, les laisse accablés, cassés à jamais.

La simplicité du sujet est ce qui « plut davantage » à Racine. Dans sa célèbre préface, le poète a souligné son goût pour les sujets resserrés : « faire quelque chose de rien », « une action simple, soutenue de la violence des passions, de la beauté des sentiments et de l'élégance de l'expression ».

La « tristesse majestueuse qui fait tout le plaisir de la tragédie » flotte dans une pièce élégiaque où pas une goutte de sang ne coule, mais où des personnages à la torture composent un chœur de la souffrance :

> Dans un mois, dans un an, comment souffrirons-
> [nous,
> Seigneur, que tant de mers me séparent de vous?
> Que le jour recommence, et que le jour finisse,
> Sans que jamais Titus puisse voir Bérénice...

« *Bajazet* » *(1672)*

Après le succès de *Bérénice*, Racine abandonne l'Antiquité pour porter à la scène, en janvier 1672, une histoire turque qui s'était déroulée en 1635 (en 1638, selon Racine) : l'assassinat du prince Bayezid par son frère, le sultan Mourad IV.

La fureur du désir. — Pendant l'absence du sultan Amurat, le vizir Acomat et la favorite Roxane complotent et veulent porter au trône Bajazet, qu'aime Roxane. Avant d'agir, la sultane veut épouser Bajazet. La jeune Atalide, qui aime le prince et en est aimée, se désole (acte I). — Bajazet se dérobe devant les offres de Roxane, furieuse. Mais Acomat et Atalide l'adjurent de ne pas la braver (acte II). — L'attitude ambiguë du prince dupe Roxane, mais éveille la jalousie d'Atalide. Dès lors, celui-ci se montre plus froid avec la sultane, jalouse à son tour. Cependant le serviteur noir Orcan arrive du camp d'Amurat avec des ordres mystérieux (acte III). Roxane lit à Atalide les ordres d'Amurat, demandant l'exécution de Bajazet. Atalide s'évanouit, la sultane découvre sur elle un billet révélateur de Bajazet : elle se prépare à la vengeance (acte IV). — Roxane offre la vie à Bajazet s'il assiste à l'exécution d'Atalide et l'épouse. Le prince refuse et propose sa propre vie. A sa sortie, il est étranglé par ordre de Roxane. Orcan tue Roxane, avant d'être à son tour exécuté par les amis d'Acomat. Le vizir va fuir. Atalide se poignarde (acte V).

La tragédie et le lointain. Selon Racine « les personnages tragiques doivent être regardés d'un autre œil » que nous ne regardons les hommes qui nous côtoient. Dans *Bajazet*, « l'éloignement des pays répare, en quelque sorte, la trop grande proximité des temps ». Les mœurs des Turcs sont si différentes de celles de Versailles!

Illustration de la mort de Britannicus, par Chauveau.

Racine a rejeté ce qui n'eût pas été assimilable par la cour. Le fatalisme de Bajazet, la sensualité de Roxane, le peuple muet des eunuques, la cruauté, un gouvernement fondé sur la terreur, tout cela dépaysait profondément le spectateur tout en demeurant conforme à l'image du Turc dans les consciences françaises.

Le caractère forcené du désir racinien. Il apparaît mieux dans une pièce où le dramaturge peut dissimuler son goût pour les personnages cruels et obsédés grâce à l'alibi des mœurs turques. De même Stendhal ou Mérimée aiment placer leurs héros dans une Italie ou une Espagne où les passions sont exaltées. La suavité de l'élégie a disparu devant les vers heurtés, l'affolement qui conduisent à la « grande tuerie » (Mme de Sévigné).

« *Mithridate* » *(1673)*

Les cornéliens reconnaissaient à Racine la tendresse, mais raillaient son incapacité à se hisser à la grandeur qui suscite l'admiration. Toujours hanté par l'ombre de son rival, Racine fait représenter en janvier 1673 *Mithridate*, la plus cornélienne de ses pièces.

La passion de dominer. — On croit mort le roi Mithridate, ennemi de Rome. Ses deux fils, Xipharès et Pharnace s'empressent auprès de Monime, promise à Mithridate, mais qui aime le valeureux Xipharès. Or on annonce le retour du roi (acte I). — Devant la froideur de Monime, Mithridate soupçonne Pharnace. Monime avoue son amour à Xipharès (acte II). — Mithridate dévoile à ses fils un plan grandiose de marche sur Rome; puis il impose à Pharnace le mariage avec une princesse parthe. Se croyant trahi par son frère, Pharnace le dénonce. Torturé, Mithridate feint d'accorder Monime à Xipharès; dupée, celle-ci finit par dévoiler ses sentiments. Le roi médite sa vengeance (acte III). — Détrompée, Monime refuse maintenant d'épouser Mithridate. On apprend que les Romains ont débarqué et que le traître Pharnace tente de soulever le peuple en leur faveur (acte IV). — Persuadée que Xipharès est mort, Monime se dispose avec joie à mourir. Mais survient la nouvelle que Mithridate, se croyant vaincu, s'est frappé et se meurt; que Xipharès a mis les Romains en fuite. Dans un sursaut de grandeur, le vieux roi unit son fils à Monime (acte V).

Si cette tragédie rappelle *Polyeucte*, *Nicomède* et *Attila*, si elle se situe par sa construction et ses rebondissements à l'opposé de *Bérénice*, elle est originale notamment par une présence beaucoup plus dense de la poésie, qui va caractériser aussi les trois grandes pièces suivantes.

La poésie de la mer. La mer sert ici de cadre grandiose à une action qui se situe dans l'actuelle presqu'île de Crimée. Elle parle aux héros de grandeur et d'évasion. Mais en même temps, elle ne cesse d'apporter la fatalité (retour du roi, débarquement des Romains).

La poésie épique. Le héros, c'est Mithridate, l'Hannibal d'Orient, avec son goût pour la démesure. L'acte V fait songer par moments à l'*Iliade*.

La poésie tragique. Elle naît de l'inutilité du combat contre le destin :

> Vous seul, Seigneur, vous seul après quarante [années
> Pouvez encor lutter contre les Destinées.

Monime est l'une des héroïnes les plus lumineuses du théâtre français. Ses lamentations laissent entendre le chant des flûtes raciniennes (les *u* et les *i*) :

> Je crois que je vous suis connue...
> Mithridate me vit. Ephèse et l'Ionie,
> A son heureux empire était alors unie...
> Il fallut obéir. Esclave couronnée,
> Je partis pour l'hymen où j'étais destinée.

« *Iphigénie en Aulide* » *(1674)*

Depuis quelques années, l'opéra français avait pris son essor, les sujets empruntés à la mythologie grecque faisaient fureur, des critiques déploraient que le théâtre moderne fût inférieur aux tragiques athéniens. Racine se décida à mettre à profit son exceptionnelle connaissance de la culture grecque : le 18 août 1674, *Iphigénie* obtint un prodigieux succès de larmes.

L'affolement autour d'un sacrifice. — La flotte grecque ne peut mettre à la voile pour Troie, faute de vent. Le roi Agamemnon attend sa fille Iphigénie, dont les dieux exigent le sacrifice pour accorder les vents. Il tente en vain de lui faire rebrousser chemin et de renvoyer l'armée (acte I). — Iphigénie, persuadée qu'elle vient épouser Achille, est étonnée de l'accueil embarrassé de son père. Elle soupçonne à tort son fiancé d'aimer la captive Ériphile (acte II). — Clytemnestre, mère de la jeune fille, et Achille apprennent l'horrible vérité. Ils veulent défendre Iphigénie, mais celle-ci veut agir seule (acte III). — Iphigénie supplie son père; Clytemnestre et Achille menacent. Agamemnon décide de surseoir au sacrifice. Mais la jalouse Ériphile dénonce ces menées et rend le sacrifice inéluctable (acte IV). — Iphigénie se résigne, Achille prend les armes. Mais le devin Calchas révèle que la victime réclamée par les dieux est une autre Iphigénie. Il s'agit d'Ériphile qui, apprenant son origine véritable, se poignarde sur l'autel (acte V).

Tout imprégné d'Homère, de Sophocle, d'Euripide, Racine fait revivre la Grèce que ces écrivains livrent à nos imaginations. La volonté des dieux domine la pièce : comme l'a écrit Michel Butor, Racine s'installe dans le paganisme le plus impressionnant de toute la littérature classique. L'amour tient moins de place que la tendresse maternelle, l'aspiration à la vie et à la lumière, l'élégie sur la jeunesse sacrifiée.

« *Phèdre* » *(1677)*

Reprenant une autre légende grecque, déjà utilisée par Euripide et Sénèque, Racine fait représenter *Phèdre*, le 1er janvier 1677. Se heurtant à une cabale, où se rencontraient, entre autres, des auteurs envieux, la plus pure des tragédies françaises commence sa carrière par un échec.

L'amour et la mort. — Thésée a disparu. Hippolyte, qu'il a eu d'une Amazone, veut partir à sa recherche. Cependant Phèdre, épouse de Thésée, se consume d'un mal qu'elle finit par avouer à sa confidente Oenone : elle aime son beau-fils, Hippolyte. Mais on annonce la mort de Thésée. L'amour de Phèdre n'est plus coupable (acte I). — Aricie et Hippolyte s'avouent leur amour. Mais Phèdre dévoile sa passion à Hippolyte indigné. Le bruit court que Thésée n'est pas mort (acte II). — A l'annonce du retour de Thésée, Phèdre veut mourir. Oenone lui arrache l'autorisation d'accuser Hippolyte de tentative de viol à l'égard de sa belle-mère. Devant l'accueil qui lui est fait, Thésée conçoit des soupçons (acte III). — Oenone accuse Hippolyte. Thésée chasse son fils, en invoquant l'aide de Neptune. Phèdre, tourmentée de remords, vient plaider en faveur du jeune homme, mais elle apprend l'amour d'Hippolyte et d'Aricie et endure les tortures de la jalousie (acte IV). — Aricie laisse entendre à Thésée qu'Hippolyte est innocent. Troublé, celui-ci apprend qu'Oenone s'est suicidée et que Phèdre veut mourir. Il supplie Neptune de ne pas tenir compte de son appel. Trop tard! On apprend que les chevaux d'Hippolyte, terrifiés par un monstre marin, se sont emballés et ont causé la mort de leur maître. Phèdre, alors, avoue la vérité et s'empoisonne (acte V).

L'atmosphère mythologique. Pleine de rappels des noms et des mythes grecs, *Phèdre* évoque l'Achéron, les chiens de Pirithoüs nourris de chair humaine, les origines légendaires des héros, mais surtout la haine dont les dieux poursuivent une famille. Vénus, devenue déesse-vampire, a déjà frappé la mère et la sœur de Phèdre. La malheureuse attend son tour. L'éveil de l'amour est le début de l'agonie :

Je reconnus Vénus et ses feux redoutables,
D'un sang qu'elle poursuit tourments inévitables.

Descendante du Soleil, Phèdre redoute sa vue et recherche l'ombre des palais, des forêts, en attendant la nuit infernale.

L'amour maladie. L'amour racinien, loin d'être une expérience merveilleuse, abat, dégrade le corps et l'âme, conduit à la catastrophe. La volonté est balayée. L'amour est « un trouble », une folie, un mal « incurable », une fièvre consumante. Ce qui est nouveau ici, c'est que l'héroïne se juge et se déteste :

J'ai pris la vie en haine, et ma flamme en horreur.

Au pessimisme de certains écrivains grecs en face de l'amour (Platon, Théocrite...) se surimpriment les expériences les plus sombres de la vision du monde augustinienne.

« *Athalie* » *(1691)*

Après le succès d'*Esther*, Racine choisit dans la Bible un sujet cher à Port-Royal et qui lui paraissait « le plus beau » pour une tragédie : *Athalie* fut représentée pour la première fois le 5 janvier 1691 par les pensionnaires de Saint-Cyr. Mais c'est seulement en 1702 que cette pièce à grand spectacle fut jouée avec la mise en scène qu'elle appelait.

Dieu joue sur l'orgue des passions humaines. — Athalie, usurpatrice du trône de Jérusalem, a fait massacrer toute la descendance royale et établir le culte sacrilège de Baal. Le grand prêtre Joad annonce qu'il va proclamer la royauté de Joas, enfant sauvé jadis du massacre par sa femme Josabeth (acte I). — Athalie, entrée dans le Temple, reconnaît dans cet enfant celui qu'elle a vu en songe lui percer le sein. A ses questions il répond avec sagesse et insolence (acte II). — Le prêtre de Baal vient exiger qu'on lui livre l'enfant : Joad le chasse du Temple et prophétise l'avenir radieux de l'Église (acte III). Ceint du bandeau royal, Joas apprend sa mission véritable. Mais Athalie fait cerner le Temple (acte IV). — Joad feint de céder et fait venir Athalie. Quand elle entre, il lui montre l'enfant revêtu des ornements royaux, puis la fait mettre à mort par les lévites. La royauté de Joas va être proclamée (acte V).

Le règne de Dieu. La passion amoureuse a disparu. A la crise passionnelle succède la crise politique. Tenant l'humanité dans sa main, Dieu meut les volontés. *Athalie* illustre le *Discours sur l'histoire universelle* de Bossuet. Comme chez ce dernier, la tragédie se rapproche de l'épopée. Le vers racinien gagne en plénitude, en puissance.

Le chant d'un croyant. Mosaïque de réminiscences de la Bible et de la liturgie catholique, *Athalie* exalte la confiance lucide, la soumission virile du grandiose Joad. Les chœurs ponctuent l'action de célébrations religieuses. Au centre de la tragédie étincelle la prophétie, qui par-dessus Joas annonce le Messie : Racine a élargi les perspectives d'Athalie à la mesure de l'histoire spirituelle de l'humanité [1].

1. Comme l'a souligné Pierre Clarac.

LE TRAGIQUE RACINIEN

Le règne de la fatalité

Le sentiment du tragique naît du spectacle de l'homme engagé dans une lutte dérisoire contre des forces toutes-puissantes, qui ne vont pas tarder à l'écraser. Après Aristote, Racine a compris que la tragédie doit susciter chez le spectateur la pitié et la terreur.

Il existe des fatalités extérieures : aujourd'hui l'ordre de mobilisation générale qui sépare deux fiancés et entraîne le jeune soldat vers la mort. Chez Racine, la fatalité est intérieure, constituée par les passions des personnages, notamment par le déchaînement de l'amour et de l'ambition (passions qui dominaient dans la caste aristocratique pour laquelle écrivait Racine). La tragédie, c'est la folie de l'homme, sa recherche obsédée et solitaire du bonheur, la dictature du désir, l'imprévu d'amours forcenées qui naissent en coup de foudre, d'un regard :

Je le vis. Je rougis, je pâlis à sa vue;
Un trouble s'éleva dans mon âme éperdue;
Mes yeux ne voyaient plus, je ne pouvais parler;
Je sentis tout mon corps et transir et brûler.
(Phèdre)

Les passions consument l'âme et le corps, asservissent la volonté à leur empire, c'est-à-dire la tendent à leur service (Roxane), ou la combattent et l'anéantissent (Oreste). Elles sont en elles-mêmes, là où les soucis du travail ou de l'environnement social ne restreignent pas leur déploiement, porteuses de mort. De ce fait, la haine des dieux n'est qu'une explication légendaire, conservée par un Racine soucieux de ne « rien perdre des ornements de la fable, qui fournit extrêmement à la poésie » (préface de *Phèdre*). Ou alors, dans les perspectives du croyant, le Dieu des Juifs abandonne les hommes au gré de leurs passions et utilise leurs caprices pour réaliser ses propres desseins *(Athalie)*. Dans toutes les tragédies règnent « *les passions...* [et] *tout le désordre dont elles sont cause* » (Préface de *Phèdre*).

Iphigénie (gravure de Bérin. B.N. Paris).

La crise et le désastre

Racine n'est pas le peintre des longues évolutions, ni des tranches de vie. Quand commencent ses tragédies, une crise qui couvait depuis longtemps éclate. Les personnages se trouvent au pied du mur. Un choix crucial s'impose : « Nous voici donc, hélas, à ce jour détestable » (début de *La Thébaïde*). Et ce choix est porteur de catastrophe. Dès les premiers vers, les héros sont soumis à de telles forces que le désastre apparaît comme inévitable. Ils s'y acheminent avec fièvre ou abattement, mais toujours avec lucidité. Leur malheur est proposé non au jugement moral, mais à la stupeur angoissée du spectateur.

La cruauté

Les instants de bonheur, les amours partagées inspirent Racine moins heureusement que le malheur porté à son paroxysme, la frénésie des passions. Ses jeunes gens sont un peu pâles, auprès des Hermione, des Roxane, des Athalie. Encore décèle-t-on chez les princesses captives (Junie, Atalide) une fermeté et une ironie coupante qui les rapprochent des possédées! Le dramaturge multiplie les spectacles sanglants et macabres, avec une complaisance que les lois de la tragédie ne suffisent pas à expliquer. Les protagonistes sont agressifs, aiment dominer un partenaire en larmes ou en deuil :

Je me fais de sa peine une image charmante.

« Cruel », « perfide »... sont des adjectifs-clés de ce théâtre. Péguy a bien vu que la douce Iphigénie est plus élégamment féroce que tous les bourreaux de Corneille, qui ignorent le raffinement, l'utilisation du langage comme bistouri. L'épanouissement d'un monstre, la plus riche collection de femmes damnées, un essaim de victimes gémissantes caractérisent l'univers de Racine : « De quel œil avide et plein de larmes on le sent qui regarde ça! » (Paul Claudel).

Le huis clos

La tragédie racinienne ignore le grand air, les étoiles. Le cheminement de l'Histoire, l'existence des peuples ne parviennent aux héros que comme une lointaine rumeur. Enfermés en eux-mêmes, le plus souvent incapables de communion, les protagonistes se déchirent en champ clos. Le huis clos, retrouvé par Sade, exaspère des passions dont rien ne vient distraire : son plus pur symbole est le sérail étouffant de *Bajazet*.

La cérémonie tragique

Cette extrême violence filtre dans une atmosphère, dans un langage quasi religieux. En grand poète, Racine ignore le décor ou le milieu, cher à l'esthétique réaliste d'un Balzac. Il suggère une atmosphère qui puisse donner essor à l'imagination du spectateur : des personnages royaux et légendaires, des mythes vénérables, la puissance romaine, la sauvagerie orientale, la grandeur surhumaine de l'Histoire Sainte deviennent des sources de poésie et d'envoûtement. Les héros s'expriment avec pudeur et noblesse, dans une langue épurée, sans emphase. Avec le naturel et les effets de sourdine, l'une des caractéristiques du vers racinien est la musicalité. Racine fait chanter les mots les plus simples. Quand il dirigeait ses acteurs, il recherchait une déclamation chantante, si mélodieuse que le musicien Lully envoyait, dit-on, ses chanteurs l'écouter. Ce théâtre est une fête du langage : accessoires et gestes sont inutiles, tout se passe à l'intérieur ou au-dessous du langage. On a parlé de théâtre de chambre, de tragédies-oratorios.

Racine devant les siècles

Le XVIIe siècle a tout de suite opposé Racine à Corneille : il a déploré qu'il ne fût pas un « peintre d'histoire », mais s'est enchanté de ses « tendresses d'amour ». Le siècle suivant redécouvre les « furieux » de ce théâtre (Oreste, Hermione, Roxane...) et voit dans sa perfection dramatique un modèle absolu (Voltaire). Or c'est cette formule tragique que combattent précisément certains romantiques (Hugo), qui dénoncent en même temps le caractère daté de l'univers racinien (Stendhal), tandis qu'un Chateaubriand ou un Lamartine vantent en Racine un « poète chrétien ». A mesure qu'avance le XIXe siècle, l'hostilité devient quasi générale, hormis de la part de Sainte-Beuve, des universitaires et d'auteurs réactionnaires qui font du dramaturge le drapeau des bien-pensants. A partir de 1885, le retour à Racine commence : la défaite de 1870 a entraîné une exaltation des « valeurs françaises »; les analyses du critique Brunetière, le talent de Sarah Bernhardt et de Mounet-Sully ressuscitent l'œuvre, célébrée bientôt par un Péguy, un Gide, un Valéry, un Mauriac, un Giraudoux. De grands metteurs en scène (Copeau, Baty) s'aperçoivent de l'importance de l'incantation et du rituel tragiques. Enfin, la critique contemporaine a multiplié les « lectures » de Racine : Goldmann (*Le Dieu caché*, 1955), Mauron (*L'inconscient dans l'œuvre et la vie de Racine*, 1957), Barthes (*Sur Racine*, 1963)...

Existe-t-il aujourd'hui une image de Racine? C'est douteux. La plupart des mises en scène ne « passent » pas. Ce qui est sûr, c'est que l'illusion d'une transparence des tragédies a fait place au sentiment de leur opacité, de leur étrangeté.

BIBLIOGRAPHIE

TEXTES : RACINE, *Œuvres complètes,* 8 vol., éd. Mesnard, Hachette, G.E.F., 1865-1873; éd. Picard, Gallimard, 2 vol., 1951-1952; éd. Clarac, Seuil, coll. « L'Intégrale », 1962. *Théâtre complet,* éd. Morel-Viala, Garnier, 1980; éd. Collinet, Gallimard, folio n°s 1412 et 1495, 1983.

ÉTUDES : Thierry MAULNIER, *Racine,* 1935; *Lecture de Phèdre,* 1943 (par le meilleur introducteur à l'univers racinien). — Raymond PICARD, *La carrière de Jean Racine,* Gallimard, 2e éd., 1961 (le point sur la biographie et certains problèmes de sociologie littéraire). — Jean-Jacques ROUBINE, *Lectures de Racine,* A. Colin, coll. « U 2 », 1971 (remarquable présentation des différentes façons dont Racine a été compris de 1664 à 1970; bibliographie importante). — Léo SPITZER, *Études de style,* Gallimard, coll. « Tel », 1985 (la meilleure analyse stylistique).

LES DERNIERS FEUX DE LA POÉSIE

Avec le règne personnel de Louis XIV commence pour la poésie française un crépuscule d'un siècle et demi. L'esthétique classique n'épanouit que de rares artistes : le miracle racinien n'a pas eu d'équivalent en poésie.

L'étonnant, c'est le tardif accomplissement poétique — en pleine époque classique — du dernier des grands créateurs indépendants : La Fontaine, qui après avoir failli s'enliser dans la poésie de salon, élabore à partir du suc des poètes ou conteurs libres de Rome, de l'Italie et de la France, le miel de ses *Fables*.

SITUATION DE LA POÉSIE

A la luxuriance de l'époque Louis XIII succède rapidement le dessèchement. La puissance créatrice fait défaut, les poètes — encore nombreux — sont incapables de sortir des sentiers battus. La médiocrité devient à peu près générale. Au temps de Louis XIV, la poésie héroïque, qui célèbre les Grands, se maintient, mais prisonnière du carcan malherbien (hyperboles, lieux communs, vers pompeux). Les tentatives d'épopée se soldent par des échecs répétés. La poésie religieuse perd beaucoup de sa richesse, malgré les paraphrases de La Fontaine et de Racine, les cantiques quiétistes de Malaval et de Mme Guyon, et surtout les beaux *Sonnets chrétiens* (1677) du pasteur protestant Laurent Drelincourt (1626-1680), poète par son sens du symbolisme universel et du pouvoir des mots. La poésie mondaine persévère dans la frivolité : Benserade, Pellisson, Mme de la Suze, Mme de Villedieu, Mme Deshoulières. Seuls présentent encore quelque attrait les chansons de Coulanges (1633-1716) et les vers harmonieux de Chaulieu (1639-1720). Des théoriciens comme Fontenelle et Houdar de la Motte, ne voient dans la poésie qu'un jeu, qu'un ornement du discours rationnel. Certains, comme Fontenelle encore ou le philosophe italien Vico (1668-1744), annoncent la fin de l'âge poétique et la naissance du temps des philosophes.

Cette irrémédiable décadence de la poésie des hautes classes va de pair avec un remarquable essor de la poésie populaire dans les provinces. Toutefois deux poètes, d'une valeur fort inégale, ont marqué : Boileau, et l'inimitable La Fontaine.

BOILEAU (1636-1711)

En 1657, grâce à l'héritage de son père, le bourgeois parisien Nicolas Boileau (dit Despréaux, du nom d'une terre de famille) peut obéir à la vocation irrésistible qui l'attire vers la littérature. Il affirme rapidement un vigoureux talent de satirique. Il publiera en tout douze « Satires » (1666, 1668, 1692, 1698 et 1705). Plusieurs d'entre elles (II, VII et IX) abordent des sujets littéraires. Ce sont les plus intéressantes, avec III, *Le repas ridicule* (inspirée d'Horace et de Régnier) et VI, *Les embarras de Paris* (marquée par Juvénal). Le poète, qui fréquentait surtout cabarets littéraires et cercles libertins, se fait introduire dans des salons de haute tenue (chez les du Plessis-Guénégaud, chez le président de Lamoignon) et commence vers 1669 à rédiger son œuvre maîtresse, *L'art poétique*.

« *L'art poétique* » (*1674*)

Boileau a évidemment étudié les théoriciens antiques : Aristote et sa *Poétique* (vers 334 avant J.-C.), Quintilien et son *Institution oratoire* (Ier siècle ap. J.-C.), Longin et son *Traité du sublime* (IIIe siècle ap. J.-C.); mais le modèle auquel il s'attache le plus étroitement est Horace (*Art poétique*, début de l'ère chrétienne). Il connaît aussi les traités du XVIe et du XVIIe siècle. Enfin sa dette est sans aucun doute énorme à l'égard de ses amis écrivains (Racine, Molière, La Fontaine...) et des lettrés (Bouhours, Rapin...) qu'il rencontre dans le cercle Lamoignon. Loin d'être un initiateur, Boileau rassemble et ordonne des idées vieilles de plusieurs dizaines d'années.

Le « code du goût » (d'Alembert)

Chant I. Préceptes généraux sur l'art d'écrire. La création poétique suppose à la fois inspiration et travail (1-26). Éloge de la raison et du naturel (27-102). Tableau de la poésie française (114-146) : « Enfin Malherbe vint... ». Nouveaux préceptes généraux (147-232) :

Ce que l'on conçoit bien s'énonce clairement (153)
Vingt fois sur le métier remettez votre ouvrage (172)..

Chant II. Les petits genres.

— L'idylle (1-37) : « Suivez pour la trouver Théocrite et Virgile » (26).
— L'élégie (38-57) : « Il faut que le cœur seul parle dans. l'élégie » (57).
— L'ode (58-81) : « Chez elle un beau désordre est un effet de l'art » (72).
— Le sonnet (82-102) : « Un sonnet sans défaut vaut seul un long poème » (94).
— L'épigramme (103-138), le rondeau, la ballade, le madrigal (139-144).
— La satire (145-180), dont les maîtres sont passés en revue.
— Le vaudeville (chanson satirique), la chanson (181-204).

Chant III. Les grands genres.

— La tragédie (1-159) est la transposition artistique du malheur humain. Ses ressorts sont la pitié et la terreur (1-26). Il faut une exposition vive et claire (27-35), le respect des trois unités, de la vraisemblance de la bienséance :

Qu'en un lieu, qu'en un jour, un seul fait accompli
Tienne jusqu'à la fin le théâtre rempli (45-46).
Le vrai peut quelquefois n'être pas vraisemblable (48).
Ce qu'on ne doit point voir, qu'un récit nous l'expose (51).

Nécessité de la progression dramatique (55-60). Bref historique du genre (61-94). Conseils divers (95-159) : défiance du romanesque, unité de ton.
— L'épopée (160-334), « Vaste récit d'une longue action », où règnent la magnification et le merveilleux (160-192). Condamnation du merveilleux chrétien :

De la foi d'un chrétien les mystères terribles
D'ornements égayés ne sont pas susceptibles (199-200).

Règles du genre (254-334).
— La comédie (335-423) doit peindre plaisamment la vérité de la vie (359-392) :

Que la nature donc soit votre étude unique (359)

Le grand Molière s'est dévoyé dans la farce (393-400). Règles du genre.

Chant IV. Recommandations générales et éloge du roi (1-236).

Œuvre de vulgarisation, *L'art poétique* a répandu dans le grand public les théories des « doctes ». Il présente d'étonnantes lacunes : la fable, l'opéra; le Moyen Age est ignoré. Ronsard est exécuté sommairement, tandis que le rôle de Malherbe est majoré. Boileau ne comprend pas les plus grands écrivains d'Espagne et d'Italie (les picaresques, Le Tasse...).

S'agit-il d'une œuvre d'art? La composition est imparfaite (redites des Chants I et IV...), mais ce poème-mosaïque a l'avantage d'éviter la monotonie : tableaux historiques, anecdotes, digressions. La qualité essentielle de *L'art poétique* réside dans la facture très particulière du vers, qui parvient à donner du relief aux thèmes les moins originaux. Si Malherbe était architecte, il y a chez Boileau du maçon. De là l'attrait d'un Francis Ponge pour ces travailleurs sur pierre que sont à des titres divers Malherbe, Boileau et Mallarmé.

L'art poétique a été fort estimé, non sans quelques réserves, au XVIIIe siècle. Le romantisme a dénoncé violemment les étroitesses de l'ouvrage. Néanmoins, l'Enseignement n'a renoncé que lentement à privilégier une esthétique qu'il défendait comme « classique et française »! Au XXe siècle, Alain et Valéry ont encore été de ses défenseurs.

La gloire et les polémiques

Dans le même volume que son *Art poétique*, Boileau avait publié quatre Chants d'un poème héroï-comique, *Le lutrin*, achevé en 1683. Cette épopée bouffonne contait en termes pompeux les conflits qui déchiraient chanoines, chantre, sacristain... de la Sainte-Chapelle. Le recueil

Boileau par Rigaud (Musée de Versailles).

donnait encore quatre épîtres composées à la même époque que *L'art poétique*.

Admirateur d'Horace, Boileau a tenté de rivaliser avec lui dans le genre très souple de la lettre en vers. Ses *Épîtres* sont au nombre de douze (cinq de 1674-1677, trois de 1695). Trois d'entre elles célèbrent Louis XIV (I, IV, et VIII), quatre traitent de morale (II, III, V, XII). L'Épître VI reprend le thème de la douceur des loisirs champêtres. Les Épîtres VII, IX et X concernent la littérature : encouragements à Racine après l'échec de *Phèdre* (VII), insistance sur les liens entre morale et esthétique (IX), apologie personnelle (X).

En 1677, Boileau est nommé historiographe du roi (avec Racine). Sa grande période créatrice s'achève. Élu en 1684 à l'Académie, il y polémique bientôt avec Perrault, défenseur des Modernes (1687-1694). En 1701 paraît à Amsterdam une édition complète de ses *Œuvres*, qui s'ouvre par une préface importante pour la connaissance de ses idées esthétiques. Les dernières années du « législateur du Parnasse » sont assombries par les infirmités et par un dur affrontement avec les Jésuites, hostiles à l'Épître XII, taxée de jansénisme, « Sur l'amour de Dieu ».

LA FONTAINE (1621-1695) : LA VIE EST UN CONTE

Jean de La Fontaine est né d'une famille bourgeoise à Château-Thierry, en Champagne, où s'écoule une grande partie de sa jeunesse. A vingt ans, il est attiré par l'Oratoire et entreprend des études de théologie. Mais il renonce bientôt et fait son droit à Paris, où il fréquente un cercle de jeunes poètes (Maucroix, Pellisson...). En 1647, on le marie : le ménage ne sera pas heureux et finira par se séparer. La Fontaine achète en 1652 la charge de « Maître des Eaux et Forêts » du duché de Château-Thierry.

Au cours de ces années, ses loisirs lui permettent d'immenses lectures : les romans médiévaux, les contes italiens (Boccace, L'Arioste) et français, les romans de la préciosité; admirateur du XVIe siècle (Rabelais, Marot, Des Périers, Montaigne), de Malherbe, de Théophile et de Voiture, il a un culte pour certains des Anciens : Homère; Platon et Plutarque, annotés à chaque page; Lucrèce, Térence, Virgile; Horace — dont la simplicité familière et la gaieté ont été pour lui une révélation. Son imagination s'enchante des *Métamorphoses* d'Ovide et de *L'âne d'or* d'Apulée : toute une partie de son œuvre s'inscrit dans les marges de ces deux écrivains (*Adonis*, *Daphné*, *Galatée*, *Les filles de Minée*, *Philémon et Baucis*, *Psyché*). Ami d'écrivains, cet éclectique était lié aussi avec nombre de peintres, de sculpteurs et de musiciens.

Le poète mondain

Lorsqu'il se fixe à Paris, en 1658, La Fontaine, qui a pourtant trente-sept ans, n'est encore qu'un inconnu, auteur de quelques vers et d'une adaptation de *L'eunuque* de Térence (1654). Présenté au surintendant Fouquet, il lui offre un poème héroïque inspiré d'Ovide, *Adonis*, qui lui vaut une pension. Dès lors, il multiplie les poésies de cour, pour plaire à son mécène (rondeaux, églogues, madrigaux, ballades, odes) et se mêle au brillant entourage du ministre : il rencontre Scarron, Perrault, Mme de Sévigné. Il travaille trois ans au *Songe de Vaux*, évocation en vers et en prose du château de Vaux-le-Vicomte, que Fouquet faisait construire. Mais en 1661, le surintendant est jeté en prison par Louis XIV. Privé de sa pension, le poète reste fidèle à son ancien protecteur, dont il sollicite en vain la grâce en 1661 *(Élégie aux nymphes du Vaux)* et en 1663 *(Ode au roi)*. Mal en cour, il gagne le Limousin et compose une prenante *Relation*, en prose et en vers, de son voyage.

De 1664 à 1672, La Fontaine entre au palais du Luxembourg, comme gentilhomme servant de Madame, veuve de Gaston d'Orléans (frère de Louis XIII). Cette charge peu absorbante assure sa subsistance, sans contraindre sa liberté. Il fréquente les salons les plus brillants.

Les « Contes »

A partir de décembre 1664, le poète publie avec succès des *Contes et nouvelles en vers*, inspirés d'abord de Boccace et de l'Arioste, puis de nombreux autres auteurs. A part ceux de 1674, saisis par la police, ces contes ne sont que lestes. Ils reprennent des thèmes connus, quoique un peu estompés au milieu du romanesque XVIIe siècle : faible vertu des femmes, naïveté des filles, mésaventures de nonnes ou d'ecclésiastiques, etc. La Fontaine ne prétend pas innover. Il s'en tient même encore trop à l'uniformité du décasyllabe ou de l'octosyllabe : une telle régularité finit par lasser. Mais les recueils comportent des merveilles de fantaisie, comme « Joconde », en vers irréguliers et d'une langue toute moderne. Souvent inférieurs à Boccace, ces agréables jeux annoncent les conteurs libres du XVIIIe siècle.

La Fontaine, par De Troy (Bibliothèque de Genève).

Le premier recueil des « Fables » (1668)

A quarante-sept ans, La Fontaine fait paraître six livres de *Fables choisies mises en vers*, magnifiquement illustrées par Chauveau. C'est un triomphe : six éditions en deux ans! Sur les 124 fables, une centaine sont empruntées à la tradition ésopique (1). La plupart sont d'une élégante brièveté, peu ambitieuses encore. Mais d'emblée tous les modèles sont surpassés, grâce au pittoresque, à la gaieté, à la densité poétique des touches, à l'art du dialogue, à la variété des tons et des rythmes.

En 1669, La Fontaine publie *Les amours de Psyché et de Cupidon*, récit mythologique où se mêlent les vers et la prose, et dont le personnage de Polyphile, celui qui « aimait toutes choses », semble bien être le poète lui-même :

J'aime le jeu, l'amour, les livres, la musique,
La ville et la campagne, enfin tout, il n'est rien
Qui ne me soit souverain bien,
Jusqu'au sombre plaisir d'un cœur mélancolique.

Il ne cesse d'écrire des contes et des fables. Mais en 1672, sa protectrice meurt : sans ressources (il a vendu sa charge l'année précédente), il est accueilli par Mme de la Sablière, « Iris », dont le salon reçoit gens du monde, écrivains, savants et philosophes. Pendant vingt ans (1672-1693), La Fontaine bénéficie de ce mécénat discret. Dans un tel milieu, il apprend beaucoup, s'initie aux philosophies de Descartes et de Gassendi, peut entendre parler de l'Orient — alors à la mode — par le médecin et voyageur Bernier. Il publie des œuvres extrêmement diverses : un poème religieux, *La captivité de saint Malc* (1673); des contes; un livret d'opéra, *Daphné* (1674), pour Lully, qu'il attaque ensuite violemment dans *Le Florentin* (1675); un poème

1. Ésope aurait vécu au VIe siècle avant J.-C., et serait l'auteur de 300 à 400 courtes fables rédigées en grec. Ont écrit ensuite dans ce genre les Grecs Babrius et Aphthonius; les Latins Phèdre (Ier siècle ap. J.-C.), Aviénus (IIe siècle), l'humaniste Abstemius (XVe siècle), puis des fabulistes italiens ou français (XVIe et XVIIe siècles). La Fontaine semble ignorer les « ysopets » du Moyen Age et le *Roman de Renart*.

didactique, *Le quinquina* (1682); son *Discours à Mme de la Sablière* (1684), lu pour sa réception à l'Académie; l'*Épître à Huet* (1687) qui défend l'éclectisme, dans la querelle des Anciens et des Modernes; un poème dramatique, l'*Astrée* (1691)... qui témoigne de son goût pour le grand roman de d'Urfé. Mais la publication qui domine cette période est celle du second recueil des *Fables.*

Le second recueil des « Fables » (1678-1679)

En 1678-1679 paraît un second recueil de *Fables :* aux six livres de 1668 s'en ajoutent cinq nouveaux, dont la tonalité est sensiblement différente. Un tiers seulement de ces fables provient de la tradition ésopique. La Fontaine reconnaît devoir « la plus grande partie » des sujets au sage indien Pilpay (IVe siècle av. J.-C.), dont il a lu *Le livre des lumières* (traduit en français en 1644). Par ailleurs, nombre de fables semblent nées des conversations ou débats qui avaient lieu chez Mme de La Sablière. Les poèmes sont plus amples, plus divers, plus ambitieux : l'écrivain multiplie les réflexions personnelles, s'abandonne à des confidences (sur l'amitié, sur son goût du repos, sur la vieillesse). Moins de la moitié de ces fables évoquent des animaux, et l'accent se déplace du pittoresque au symbolisme moral. Le fabuliste va même jusqu'à aborder des problèmes philosophiques comme ceux des animaux-machines (« Les deux rats, le renard et l'œuf ») ou de la connaissance sensible (« Un animal dans la lune »).

Illustrations de Chauveau (1668) pour « Le chat et un vieux rat » (III, 18) et pour « Le renard et le buste » (IV, 14).

Le dernier recueil (1694)

Malgré de poétiques regrets de son inconstance « en vers comme en amours », La Fontaine continue à mener une vie fort libre. Il fréquente les cercles libertins. Pourtant, en 1693, atteint par la maladie, puis frappé par la mort de Mme de la Sablière, qui s'était retirée du monde depuis plusieurs années, il désavoue ses *Contes* et revient à une vie chrétienne. Rétabli, il se retire chez son ami d'Hervart et publie en 1694 son dernier recueil de *Fables* (l'actuel livre XII), qui n'apporte aucun renouvellement notable, mais se clôt par la belle fable-méditation « Le juge arbitre, l'hospitalier et le solitaire », où la retraite est célébrée comme le seul moyen pour l'homme de savoir qui il est. Quelques mois après cette publication, La Fontaine s'éteint (13 avril 1695).

Il existe une légende : l'auteur des *Fables* aurait été un naïf, un distrait (croisant son fils sans le reconnaître), un nonchalant. Mais la vie et l'œuvre contraignent à retoucher un tel portrait. La Fontaine a su assez habilement se ménager de puissantes protections. Et surtout, le naturel de ses poèmes cache un travail inouï : « la nonchalance ici est savante, la noblesse étudiée; la facilité, le comble de l'art » (Valéry).

Les « Fables » : la comédie du monde

La fable, avant La Fontaine, était un genre bref, où l'anecdote se hâtait vers la « morale ». Chez lui, elle devient

> Une ample comédie aux cent actes divers
> Et dont la scène est l'univers.

Un univers de fantaisie, où apparaissent les dieux d'une joviale mythologie (Jupiter, alias

Jupin; Junon, Phébus et Borée, Hercule...), où les animaux tiennent conversation, où se profilent des astrologues, des charlatans, des vizirs, des sages orientaux et des fous internationaux. Pourtant cette fantaisie est à fleur de réel : sans cesse sont évoqués des métiers familiers, des personnages stylisés (le vieillard, l'enfant, le veuf...), tout un monde villageois, la meute des puissants, une foule d'objets quotidiens (la lime, le cierge, le coche...). Parfois même l'apologue s'oriente vers la satire sociale ou l'allusion à l'actualité politique.

L'évocation de la nature. Le XVIIe siècle est sensible à la nature, mais il ne s'est pas soucié de développer une poésie descriptive. Les paysages ne sont guère qu'un point de départ pour la rêverie. Les évocations sont sporadiques, souvent fugitives : Théophile, Racan, Mainard, Balzac... La Fontaine reste encore en deçà de ces écrivains. Il s'en tient à une nature rustique — celle d'Ésope enrichie de ses souvenirs champenois. Mais il a en propre un usage savoureux des mots du terroir et un art inégalé de la touche poétique (« L'hirondelle et les petits oiseaux », « L'alouette et ses petits », « Le cheval et le loup »). Il rend sensuellement la présence de l'air et de l'eau, les roseaux

> Sur les humides bords du royaume des vents (I, 22).

Les *Fables* abondent en échappées fraîches et lumineuses :

> Le long d'un clair ruisseau buvait une colombe (II,12)
> L'onde était transparente ainsi qu'aux plus beaux [jours (VII, 14).

Il y a dans ces vers si simples « quelque chose de définitif et d'imperceptible » (Fargue). Ce qui est très nouveau au XVIIe siècle, c'est la poésie de la ferme, de l'étable, de l'enclos. Le poète sympathise avec les êtres les plus humbles, bêtes ou plantes.

Le monde animal. Les naturalistes ont souligné les « erreurs » scientifiques de La Fontaine : le renard ni le corbeau ne sont amateurs de fromages, les ours n'ont pas de serres, la chouette n'est pas madame hibou, la cigale meurt avant l'hiver, un chameau n'est pas un dromadaire. Mais le fabuliste ne se soucie guère, même s'il déclare le contraire, de rédiger un traité. Caricaturiste animalier, il évoque d'un trait la physionomie, la silhouette ou le mouvement des bêtes. Voici le héron « au long bec emmanché d'un long cou » (VII, 4); « Damoiselle belette, au corps long et flouet » (III, 17), qui est aussi « la dame au nez pointu » (VII, 16); l'hirondelle « caracolant, frisant l'air et les eaux » (X, 6); le lapin « après qu'il eut brouté, trotté, fait tous ses tours » (VII, 16); le paon « un arc-en-ciel nué de cent sortes de soies » (II, 17).

Un tel art tient à la fois de la caricature, de l'estampe japonaise et du dessin animé.

Ce monde animal est toujours présenté avec un parti pris d'amusement, paré de titres héroï-comiques : « L'Alexandre des chats / L'Attila, le fléau des rats », « Capitaine Renard »... On s'y livre bataille, on s'y assiège, on y tient conseil... Sommes-nous chez les bêtes ou chez les hommes? La confusion est savamment entretenue.

Enfin les symbolismes populaires deviennent l'origine de développements merveilleux : les ruses du renard, la noblesse du lion (le roi des animaux), la sottise de l'âne, la fourberie du chat, la tendresse des pigeons, la rudesse de l'ours...

La société. Une foule de silhouettes humaines, masquées ou non, s'agitent dans les *Fables.* Ici aussi, le fabuliste reprend le plus souvent des types populaires, mais il les infléchit à sa convenance. Comme dans la poésie antique, les aventuriers sont rabaissés. La femme et l'enfant ne sont guère plus avantagés. L'ensemble de la peinture est assez sombre.

Dans quelle mesure la société de 1670 est-elle visée? C'est difficile à préciser. Comment savoir, en effet, si le lion n'est qu'un lion, s'il est un notable, un duc, un prince, ou les rois, ou Louis XIV? Bien des identifications sont abusives. Souvent ne s'impose qu'une leçon générale sur les forts et les faibles, les grands et les peuples, la ruse et la sottise... Pourtant, le fabuliste s'attaque parfois explicitement aux courtisans, « peuple singe du maître » (VIII, 14), évoque les classes sociales ou les métiers de son temps, les abus des privilégiés (IV, 4). Bien plus, une vingtaine de fables semblent mettre en scène des événements d'actualité, en particulier les conflits extérieurs du début du règne (VII, 17 et 18; VIII, 4; XII, 25...).

Sagesse populaire et confidences

Proverbes et fantaisie. Depuis Ésope, la fable comporte une « morale ». Chez La Fontaine, elle est assez souvent implicite, et quelquefois oubliée en cours d'anecdote :

Quelle morale puis-je inférer de ce fait?
Sans cela, toute fable est un œuvre imparfait.
J'en crois voir quelques traits, mais leur ombre
[m'abuse (XII, 2).

Ces « morales », il les emprunte à ses modèles, et par eux à la sagesse des nations : se contenter de son sort, ne pas courir après la fortune, ne pas faire le difficile, limiter ses désirs, se défier de la démesure, se tenir sur ses gardes, l'habit ne fait pas le moine, etc. Plus positifs, mais non moins populaires, sont les éloges de l'entraide, de la pitié... Pas de Providence, mais « la destinée »! A presque chaque maxime, cette « sagesse » en oppose une presque contraire : s'il faut avoir deux cordes à son arc, il ne faut pas courir deux lièvres à la fois! Ainsi La Fontaine affirme qu'« En toute chose il faut considérer la fin » et que « Le moins prévoyant est toujours le plus sage ». Dès lors, il est douteux qu'il faille prêter à ce conteur une véritable pensée morale, malgré certaines de ses déclarations :

Tout parle en mon ouvrage, et même les poissons :
Ce qu'ils disent s'adresse à tous tant que nous
[sommes.
Je me sers d'animaux pour instruire les hommes.

Mais, a-t-on objecté, que La Fontaine l'ait voulu ou non, il émane des *Fables* un pessimisme, un désenchantement, qui sapent tout enthousiasme, toute jeunesse. C'est là une critique fort artificielle : en effet, qui, à part quelques hommes de lettres oublieux de la diversité des genres littéraires, songe à tirer une morale de l'ensemble de ces *Fables* si proches du conte? Qui a jamais été *marqué* par elles? Les contemporains en jugeaient plus sainement, dont la plupart ne s'offusquaient même pas des *Contes*. Ils sentaient, eux, que l'humour, la fantaisie, la « manière » étaient plus importants que la « matière ». La Fontaine l'avait d'ailleurs indiqué clairement dans une préface des *Contes* (1665) :

S'il y a quelque chose dans nos écrits qui puisse faire impression sur les âmes, ce n'est nullement la gaieté de ces contes; elle passe légèrement : je craindrais plutôt une douce mélancolie, où les romans les plus chastes et les plus modestes sont très capables de nous plonger, et qui est une grande préparation pour l'amour.

Les confidences personnelles. Si La Fontaine ne se flatte pas de constituer une philosophie morale, il intervient sans cesse dans ses récits (comme Diderot ou Stendhal). Cet amusement perpétuel se mue parfois, et de plus en plus à mesure que passent les années, en un lyrisme discret, qui trahit certains sentiments du fabu liste : le goût des solitudes champêtres

Si j'osais ajouter au mot de l'interprète,
J'inspirerais ici l'amour de la retraite...
Solitude, où je trouve une douceur secrète,
Lieux que j'aimai toujours, ne pourrai-je jamais
Loin du monde et du bruit, goûter l'ombre e
[le frais
Oh! qui m'arrêtera sous vos sombres asiles
(XI, 4)

le charme de la rêverie (VII, 10); la douceur d l'amitié :

Qu'un ami véritable est une douce chose (VIII, 11)

la nostalgie du voyage sentimental, de l'univer étoilé de l'amour (IX, 9); l'émerveillemen poétique, le goût des contes populaires :

Si Peau d'âne m'était conté,
J'y prendrais un plaisir extrême (VIII, 4).

Tout cela, voilé par la tristesse de la vieilless et la menace inéluctable de la mort (VIII, 1 Ainsi, au milieu des « moralités » hétéroclite de la sagesse des nations se laisse deviner u épicurisme original et attachant.

La fantaisie poétique

Métamorphoses de la fable. L'apologue trad tionnel était généralement sec et peu varié. L Fontaine cesse d'asservir le récit à la « moralité et lui confère une autonomie et une variété san précédents. La fable se fait élégie (« Les deu pigeons »), pastorale (« Tircis et Amarante » satire populaire (« Le mal marié »), conte na quois (« La fille ») ou édifiant (« Le berger et l roi »), conte de fées (« Les souhaits »), méditatio (« Le songe d'un habitant du Mogol »), tablea d'histoire (« Le paysan du Danube »)... Mais l caractère le plus frappant de maintes fable est leur qualité dramatique : La Fontaine, q a écrit plusieurs fois pour le théâtre, multipli les fables-saynettes, avec exposition, nœud dénouement; avec dialogues vifs ou déba (« Les animaux malades de la peste »). Chaqu personnage parle selon son caractère : nobless (le lion), ton doucereux (le renard, le chat...

La virtuosité rythmique. La Fontaine use de mètres les plus variés, et tire de leurs comb naisons — souvent imprévisibles — les effet les plus extraordinaires. Il y a du magicien dan ce poète : juxtaposition de mètres différent rejets, contre-rejets, enjambements, coupes ina tendues, tout est expressif. Ainsi, la douleur théâtrale de « La jeune veuve » est-elle opposée ironiquement à la réalité :

> [Elle] Lui criait : « Attends-moi, je te suis; et [mon âme,
> Aussi bien que la tienne est prête à s'envoler! »
> Le mari fait seul le voyage.

Gambades des lapins, lenteur de la tortue, fonctionnement du rouet, fuites éperdues... tout est inoubliablement suggéré.

L'harmonie. Aux suggestions du rythme se mêlent celles des sons. Peu soucieux de la rigidité malherbienne, La Fontaine n'est pas obnubilé par la symétrie des rimes : il se contente parfois d'assonances, et « oublie » même de temps à autre de faire rimer (VII, 7). Mais il joue à accoupler des mots qu'on n'imagine guère ensemble : *œuf/bœuf, Cicéron/larron, équipage/potage;* ou au calembour : *pêcheur/prêcheur.* Tout peut devenir jeu : «... en son gîte songeait », « par la patte attaché ». Le fabuliste excelle à user de termes et de tours savoureux, à découvrir des sons évocateurs : grosse voix du loup et douceur de l'agneau, hululement du hibou, embonpoint du chat, combat du lion et du moucheron :

> Comme il sonna la charge il sonne la victoire.

Le plus admirable, ce sont les vers qui se résolvent en pure harmonie et atteignent à une qualité poétique digne des plus grands artistes. Reflets verlainiens :

> Dont ils voyaient l'objet se perdre dans les eaux (VI, 9).

Nostalgie :

> Sans pouvoir satisfaire à leurs vaines envies (III, 12).
> Il ne règnera plus sur l'herbe des prairies (II, 4).

On évoque tantôt Lucrèce, tantôt Virgile. En La Fontaine, le critique Taine voyait « notre Homère », Gide le découvrait « sensible comme Mozart ». La multiplicité même de tels rapprochements traduit combien insaisissable et variée apparaît cette poésie.

Illustration du conte « Le petit chien » (III, 13). (B.N. Paris).

BIBLIOGRAPHIE

TEXTES : BOILEAU, *Œuvres complètes*, éd. Adam-Escal, Gallimard, coll. « Bibliothèque de la Pléiade », 1966. — LA FONTAINE, *Œuvres,* 2 vol., éd. Couton, Garnier, 1961-1962 : *Œuvres complètes,* Seuil, coll. « L'Intégrale »; *Fables,* éd. Collinet, Gallimard, coll. « Poésie », 2 vol., 1974; *Contes et nouvelles en vers,* éd. Bassy, « Folio », 1982.

ÉTUDES : Pierre CLARAC, *Boileau*, Hatier, 1964; *La Fontaine*, Hatier, 1959 (excellentes introductions; bibliographie). — René JASINSKI, *La Fontaine et le premier recueil des fables*, 2 vol., Nizet, 1966 (renouvelle la lecture du poète). — Jean-Pierre COLLINET, *Le monde littéraire de La Fontaine*, P.U.F., 1970 (la continuité profonde et la logique de l'œuvre, la meilleure synthèse actuelle).

LE ROMANESQUE ET LE MERVEILLEUX

Commencé vers 1592, l'essor du roman se poursuit pendant les décennies suivantes : au cours des cinquante-cinq ans du règne de Louis XIV, il paraît quatorze ou quinze romans nouveaux chaque année. L'amour en demeure le sujet par excellence, mais cette passion apparaît de plus en plus souvent comme dangereuse, plutôt que comme exaltante. D'autre part s'impose le goût de la brièveté, de la simplicité, d'un cadre moderne et plus précis. Le roman est sans aucun doute le genre littéraire qui reste le moins sensible aux théories des « doctes » : le romanesque se maintient tout au long de la période 1660-1715, de *Zaïde* à *Télémaque*. La préciosité produit tardivement son chef-d'œuvre avec *La princesse de Clèves* (1678). Imprévisibles et inclassables apparaissent les magnifiques *Lettres portugaises*. Le merveilleux — qui n'avait jamais cessé de plaire au peuple — fait irruption, en 1690-1710, dans la haute littérature : avec Perrault et Mme d'Aulnoy surgit l'âge d'or du conte de fées.

L'ÉCLIPSE DES « HISTOIRES COMIQUES »

En 1664, Sorel avait regroupé dans sa *Bibliothèque française* les romans « comiques et satyriques », des picaresques à Scarron. De ce rassemblement se dégageaient les caractéristiques du genre : refus ou parodie du roman héroïque, insistance sur les mésaventures de personnages des moyennes ou basses classes. Après 1660, la seule œuvre qui présente quelque intérêt est *Le roman bourgeois* (1666) de l'académicien Furetière (1619-1694), connu aussi comme auteur d'un *Dictionnaire* (1684).

La première partie du *Roman bourgeois* met en scène quelques spécimens peu attirants de la bourgeoisie parisienne de justice : procureurs, avocats, magistrats. Sur cette toile de fond se détachent les aventures amoureuses de Lucrèce et de Javotte. La seconde partie raconte les sottises, chicaneries et galanteries de l'écrivain Charroselles (anagramme de Charles Sorel), de la procédurière Collantine et du prévôt Belastre.

Document sur l'époque, l'ouvrage ne s'impose guère par la réussite esthétique. Les railleries contre le roman héroïque sont pesantes, l'imagination laborieuse, la composition déficiente. Ne comprenant rien à l'idéal aristocratique ni au romanesque, dépourvu de la verve de Scarron, sans force en comparaison des grands romanciers bourgeois qui suivront, Furetière ne compte que comme un pâle annonciateur du roman réaliste. Avec *Le roman bourgeois* s'interrompt pour un temps la tradition des conteurs qui, depuis au moins Rabelais, avaient allié le comique à l'observation du réel. Elle sera renouée par Lesage, Marivaux et Diderot.

Furetière, auteur du *Dictionnaire universel contenant généralement tous les mots français tant vieux que modernes, les termes de toutes les sciences et des arts* (Musée Condé, Chantilly).

© Coll. L. B.

DU ROMAN-FLEUVE À LA NOUVELLE

Si l'époque louis-quatorzienne continue à lire les plus célèbres des romans-fleuves des décennies précédentes, les années 1660 voient disparaître soudainement la création de telles sommes. A l'épopée en prose fait place un nouveau type d'œuvre que les contemporains appellent « histoire » ou « nouvelle ». Les règles épiques s'évanouissent, la vraisemblance gagne, les « recettes » (récits rétrospectifs, confidents...) sont de moins en moins acceptées. A la profusion et aux entrelacements des intrigues font place la simplicité, l'unité, une narration linéaire. L'éclairage est concentré sur trois ou quatre protagonistes. Tous ces récits sont courts et d'une élégante sobriété : ils présentent une même tendance à l'atténuation, au détachement. La violence des sentiments ne peut jaillir, elle filtre. Une telle retenue indique qu'à la célébration exaltée a fait place une certaine défiance de l'amour : Mme de Villedieu publie en 1675 *Les désordres de l'amour* et Catherine Bernard en 1687 *Les malheurs de l'amour!*

Ces « nouvelles » entretiennent avec l'histoire des rapports originaux. Aux héros grandioses et lointains (Cyrus, Clélie) succèdent des personnages moins princiers et plus proches dans le temps. Rois et reines tiennent en général des rôles secondaires, la grande histoire n'est qu'une toile de fond. La cour des derniers Valois ou même des Bourbons évoque aisément celle de Louis XIV. On cherche donc à découvrir dans ces « nouvelles historiques », dans ces « histoires galantes » et ces « histoires secrètes » la transposition d'événements ou de personnages contemporains : de là l'importance des « clés », qui prétendent révéler l'identié véritable de tel ou tel héros. Certains romanciers présentent leurs fictions comme des *Memoires* (Mme de Villedieu, *Mémoires de la vie d'Henriette - Sylvie de Molière*, 1671 ; Courtilz de Sandras, *Mémoires de M. d'Artagnan*, 1700; Hamilton, *Mémoires de la vie du comte de Grammont*, 1713...). D'autres recourent à la forme épistolaire ou au cadre du « voyage ». En 1691, la comtesse d'Aulnoy publie, sous la forme de quinze lettres adressées à une cousine, sa *Relation du voyage d'Espagne*, qui va graver pour deux siècles dans la conscience française une certaine image de l'Espagne.

Ces conceptions neuves avaient été défendues et illustrées dès 1658 par Segrais dans ses *Nouvelles françaises*. En 1662, *La princesse de Montpensier*, court récit de Mme de Lafayette, obtient un succès considérable. Bientôt se multiplient les « nouvelles », œuvres de Boursault, Préchac... et de l'étonnante Mme de Villedieu (1632-1683), aventurière, romancière abondante, toute proche encore de l'esprit baroque et véritable annonciatrice du roman du XVIIIe siècle. L'historien Saint-Réal publie en 1672 un des modèles du nouveau roman historique, *Dom Carlos*, qui évoque les amours tragiques de Don Carlos et de la reine d'Espagne, au temps du cruel Philippe II : ici, le baroque est maîtrisé, le style retenu se concentre en maximes, un dénouement shakespearien parachève la « tristesse majestueuse » de ce roman-tragédie. A la fin du règne, ces grands modèles — Mme de Villedieu, Saint-Réal, Mme de Lafayette — inspirent les productions de Mme d'Aulnoy, de Mlle de la Force..., de Catherine Bernard, créatrice talentueuse d'un univers dominé par le malheur. Mais dans beaucoup d'œuvres la sentimentalité l'emporte sur la pénétration psychologique et les aventures extraordinaires regagnent du terrain.

LES « LETTRES PORTUGAISES » (1669)

En 1669 parut à Paris un mystérieux petit livre, intitulé *Lettres portugaises traduites en français :* il consistait en cinq lettres dans lesquelles une religieuse portugaise, appelée Mariane, exprimait à un officier français, revenu du Portugal en France, sa passion, ses souffrances, puis — devant son silence — sa décision de ne plus l'aimer. Le succès fut immédiat. Mais s'agissait-il de lettres réelles? D'abord, beaucoup le crurent. On considérait comme leur destinataire le chevalier de Chamilly (1636-1717) qui avait servi au Portugal (de 1664 à 1668). Un exemplaire de 1669 portait une annotation manuscrite qui désignait comme auteur « Mariana Alcaforada, religieuse à Beja » : or on put prouver au XIXe siècle qu'une Mariana Alcoforada, née en 1636, avait effectivement été religieuse à Beja de 1656 à 1723. Mais la critique moderne a signalé que l'autorisation d'imprimer avait été délivrée à l'écrivain Guilleragues, que d'étonnantes ressemblances existaient entre les *Lettres* et les écrits de celui-ci. Guilleragues n'aurait-il pas composé une œuvre de fiction à partir d'une aventure réelle dont il aurait entendu parler ou sur laquelle il possédait des documents (paquet de lettres ou récit)?

Quoi qu'il en soit, les *Lettres* comptent parmi les plus belles réussites de la littérature amoureuse. L'amour y apparaît comme une folie irrésistible, un terrible et voluptueux envoûtement dont l'être sort brisé et amer. Les mouvements de la passion y sont saisis à leur naissance, dans leurs oscillations extrêmes, leurs contradictions. Nées du silence torturant de l'amant, elles sont souver proches du cri. Même les pointes — baroque ou précieuses — sont douloureuses. Ce jaillis sement, ce désordre, cette bizarrerie tourmenté ces incertitudes de l'expression situent l'œuvr en marge du classicisme. Bien que l'auteur s souvienne des élégiaques latins (Catulle, Ovide du *Dom Juan* de Molière et de l'*Andromaqu* de Racine, les *Lettres portugaises* semblent n pas être « de la littérature ». On se croit e présence de vraies lettres. Aucun roman, sa doute — dans la mesure où les *Lettres* en sont u — n'a jamais réussi à dissimuler à ce point s deux caractères de fiction et d'œuvre d'art. L roman baroque était profusion, le roman classiqu suppose distance et transposition. Les *Lettr portugaises*, dans leur splendide isolement, repr sentent l'extrême du dépouillement et de l'imm diat. D'où la fascination qu'elles exercent encor

MADAME DE LAFAYETTE (1634-1693)

« *Une précieuse de la plus grande volée* »

Telle est l'appréciation que — vers 1658 — portaient sur Mme de Lafayette deux Hollandais de passage à Paris. Dès son adolescence, Marie-Madeleine de La Vergne avait fréquenté la meilleure société parisienne et s'était fait remarquer par sa beauté et son intelligence. Elle avait épousé en 1655 le comte de Lafayette, beaucoup plus âgé qu'elle, accaparé par la gestion de ses vastes domaines d'Auvergne et du Bourbonnais. Après quelques séjours sur ces terres, elle se fixe définitivement à Paris en 1658. Elle reçoit l'élite parisienne, devient l'une des intimes d'Henriette d'Angleterre, belle-sœur du roi, fréquente les Du Plessis-Guénégaud, chez qui elle porte le nom romanesque d'Amalthée et rencontre les Arnauld, Mme de Sévigné, La Rochefoucauld.

Entourée et conseillée par des hommes de lettres tels que Segrais, Huet et Ménage, elle compose en 1662 une brève nouvelle, *La princesse de Montpensier*, remarquable par la sobriété du style, la vérité des sentiments et l'exactitude de l'évocation historique des derniers Valois. La passion s'insinuait dans le cœur de l'héroïne. Quand un mouvement de jalousie révélait sa présence, il était déjà trop tard. Bien qu'elle ne s'abandonnât pas à la tentation de l'adultère, la princesse — incapable de maîtriser son cœu ses gestes, et même ses paroles — découvra qu'elle avait cessé d'être pure.

A partir de 1665, et de plus en plus étroitemen Mme de Lafayette s'attache à La Rochefoucaul Tous deux se rencontrent chaque jour. Bientô à la suite de la mort d'Henriette d'Angleter (1670), la comtesse ne paraît plus guère à la cou mais elle reçoit dans son bel hôtel de la rue Vaugirard, et sert d'agent à la cour de Savo

En 1668, entourée de Segrais, Huet et L Rochefoucauld, elle entreprend *Zaïde*, rom baroque dont les deux parties paraissent l'u en 1669, l'autre en 1671, sous le nom de Segra En 1678 est publiée, sans nom d'auteur, *I princesse de Clèves*, commencée plusieurs anné auparavant : une véritable campagne public taire assure le succès de l'ouvrage.

Peu à peu, le vide s'étend autour de Mme Lafayette. La Rochefoucauld disparaît en 168 A partir de 1689, elle rédige les *Mémoires de cour de France pour les années 1688 et 16* (publiés en 1731). Elle passe ses dernières anné sous la direction spirituelle de l'abbé Du Gu et s'éteint le 26 juin 1693.

La romancière n'avait signé aucune de s œuvres. Son nom apparaît pour la premiè fois en 1720, lors de la publication de son *Histo*

Marie-Madeleine de La Vergne, comtesse de Lafayette, une haute figure de la préciosité.

de Madame Henriette d'Angleterre. On le retrouve en 1724, en tête d'une nouvelle, *La comtesse de Tende*, dont l'attribution est encore discutée. Quant à *Zaïde* et à *La princesse de Clèves*, on tend aujourd'hui à considérer Ménage, Huet, Segrais ou La Rochefoucauld comme de simples conseillers — selon un usage courant à l'époque (ce fut aussi le cas des *Provinciales!*) — et la comtesse comme leur véritable auteur.

« *Zaïde* » *(1669-1671)*

Zaïde prolonge le roman héroïque de l'époque précédente, malgré sa relative brièveté (par rapport à eux) et le pessimisme de sa psychologie. Par son décor hispano-mauresque, l'œuvre se rattache aux célèbres *Guerres civiles de Grenade* (1595) de l'Espagnol Perez de Hita. On y retrouve naufrages, tournois, personnages voués à l'héroïsme et à l'amour, conversations surprises, lettres égarées, coïncidences...

L'intrigue principale a pour protagoniste le noble castillan Consalve qui, à la suite d'une déception, s'est retiré dans une solitude où il rencontre un autre désespéré, Alphonse. Ici s'intercale l'*Histoire d'Alphonse et de Bélasire*, la plus réussie, la plus aiguë avant Proust des analyses de la jalousie. Un naufrage jette sur cette côte une étrangère d'une étonnante beauté, Zaïde, dont Consalve devient amoureux : des pages pathétiques suivent la progression de l'amour chez deux êtres inconnus l'un de l'autre et incapables de communiquer autrement que par le regard ou les intonations de la voix. Hélas, soudain Zaïde disparaît. Accablé, Consalve veut partir pour une guerre lointaine, non sans la « secrète espérance » de retrouver sa bien-aimée. Au terme de nombreuses aventures, il épouse la jeune fille qui, d'ailleurs, était chrétienne, et dont le père — musulman — se convertit.

La virtuosité technique de la « disposition » et la profondeur poétique des évocations — généralement sombres — de l'amour composent un roman étrange et attachant (malgré les quelques longueurs de la fin).

« *La princesse de Clèves* » *(1678)*

Mme de Lafayette a créé, avec *La princesse de Clèves*, l'œuvre la plus pure de la préciosité. A partir du XVIIIe siècle, une illusion tenace a prétendu voir dans ce roman « le premier vrai roman » de notre littérature. Une autre déformation a fait de lui le premier roman « classique ». Devenue peu à peu une sorte de « Joconde » des Lettres françaises, cette œuvre admirable ne perdrait rien à être débarrassée des commentaires souvent convenus qui l'accablent.

Les amertumes de l'amour

Première partie. A la cour raffinée d'Henri II est présentée « une beauté qui attira les yeux de tout le monde », Mlle de Chartres. Amoureux d'elle, le prince de Clèves obtient sa main. Mme de Chartres instruit sa fille de l'*Histoire d'Henri II et de Diane de Poitiers*. La jeune princesse découvre bientôt qu'elle n'éprouve pour son mari que de l'« estime », tandis qu'une violente « inclination » l'entraîne vers le séduisant duc de Nemours. Atterrée, elle a le malheur de perdre son unique conseillère, sa mère, qui en mourant la conjure de s'épargner la déchéance d'une passion coupable.

Deuxième partie. Mme de Clèves a fui dans sa maison de Coulommiers. Son mari lui conte l'*Histoire de Sancerre et de Mme de Tournon*, où se révèlent les conséquences de la perfidie. Rentrée à Paris, la princesse retrouve le combat intérieur; elle s'impose de gouverner au moins ses actes. Elle apprend que Nemours vient de renoncer à épouser la reine d'Angleterre. *Histoire d'Anne de Boulen*. Elle laisse Nemours dérober sous ses yeux un portrait d'elle; ses regards parlent malgré elle. Une lettre égarée lui fait connaître les tortures de la jalousie. *Histoire du vidame de Chartres et de Mme de Thémines*.

Troisième partie. Effrayée des progrès de sa passion, Mme de Clèves se réfugie à Coulommiers. A son mari, qui s'étonne de cette retraite, elle finit par avouer la vérité, sans toutefois nommer Nemours : ce dernier, caché dans le parc, surprend cet aveu. Assailli par la jalousie, Clèves soumet sa femme à un feu de questions, enquête et finit par découvrir l'identité de son rival. Dans sa joie, Nemours a manqué au « secret » imposé par le code précieux et raconté — sans nom — l'aveu. Dès lors, les trois protagonistes sont en proie aux suspicions et aux reproches. Mort d'Henri II dans un tournoi.

Quatrième partie. Épié par un agent de M. de Clèves, Nemours a de nouveau suivi la princesse à Coulommiers. Se croyant trahi par une femme qu'il adore, le prince meurt de chagrin, après lui avoir fait de tragiques adieux. Des mois passent, mais l'amour de Mme de Clèves survit à sa détresse. A un Nemours de plus en plus pressant, elle avoue sa passion, mais déclare aussi que son « devoir » et « le soin de [s]on repos » lui interdisent à tout jamais de l'épouser. Une grave maladie contribue à effacer du cœur de la princesse les traces de ce fatal amour. Elle se retire dans une maison religieuse.

Un roman historique. Les indications fournies par le récit lui-même permettent de situer l'action en 1558-1559. Mme de Lafayette s'est documentée sérieusement sur l'époque et les personnages qu'elle veut faire revivre : Henri II, Elisabeth d'Angleterre, Marie Stuart, Philippe II, les Médicis, les Guise... Elle a sous la main des Histoires de France toutes récentes (Mézeray, Anselme), des Mémoires (Brantôme, Castelnau), des Histoires d'Angleterre et d'Écosse, des descriptions des cérémonies royales du temps, des traités de héraldique... Cette trame historique est plus qu'une toile de fond : elle contribue à déterminer l'évolution des sentiments. C'est ainsi que l'étiquette interdit à Mme de Clèves de s'absenter longtemps de la cour. La psychologie de cette cour, son style de vie renvoient pourtant plus aux premières années du règne de Louis XIV (la jeune et la vieille cour, Madame et Marie Stuart...) qu'au temps d'Henri II. D'autre part, l'intrigue d'amour est entièrement inventée.

Un roman classique? Toute une tradition a cru pouvoir ériger *La princesse de Clèves* en monument du classicisme : analyse psychologique, rôle secondaire des événements extérieurs, utilité morale, relative simplicité, sobriété élégante du style, atténuation continuelle de la violence des sentiments (recours à la litote). Mais la plupart de ces traits — qu'il faudrait d'ailleurs nuancer — caractérisaient déjà la grande préciosité, dont ce roman est à coup sûr la plus belle expression littéraire.

Le chef-d'œuvre de la préciosité. A bien des égards *La princesse de Clèves* était en retard sur les théories du jour : ainsi on lui reprocha les longues descriptions de la cour et l'insertion de quatre épisodes dans l'intrigue principale. Mme de Lafayette avait, en effet, conservé la structure complexe des romans chers à la préciosité et jusqu'à leur langue (goût des superlatifs, des adjectifs en *able*). D'autre part, contrairement au goût grandissant pour la vraisemblance, le romanesque subsiste partout : idéalisation des personnages (y compris d'Henri II, qui était laid) et de la vie de la cour, coïncidences (Nemours surprenant l'aveu!), lettre égarée, portrait dérobé, plaintes de l'amant dans les bois... La conception de l'amour est typiquement précieuse. S'il annonce parfois les roués du XVIIIe siècle, Nemours est surtout l'amoureux transi qui obéit au code précieux de la galanterie : aveu voilé de l'amour, secret absolu. Le manquement à ce secret lui nuit beaucoup. On se pose des « questions d'amour » : une femme doit-elle avouer à son mari qu'elle aime un autre homme? Un amant doit-il souhaiter que sa maîtresse aille au bal? Le vocabulaire est celui de la « Carte du Tendre » : « estime », « reconnaissance », « inclination ». Le tragique naît de « l'inclination » du prince pour une femme qui n'a pour lui qu'« estime » et « reconnaissance », tandis qu'entre elle et Nemours existe une réciproque « inclination » (avec de moins en moins d'« estime » de la part de Mme de Clèves). L'amour-inclination naît en coup de foudre, d'un regard.

Henriette d'Angleterre, belle-sœur de Louis XIV, protectrice des écrivains. A sa mort (1670), Bossuet composa une pathétique oraison funèbre.

Musée de Meaux. © Arch. E. B.

Si cette passion est ce qu'il y a de plus séduisant dans la vie, elle engendre aussi toutes sortes de souffrances et de bassesses. Il faut donc, selon le rêve de Corneille, lui résister et prendre « soin de sa gloire ». Mais comme La Rochefoucauld, Mme de Lafayette a hérité du christianisme augustinien un incurable scepticisme sur les possibilités de l'homme. En définitive, il faudra à la princesse la considération de son « repos », une longue proximité de la mort et l'asile d'un monastère pour abandonner « les passions et les engagements du monde ».

« LES AVENTURES DE TÉLÉMAQUE » (1699)

Dans la tradition de Thomas More, Campanella et Cyrano, de nombreux *Voyages*, *Relations*, *Cartes*... ne dissimulaient qu'à peine la satire sociale ou les idées philosophico-politiques. Ainsi *La Terre australe connue* (1676) de Gabriel de Foigny, *L'histoire des Sévarambes* (1677) de Denis Veiras, *Les voyages et aventures de Jacques Massé* (1710), par Tissot de Patot. Mais la seule œuvre qui mérite le titre de « roman » est le *Télémaque* de Fénelon.

Composé vers 1694 pour donner au jeune duc de Bourgogne, dont Fénelon était alors précepteur, d'agréables leçons de morale et de politique, ce roman épique, situé dans les marges de l'*Odyssée*, raconte les aventures du fils d'Ulysse, Télémaque, parti à la recherche de son père disparu. Accompagné du sage Mentor (qui n'est autre que la déesse Athéna), le jeune homme réfléchit sur la conduite des rois qu'il rencontre (Sésostris, Idoménée, Pygmalion...), sur la vie des peuples (la Bétique, Salente...), les dangers de l'amour, les méfaits de la colère. Descendu aux Enfers, il y contemple le supplice des mauvais rois et la félicité des sages. Au terme de ses voyages, Télémaque, initié à sa future tâche de roi, regagne l'île d'Ithaque, où il retrouve son père.

Si Mentor et Télémaque représentent Fénelon et le duc de Bourgogne, n'est-il pas tentant de faire d'autres personnages des personnages à clés? Les contemporains lurent l'ouvrage comme une satire du régime : critique des amours de Louis XIV, de son goût du luxe et des conquêtes. La cité idéale gouvernée par Mentor ressemblait bien peu à la France de 1700!

Le *Télémaque* est le dernier des grands romans baroques. De là son caractère d'épopée en prose et son optimisme. Œuvre d'un précepteur — et par là quelquefois ennuyeux et artificiel — il témoigne aussi d'une certaine sensibilité poétique: grâce des formes, sentiment bucolique, noblesse un peu molle. Le style, qui charma les contemporains, nous paraît aujourd'hui languissant et chargé de clichés.

Malgré ses défauts, le *Télémaque* exerça une influence considérable. Avec sa sensibilité à la nature, son rêve d'un âge d'or, l'idée que la simplicité s'allie à la sagesse, qu'une société heureuse et juste est possible, Fénelon apparut aux « philosophes » comme un de leurs précurseurs. Sa réussite a été méditée par les écrivains soucieux de conférer une forme imagée à leur pensée : Montesquieu, Voltaire... Il a inspiré plusieurs œuvres didactiques, dont l'*Émile* (1762) de Rousseau et le *Voyage du jeune Anacharsis* (1788) de l'abbé Barthélemy.

Gravure de Berin pour *Télémaque* (B.N. Paris).

UN ÂGE D'OR DU MERVEILLEUX : 1690-1710

Au cours des dernières années du XVIIe siècle se développe un incroyable engouement pour les contes de fées. Les conteurs puisent dans le riche fonds populaire de légendes, dans les romans médiévaux et la littérature de colportage. Ce sont surtout des femmes qui s'illustrent dans ces récits, où souvent les thèmes populaires s'aristocratisent et se teintent de féminisme.

La floraison du merveilleux

1690	Mme d'Aulnoy publie un conte dans *Hypolite, comte de Douglas.*
1691-1694	Perrault, *Contes de ma mère l'Oye.*
1696	Catherine Bernard insère « Le prince rosier » et « Riquet à la houppe » dans *Inès de Cordoue.* Mlle de La Force, *Contes des contes.*
1697	Perrault, *Histoires ou contes du temps passé.* Mme d'Aulnoy continue à publier des contes (elle en donnera 9 volumes).
1698	Mme de Murat, *Contes de fées; Nouveaux contes de fées.* Préchac, *Contes moins contes que les autres.*
1702	Galland, traduction des *Mille et une nuits.*
1710-1712	Pétis de la Croix, traduction des *Mille et un jours, contes persans.*

© Coll. L. B.

Charles Perrault (gravure de Baudet, d'après Le Brun. B.N. Paris).

Malgré le mépris des « doctes » (notamment de Boileau), on s'enthousiasma pour « le merveilleux des imaginations qui n'étaient point retenues par les apparences de la vérité » (Catherine Bernard). Les deux auteurs les plus célèbres furent Mme d'Aulnoy (1650-1705) et Perrault (1628-1703), dont les Contes demeurent l'une des plus charmantes réussites de notre littérature. Si la mode des contes de fées faiblit dès 1702, le goût du merveilleux ne disparaît pas pour autant : la séduction exercée par l'Orient va se maintenir. En 1785 paraît *Le cabinet des fées*, qui réunit des contes de Mmes d'Aulnoy, de Villeneuve, Leprince de Beaumont (1711-1780), la rédactrice de *La belle et la bête* (1757). Ces récits folkloriques connaîtront un immense succès pendant la première moitié du XIXe siècle; puis, reculant devant les romans populaires, ils prendront place dans la littérature enfantine.

BIBLIOGRAPHIE

TEXTES : La collection « Folio » (Gallimard) a publié le *Roman bourgeois* (1981) et les *Contes* de Perrault (1981); et Garnier-Flammarion, *le Télémaque.* — FURETIÈRE, *Le roman bourgeois,* dans *Romanciers du XVIIe siècle,* éd. Adam, Gallimard, coll. « Bibliothèque de la Pléiade », 1958. — *Lettres portugaises,* éd. Deloffre-Rougeot, Garnier, 1962; puis Droz, 1972, éd. Bray-Landy, Garnier-Flammarion, n° 379, 1983. — SAINT-RÉAL, *Don Carlos,* éd. Lebois, Avignon, 1964. — Mme DE LAFAYETTE, *Romans et nouvelles,* éd. Magné-Niderst, Garnier, 1970; *La Princesse de Clèves,* éd. Mesnard, Imprimerie Nationale, 1980.

ÉTUDES : Maurice LAUGAA, *Lectures de Mme de Lafayette,* A. Colin, 1971 (un remarquable panorama de l'odyssée de l'œuvre, mais d'une forme un peu difficile; dossier extrêmement riche). — Bernard PINGAUD, *Mme de Lafayette par elle-même,* Seuil, 1965 (des remarques aiguës sur le roman d'analyse). — Marc SORIANO, *Les contes de Perrault,* Gallimard, 1968 (la plus riche des introductions aux *Contes;* une méthode originale et féconde). — René DEMORIS, *Le roman à la première personne,* Colin, 1975 (du classicisme aux Lumières). — Bruno BETTELHEIM, *Psychanalyse du conte de fées,* Laffont, 1976 (pourquoi l'attrait des *Contes*?). — Maurice LEVER, *Le roman français au XVIIe siècle,* P.U.F., 1981.

BOSSUET (1627-1704)

Admirable écrivain baroque, Bossuet s'impose comme l'un des plus grands de nos poètes en prose. Ses dons de visionnaire, le contact avec la Bible et les Pères de l'Église l'ont préservé de l'influence des théoriciens. Le classicisme ambiant de la haute société n'a fait que l'émonder superficiellement.

Splendide, son œuvre nous apparaît en même temps comme lointaine. L'univers de Bossuet est devenu presque étranger à l'homme d'aujourd'hui, chrétien ou non. Mais sa parole a conservé ses sortilèges : magnifique cathédrale élevée autrefois à la gloire de Dieu, et qui ne renvoie plus qu'à la gloire de la parole humaine.

L'éloquence religieuse

Le XVIIe siècle eut d'excellents prédicateurs : ainsi François de Sales, le Jésuite Caussin, les Oratoriens... Ce qui malheureusement manque à beaucoup, c'est une forme simple, naturelle, forte, digne des hautes vérités que ces orateurs ont à rappeler. De là tel ou tel grave défaut :

— la lourdeur théologique, l'abus des termes et des divisions scolaires (Castillon, Biroat, les deux Lingendes);

— le laisser-aller, à l'époque Henri IV, puis au temps de la vogue du burlesque (sous la régence d'Anne d'Autriche);

— l'abus de l'érudition profane, destinée à faire briller l'orateur. On salue la Vierge avec des vers de Virgile (Lejeune, Desmares);

— la préciosité, qui inspire des pointes (Senault, Godeau, Ogier).

L'influence de saint Vincent de Paul fut la plus déterminante : les méthodes mises au point pour la prédication populaire tendirent à faire disparaître ces défauts. Dès lors, aux partisans d'une éloquence travaillée s'opposent ceux de l'homélie, de l'improvisation familière, qui sera défendue par Fénelon.

Les contemporains semblent avoir préféré à Bossuet le Jésuite Bourdaloue (1632-1700), dont la subtilité psychologique et les qualités de rigueur les séduisaient, mais qui nous paraît aujourd'hui un peu sec. Fléchier (1632-1710), évêque de Nîmes, est resté plus célèbre par ses *Mémoires sur les grands jours d'Auvergne* (rédigés en 1666) que par ses œuvres oratoires. Mascaron (1634-1703) et Massillon (1663-1742) ont également porté très haut le discours chrétien.

LES PRINCIPALES ŒUVRES DE BOSSUET	
ŒUVRES ORATOIRES	*Sermons, Panégyriques, Oraisons funèbres*
ŒUVRES ÉCRITES POUR LE DAUPHIN	*Traité de la connaissance de Dieu et de soi-même* (publié en 1741) *Logique* (publiée en 1828) *Discours sur l'histoire universelle* (1681) *Politique tirée des propres paroles de l'Écriture sainte* (revue après le préceptorat, publiée en 1709) : Bossuet y opte pour la monarchie absolue
ÉCRITS POLÉMIQUES	*Œuvres* de controverse avec les protestants (1655, 1671, 1678, 1688, 1690-1693...) *Histoire des variations des églises protestantes* (1688) *Maximes et réflexions sur la comédie* (1694), condamnation sévère du théâtre *Défense de la Tradition et des Saints Pères* (écrite en 1692-93), contre les interprétations, déjà modernes, données de la Bible par l'oratorien Richard Simon *Œuvres* contre le quiétisme (1694-1701), c'est-à-dire contre une mystique du pur amour défendue en France par Mme Guyon et Fénelon
ŒUVRES SPIRITUELLES	*Traité de la concupiscence* (splendide méditation datée de 1694, publiée en 1731) : Bossuet s'abandonne à la tristesse devant le spectacle d'un monde soumis à la corruption *Méditations sur l'Évangile* (écrites en 1695, publiées en 1709) *Élévations sur les mystères* (écrites vers 1695, publiées en 1727)
LETTRES	

Bossuet, par Rigaud. Grandeur, sérénité, douceur du chef de l'Église de France (Musée du Louvre).

Un homme d'église

Rarement une existence s'est à ce point confondue avec l'exercice d'un ministère. De sa jeunesse à sa mort, Bossuet demeura un homme d'église. Né à Dijon en 1627, il y commence de solides études, qu'il poursuit à Paris au collège de Navarre (philosophie et théologie). S'il connaît bien les grands écrivains grecs et latins, il possède encore mieux la Bible, les Pères de l'Église (saint Augustin, saint Jean Chrysostome) et les théologiens médiévaux.

Après avoir exercé son apostolat à Sarrebourg et à Metz, il s'établit à Paris en 1659 : pendant un quart de siècle (1660-1687) se succèdent ses plus belles œuvres oratoires : *Sermons*, *Oraisons funèbres*. De 1670 à 1681, Bossuet, choisi par le roi, se consacre à l'éducation du dauphin. Nommé ensuite évêque de Meaux, le prélat fait figure de chef de l'Église de France : en 1681-1682, dans le conflit de la Régale, qui oppose Louis XIV au pape, il contribue à réaffirmer les libertés gallicanes sans rompre avec la papauté. Il s'occupe beaucoup de son diocèse, intervient dans de multiples controverses. Il meurt à Paris en 1704.

Les « Sermons »

Les Anciens distinguaient chez l'orateur les dons de la nature et les acquisitions de la culture. Bossuet était richement doué : une intelligence soucieuse de clarté, une sensibilité frémissante et surtout une puissance imaginative qui le situe parmi les grands visionnaires. Il avait une fougue qui l'apparente à Tertullien (qu'il admirait), le goût des formules saisissantes, l'amour du concret.

Les premiers sermons de Bossuet sont encore marqués par les souvenirs scolaires : divisions, définitions, notions abstraites. Mais ils fourmillent d'images violentes, de détails colorés. Naturellement baroque, formé en pleine époque Louis XIII, l'écrivain va subir deux influences bénéfiques, parce que limitées : celle de Vincent de Paul et celle du public de la cour. Toutes deux ont concouru à le débarrasser des lourdeurs théologiques et des risques de trivialité de son réalisme. Dans le *Panégyrique de saint Paul* (vers 1657), Bossuet célèbre le dépouillement et l'efficacité de la prédication de l'apôtre, rude et rocailleuse. Influencé par Vincent de Paul, le jeune orateur rêve d'une telle simplicité. Il y atteint presque dans le sermon *Sur l'éminente dignité des pauvres* (1659). Mais en réalité il ne réussit pas à chasser longtemps son propre naturel. Son vrai maître en éloquence est un admirateur de Cicéron, saint Augustin, dont il ne tarde pas à reprendre l'enseignement : l'éloquence ne doit pas être recherchée pour elle-même, elle doit être au service de la vérité.

S'il hésite encore un peu au début du Carême, prêché en 1660 dans l'église des Minimes, il s'affirme avec les sermons *Sur l'honneur du monde* et *Sur la Passion*. Ce dernier fait penser à une toile de Rouault. L'orateur assiste à tel point aux scènes évangéliques qu'il pleure sur le « pauvre Jésus », insulte ceux qui le frappent, recrée le dialogue entre la victime et la soldatesque; il est hanté par ce sang qui coule, par cette face « autrefois les délices, maintenant l'horreur des yeux ». Les prophètes bibliques ne cessent de lui prêter leurs lamentations.

En 1661, lors du Carême des Carmélites, Bossuet développe ses véritables idées en matière de prédication dans le sermon *Sur la Parole de Dieu*. Il y use magistralement des reprises incantatoires, recourt à d'étonnantes images : la Parole divine est foudre, tonnerre, lumière, secret murmure... selon les côtés par où son célébrant l'envisage. Parfois apparaît un extraordinaire poème en prose (la Parole et l'orage).

Sermon sur la Parole de Dieu

Exorde. Le seul Maître qu'il faille écouter est Jésus-Christ. Parallèle entre l'autel et la chaire, entre l'Eucharistie et la Parole de Dieu. La Parole, elle aussi, est dense présence de Jésus-Christ : les chrétiens attendent cette Parole réelle de Dieu, la vérité éternelle. Mais ils ne se contentent pas d'une écoute extérieure : leur cœur écoute Jésus-Christ, prédicateur invisible. Et cette écoute du cœur produit au-dehors une vie conforme à celle du Fils de Dieu. *(A la reine)* Les rois, trompés par les courtisans, ont un besoin plus grand de la vérité divine.

Premier point. Jésus-Christ est aujourd'hui remonté dans le sein de Dieu, mais il demeure présent par la Parole évangélique et par l'Eucharistie. La Parole divine est foudre et tonnerre : l'éloquence doit naître des choses mêmes et non consister en recettes. Comment se forment les prédicateurs évangéliques? Dieu les suscite pour répondre à l'attente des auditeurs, quand cette attente existe.

Deuxième point. Comme l'Eucharistie, la Parole doit pénétrer au fond du cœur. Jésus-Christ est un prédicateur invisible : Écoutez-le. Cette écoute n'est pas des sens, ni de l'esprit, mais du cœur.

Troisième point. La preuve que le cœur a entendu, c'est l'action au-dehors. Le sermon est action, tandis que le théâtre est évasion, attendrissement éphémère. Si nous ne pratiquons pas la Parole, elle sera notre juge et nous tuera.

Adorons Jésus-Christ dans le tabernacle et dans la Sainte Parole.

En 1662, le Carême du Louvre (sermons *Sur l'ambition, Sur la mort, Sur les devoirs des rois)* place Bossuet parmi les premiers orateurs français.

Sermon sur la mort

Exorde. L'orateur convie la cour à contempler avec Jésus-Christ un cadavre, celui de Lazare. Les hommes détournent leur pensée de la mort. Pourtant c'est devant elle qu'on découvre le secret de l'homme, « méprisable en tant qu'il passe, et infiniment estimable en tant qu'il aboutit à l'éternité. »

Premier point. L'homme est peu de chose. Son cadavre devient un « je ne sais quoi qui n'a de nom dans aucune langue. » La vie est brève, les générations se poussent à l'abîme. « Qu'est-ce que cent ans, qu'est-ce que mille ans, puisqu'un seul moment les efface? »

Second point. Mais l'homme n'est pas tout entier périssable. Par son âme immortelle il participe à Dieu. Il dompte l'univers par son génie; il a accès à un royaume de valeurs transcendantes; il a le sentiment de l'infini. S'il est impur, c'est à cause du péché. Seule la foi nous ouvre ces mystérieuses contradictions d'un être qui n'est plus aujourd'hui que ruines grandioses.

Dans le sermon *Sur les devoirs des rois*, Bossuet se fait le chantre inspiré de la religion royale française, qui voyait dans les descendants de Clovis et de Saint Louis des princes mandatés par Dieu plus directement que les autres, de nouveaux David, oints d'une huile miraculeuse lors de leur sacre à Reims :

Dieu met sur le front des souverains et sur leur visage une marque de divinité. Il a fait dans le prince une image mortelle de son immortelle autorité. *Vous êtes des dieux*, dit David, *et vous êtes tous enfants du Très-Haut.* Mais, ô dieux de chair et de sang! ô dieux de terre et de poussière! vous mourrez comme des hommes. N'importe, vous êtes des dieux, encore que vous mouriez, et votre autorité ne meurt pas : cet esprit de royauté passe tout entier à vos successeurs et imprime partout la même crainte, le même respect, la même vénération. L'homme meurt, il est vrai; mais le roi, disons-nous, ne meurt jamais : l'image de Dieu est immortelle.

Ces années 1660-1670 constituent l'apogée de la carrière oratoire de Bossuet. Pendant le préceptorat il ne prêche que rarement : en 1675 cependant, l'amitié lui inspire le sermon *Pour la profession de Mlle de La Vallière*, d'une sobre beauté qui fait penser à Philippe de Champaigne. Après 1681, l'évêque de Meaux parcourt fréquemment son diocèse et s'adresse aux petites gens et à ses religieuses avec la familiarité de l'homélie.

Les « Oraisons funèbres »

Déjà pratiquée dans l'Antiquité, fondée comme genre littéraire au XVIe siècle, l'oraison funèbre se développe surtout après la mort d'Henri IV. Au moment où Bossuet commence à la pratiquer, quatre éléments la constituent :

— la déploration, créatrice d'une profonde émotion collective;

— l'éloge du défunt, délicat quelquefois, si celui-ci était peu recommandable (Le Tellier);

— l'instruction des fidèles : la vie des Grands est un « spectacle »;

— la présence de l'actualité.

Bossuet détestait ces discours, mais il ne put pas toujours se dérober aux sollicitations. Sur les dix qui nous restent de lui, quatre sont particulièrement célèbres, celles d'Henriette de France, reine d'Angleterre (1669), et de sa fille Henriette d'Angleterre, belle-sœur de Louis XIV (1670), celles de l'étonnante Princesse palatine (1685) et de Condé (1687).

TROIS « GRANDES ET TERRIBLES LEÇONS »

Oraison funèbre d'Henriette de France

Exorde. Dieu est le maître des rois, et les instruit non seulement par des paroles, mais par les événements. La vie de la reine d'Angleterre, qui a connu toutes les extrémités des choses humaines, en est un exemple.

Premier point. Le temps du bonheur. — Sa naissance illustre. Son mariage avec Charles Ier d'Angleterre. Sa générosité, son zèle pour le catholicisme; sa charité pour les pauvres. Elle a réconcilié la France et l'Angleterre.

Deuxième point (de beaucoup le plus long). Les malheurs. — Ils sont dus à la Révolution anglaise, dont la responsabilité n'incombe ni au roi (éloge de Charles Ier), ni au tempérament anglais, mais à la Réforme et à sa « fureur de disputer des choses divines sans fin, sans règle, sans soumission ». Un intrigant a su utiliser ces instincts de révolte : portrait de Cromwell. Le courage de la reine dans ses épreuves, son exil, sa misère en France; sa noblesse. Sa vie était toute pour Dieu.

Péroraison. Les regrets qu'elle laisse. Vœux pour son entrée dans la lumière éternelle et pour que ne se reproduisent plus d'aussi sombres événements.

Oraison funèbre d'Henriette d'Angleterre (Madame)

Exorde. La vie de la princesse indique à la fois le néant et la grandeur de l'homme.

Premier point. « Ce qu'une mort soudaine lui a ravi ». — Tous les hommes meurent, quel que soit leur niveau social. L'élévation de la princesse était exceptionnelle; à ce privilège s'ajoutait celui de la valeur personnelle. Mais la mort détruit tout : premier récit, pathétique, de la mort de Madame. Cette princesse si jeune, qui pouvait tout espérer, n'est plus qu'« un cadavre, non, pas même un cadavre, mais un je ne sais quoi qui n'a de nom dans aucune langue ».

Deuxième point. « Ce qu'une mort soudaine lui a donné ». — La valeur de l'homme ne se découvre que dans sa référence à Dieu. Madame est un exemple parfait de l'action de la grâce. Dieu lui a donné : 1° une grâce de vocation, qui l'a conduite à la foi catholique; 2° la grâce de la persévérance finale : second récit, mystique, de la mort de Madame.

Péroraison. Sagesse infinie de Dieu, qui a guidé la princesse.

Oraison funèbre de la Princesse palatine

Exorde. L'exemple de la princesse prouve aux hommes les plus éloignés de Dieu que la conversion se propose à tous. « Mon discours, dont vous vous croyez peut-être les juges, vous jugera au dernier jour. »

Premier point. La princesse dans l'incrédulité. — Sa naissance, son enfance heureuse dans les couvents de Faremoutiers et d'Avenay. Ses dissipations et ses intrigues. Son éloignement de Dieu : attaque contre les incroyants.

Deuxième point. La princesse convertie. — Intervention de Dieu pour sauver la princesse. Un premier songe la convertit, un autre lui rend l'espérance du salut. Tableau de sa vie pénitente : austérités, charités, confiance illimitée dans l'amour de Dieu, constance dans les souffrances.

Péroraison. Appel à la conversion des cœurs. Évocation du dernier Jugement.

Les *Oraisons funèbres* évoquent, en général rapidement, à peu près tous les problèmes religieux du temps (le jansénisme, l'essor du libertinage...). Bossuet a en propre quelques hantises, qu'il a somptueusement exprimées : la Providence, l'orgueil et l'inconscience des hommes, la conversion, et surtout la mort. Comme l'a dit Chateaubriand, l'orateur « sans cesse occupé du tombeau, et comme penché sur les gouffres d'une autre vie... aime à laisser tomber de sa bouche ces grands mots de *temps* et de *mort*, qui retentissent dans les abîmes silencieux de l'éternité ». Ces thèmes sont illustrés par les vies que Bossuet célèbre : l'oraison funèbre d'Henriette de France est une étonnante fresque d'histoire; la Palatine et Condé sont des figures fascinantes. Ainsi se multiplient les allusions aux événements politiques, les récits de bataille... sauf dans l'élégie agitée consacrée à Madame.

Le « Discours sur l'histoire universelle »

Bossuet considérait l'Histoire comme « la maîtresse de la vie humaine et de la politique ». Il fit étudier au dauphin toute l'histoire de France, et c'est pour lui qu'il composa le *Discours sur l'histoire universelle*, publié en 1681, puis constamment enrichi.

Le « Discours sur l'histoire universelle »

Première partie : Les époques ou la suite des temps. Bossuet évoque rapidement les douze époques qui conduisent de la création du monde au couronnement de Charlemagne en 800, « fin de l'histoire ancienne ».

Deuxième partie : La suite de la Religion. L'écrivain avait mêlé faits politiques et faits religieux dans la première partie. Il s'attache maintenant aux faits religieux, met en lumière l'existence, cachée ou manifeste, du christianisme depuis les origines du monde, sa stabilité dans le flux des idolâtries et des États. « Vous voyez un ordre constant dans tous les desseins de Dieu, et une marque visible de sa puissance dans la durée perpétuelle de son peuple » (ch. 31).

Troisième partie : Les empires. Alors que l'Église demeure, les empires se succèdent. Leur essor et leur perte sont liés à l'expansion de l'Évangile. Ainsi l'Empire romain, en unissant des peuples jadis étrangers, a permis la diffusion de la foi. Sa grandeur et sa décadence sont expliquées par Bossuet d'une façon dont se souviendra Montesquieu : amour de la liberté, frugalité, art militaire, sagesse politique du Sénat, qualités d'administrateurs, ont conduit à la réussite. Les succès ont engendré dissensions et convoitises, répandu le luxe, le relâchement, la corruption. « Ce long enchaînement des causes particulières, qui font et défont les empires, dépend des ordres secrets de la divine Providence » (ch. 8)

Bossuet prononçant l'oraison funèbre de Condé à Notre-Dame de Paris, par Berin. On ne saurait comprendre ces majestueux discours, si l'on ne les écoute pas se répercuter sous les voûtes des cathédrales et ponctuer des fastes funèbres dont nous n'avons plus l'idée. (B.N. Paris.)

Évidemment tributaire des connaissances de son temps, l'ouvrage apparaît aujourd'hui plein d'inexactitudes : Adam naît en 4004 avant J.-C... Mais Bossuet n'est pas crédule : il n'étudie pas la Chine, parce que, dit-il, il « n'aime pas à donner pour certain ce qui ne l'est pas » et que l'histoire de ce pays est encore mal connue. Ce qui fait le prix du *Discours*, c'est l'attention aux institutions, aux mœurs, et aux caractères des peuples, causes de leur grandeur ou de leur perte : certaines pages sont toutes modernes. C'est aussi la rapidité élégante du style, parsemé de formules et d'images poétiques. On a parlé d'écriture « au pas de charge ».

Un visionnaire baroque

Peu subtil, Bossuet n'a guère développé les analyses psychologiques chères à une partie de son public. Il n'est pas Nicole ou La Rochefoucauld, ni Bourdaloue. Il est trop massif, trop puissant (esthétiquement) et trop rigoriste, trop exigeant (religieusement) pour les mondains. Si sa vie et ses idées sont de « juste milieu », de « médiocrité », son inspiration profonde est de démesure. Il s'identifie à Dieu, dont il n'est plus que la voix; il reprend les images et les versets bibliques. Une telle identification l'exalte : célébrant de la Parole divine, il la notifie aux auditeurs. De l'altitude où il est placé, il perçoit l'univers non comme un chaos, mais comme une harmonie. Il ne comprend pas que l'incroyance soit possible.

L'éclatante parole de ce prophète est immédiatement reconnaissable.

Le règne de l'inattendu. Au lieu de se soumettre à une esthétique classique, soucieuse d'unité et de régularité, Bossuet s'abandonne à tous les mouvements de l'âme. De là une prodigieuse variété de tons. L'oraison funèbre de la Palatine passe de la douceur de Fra Angelico à la puissance de Michel-Ange. A un récit épique saisissant peut faire suite une pause lyrique ou l'épanchement du mysticisme. L'écrivain descend soudain d'une hauteur divine à la familiarité la plus imprévue. Les archaïsmes, les tournures hébraïques — réalistes, brutales — pullulent. Il emploie tous les idiomes.

Les sources bibliques et patristiques. S'il a étudié la technique des grands écrivains latins et grecs, Bossuet se reconnaît pour maîtres surtout la Bible et les Pères, notamment deux Africains (Tertullien, saint Augustin) à tendance baroque ou romantique et un oriental (saint Jean Chrysostome) dont il admirait la vigueur, la verve populaire.

La profusion des images. Puissant imaginatif, Bossuet, comme Hugo, « pense » par masses et par contrastes. Il orchestre des idées simples. Beaucoup de ses images sont empruntées à l'univers de la construction ou au monde des eaux. Une même réalité apparaît au poète de multiples façons. Ainsi la mort a « effacé, pour ainsi dire, sous le pinceau même un tableau qui s'avançait à la perfection », elle « dégrade » jusqu'aux rois, elle a « ravagé dans la fleur les fruits que nous promettait la princesse », elle roule tous les hommes jusque dans le « grand gouffre du néant » *(Oraison funèbre d'Henriette d'Angleterre).* Elle surgit « foulant aux pieds l'arrogance humaine, et abattant sans ressources toutes ces grandeurs imaginaires » *(O. F. d'Henri de Gornay).* C'est une bête carnassière, pour laquelle ceux qui flattent leur corps engraissent la victime (*O. F. du Père Bourgoing).* On tombe « dans ses bras » glacés *(O. F. de Marie-Thérèse)* et le dernier moment « efface » toutes les vies « par un dernier trait » *(O. F. de Yolande de Monterby) :* c'est la « rature » du sermon *Sur la mort.*

Les héros rappellent à l'orateur les grandes figures d'autrefois. Cromwell est à la fois Catilina, l'Antéchrist et Nabuchodonosor; Henriette de France est une nouvelle Esther, une nouvelle Judith.

Une cathédrale verbale. De la rencontre entre les influences hébraïques, la proximité des tournures et des termes latins (Bossuet écrivait souvent en latin) et la langue de l'époque Louis XIII (en 1667, Bossuet travaillait encore sur les *Lettres* de Guez de Balzac) est née une prose poétique inégalée dans sa plénitude. Aux majestueuses périodes font suite des tableaux agités, aux phrases hachées, ou d'exquises évocations. Bossuet use des plus admirables cadences : « O éternel roi des siècles... votre être éternellement permanent, ni ne s'écoule, ni ne se change, ni ne se mesure » *(Sur la mort).* Sa science de l'alternance des finales féminines ou masculines a ébloui nos grands poètes en prose, de Chateaubriand à Claudel : « Pendant qu'elle contentait le monde et se contentait elle-même, la princesse palatine n'était pas heureuse, et le vide des choses humaines se faisait sentir à son cœur » *(O. F. de la Palatine).* Cette plénitude du style s'explique aussi par la densité du réseau des correspondances sonores ou par l'éclat de vocables aux magnifiques résonances : « Nous mourons tous... et nous allons sans cesse au tombeau, ainsi que des eaux qui se perdent sans retour » *(O. F. de Madame).* Les mots les plus simples acquièrent une puissance inconnue. C'est par cette imagination visionnaire et par cette maîtrise du langage que Bossuet — en dépit du goût des modernes pour le dépouillement et la rapidité — demeure aux yeux de beaucoup ce qu'il est apparu à un Claudel : « le grand maître de la prose française, qui est infiniment supérieure à ce qu'il est convenu d'appeler notre poésie ».

BIBLIOGRAPHIE

ÉDITIONS : BOSSUET, *Œuvres complètes,* 31 vol., éd. Lachat, 1862-1866; *Œuvres oratoires,* 7 vol., éd. Lebarq-Urbain-Levesque, Desclée de Brouwer, 1926-1927; *Oraisons funèbres,* éd. Truchet, Garnier, 1981, Le *Discours sur l'histoire universelle* figure dans les *Œuvres*, Gallimard, coll. « Bibliothèque de la Pléiade », 1961 (avec les *Oraisons funèbres*, les *Panégyriques*, quatre sermons et la *Relation sur le quiétisme*); trois *Oraisons funèbres* et sept *Sermons* (texte intégral) ont paru dans les Nouveaux Classiques Larousse.

ÉTUDES : Thérèse GOYET, *L'humanisme de Bossuet*, Klincksieck, 1965, 2 vol. (formation et culture). — Jacques TRUCHET, *La prédication de Bossuet*, 2 vol., Cerf, 1960 (les grands thèmes). — Jean CALVET, *Bossuet*, Hatier, 1968 (bonne introduction, complétée par les « états des questions » et une excellente bibliographie de J. Truchet). — Jacques LE BRUN, *La spiritualité de Bossuet,* Klincksieck, 1972.

LA CRISE DE LA CONSCIENCE FRANÇAISE (1680-1715)

En quelques décennies, un profond changement se produit dans les esprits. Après une existence souterraine reparaissent des attitudes déjà en honneur au siècle précédent : liberté des idées, indépendance à l'égard des Anciens, recherche ardente dans tous les domaines... Enrichi par l'essor des sciences, la réflexion libertine, les progrès du cartésianisme, l'influence des théoriciens anglais, le XVIIe va renouer avec tout un aspect de la Renaissance.

Dans cette crise s'opposent Anciens et Modernes, traditionalistes et novateurs (en esthétique, en politique, en sciences, en religion). Si la Bruyère, avec tout le groupe de Bossuet, incarne l'hostilité aux courants nouveaux, d'autres croyants avancent avec leur temps et constituent une sorte de résistance de l'intérieur : le plus illustre est Fénelon. Quant à Bayle et Saint-Évremond, c'est à l'extérieur des frontières qu'ils mènent la lutte.

LA QUERELLE DES ANCIENS ET DES MODERNES

La Renaissance avait placé l'Antiquité sur un piédestal. Tout au long du XVIIe siècle s'est poursuivi un débat sur la valeur de l'imitation, sur la prééminence des Anciens. Dans la première moitié du siècle, de nombreux créateurs se révèlent fort indépendants à l'égard des chefs-d'œuvre grecs et latins (Malherbe, Corneille, Théophile). Mais, sous l'influence des théoriciens, les conflits deviennent de plus en plus âpres : les tentatives (1650-1670) d'épopées modernes, nationales et chrétiennes sont durement condamnées par Boileau en 1674. En 1675, en 1680, des escarmouches opposent les partisans du latin à ceux du français pour les « inscriptions » des tableaux et monuments.

Du côté des Anciens : Boileau, Racine, Arnauld et les Augustiniens, Bossuet et son « groupe » (La Bruyère, Fleury). Du côté des Modernes : Saint-Évremond, Benserade, Perrault, Quinault, Fontenelle, Houdar de la Motte, *Le Mercure galant*, la plupart des femmes... Derrière la lutte sur un principe esthétique (les œuvres antiques fournissent-elles les modèles définitifs du Beau?) apparaît clairement une opposition générale entre la tradition et la modernité. Les Modernes affirment un progrès continuel de l'intelligence et de la délicatesse morale. Beaucoup s'appuient sur l'essor des sciences et sur la philosophie de Malebranche, qui, dans *La recherche de la vérité* (1674), évoque le culte des Anciens parmi les causes d'erreur.

Perrault contre Boileau (1687-1694)

La polémique la plus célèbre oppose Charles Perrault à Boileau. Le 27 janvier 1687, Perrault lit à l'Académie un poème que Boileau juge injurieux pour les Anciens, *Le siècle de Louis le Grand*, où la littérature contemporaine est placée au-dessus de celle du « siècle d'Auguste ». Boileau riposte par des épigrammes, tandis que La Fontaine, admirateur des anciens, adopte une position nuancée (*Épître à Huet*, 1687). En 1688, Fontenelle publie sa *Digression sur les Anciens et les Modernes*, et Perrault ses premiers *Parallèles des Anciens et des Modernes*. Les élections à l'Académie voient le triomphe des Modernes (Fontenelle, 1691), puis leur échec (La Bruyère, 1693). En 1694, les polémiques s'achèvent par une réconciliation entre Boileau et Perrault, œuvre du grand Arnauld.

La querelle d'Homère (1713-1715)

Le désaccord des deux groupes était trop profond pour ne pas susciter de nouveaux conflits.

En 1699, une helléniste, Mme Dacier, avait publié une traduction en prose de l'*Iliade*. La jugeant ennuyeuse et pleine de défauts, un disciple de Fontenelle, Houdar de La Motte, qui ignorait le grec, réduit les 24 chants à 12. La traductrice proteste par un pamphlet, *Des causes de la corruption du goût* (1714), auquel La Motte ne répond qu'avec une relative modération. Mais le débat menace de reprendre avec violence. C'est Fénelon qui calme les adversaires par sa *Lettre à l'Académie* (1714-1716) et suscite un rapprochement en réunissant dans son admiration les maîtres antiques et les grands écrivains modernes.

L'issue du débat

Malgré leurs ignorances et leurs excès, les Modernes ne pouvaient pas ne pas l'emporter. Ils percevaient le caractère daté des œuvres grecques et latines, refusaient de s'aveugler sur les imperfections d'Homère ou de Pindare. L'univers avait grandi, les sciences et les idées avançaient, l'expérience humaine s'était considérablement enrichie.

Leur succès marque l'aube du XVIIIe siècle. Il a facilité le développement de genres et de thèmes nouveaux (dictionnaires, contes philosophiques, drames). Mais, paradoxalement, en rejetant l' « imitation originale » des œuvres antiques, les Modernes n'ont pas marqué assez d'indépendance à l'égard des chefs-d'œuvre du siècle de Louis XIV. Ils ont été serviles à l'égard de Racine, alors que celui-ci avait usé assez librement du théâtre antique. De là un pseudo-classicisme dramatique, l'éclipse de la poésie (jugée dépassée) et la constitution d'un panthéon littéraire parfois étouffant [1].

LA BRUYÈRE (1645-1696)

Une vie effacée

Après de solides études, le jeune bourgeois parisien Jean de La Bruyère devient avocat au Parlement de Paris, puis achète une charge de trésorier en la généralité de Caen. Il réside cependant à Paris, mène une vie effacée. En 1684, Bossuet le fait nommer précepteur du duc de Bourbon, petit-fils du Grand Condé. Attaché dès lors à l'entourage des Condé, La Bruyère peut observer — à Paris et à Chantilly — de nouveaux aspects de la comédie humaine. De ses réflexions naissent *Les caractères ou les mœurs de ce siècle* (1688), collection de réflexions et de portraits qui jouit aussitôt d'un immense succès : trois éditions en un an. Partisan déclaré des Anciens, l'écrivain est élu à l'Académie en 1693. Dans la querelle du quiétisme [1], il se range aux côtés de Bossuet *(Dialogues sur le quiétisme)*. Il meurt d'apoplexie en 1696.

Un document amer : « Les caractères » (1688)

Constamment enrichis de 1688 à 1694 (huitième édition), *Les caractères* se présentent sous la forme de seize chapitres regroupant des fragments fort divers.

I. Des ouvrages de l'esprit (capital pour une réflexion sur l'esthétique classique).
II. Du mérite personnel.
III. Des femmes.
IV. Du cœur.
V. De la société et de la conversation.
VI. Des biens de fortune.
VII. De la ville.
VIII. De la cour.
IX. Des grands.
X. Du souverain ou de la république.
XI. De l'homme.
XII. Des jugements.
XIII. De la mode.
XIV. De quelques usages.
XV. De la chaire.
XVI. Des esprits forts.

L'ouvrage n'est pas composé, comme il est fréquent chez les moralistes français, mais La Bruyère n'atteint pas à l'ampleur et à l'unité de vision de ses grands prédécesseurs : Montaigne, Pascal, La Rochefoucauld. Il n'a rien d'un penseur, manque de cohérence. Sa critique des esprits forts est d'un esprit faible.

Son livre a pour principal mérite d'être un document sur les mœurs en cette fin du grand siècle, et sur l'importance de la rhétorique dans la création littéraire à l'époque.

1. Voir p. 280-281.

1. Voir Voltaire, *Le siècle de Louis XIV*, ch. 32-33.

La Bruyère, par Largillière.

Exacte, la peinture sociale n'est nullement originale : traditionaliste, l'auteur répète des critiques vieilles de dizaines d'années. Les vices de la société lui paraissent provenir uniquement de la corruption individuelle, nullement d'une organisation sociale défectueuse. Il flagorne la monarchie absolue, rêve de rois évangéliques qui renonceraient aux conquêtes, aux dépenses de prestige et à l'arbitraire. Il soupire après la sainteté de l'Église primitive. Les critiques les plus violentes semblent procéder d'une aigreur, d'une amertume d'homme peu comblé par la vie : attaques contre les Grands, contre les riches, les financiers, contre la haute bourgeoisie; rancœur de la misère de l'homme de mérite, de l'écrivain. La noblesse est peinte sous les couleurs les plus sombres, la petite bourgeoisie est épargnée. Analyse rigoureuse ou règlement de comptes? Au crédit de La Bruyère, cependant, il faut porter d'émouvantes paroles sur la misère du peuple, la reprise des attaques de Montaigne contre la torture et certains sursauts réellement chrétiens devant les bassesses et l'hypocrisie (« De la cour »).

Une virtuosité laborieuse

« C'est un métier que de faire un livre, comme de faire une pendule » : cette phrase de La Bruyère s'adresse d'abord à lui-même. Artisan appliqué, il s'ingénie à polir ses phrases, à en varier constamment les tours, à piquer la curiosité. Le vocabulaire est soigneusement étudié, vigoureux : à la cour, les femmes ont coutume de « peindre » leurs lèvres; elles « étalent » leur gorge; les hommes ont une physionomie « embarrassée dans une épaisseur de cheveux étrangers [les perruques] ». Les procédés de la rhétorique : antithèses, hyperboles, suppression des liaisons, parallèles, énumérations, redondances, dissymétries (souvent artificielles), apostrophes, etc. s'accumulent à toutes les pages. Assurément La Bruyère a le sens de la notation pittoresque, du détail pris sur le vif (gestes, particularités physiques, vêtements, mots...), mais de cette accumulation de touches ne sortent pas toujours des figures unifiées et vivantes. Il flotte entre le portrait et le caractère purement moral : rien chez lui du relief saisissant du *Neveu de Rameau* ou du *Père Goriot*! La Bruyère est le peintre des surfaces de l'homme : il est séduit par les facettes plus que par l'irradiation profonde. *Les caractères* exercent la séduction de la verroterie.

La Bruyère et l'esprit classique

La Bruyère se croyait certainement dans le sillage des classiques, Boileau ou Racine. Non sans quelque raison. S'il est très présent dans son œuvre, avec sa dignité et son amertume, ses réactions se dissimulent sous l'anonymat ou des noms apparemment étrangers (« On », « Le philosophe », « Antisthène »...). Il règne dans *Les caractères* un lyrisme avorté, qui représente la protestation du moi face à une société mécanique (comme plus tard chez Proust). La nature extérieure est absente du livre, tout à l'observation des « mœurs » et des « caractères ». L'écrivain veut à la fois plaire et édifier. Il a le culte de la clarté, se soumet au public : « L'on n'écrit que pour être entendu ». Il est persuadé qu'il existe un « point de perfection » dans l'art de l'expression : le mot juste, le tour idéal... Ce « point » n'a été atteint que par les Anciens et les meilleurs des Modernes. Méfiant à l'égard de l'inspiration, de l'imagination (qui « emporte hors des règles et de la justesse »), La Bruyère attribue dans la création tous les pouvoirs à l'intelligence : « Tout l'esprit d'un auteur consiste à bien définir et à bien peindre. » Le « goût » lui-même semble émaner moins des profondeurs de l'être (comme chez Pascal) que de la connaissance des règles et du consensus d'une société souvent superficielle. Comme les autres théoriciens, l'écrivain reconnaît toutefois que la beauté s'impose parfois hors des règles *(Le Cid)* : c'est qu'existent le génie, le « sublime », un « je ne sais quoi », qui forcent l'admiration.

Le classicisme des *Caractères* appartient cependant déjà au XVIIIe siècle. La Bruyère, qui l'a raillé sous le nom de Cydias, est à bien des égards proche de Fontenelle. Incapable de créer une grande œuvre unifiée, il a le goût du détail, de l'anecdote, du piquant. Il aime l'ironie, l'esprit. Il cultive une esthétique du fignolage et de la surprise. Chez lui, l'observation morale se tourne volontiers vers les personnages singuliers, les maniaques. Enfin s'annonce l'intérêt des écrivains pour les conditions sociales.

FÉNELON (1651-1715)

A la fin du siècle, des voix courageuses s'élèvent pour demander au roi des réformes importantes : cette résistance de l'intérieur émane de sujets fidèles à la monarchie. L'économiste Boisguillebert (1646-1714) publie en 1697 *Le détail de la France*, où il préconise l'abandon des douanes intérieures et l'établissement de l'impôt sur le revenu. Plus célèbre est son cousin Vauban (1633-1707) qui, dans *La dîme royale* (écrite en 1699, parue en 1707), prend la défense du petit peuple et suggère une répartition équitable des impôts, sans exemption. Fénelon a repris certaines de ces idées. Mais tous ces appels furent rejetés : exils de Boisguillebert et de Fénelon, condamnation au feu de *La dîme royale.*

Le temps des succès (1651-1697)

François de Salignac de La Mothe-Fénelon, de vieille noblesse périgourdine, après de bonnes études à Cahors et à Paris, est ordonné prêtre en 1675. Il s'acquitte avec succès de missions délicates : éducation des protestantes converties au catholicisme, conversion des protestants d'Aunis et de Saintonge (1685-1687). Soucieux de plaire, il est assidu auprès de Bossuet, en faveur auprès de Mme de Maintenon et de la duchesse de Beauvilliers, pour les filles de laquelle il compose un *Traité de l'éducation des filles* (1687). Grâce au duc de Beauvilliers, Fénelon est nommé en 1689 précepteur du duc de Bourgogne, petit-fils de Louis XIV. Fénelon réussit dans sa tâche, grâce à son charme, à sa patience et à son talent; il rédige pour son élève des *Fables* (vers 1690), des *Dialogues des morts* et son œuvre la plus connue, le *Télémaque* [1] (vers 1694, publié en 1699). L'Académie l'accueille en 1693, le roi le nomme à l'archevêché de Cambrai en 1695, sans obligation de résidence. On murmure son nom pour le siège de Paris, on l'entrevoit à la tête des affaires. Mais en quelques mois cette situation brillante s'effondre sans retour.

L'exil de Cambrai (1697-1715)

Fénelon avait rencontré en 1688 une mystique, Mme Guyon, et — sous son influence — s'était passionné pour les problèmes de la vie intérieure du chrétien. Mme Guyon enseignait que le culte le plus pur, c'est la communion silencieuse avec Dieu, l'oraison : elle rejetait les raisonnements au profit d'un total abandon à la présence divine. Elle préférait aux décisions réfléchies les élans d'une spontanéité religieuse où elle voyait l'inspiration de Dieu. Elle refusait de réduire la vie spirituelle à des pratiques extérieures, à la récitation de formules toutes faites. Au fond, cette croyante sincère ne faisait là que reprendre — en dépit de quelques maladresses — certaines tendances de la tradition mystique la plus orthodoxe. Pour son malheur, un mystique espagnol, Molinos, avait été condamné par Rome l'année précédente (1687). On accusa bientôt d'hérésie la spiritualité de Mme Guyon : c'est la fameuse querelle du quiétisme (du latin, *quies :* repos, désignant l'état d'abandon à l' « amour pur de Dieu »).

Pendant cinq ans (1688-1693), cette théologie mystique fut bien accueillie, notamment par

1. Le *Télémaque* a été présenté dans le chapitre « Le romanesque et le merveilleux », p. 269.

Mme de Maintenon. Mais un groupe animé par Bossuet dénonça à partir de 1693-1694 les dangers du « pur amour » : où étaient, dans l'état d'oraison passive, les grandes vérités de la chute et de la rédemption, du salut apporté par la Passion du Christ, de l'importance de l'effort moral, de la pratique des sacrements, de la participation à la vie de l'Église? En 1694-1695, les Conférences d'Issy, chargées d'examiner la question, aboutirent à un compromis. Mais, le 1er février 1697, Fénelon fit paraître l'*Explication des maximes des saints sur la vie intérieure.* Bossuet se déchaîna et publia son *Instruction sur les états d'oraison.* Une guerre de pamphlets s'ensuivit. En mars 1699, à force d'intrigues et de pressions, Bossuet et le roi obtinrent du pape une condamnation, mais elle était si ambiguë que Fénelon n'eut même pas à se rétracter. Pourtant cette crise eut une conséquence désastreuse pour la vitalité du catholicisme : les mystiques devinrent suspects pour plus de deux siècles.

La publication du *Télémaque* — contre le gré de son auteur — n'était pas faite pour ramener Fénelon en faveur auprès de Louis XIV, qui vit dans l'ouvrage une critique détournée de son gouvernement. Pendant les quinze dernières années de sa vie, l'archevêque de Cambrai fut très actif : occupations épiscopales, correspondance politique, littéraire, spirituelle. Il lutta avec acharnement contre le jansénisme, publia le début d'un *Traité de l'existence de Dieu* (1712; la fin en 1718). Il rédigea en 1714 la *Lettre à l'Académie* (publiée en 1716), véritable testament littéraire. A la suite d'un accident, il s'éteignit le 7 janvier 1715.

Fénelon (portrait anonyme, XVIIe siècle) et madame Guyon (gravure d'après Élisabeth Chéron). Deux esprits mystiques.

La pensée politique

Auprès du groupe de Bossuet, Fénelon avait appris à condamner l'esprit de conquête, le luxe, la misère où étaient tenus paysans et artisans, à rêver d'une cité où la vie fût simple et les intérêts privés subordonnés à l'intérêt général. De plus en plus, il affirma l'idéalisme intransigeant de Malebranche : contrairement aux machiavéliens, à Hobbes ([1]), aux théoriciens de la raison d'État, il subordonnait la politique à la morale. A ses yeux, la réussite véritable des États supposait la fidélité à la loi divine (c'était déjà la position d'Érasme). Fénelon exigeait en tout le primat de l'universel : l'homme se doit plus à l'humanité qu'à sa patrie, plus à sa patrie qu'à sa famille, plus à sa famille qu'à lui-même. Aussi condamna-t-il toujours la politique française : en 1693, dans une terrible lettre au roi (que Louis XIV n'eut heureusement jamais sous les yeux); en 1695 dans le *Télémaque;* en 1711, dans le programme dit des Tables de Chaulnes. Défenseur d'une « société du genre humain », d'un droit naturel opposé aux caprices despotiques, et donnant pour fin à l'État l'utilité générale et le bonheur des individus, Fénelon ne pouvait qu'être salué par les Lumières comme un précurseur.

Les idées littéraires

Fénelon ne s'est jamais considéré comme un écrivain de profession, mais il aimait la littérature, et notamment la poésie. Sa *Lettre à l'Académie*, rédigée alors que s'affrontaient encore Anciens et Modernes, permet — en dépit des ondoiements et des ménagements — de préciser sa pensée. Malgré son admiration pour les auteurs antiques, Fénelon rejette l'idolâtrie de leurs œuvres : il critique la grossièreté d'Aristophane et de Plaute, les artifices voyants de Cicéron. Il rêve d'enrichir le vocabulaire, d'assouplir la phrase, de donner essor à une grande éloquence inspirée de Démosthène et de saint Augustin. Partout l'écrivain condamne l'affectation et la

1. Hobbes (1588-1679), philosophe anglais, célèbre surtout pour son système politique : selon lui, l'homme est un loup pour l'homme. On ne peut échapper à la guerre de tous contre tous que par un pacte social accordant un pouvoir illimité à l'autorité.

contrainte, recommande le naturel et la douceur, les « beautés simples, faciles, claires et négligées en apparence... ce je ne sais quoi qui est une facilité à laquelle il est si difficile d'atteindre ». La poésie (ch. 5) est une des plus hautes activités de l'homme : en France ses règles (la rime par exemple) sont trop rigides et doivent être assouplies. Au théâtre (ch. 6 et 7), les Modernes ne sont pas sans défauts : emphase excessive, règne d'une galanterie fade et d'amours déréglées qui corrompent les spectateurs, dans la tragédie. Dans la comédie, Molière est le plus grand, mais il écrit mal et donne « un tour gracieux au vice et une austérité ridicule à la vertu ». Célèbre est le chapitre 8, sur l'histoire : « Le bon historien n'est d'aucun temps ni d'aucun pays. » Il sait retrancher les détails au profit de la vie, des vues synthétiques, d'une puissante ordonnance. Son expression sera d'une « nudité... noble et ... majestueuse ». Il saura restituer le climat d'une époque, donner la couleur historique. « Un excellent historien est peut-être encore plus rare qu'un grand poète. »

Simplicité et souplesse : ces idéaux dominent les conceptions féneloniennes, aussi bien dans l'esthétique que dans la mystique. Ils attestent, après les fastes de l'époque précédente, l'avènement en France d'une mentalité nouvelle.

SAINT-ÉVREMOND (1614-1703)

Après une carrière militaire, le gentilhomme normand Charles de Saint-Évremond fut compromis dans le procès de Fouquet et dut s'exiler. Il séjourna en Hollande (1665-1670), puis s'établit définitivement en Angleterre, où il fréquenta le Cercle des réfugiés français, chez la duchesse de Mazarin. Aristocrate fidèle au temps de sa jeunesse, c'est-à-dire aux idéaux héroïques, à Corneille, à ses maîtres Gassendi et La Mothe Le Vayer, Saint-Évremond est un épicurien, un sceptique hostile aux dogmatismes (aussi bien à celui de Descartes qu'à celui de Spinoza). Persuadé des progrès de l'esprit humain, il est favorable aux Modernes. Sur bien des points, ses prises de position en 1680 correspondaient à celles de sa jeunesse, en 1640.

Saint-Évremond, portrait exécuté en 1691 à Londres. (B.N. Paris.)

Ce mondain voluptueux a écrit, pour lui-même et pour le cercle de ses amis, de petits traités où il aborde toutes sortes de sujets : religion, morale, histoire, littérature. Après sa *Comédie des académistes* (1643), qui s'attaque aux gens de lettres, il publie en 1654 sa délicieuse *Conversation du maréchal d'Hocquincourt avec le P. Canaye*, où il ironise sur la fragilité des arguments du bon père en faveur de ses croyances. Les *Réflexions sur les divers génies du peuple romain* (1663) annoncent l'histoire philosophique de Montesquieu. A la fin du siècle, Saint-Évremond s'oppose aux vues traditionalistes du groupe de Bossuet, aux yeux de qui la pureté de la Révélation originelle s'était peu à peu dégradée : comme Fontenelle, il se représente l'humanité primitive ignorante, égarée par des fables, exploitée par des imposteurs prêtres et devins.

En matière littéraire, un siècle avant Mme de Staël, il est conscient de la relativité du Beau : *De la tragédie ancienne et moderne* (1672), *Sur les poèmes des Anciens* (1685). Il croit à la liberté, réclame une littérature en harmonie avec les aspirations nouvelles. A l'attrait de ces idées se mêlait celui d'un style qui — s'il est parfois un peu recherché — séduit par son élégance et son aisance souveraine.

PIERRE BAYLE (1647-1706)

Le calviniste Pierre Bayle, après une brève conversion au catholicisme (1669-1670), doit fuir son Sud-Ouest natal pour se réfugier en territoire protestant, à Genève, où il découvre la pensée cartésienne. Il enseigne la philosophie à Sedan (1675-1680), puis à Rotterdam (jusqu'en 1693). Il publie en 1682 ses *Pensées diverses sur la comète*, où il raille les présages tirés des comètes et, à partir de là, toutes les superstitions : ce premier ouvrage est marquant, parce que Bayle y propose hardiment de séparer la morale et la foi religieuse. De 1684 à 1687, il rédige à lui seul les *Nouvelles de la République des lettres*, revue destinée à concurrencer le *Journal des savants*. Un an après la révocation de l'Édit de Nantes paraît son *Commentaire philosophique sur les paroles de Jésus-Christ : « Contrains-les d'entrer »*, courageux plaidoyer en faveur de la tolérance. Mais l'œuvre maîtresse de Bayle est son *Dictionnaire historique et critique* (1695-1697), complété par sa *Réponse aux questions d'un provincial* (1704-1706).

DICTIONAIRE
HISTORIQUE
ET
CRITIQUE:
Par Monfieur BAYLE.
TOME PREMIER,
PREMIERE PARTIE.
A——B.

A ROTTERDAM,
Chez REINIER LEERS,
MDCXCVII.
AVEC PRIVILEGE.

Page de titre du premier tome du *Dictionnaire historique et critique* de Bayle, paru à Rotterdam, en 1697.

Le Dictionnaire

Conçu pour redresser les erreurs des dictionnaires ou auteurs antérieurs, l'ouvrage dépasse nettement ce but et prend position sur de nombreux points. Esprit religieux, Bayle applique à tout un doute purificateur, établit la plus impitoyable litanie des sottises humaines, humilie la raison, marque la transcendance de la foi : un scepticisme radical semble s'allier chez lui au fidéisme [1].

Comme l'un de ses maîtres, Montaigne, Bayle est à bien des égards éloigné de ce qui sera l'esprit des « philosophes » : confiance en la raison, réformisme politique, antichristianisme. Mais on devine chez lui une exigence de reconstruction absente des *Essais*.

Rédigé dans un style souvent négligé, mais toujours clair, le *Dictionnaire* connut immédiatement un immense succès dans toute l'Europe. L'esprit nouveau avait déjà gagné tant de chrétiens (Richard Simon, Malebranche, Huet, Lami...) que les critiques de Bayle contre les miracles, contre l'anthropocentrisme, contre les abus de l'Église romaine, son application de la méthode historique à la Bible, ses parallèles entre la judéo-christianisme et les mythes ou rites païens ne pouvaient choquer que les esprits timorés et conservateurs. De fait, des hommes comme Boileau approuvèrent l'ouvrage. Mais bien d'autres crièrent à l'impiété. Comme les *Essais* encore, le *Dictionnaire* fournissait à la libre pensée une mine de faits et d'arguments qu'elle s'empressa d'exploiter. Le XVIIIe siècle

1. *Fidéisme :* conception selon laquelle l'accès à la foi ne dépend en aucune manière de la raison. Pour Bayle, la foi naît d'une intervention immédiate de Dieu : elle est une certitude originale, absolue, susceptible seulement de témoignage et non de démonstration.

doit beaucoup à Bayle, et jusqu'à certains traits de présentation des idées : répétition perpétuelle, distillation des affirmations ou des questions-clés, objections présentées fortement et mal réfutées, ironie, usage de longues notes où la spontanéité des réflexions cadre parfois mal avec l'orthodoxie du corps de l'article. Il n'est pas jusqu'au genre même du dictionnaire qui, par le jeu des renvois d'article à article, ne puisse égarer les censeurs dans un véritable labyrinthe d'idées...

FONTENELLE (1657-1757)

Neveu des Corneille, Bernard Le Bovier de Fontenelle commença à vingt ans une carrière de bel esprit et de vulgarisateur scientifique. Si Saint-Évremond est un homme de 1640, Fontenelle est un esprit de 1680, d'après l'essor du cartésianisme. Auteur de poésies précieuses, d'opéras, de tragédies, il publie en cinq ans ses œuvres maîtresses.

1683 *Dialogues des morts*, fins et paradoxaux, déjà sceptiques.
1684 *De l'origine des fables :* de l'ignorance est né le surnaturel.
1685 *Lettres galantes du chevalier d'Her*, variations précieuses sur l'amour.
1686 *Relation de l'île de Bornéo*, satire des religions.
Entretiens sur la pluralité des mondes, vulgarisation élégante des découvertes astronomiques, le soir, dans un parc.
Histoire des oracles : les oracles étaient un artifice de prêtres imposteurs, exploitant la crédulité publique.
1688 *Digression sur les Anciens et les Modernes*, apologie des Modernes.

Élu à l'Académie Française en 1691, Secrétaire perpétuel de l'Académie des Sciences en 1697, Fontenelle se consacre surtout à l'activité scientifique, célèbre les grands savants, expose les progrès du savoir. Il continue cependant dans les salons une carrière de brillant causeur et compose encore quelques œuvres littéraires, notamment une *Vie de Corneille* (commencée en 1685, achevée en 1742). Il meurt presque centenaire.

Fontenelle, par Greuze (Musée de Versailles), enfant-prodige des lettres et des sciences à la fin du siècle.

Une curiosité universelle

Fontenelle s'est intéressé aux problèmes les plus divers : littérature, théâtre, sciences, philosophie, religion, politique... Son *Origine des fables* inaugure la méthode comparative en histoire des religions. Il explique la naissance des mythes par les lois générales de l'esprit et leur diffusion par l'imposture des chefs religieux. Les *Entretiens* donnent droit de cité aux sciences dans la littérature, et ouvrent la voie aux savants-écrivains : le français supplante avec brio le latin dans l'exposé des problèmes scientifiques; le grand public est mis en contact avec les savants, dont les *Éloges* vont bientôt faire apparaître les séduisantes qualités (Bernouilli, Tournefort, Cassini, Leibniz, Newton...). Dans la plupart des traités se manifestent la défiance de la métaphysique, le culte du fait dûment contrôlé, le sens de la relativité de tout et de l'immensité tourbillonnante de l'univers. Oracles, miracles, surnaturel ne sortaient pas indemnes de l'examen : théoriquement épargné, le christianisme n'était-il pas en fait éclaboussé par la mise en cause de toutes les autres religions? Le style précieux, mais d'une rare limpidité, de Fontenelle agaçait déjà certains contemporains. Il ravissait en revanche la société mondaine, qui — grâce à cette intelligence agile — s'est ouverte pleinement à l'esprit moderne.

ENTRETIENS.
SUR LA PLURALITÉ DES MONDES.

Entretiens sur la pluralité des mondes
planche pour l'édition de 1726.

BIBLIOGRAPHIE

TEXTES : LA BRUYÈRE, *Les caractères*, éd. Garapon, Garnier, 1962. — FÉNELON, *Œuvres complètes*, 34 vol., éd. de Versailles, 1820-1830; *Lettre à l'Académie*, éd. Caldarini, Droz, 1970. Le *Télémaque* et la *Lettre à l'Académie* figurent dans diverses éditions classiques. Pour le *Télémaque*, excellente édition de poche Garnier-Flammarion. — SAINT-ÉVREMOND, *Textes choisis*, éd. Niderst, Éditions sociales, 1970. — BAYLE, *Œuvres complètes*, 9 vol., 1730; *Pensées sur la comète*, éd. Prat, Droz, 1911; *Œuvres diverses*, éd. Niderst, Éditions sociales, 1971. — FONTENELLE, *Œuvres complètes*, 8 vol., 1790; *Lettres galantes*, éd. Delafarges, Les Belles Lettres, 1961; *Entretiens sur la pluralité des mondes*, éd. Shakleton, Oxford, 1955, ou éd. Calame, Droz, 1966, *Textes choisis*, éd. M. Rœlens. Éditions sociales, 1966.

ÉTUDES : Antoine ADAM, *Histoire de la littérature française au XVIIe siècle,* t. V, Del Duca, 1962 (bonne synthèse de l'apport historique). — Jeanne-Lydie GORÉ, *L'itinéraire de Fénelon : humanisme et spiritualité,* Grenoble, 1957 (étude approfondie). — Paul HAZARD, *La crise de la conscience européenne (1680-1715),* Fayard, 1961 [1re éd. en 1935] (ouvrage qui reste capital). — Élisabeth LABROUSSE, *Pierre Bayle,* 2 vol., La Haye, Nijhoff, 1964; *Bayle,* Seghers, 1965 (la meilleure spécialiste de Bayle).— Maurice LANGE, *La Bruyère critique des conditions et des institutions sociales,* Hachette, 1909 (situe l'écrivain dans la critique sociale au XVIIe siècle et souligne son manque d'originalité). — Louis VAN DELFT, *La Bruyère moraliste,* Droz, 1971 (éclairant). — François VARILLON, *Fénelon et le pur amour,* Seuil, coll. « Maîtres spirituels », 1957 (excellente introduction, bibliographie). — René POMEAU et Jean EHRARD, *Littérature française. De Fénelon à Voltaire (1680-1750),* Poche-Arthaud, t.s., 1985.

A A A A
B B B B
E
D
C
3
8
9 1 2 4 5 7 6

LE XVIIIe SIÈCLE

Plus qu'un symbole : la réalité des Lumières. C'est en effet par l'écriture (ici une planche de l'*Encyclopédie* pour illustrer « l'art d'écrire ») que la bourgeoisie militante commencera de saper les bases de l'Ancien Régime. *(B.N. Paris)*

L'homme de village dont le seul but est de « travailler tant que l'année dure pour amasser par son labeur de quoi payer le collecteur ». (B.N. Paris.)

AVANT LA RÉVOLUTION

Depuis le Moyen Age, l'économie française connaît une progression constante, favorisée par l'exploitation des mondes coloniaux et le développement du mercantilisme qui s'épanouit au XVIIe siècle grâce à Colbert. Durant les deux premiers tiers du XVIIIe siècle, la hausse des prix, la croissance de la production et des rendements sont continues : l'évolution se précipite, mais sans qu'on puisse parler de révolution.

Les progrès dans le domaine agricole sont en particulier importants. Ils sont soutenus par toute une littérature qu'intéressent passionnément les problèmes ruraux, de Jean-Jacques Rousseau aux physiocrates ([1]). La doctrine physiocratique, élaborée en 1750 par Quesnay, défendue par le marquis de Mirabeau et Malesherbes, discutée dans des journaux, des manuels (il paraît au XVIIIe siècle 1 200 ouvrages d'agronomie!), des sociétés savantes, voire des salons, contribue largement à l'amélioration de la production agricole. De nouvelles cultures sont implantées (comme celle de la pomme de terre, par Parmentier, en 1766), la jachère recule, une timide mécanisation apparaît, les engrais sont davantage utilisés, des fermes modèles se créent.

Ces progrès, doublés d'un accroissement de la population dû au recul de la mortalité, provoquent une augmentation générale des revenus dont tous profitent, de l'ouvrier agricole mieux payé au noble qui perçoit de substantiels droits seigneuriaux — souvent proportionnels à la récolte — tout cela du moins jusqu'à la crise qui s'ouvre en 1775. Les revenus et les conditions de vie de la paysannerie s'améliorent tant que la production excède la consommation : le monde paysan s'infiltre de plus en plus dans les circuits commerciaux, se reliant ainsi à l'économie urbaine.

1. Les physiocrates estiment que seule la terre crée la véritable richesse; leur doctrine inspira à Turgot ses réformes et elle fut à l'origine de l'œuvre fiscale de la Constituante. On voit qu'une telle doctrine ne pouvait se développer que dans une économie à forte dominante agricole.

Mais si l'on s'occupe de techniques meilleures, on ne songe guère à modifier profondément les structures agraires elles-mêmes : tout au plus le fermage tend-il à remplacer le métayage; la terre reste aux mains des grands propriétaires. De plus, quoi qu'aient pu dire les physiocrates admirateurs de l'Angleterre (le mouvement des *enclosures*, délimitant chaque propriété et fondant l'individualisme agraire, est déjà terminé à cette époque Outre-Manche), les paysans demeurent attachés aux pratiques communautaires traditionnelles — seule garantie d'existence pour les plus pauvres —, soutenus en cela par de grands propriétaires peu soucieux de briser leurs parcours de chasse ou de promenade.

A la prospérité rurale correspond — jusqu'en 1775 — une semblable prospérité urbaine. Les grands propriétaires résident en ville et y dépensent l'argent de leurs fermiers. Mais l'artisanat ne se laisse pas supplanter par l'industrie. Certes les manufactures s'agrandissent, les premières machines à vapeur sont utilisées, mais en moins grand nombre qu'en Angleterre; de nouvelles industries — industrie chimique, par exemple — se créent. Toutefois les méthodes de production restent archaïques : la métallurgie utilise largement le bois, en dépit de l'apparition du coke, les filatures ignorent les métiers perfectionnés de type anglais. Bien que l'*Encyclopédie* s'attarde volontiers à décrire les techniques des métiers et à glorifier leur rôle, la France ne connaît pas une mutation technique comparable à celle qui provoque à la même époque une véritable révolution industrielle en Angleterre. Dans l'ensemble, les structures de production ne varient pas : malgré la constitution de quelques sociétés en commandite (comme celle des mines d'Anzin), l'artisanat est encore le mode de production le plus répandu, les corporations rétablies par Colbert envoient à travers toute la France leurs compagnons ([1]). Les physiocrates, adeptes d'une

1. Le folklore du compagnonnage, qui commence alors à se constituer, est d'une grande richesse.

plus grande liberté, obtiennent en 1776 de Turgot la suppression des corporations, mais cette décision restera formelle et peu respectée dans la réalité.

Par ailleurs, les deux domaines fondamentaux de la production demeurent le bâtiment et le textile ([1]), c'est-à-dire des biens directement consommables, et non des biens d'équipement à long terme : les mines d'Anzin et les forges du Creusot représentent des exceptions, et rarement les grands rentiers de la terre investissent leurs capitaux de la sorte. Ils préfèrent des plaisirs plus immédiats, ce qui se traduit par l'urbanisme prestigieux du XVIIIe siècle (que l'on songe à Nancy, à Bordeaux, aux hôtels du Marais et du Faubourg Saint-Germain) et par l'importance des dépenses de luxe — étoffes, bijoux, meubles, etc. Tout cela vivifie l'artisanat urbain qui trouve travail et clientèle; la multiplication des domestiques réduit d'autant le chômage. La condition du peuple urbain dans son ensemble est donc améliorée.

Cela irrigue aussi le commerce qui se développe beaucoup au cours du siècle, sans atteindre pourtant sur le plan intérieur un essor considérable : il est freiné par la mauvaise qualité et la lenteur des communications; la construction des grandes routes royales grâce à l'établissement d'une « corvée » de dix à trente jours redevable par le paysan à l'État, les nombreux canaux et chemins de halage aménagés ne suffisent pas à rendre les voyages faciles, et desservent surtout les grandes villes, laissant aux petits colporteurs le soin d'apporter partout ailleurs marchandises et nouvelles; le commerce est également bloqué par l'absence d'un réel réseau boursier (seules les grandes villes cosmopolites établissent des « Bourses », tel Paris en 1724) et bancaire. La tentative de l'Écossais Law ([2]) n'a réussi qu'à provoquer une spéculation effrénée suivie d'un profond remaniement des fortunes au profit de la bourgeoisie et à limiter l'audace bancaire pour des années; il est de plus entravé par la multiplication des douanes intérieures, malgré le progrès que représente la promulgation par Laverdy de la liberté de commerce des grains, qu'avaient tant souhaitée les philosophes rationalistes.

Aussi le commerce véritablement actif est-il le commerce maritime entre la France, les « Isles » et l'Afrique — d'où la fortune de tous les grands ports : Nantes, Bordeaux, etc. La mode est à l'exotisme. La littérature se tourne vers la Perse ou la Chine, les élégantes de salon affichent un goût démesuré pour le thé, le cacao ou le café et aiment à être servies par un Noir. Les seules colonies qui paraissent intéressantes ne sont pas les futures terres de peuplement, comme l'Amérique du Nord — l'État laissera les Anglais s'emparer des Indes et du Canada sans que personne, pas même Voltaire, ne conçoive la portée d'une telle perte —, mais celles qui produisent des denrées coûteuses et très demandées : les « Isles ». Le commerce avec ces dernières est d'autant plus fructueux que la monnaie d'échange a été trouvée : la traite des esclaves, qui équilibre les échanges.

En définitive, l'économie jusqu'en 1775 se développe bien et régulièrement selon des structures inchangées. La crise agricole qui va déclencher à partir de 1775 un désarroi économique général surprendra d'autant plus les contemporains. De mauvaises récoltes successives de céréales, souvent doublées d'une surproduction vinicole, appauvrissent les masses paysannes habituées à un mieux-être progressif depuis deux générations. Elles ne peuvent plus rien acheter en ville, ce qui entraîne une crise dans l'économie urbaine, d'autant que les rentiers du sol voient leurs revenus — généralement proportionnels aux récoltes — diminuer et réduisent en conséquence leur train de vie.

Pour échapper au désastre financier, la noblesse fait alors exhumer de vieux terriers ([1]) — on sait qu'à ce travail Babeuf prit le goût de l'égalitarisme — et exige d'une paysannerie pourtant elle aussi appauvrie le paiement de droits depuis longtemps tombés en désuétude : cette « réaction nobiliaire » provoque émeute et paniques, entretient l'agitation dans le monde rural et exaspère les haines sociales.

Or la paysannerie doit payer l'impôt non seulement à son seigneur, mais encore — et comme la bourgeoisie — à l'État qui ne cesse vainement et anarchiquement de chercher remède à son désordre budgétaire — alors que la noblesse et le clergé échappent à cette nécessité. Le fondement de la société d'Ancien Régime est, en effet, le privilège, l'inégalité des droits. Cette organisation sociale porte la marque de ses origines, d'un

1. Dont l'essor remarquable est dû à l'emploi de nouvelles machines, et notamment de machines à tisser (les *jennies*) venues d'Angleterre.

2. Le « système » de Law consistait à substituer à la monnaie métallique une monnaie de papier, à créer une Banque d'État pour la garantir, à organiser la levée d'impôts par l'État lui-même.

1. Registres fonciers contenant la liste des terres relevant d'une seigneurie, avec les droits et redevances attachés à chacune d'elles.

La rue Quincampoix en 1720 : animation inhabituelle chez ces bourgeois que seule explique la spéculation issue du système de Law. (B. N. Paris.)

Moyen Age où la terre — seule richesse — conférait le pouvoir. La royauté a peu à peu réduit les deux ordres supérieurs à l'état de « sujets », leur retirant les droits régaliens tel celui de battre monnaie, mais leur a conservé leurs privilèges fiscaux et honorifiques. La féodalité continue de régler les rapports sociaux, tandis que la quasi-totalité de la population se confond au sein du troisième ordre. Mais, au XVIIIe siècle, l'argent est devenu modèle des relations sociales, et la structure juridique masque mal la réalité sociale des classes, conséquence à la fois de la progression constante de la bourgeoisie, de l'amélioration du sort des masses et d'un développement démographique sans précédent. Pour sauvegarder sa prééminence, la noblesse doit donc absolument conserver une certaine richesse : cela explique la fréquence des alliances avec la riche bourgeoisie, et la violence de la « réaction nobiliaire » lorsqu'éclate la crise vers les années 1775.

Cette violence n'est que le reflet exacerbé d'une lente et constante lutte de la noblesse depuis la fin du règne de Louis XIV pour récupérer un pouvoir politique qui lui échappe. Le Régent avait un moment toléré le retour de la noblesse ([1]) — menée par Saint-Simon ([2]) — au pouvoir, mais bien vite avait freiné cette réaction, et disputé aux parlements le droit de remontrance qu'il leur avait imprudemment rendu pour les remercier d'avoir cassé le testament de Louis XIV. La noblesse n'a de cesse tout au long du siècle, d'une part d'accaparer les rouages essentiels de l'administration, de l'armée, du clergé qu'elle partageait jusqu'alors avec la haute bourgeoisie, d'autre part de bloquer systématiquement les tentatives de réformes royales à travers le Parlement où elle est seule implantée (Robe et Épée ont définitivement fait cause commune dans le combat). C'est très certainement, à la veille de la Révolution, la noblesse qui est la plus hostile à l'absolutisme royal. La faiblesse de Louis XVI est de ne l'avoir pas compris et d'avoir défendu des privilégiés qui ne cherchaient qu'à lui disputer le pouvoir au lieu de s'appuyer sur une bourgeoisie conciliante pourvu qu'on prenne son avis.

1. De 1715 à 1718 est appliqué le système de la « Polysynodie » — système de gouvernement fondé sur la coexistence de plusieurs « corps » à la tête de l'État.
2. Voir page 301.

Ce bouleversement dans la hiérarchie des classes, qui se traduit par une refonte des valeurs sociales, au niveau des mentalités et des consciences, n'est perçu que par une infime fraction de la nation, élite intellectuelle qui prépare et pressent la vie politique future.

Au début du siècle, les penseurs les plus hardis sont d'origine aristocratique — tels Montesquieu, Fénelon ou Hénault —, attaquant l'absolutisme royal ([1]) et une religion que discrédite la querelle entre Jansénistes et Jésuites. Ces critiques se diffusent par les journaux (souvent clandestins) dans les cafés, les clubs (celui de l'Entresol, fondé en 1724 par l'abbé Alary, est célèbre), les cabinets de lecture, les académies, les loges maçonniques, et surtout les salons. Pourtant les salons de cette époque sont assez peu politiques, et c'est plutôt de science et de littérature que l'on discute chez la duchesse du Maine, la marquise de Lambert ou Mme de Tencin.

Vers 1750, le ton change. Les querelles religieuses s'enveniment; l'opposition parlementaire monte; le gouvernement tente de réformer la fiscalité en établissant l'égalité de tous devant l'impôt, mais n'aboutit à aucun résultat concluant. L'élite intellectuelle se tourne toute vers la politique; la grande bourgeoisie, à travers l'*Encyclopédie* ou Voltaire, critique l'absolutisme monarchique et religieux et souhaite un despotisme tolérant et éclairé. L'union avec la monarchie semble possible : le chancelier de Maupéou (1770-1774) exile les parlements, supprime la vénalité des charges, en un mot retire le pouvoir à la noblesse; des philosophes — Necker, Turgot, Malesherbes — exercent des charges importantes. Philosophie et politique sont entièrement liées, les mêmes hommes pensent et agissent, le rationalisme triomphe et les idées mènent le monde. Dès lors la diffusion littéraire l'emporte sur la création, et les salons deviennent de hauts lieux du commentaire politique, comme ceux de Mme du Deffand, de Mlle de Lespinasse ou de Mme Necker. Il ne faut toutefois pas oublier que cette diffusion des idées philosophiques n'est le fait que d'un petit cercle urbain étroit, touche un peu les classes populaires urbaines par l'intermédiaire des domestiques, mais n'atteint jamais les campagnes, d'autant qu'elles ne sont généralement pas ou peu scolarisées.

Mais Louis XVI à son avènement rappelle les parlements, ne sait choisir entre l'alliance nobiliaire et l'alliance des Lumières ([1]), rend par ses hésitations l'explosion possible. Pendant ce temps, un penseur apporte une vision politique nouvelle, radicalement révolutionnaire, républicaine et égalitaire : Rousseau ([2]). Il est encore peu entendu, mais beaucoup lu, et c'est lui qui entrevoit le mieux ce qui sortira de l'éclatement révolutionnaire.

1. Voir les chapitres sur Montesquieu (p. 323) et sur Fénelon (p. 280 et suiv.).

1. Créée par Montesquieu, cette expression sert à désigner l'élite intellectuelle européenne qui adhère aux idées nouvelles : rejet du principe d'autorité, culte de la raison, croyance à l'avènement possible, par l'action d'idées généreuses, d'un monde capable de satisfaire les aspirations de l'homme.
2. Voir page 349.

Le négociant, image de la réussite sociale de la bourgeoisie. (B. N. Paris.)

LES LUMIÈRES DU XVIIIe SIÈCLE

A « l'honnête homme » immuable du XVIIe siècle succède un personnage ondoyant et fortement individualisé auquel le « libertin » a ouvert la voie : le Philosophe, qui porte sur toute chose un regard neuf.

Difficile à saisir dans le détail, se développant parfois dans de sérieux traités théoriques, souvent dissimulé sous l'ironie ou l'humour, toujours présents, l'esprit philosophique se manifeste essentiellement dans l'ouvrage qui est « l'œuvre de tous » : l'*Encyclopédie*, véritable témoignage des progrès accomplis par l'esprit de raison dans sa lutte contre les abus politiques, les superstitions religieuses et les injustices sociales d'un monde marchant lentement vers son terme.

L'INTELLIGENCE ET LE CŒUR

La tradition présente un XVIIIe siècle nettement divisé entre un rationalisme hérité des classiques et une sensibilité annonciatrice des romantiques. Un tel jugement paraît chronologiquement insoutenable : les romans de Marivaux et de l'abbé Prévost, malgré leur teinte « préromantique », sont antérieurs à 1740, tandis que les grands textes matérialistes furent écrits après 1760. Surtout, il masque l'originalité profonde du siècle qui est d'avoir tenté la synthèse du devoir et du désir au sein d'une morale nouvelle.

Les prestiges de la raison

A l'origine de la démarche philosophique se trouve un ouvrage contemporain du *Cid :* le *Discours de la méthode* (1637) dont l'influence commença de se faire sentir dans les dernières années du règne de Louis XIV. En accordant à la raison une place prépondérante, Descartes annonçait un monde nouveau fondé sur l'analyse : ainsi armés d'une méthode dont l'expérience prouvait de jour en jour l'efficacité, les Philosophes se lancèrent à l'assaut des domaines les plus divers ([1]). Dans un premier temps ils allaient saper les fondements sur lesquels reposaient les pouvoirs en place pour assurer avec éclat « la nécessité absolue » de la démarche rationnelle.

Mais c'est en dépassant cette attitude critique que les hommes des Lumières firent de la raison un guide irremplaçable pour l'homme : ainsi réduit à lui-même, ne trouvant l'explication de son bonheur que dans son travail, l'individu pouvait dès lors s'attacher à lutter « pour sortir du néant » et, ce qui est sans doute plus important, « rentrer en soi pour connaître sa nature » (Rousseau).

Les délices du sentiment

Ce dernier point explique le lien qui unit la raison aux passions resurgies : l'une comme les autres sont l'expression de ce qu'il y a d'humain dans le monde et concourent à assurer le bonheur de l'individu.

On voit ainsi se développer une nouvelle littérature morale qui aborde les problèmes, non plus sous l'angle métaphysique comme au siècle précédent, mais sous l'angle utilitaire : à partir des thèmes majeurs (luxe, liberté, vertu...) s'élabore une politique qui essaye d'unir le bonheur et le sentiment (attitude personnelle), mais également le bonheur et la raison (attitude sociale). Il s'agit maintenant de substituer à une

1. Voir pages suivantes : « Rénovations et découvertes ».

littérature passive une littérature active : le bonheur ne doit plus être un *sujet* d'étude, mais un *mode de vie*.

Vauvenargues (1715-1747), la plus grande figure morale du siècle, résume les contradictions des Lumières et leurs efforts pour les dépasser : si les *Réflexions et maximes* (1746) vantent les mérites supérieurs de l'instinct et du sentiment, c'est avant tout comme support de l'action raisonnée : « la raison et le sentiment se suppléent tour à tour », écrit-il comme en épigraphe à cette morale laïque prônée par la plupart des philosophes.

La synthèse par la conscience

Avec l'abandon des systèmes, les Philosophes découvrirent la notion de nature humaine, notion ambiguë selon qu'on met l'accent sur l'un ou l'autre des termes. L'important est que le XVIIIe siècle ait situé l'homme dans un devenir historique libéré de toute intervention divine : par là-même il plaçait l'expérience morale au cœur même de l'individu et non plus au-dessus des êtres dans le respect aveugle de quelques préceptes imposés. Entre les impulsions naturelles et les devoirs de l'homme, le philosophe a recours à sa conscience, ce guide infaillible, cet « instinct divin » seul capable de tracer un chemin satisfaisant à la fois pour les sens et la vertu. Toute une partie de la production romanesque sera une illustration apologétique de l'équilibre acquis par la consultation de la conscience (Prévost, Rousseau, Bernardin de Saint-Pierre) tandis qu'à la fin du siècle, Sade fera de cette même conscience l'étalon des dérèglements compris comme une nouvelle morale libératrice de l'homme.

RÉNOVATIONS ET DÉCOUVERTES

Plus significatif de l'esprit des Lumières que toute attitude théorique est le rôle de la littérature au XVIIIe siècle : elle ne constitue plus un domaine isolé, mais devient un creuset dans lequel fermentent les problèmes politiques et religieux jusqu'alors considérés comme « tabous », — une tribune privilégiée pour la propagation des sciences nouvelles en plein essor.

De la critique religieuse au matérialisme

Logiquement, la foi religieuse fut la première ébranlée par le rationalisme philosophique : traités d'« idées dignes du *Punch* (1) », les dogmes furent soumis à une implacable critique au moment même où l'on renonçait à découvrir la vérité par la croyance religieuse : les Persans de Montesquieu, le Candide ou le Huron (2) de Voltaire, le sauvage Orou de Diderot (3) délaissent tous la théologie et la métaphysique pour s'appuyer sur l'expérience de la raison.

Bien plus, la religion catholique, à laquelle on reproche d'établir la foi sur la crainte des croyants, est taxée d'immoralisme : loin de s'en tenir aux préceptes originels de douceur et de pauvreté, le christianisme s'est transformé en une institution politique qui repose sur le fanatisme, la cupidité et assure la primauté du dogme sur la morale. Progressivement s'est donc installée une morale de l'incroyance dont la source se trouve « au cœur de tous les hommes raisonnables, et non ailleurs » (Voltaire).

C'est là le seul point de rencontre des Philosophes dans leur effort pour donner un sens positif à leur critique : en effet, une fois admise la négation de la religion révélée, les divergences apparaissent. Certains, comme Voltaire adoptent une attitude déiste : à la fois « grand horloger » et « gendarme », Dieu est une présence, une idée qui laisse l'homme libre d'agir mais s'impose comme un garant de l'ordre. De même le théisme rousseauiste se résoudra-t-il à une insaisissable présence bienfaisante secourable aux malheureux.

A côté de ces positions qui se passent de la Révélation, d'autres plus hardies expliquent le monde et la vie sans le secours de la Création « l'élargissement de Dieu » souhaité par Diderot et les panthéistes conduit, par la fusion de la divinité avec la nature, à l'athéisme (négation de Dieu par l'existence du chaos). Dépassement positif des attitudes athées, le matérialisme développe un système rigoureux et cohérent

1. Journal satirique anglais.
2. Dans *L'ingénu*.
3. Dans le *Supplément au voyage de Bougainville*.

la matière ne tire son existence que d'elle-même — « c'est le monde qui a commencé le temps » — et possède une vie propre — « la sensibilité est une propriété universelle de la matière » — qui suffit à expliquer l'univers et ses habitants. Dans une telle perspective, l'homme devient le fondement de sa propre morale : attitude purement sociale et terrestre destinée à assurer « le grand bonheur du plus grand nombre ».

« *L'invention de la liberté* » (1)

Parallèlement à la critique religieuse se développe une véritable analyse politique qui revêt les formes littéraires les plus diverses : contes et romans, satires et pamphlets contiennent de violentes attaques contre la collusion du clergé et du pouvoir politique. Témoin le *Testament* du curé Meslier (2). Si bien que dans la production des philosophes, « l'analyse de leur style et celle de leur pensée sont inséparables » (3).

Cet « esprit de liberté » qui semble à Diderot caractéristique de son temps n'épargne aucun domaine : l'économie se dirige vers le libéralisme d'échange; les luttes s'engagent pour la libération de la femme (*La colonie* de Marivaux), la suppression de l'esclavage, l'élaboration d'une véritable pédagogie pour les enfants *(*l'*Émile)* et même les citoyens (le *Contrat social*); sans aller jusqu'aux dérèglements sadiens, les romanciers proposent des aventures libertines ou licencieuses qui témoignent de la libéralisation générale des mœurs...

Mais c'est avec Montesquieu et Rousseau que naît réellement la science politique moderne : le premier par sa méthode et son attachement à la réalité des conditions, le second par ses intuitions et la dialectique de sa pensée ont essayé d'établir scientifiquement les conditions idéales qui régissent les rapports du pouvoir et du gouverné. Tous deux ont été « annexés », infléchis par la bourgeoisie qui a établi son pouvoir à partir de leurs schémas généraux.

S'il est vrai que le XVIIIe siècle a réfléchi sur la notion de liberté, il serait faux de croire qu'il a voulu installer le peuple dans ses droits : à l'exception de Rousseau qui s'est voué à cette tâche (1), les écrivains, issus le plus souvent de la bourgeoisie, ont voulu avant tout asseoir économiquement et politiquement la suprématie de leur classe. La liberté, la propriété et l'égalité, fortement liées dans l'esprit des Philosophes, ne sont que les garanties de l'ordre nouveau établi par la domination bourgeoise. De même la faveur qu'écrivains et penseurs ont marquée pour l'expérience du despotisme éclairé témoigne-t-elle de choix politiques et sociaux éloignés d'une démocratie idéale; la Prusse de Frédéric II, la Russie de la Grande Catherine étaient considérées, sinon comme des modèles, au moins comme le théâtre d'expériences favorables au règne des Lumières. Aux séjours de Voltaire à Sans-Souci répondait le voyage de Diderot auprès de la tsarine.

1. L'expression est de Jean Starobinski.
2. Jean Meslier (1664-1729), curé d'Etrépigny, en Champagne, a laissé un *Mémoire* clandestin dont Voltaire publia quelques extraits en 1762.
3. *Introduction à la vie littéraire du XVIIIe siècle*, Bordas, p. 66.

Les lettres et les sciences

L'épanouissement d'une littérature scientifique et d'idées n'est pas le fait du hasard : de formation humaniste, les savants éprouvent le besoin de transmettre leurs résultats en récits de ton léger pour répondre aux désirs des salons mondains : Algarotti publia un *Newtonisme pour les dames* et Maupertuis une *Lettre sur la comète*, ouvrages « sérieux » parsemés d'intermèdes galants. Voltaire s'indigna et réclama une véritable littérature d'idées.

L'*Encyclopédie* dressera un catalogue raisonné des diverses sciences (mathématiques, physiques, historiques, naturelles), confirmant la place fondamentale prise par la réflexion scientifique dans l'évolution de la pensée et des idées au cours du siècle. Il en est de même des expériences de Buffon et Diderot : le savant et l'écrivain se mettent à l'unisson pour montrer le lien entre les sciences de la nature et les sciences humaines.

Buffon (1707-1788) : l'ordre et le génie

Savant et philosophe, jardinier et homme d'affaires, Buffon est l'exemple même de ces esprits universels que le XVIIIe siècle produisait et admirait. Sa vie illustre d'abord une grande réussite intellectuelle et sociale.

Georges-Louis Leclerc, qui deviendra comte de

1. Encore faudrait-il, comme le suggère Michel Launay, distinguer chez Rousseau peuple et populace.

Buffon, est issu d'une famille bourguignonne aisée. Élève des jésuites de Dijon, il montrera très tôt de l'intérêt pour les sciences, la géométrie et la médecine, discipline qu'il ira étudier à Angers. Après un duel, il quitte l'Anjou en compagnie de deux Anglais et visite le Midi, l'Italie, la Suisse, l'Angleterre enfin. Lorsqu'il rentre en France en 1732, c'est un homme fait, prêt à entamer sa carrière de savant.

Il compose alors des Mémoires pour l'Académie des Sciences — dont il devient membre en 1734 — et traduit des traités anglais (*La Statique des végétaux,* 1739). Entre-temps, il a été nommé intendant du jardin et du cabinet du roi (le futur jardin des Plantes) auquel il va donner une extension considérable en augmentant ses collections et en assurant un encadrement scientifique nombreux et compétent. Parallèlement, il a entrepris de rédiger une *Histoire naturelle,* illustrée, projet qui allait remplir sa vie : de la *Théorie de la Terre* (1749) au dernier tome de l'*Histoire naturelle des minéraux* (1788) en passant par l'*Histoire naturelle des oiseaux* (1770-1783), ce sont trente-six volumes qui vont proposer de nouvelles hypothèses sur ce que nous appellerions aujourd'hui les sciences de la vie.

Bien qu'élu à l'Académie française en 1753 — occasion pour lui de prononcer pour sa réception son fameux *Discours sur le style* — Buffon ne quitte plus guère son comté de Montbard, ses maisons et ses forges : c'est là qu'il accomplit son œuvre, là qu'il reçoit à l'égal des plus grands du siècle (voir le *Voyage à Montbard* de Hérault de Séchelles, 1785).

Si l'intérêt scientifique des livres de Buffon est aujourd'hui bien diminué, leur valeur philosophique et littéraire – voire même poétique – demeure intacte. Le tableau qu'ils nous proposent frappe d'abord par son ampleur et par l'ordre somptueux qui y apparaît : entre les éléments, entre les espèces, entre les parties d'un animal, il règne une harmonie que les « lois de la nature » ont dégagé du chaos, masses organisées dont le jeu se déploie calmement sous les yeux de l'observateur. D'où une admiration qui peut devenir prière adressée au Grand Horloger : « Grand Dieu dont la seule présence soutient la nature et maintient l'harmonie des lois de l'Univers... » Tout s'agence, tout roule, sans heurt, et le style de Buffon s'essaie à restituer ces grands rythmes par des périodes amples, sans ruptures.

Un ordre existe donc qui régit la nature, ordre lui-même soumis au principe de hiérarchie, explication de tout : l'homme règne ainsi sur le reste de la création. D'où la justification de son action sur le monde, action de modification qui devient art : « Qu'elle est belle cette nature cultivée! Que par les soins de l'homme elle est brillante et pompeusement parée!... » Hymne à la civilisation, hymne à l'homme — car malgré les apparences des races il n'est qu'un — qui peut envisager d'un même mouvement et de se perfectionner et de faire progresser le monde : hymne donc à la science, qui devient l'aboutissement d'une amélioration autant intellectuelle que morale, au point que dans les derniers textes (*Les Époques de la nature,* 1788) se devine l'abandon des thèses fixistes au profit d'un embryon d'évolution globale...

© Arch. E. B

Portrait de Buffon par Drouais. Coll. privée.

De tous ces textes se dégage, en tout cas, une vision poétique du monde où l'imagination relaie souvent — et heureusement pour le lecteur — l'examen froid des êtres et des choses. On passe ainsi de la vision grandiose et générale au portrait en majesté : « La plus noble conquête que l'homme ait jamais faite est celle de ce fier et fougueux animal qui partage avec lui les fatigues de la guerre et la gloire des combats » (*Le Cheval),* parfois même à la scène de genre : « L'éléphant a les yeux petits et spirituels, le regard de l'amitié. Il a l'ouïe des tambours et des trompettes. Son odorat aime la fleur d'orange! » Textes à l'opposé de la pure description, textes où l'ecriture se fait l'instrument d'une création qui, à son échelle, prétend rivaliser avec le Créateur... On connaît la formule de Buffon : « Le style c'est l'homme même. » Sans doute faut-il y voir l'aveu d'une croyance dans le pouvoir générateur des mots!

L'esthétique entre l'imitation et la création

L'esthétique moderne est née au XVIIIe siècle : jusqu'alors seul l'objet, l'œuvre d'art, intéressait l'observateur qui jugeait les choses de l'extérieur, au nom d'un absolu. Avec l'explosion de sensibilité des philosophes, le sujet donne un avis subjectif, personnel. Ainsi naît la critique d'art qui s'attache à définir le beau non plus comme une entité abstraite et théorique, mais comme un médiateur de choc entre l'homme et la nature : le beau devient alors l'expression d'une adéquation de l'individu avec ce qui l'entoure.

Mais l'expérience esthétique ne se résume pas à la critique d'art : elle intervient dans tous les domaines de l'expression. Les problèmes du langage soulèvent de nouvelles querelles à propos de la mimétique du discours. L'harmonie imitative de la musique (développée dans *Le neveu de Rameau*) déclenche une sévère dispute sur les mérites respectifs de l'opéra français et des bouffes italiens (1). Au nom des passions fortes, on tente de restituer sur la scène une vision globale de la vie : il ne s'agit plus seulement de frapper l'intelligence du spectateur en lui proposant des conflits psychologiques ou métaphysiques, mais de l'émouvoir en lui représentant les problèmes de sa condition d'être humain, des tâches les plus « nobles » aux plus rustiques. Cet effort ambitieux aurait pu aboutir si l'on n'avait dû, en même temps, sauvegarder les limites traditionnelles d'une morale rassurante.

1. L'opéra-bouffe est l'ancêtre de l'opéra-comique, mélange de musique et de textes récités.

MONSIEUR LE PHILOSOPHE

Au XVIIIe siècle, le Philosophe cesse d'être un individu hors du monde pour devenir homme parmi les hommes : l'écrivain, le penseur, le défenseur de causes perdues se confondent dans la même personne.

Avec les Lumières naît une conception moderne de l'écrivain, fer de lance d'une « intelligentsia » consciente de sa force et de ses devoirs envers les autres hommes. A défaut d'un « parti » des Philosophes comparable aux sociétés politiques ou religieuses, il se crée un puissant courant d'idées, non sans divergences notables, mais favorisé par les oppositions réactionnaires et l'expérience commune des prisons ou de la censure.

Homme avant d'être écrivain, le Philosophe est avant tout mû par « l'amour de la société » et par le désir de « se rendre utile » : entendons qu'il souhaite organiser un régime où la bourgeoisie remplace les ordres privilégiés. La littérature devient donc une arme de combat pour le développement d'une conscience de classe bourgeoise; aussi le nouveau héros des romans ou des scènes n'a-t-il rien de commun avec Madame de Clèves ou Don Rodrigue : il exerce une profession impliquant une responsabilité (commerçant, banquier, agriculteur...) et s'interroge, non plus sur ses états d'âme, mais sur sa fonction sociale et politique.

Pour répandre leurs idées, les Philosophes disposent avant tout de leur esprit qui, dans bien des cas, masque aux yeux des censeurs d'irrévérencieuses vérités. Sinon, ils ont recours aux écrits clandestins diffusés sous le manteau par de véritables organisations secrètes dont le rôle fut prépondérant pour le développement des idées nouvelles, ou aux conversations de salons. Autour d'animatrices éclairées comme la duchesse du Maine, la marquise de Lambert ou Madame de Tencin, s'agitent des cercles cosmopolites dont l'influence est d'autant plus grande qu'ils sont fréquentés par des hommes du pouvoir gagnés aux causes philosophiques. Plus libres, parce que moins mondaines, les réunions du Club de l'Entresol ou des cafés littéraires (le Procope, la Régence, Gradot) débouchent sur de véritables projets de réforme de la société et des institutions.

L'élite intellectuelle et économique, dont les Philosophes sont l'expression, était parvenue à établir dans le royaume un véritable pouvoir de fait, conscient de sa puissance et désireux d'obtenir une reconnaissance politique de droit .

LE TESTAMENT DES LUMIÈRES : L'« ENCYCLOPÉDIE »

La tentation encyclopédique ne date pas du XVIIIe siècle : Rabelais voulait que l'on ouvrît à l'homme « le vrai puits et abîme de encyclopédie ». Mais c'était là l'ambition d'un érudit. Tout comme le furent les tentatives durant l'époque classique : l'assemblage des connaissances portait témoignage d'un patrimoine culturel. Cet « énorme appétit de savoir, aussi désordonné que glouton » (1) s'organisa à l'aube des Lumières : Bayle (2) avec son *Dictionnaire historique et critique* (1695-1697) avait tenté de faire une histoire objective de l'esprit humain en montrant la continuité du progrès et en dénonçant, grâce à son scepticisme critique, les superstitions et les folies des hommes. Par l'alliance d'une vaste culture et d'une méthode d'analyse, Bayle ouvrait la voie aux Encyclopédistes dont l'œuvre ambitieuse entend « rassembler les connaissances éparses à la surface de la terre », mais également rendre les hommes « plus instruits, [...] plus vertueux et plus heureux ».

1745. Le libraire Le Breton décide de traduire la *Cyclopaedia* de l'Anglais Chambers.

1746. Après obtention d'un privilège, la direction revient finalement à Diderot.

1748. Nouveau privilège pour l' « *Encyclopédie* avec des augmentations ».

1749. Détention de Diderot à Vincennes.

1750. Publication du « Prospectus ».

1751. Publication du tome 1 avec le « Discours préliminaire ».

1751-52. Affaire De Prades (*a*)

1752. Publication du tome 2. Arrêt du Conseil d'État interdisant les deux premiers volumes.

1753-56. Grâce au soutien de Mme de Pompadour et de Malesherbes, directeur de la librairie, publication des tomes 3 à 6.

1757. Publication du tome 7. Libelle des « Cacouacs » (*b*).

1758. Différend d'Alembert/Rousseau (*c*). Publication et condamnation du *De l'esprit* d'Helvétius.

1759. Révocation du privilège de l'*Encyclopédie* et campagne antiphilosophique (*d*).

1762. Publication du premier volume de planches.

1765. Publication des tomes 8 à 17.

(*a*) En novembre 1751, l'abbé De Prades, ami et collaborateur des Encyclopédistes, soutint avec succès une thèse de théologie. Mais trois mois plus tard les Jésuites firent condamner le travail pour hérésie.

(*b*) Pamphlet qui dénonce dans l'équipe de Diderot un « corps organisé, [...] marchant à l'assaut de la morale, de la religion et du gouvernement ».

(*c*) L'article « Genève », rédigé par d'Alembert pour réclamer la création d'un théâtre dans la cité helvète, suscite la protestation de Rousseau qui trouve cet art corrupteur.

(*d*) Déchaînement des Fréron (1) et autres Palissot dans la presse et sur la scène *(Les philosophes)* (2). Le Franc de Pompignan attaque les Encyclopédistes de l'Académie. En réalité, toutes les persécutions qui s'abattirent sur l'*Encyclopédie* furent pour l'entreprise de Diderot et ses camarades « la meilleure publicité » (Jacques Proust).

1. Élie Fréron (1719-1776), ennemi juré de Voltaire qui le stigmatisa dans de violentes épigrammes (voir page 332).
2. Charles Palissot (1630-1814), ridiculisé dans *Le neveu de Rameau*, avait écrit cette comédie dans laquelle il transformait en Vadius et Trissotins modernes les amis de Diderot.

Une histoire mouvementée

Simple entreprise de librairie à l'origine, l'*Encyclopédie* devint très vite sous la conduite de Diderot le témoignage d'une époque « hardie ». Mais pour mener à bien l'édition complète des 28 volumes (dont 11 de planches), il ne fallut pas moins de 27 années de travail et de foi, tant se multipliaient les difficultés ou les crises de toutes sortes.

Une société de gens de lettres et d'artistes

De la foule des collaborateurs de l'*Encyclopédie*, il est possible de distinguer, à côté de Diderot

1. Jacques Proust, *L'Encyclopédie*, Armand Colin, 1965.
2. Sur Bayle, voir p. 283

D'Alembert par Quentin de La Tour
Musée du Louvre.

LES CHEFS	LES PILIERS	LES SPÉCIALISTES
DIDEROT a été le véritable coordinateur de la publication. On lui doit en plus nombre d'articles sur les matières littéraires ou artistiques. D'ALEMBERT (1717-1783) seconda Diderot à la tête de l'*Encyclopédie* et se chargea de la partie scientifique de l'ouvrage : il rédigea la présentation, ainsi que des articles de fond (« Collège », « Genève »...)	JAUCOURT (1704-1779) fut le plus fidèle soutien de Diderot, n'hésitant pas à se ruiner pour payer des secrétaires, rédigeant des articles manquants dans les domaines les plus divers. D'HOLBACH (1723-1789) prêta sa fortune et son salon pour le développement des idées matérialistes. Il rédigea divers articles scientifiques ainsi que certaines parties théologiques.	THÉORIES POLITIQUES : Mably, Raynal développent des thèses dans la lignée de Montesquieu. ÉCONOMIE : Quesnay, Turgot, Rousseau établissent le rapport entre les forces de production et le progrès social. RELIGION : abbés Morelet, De Prades, Yvon, Mallet. ARTICLES SCIENTIFIQUES : Tronchin et Barthez (médecine), Venel (chimie), Daubenton (sciences naturelles).

et d'Alembert, — l'âme de l'entreprise —, ceux qui les secondèrent tout au long de leur travail et ceux qui travaillèrent occasionnellement, « chacun à sa partie ».

Les grands écrivains du siècle (Montesquieu, Voltaire, Rousseau) ne participèrent qu'épisodiquement à l'*Encyclopédie*, soit par manque de temps, soit pour des raisons plus personnelles (brouilles, dédain de l'anonymat). Buffon, malgré ses promesses initiales, se récusa, sans doute par excès de prudence. Quoi qu'il en soit, avec les difficultés le nombre des collaborateurs ne cessa de croître, assurant au travail encyclopédique un sang toujours renouvelé.

L'origine sociale des Encyclopédistes est révélatrice de l'entreprise : si l'on n'y trouve aucun représentant de la noblesse de cour ou d'épée, on n'y rencontre pas davantage de paysans ou d'ouvriers; l'ensemble des collaborateurs appartient donc à la fraction dominante économiquement mais non politiquement, à cette bourgeoisie possédante qui participe à l'activité productive du pays et s'oppose à l'oisiveté passive des privilégiés.

Une ambition : faire le bilan des connaissances

L'*Encyclopédie* est un monument élevé au génie humain. Elle est surtout originale dans la manière d'aborder les problèmes. Non plus en fonction d'un pur exercice de mémoire, mais dans l' « intérêt général du genre humain ». D'Alembert, dans le « Discours préliminaire », s'efforce de montrer en quoi l'ouvrage est un pont jeté entre le passé et l'avenir.

Après avoir défini l'entreprise sous le double aspect d'une *Encyclopédie* et d'un *dictionnaire raisonné des sciences, des arts et des métiers*, l'auteur divise son exposé en trois parties. Il aborde en premier « la généalogie et la filiation de nos connaissances » pour étudier ensuite « l'histoire des progrès de l'esprit » depuis la Renaissance. Enfin, en présentant l'ouvrage, il montre comment s'est effectué le travail d'équipe et conclut sur la supériorité de l'*Encyclopédie* face aux travaux similaires.

Si l'on ajoute à ce « Discours » les « Avertissements » placés par Diderot en tête de certains volumes, ainsi que son article « Encyclopédie », on se trouve devant un véritable corpus théorique qui assigne aux sciences historiques une place prépondérante. C'est en effet par l'application d'une méthode rigoureuse dans ce domaine que les Encyclopédistes sont parvenus à dépasser le stade de l'érudition, pour suivre « une route tracée dont il est presque impossible de s'écarter » : le progrès triomphant de l'erreur et des préjugés. Mais, plus profondément, en affirmant que l'homme était soumis à l'histoire, les philosophes ouvraient l'ère des sciences humaines.

Une technique : la guerre sourde

Les nombreuses attaques contre l'édifice traditionnel des préjugés ne pouvaient passer sans difficulté. Les Encyclopédistes devaient déjouer la méfiance des censeurs en les égarant sur de fausses pistes.

Le système des renvois perfectionnait l'appareil de notes abondantes et mal commodes dont s'était servi Bayle : dans le cours d'articles en apparence orthodoxes, Diderot et ses amis introduisaient des renvois à d'autres sujets qui sapaient les fondements conformistes. Ainsi l'article « Carême » rapporte-t-il naïvement les avatars de cette institution, tandis que Marmontel (1) soumet à une analyse méthodique et rigoureuse tous les dogmes à l'article « Critique dans les sciences ». A côté des « renvois critiques », Diderot distingue des « renvois satiriques ou épigrammatiques » dont l'effet burlesque, tout autant que le crible rationaliste, dégonfle les préjugés (voir l'article « Cordeliers » complété par le renvoi à « Capuchon »).

Parallèlement à cette toile d'araignée, les Encyclopédistes font réfléchir leurs lecteurs en leur offrant diverses « lectures » d'un même sujet : l'article « Cadavre » est successivement abordé par d'Alembert, Diderot et Toussaint, tandis qu'au sujet de l'« Âme » les discussions les plus contradictoires s'élèvent entre Diderot, l'abbé Yvon et bien d'autres. Ces dialogues, qui permettaient d'éviter tout dogmatisme systématique, laissaient donc au lecteur la possibilité d'effectuer un choix original en exerçant sa propre raison. Là encore, l'*Encyclopédie* révélait son rôle pédagogique.

1. Marmontel (1723-1799), directeur du *Mercure de France*, embastillé pour irrévérence aux magistrats, connut a célébrité par un roman : *Bélisaire.*

Des idées : « la force du concept en lutte » (1)

La philosophie encyclopédique ne diffère pas des propos développés par les personnalités du siècle : malgré un effort certain de synthèse, les divergences demeurent quant aux moyens de lutter. Entre les réformateurs et les rationalistes-matérialistes qui se multiplient à partir de 1750, les attaques contre le système établi demeurent les seuls points de rencontre. En politique, comme en économie ou en droit social, la doctrine encyclopédique est floue : la dénonciation des abus ne constitue en aucune façon un programme suffisant pour établir un ordre nouveau.

En revanche, la partie documentaire et littéraire se révèle remarquablement novatrice : les naïves erreurs techniques ou l'admiration pour l'art classique ne doivent pas masquer l'accession à la dignité des arts manuels, de la passion forte et des langues dans la conscience de la bourgeoisie. C'est par l'action de ces réalités que l'*Encyclopédie* a pu accomplir un renversement décisif pour l'avenir.

1. L'expression est de Hegel.

BIBLIOGRAPHIE

ÉTUDES SUR L'ENSEMBLE DU SIÈCLE : Outre le livre de Paul HAZARD, *La pensée européenne au XVIIe siècle de Montesquieu à Lessing,* Boivin, 1935 (rééd. Fayard, 1963), et l'admirable synthèse d'Ernst CASSIRER sur *La philosophie des Lumières,* trad. franç., Fayard, 1966, nous recommandons vivement la lecture d'ouvrages d'ensemble simples mais bien documentés, tels : M. LAUNAY-G. MAILHOS, *Introduction à la vie littéraire du XVIIIe siècle,* Bordas, 1968; M. LAUNAY et J.-M. GOULEMOT, *Le siècle des Lumières,* Seuil, 1968.

Pour l'étude de problèmes particuliers mais fondamentaux, on aura recours aux synthèses de Jean EHRARD, *L'idée de nature en France dans la première moitié du XVIIIe siècle,* 2 vol., S.E.V.P.E.N., 1963. — Jacques ROGER, *Les sciences de la vie dans la pensée française du XVIIIe siècle,* A. Colin, 1963. — Robert MAUZI, *L'idée du bonheur au XVIIIe siècle,* A. Colin, 1960. — Jean STAROBINSKI, *L'invention de la liberté,* Genève, Skira, 1965 (livre d'art remarquable par le texte et l'illustration; analyse de l'épanouissement de la liberté dans les divers domaines de l'expression). — Georges BENREKASSA, *Le concentrique et l'excentrique : marges des Lumières,* Payot, 1980 (une approche politique du siècle). — On trouvera dans la revue *Dix-Huitième Siècle* (Garnier), chaque année, les mises au point sur la période.

Sur BUFFON : *Les Études de la Nature* ont été republiées par J. ROGER (Paris, éd. du Muséum, 1962); *De l'homme* par M. DUCHET (Paris, Maspéro, 1971). On doit à Jean VARLOOT des extraits bien commentés sous le titre *Histoire naturelle* en Folio (1985). Pour la critique on se reportera à la biographie de P. GASCAR, *Buffon* (Gallimard, 1983) et surtout à la thèse de Jacques ROGER, *Les Sciences de la vie dans la pensée française au XVIIIe siècle,* Colin, 1963 (une synthèse magistrale qui donne suite sa place à Buffon).

ÉTUDES SUR L'« ENCYCLOPÉDIE » : On lira les extraits proposés par A. Soboul dans les « Classiques du peuple », Éditions sociales, 1962, ou le choix offert par les « Sélections littéraires Bordas ». Les planches ont été rééditées par Hachette en 1985 dans un regroupement thématique avec présentation et annotation de Jacques Proust. — Pour toute étude sur l'*Encyclopédie,* se référer aux ouvrages de Jacques Proust qui y a consacré une thèse (*Diderot et l'Encyclopédie,* A. Colin, 1962) et un petit livre pratique (*L'Encyclopédie,* A. Colin, 1965).

SAINT-SIMON (1675-1755)

Chroniqueur des dernières années du règne de Louis XIV et de l'époque de la Régence (1691-1723), Saint-Simon est « dans ce monde qui finit, un de ceux qui ressemblent le plus violemment au passé » ([1]). Pourtant il eut la passion de l'avenir, sans se soucier de la postérité de son œuvre dont devaient se réclamer nos plus grands romanciers, — Stendhal, Balzac ou Proust.

Duc et pair de France

La Régence aurait dû ouvrir à Saint-Simon une carrière politique, comme il le souhaitait. Mais cette chance, il n'a pas su, ou pas pu la saisir.

A Louis XIV dont le règne s'achève, Louis, duc de Saint-Simon, oppose Louis XIII, le « dieu » de sa famille qui lui doit tout. Comme s'il manquait d'enthousiasme, il se décide à quitter en 1702, après dix ans de vie militaire, le service du roi. En attendant la mort du vieux souverain, il mène à Versailles une existence parasitaire. Il loge d'abord en ville puis, à partir de 1710, dans le château, son épouse étant devenue dame d'honneur de la duchesse de Berry. Il mène la vie servile d'un courtisan, assistant au lever et au coucher du roi, donnant son avis autorisé sur les questions d'étiquette, — sa spécialité —, combinant brouilles, réconciliations et mariages, toujours prompt à défendre les égards dus à son rang, cancanant surtout. Aussi le roi lui reproche-t-il de « parler ». Mais Saint-Simon écoute aussi, il interroge ses informateurs, préparant le tissu de ses futurs *Mémoires* auxquels il songe depuis l'âge de dix-neuf ans.

Saint-Simon avait prévu la situation nouvelle que devait créer la mort de Louis XIV. En 1711, la disparition du Grand Dauphin, le fils du roi, le soulage. En 1712, celle du duc de Bourgogne, son petit-fils, le remplit de chagrin.

1. François-Régis Bastide, *Saint-Simon par lui-même*, Le Seuil, p. 81.

Sa crainte, en 1715, c'est qu'un bâtard légitimé, le duc du Maine ([1]), ne l'emporte, pour la Régence, sur le duc d'Orléans, neveu du roi et ami d'enfance de Saint-Simon. Notre homme s'agite, pousse en avant le duc d'Orléans, poursuit Maine de sa vindicte : le testament de Louis XIV est annulé (1715) et le lit de justice de 1718, dont Saint-Simon a été le grand organisateur (et dont il a laissé une description célèbre), écarte définitivement les bâtards de la succession au trône. Saint-Simon pourrait être ministre, mais ayant fait adopter par le Régent son système politique, la polysynodie ([2]), il se contente d'être membre du Conseil de Régence. C'est qu'il n'aime du pouvoir que les « marges », le « dedans » ([3]). En 1722, il est chargé d'une ambassade extraordinaire en Espagne pour marier une fille du Régent avec le prince des Asturies. A son retour, il trouve son ennemi, l'abbé Dubois, Premier ministre. Le duc d'Orléans a donc écouté ses conseils, mais ne les a pas suivis. L'un et l'autre meurent en 1723.

Après la Régence, le duc de Bourbon ([4]) lui fait comprendre que sa présence n'est guère souhaitée à Versailles. Il vaut mieux qu'il retrouve son château normand de la Ferté-Vidame ou son appartement du Faubourg Saint-Germain. Pour Saint-Simon, l'heure de la retraite coïncide avec le sacre de Louis XV. « L'esprit languissant du vide effleure bien des objets qui se présentent avant que d'essayer d'accrocher son ennui sur pas un. » Vide, l'existence de Saint-Simon le sera en apparence, d'autant plus que, l'un après l'autre, le quittent ceux qui lui sont chers, — la duchesse en 1743, son fils aîné en 1746, son second fils en 1754. Remplie pourtant, si l'on songe aux quelque 50 000 pages qu'il a écrites, dont les *Mémoires* n'occupent que 2 756.

1. Fils de Louis XIV et de la duchesse de Montespan.
2. Système fondé sur la multiplicité des « Conseils ».
3. F.-R. Bastide, *op. cit.*, pp. 84-85.
4. Le nouveau Premier ministre.

Le duc de Saint-Simon d'après Van Loo. (B. N. Paris.)

Les « Mémoires »

Jugé « subversif » par le gouvernement du roi, cet ouvrage nous semble timide à bien des égards, mais d'une écriture audacieuse.

Grand lecteur de « Mémoires » en sa jeunesse, Saint-Simon eut très tôt « l'envie d'écrire aussi ceux de ce qu'[il] verrai[t], dans le désir et dans l'espérance d'être quelque chose, et de savoir le mieux qu'[il] pourrai[t] les affaires de [s]on temps ». Il accumule pendant des années notes et documents. Une fois retiré de la cour, il commence à rédiger les *Notes sur les duchés-pairies*. En 1729, le duc de Luynes lui communique le *Journal* de Dangeau [1]. Il le fait copier intégralement (37 volumes!), puis il écrit au verso de chaque feuille ses *Additions* [2] : ce sera à la fois son « aide-mémoire » et son « aide-bile » [3]. C'est à partir de 1739 qu'il se consacre à la rédaction proprement dite des *Mémoires*.

1. Autre mémorialiste (1638-1720).
2. Publiées par Y. Coirault.
3. F.-R. Bastide, *op. cit.*

A sa mort, tous ses biens furent saisis par ses créanciers. Plus tard, en 1760 un ordre du roi, signé par Choiseul, ordonne la mise sous séquestre de ses écrits. En 1828, son petit-cousin, le général de Saint-Simon, obtiendra le droit de publier les *Mémoires*.

Le regard de Saint-Simon

Il s'est défini comme le « voyeux ». Alain a prétendu qu'il s'en tenait à l'apparence, inspectant la société de son temps comme un chef son armée. En fait, il radiographie, « perçant de (s)es regards clandestins », comme il le dit lui-même, « chaque visage, chaque maintien, chaque mouvement, et y délectant (s)a curiosité ». Il « multiplie ses regards », écrit F.-R. Bastide, « regarde par d'autres yeux que les siens, les exacerbe de mille façons, se fait de toutes ses forces contemporain de l'événement comme s'il pensait ne plus jamais pouvoir le retrouver dans sa mémoire ou dans celle des autres, il ne prend aucun risque, puis lâche tout, se met à écrire, n'interroge plus personne, n'a plus rien à voir, tout est fait; il obéit en aveugle aux souvenirs de ses visions vieilles de vingt ans » [1]. C'est pourquoi il excelle dans l'art du portrait (voir par exemple celui de Philippe V qui l'étonne au « premier coup d'œil », ou celui du duc du Maine qu'il charge de « noirceur ») et du tableau (voir le lit de justice, la mort de Louis XIV, du Grand Dauphin, de la duchesse son épouse). On surprend son dégoût d'homme chaste, en ces temps de débauche, devant Paris, « l'égout des voluptés de toute l'Europe » (ce trait vise évidemment ses ennemis les bâtards), ses coups de griffes (« il avait ses détentes », dit de lui Sainte-Beuve), sa passion de l'étiquette et son habileté à démonter « la mécanique de la cour ».

Ses « vues »

Un tel homme ne peut avoir de théorie en politique : des vues seulement. Porte-parole de la noblesse parlementaire, il veut renverser le contrôleur général des Finances, les secrétaires d'État (« les cinq rois de France », et les remplacer par des Conseils dont les États généraux ne feront qu'entériner les décisions. Car la noblesse, qui n'est plus « bonne qu'à se faire tuer » sur

1. *Op. cit.*

les champs de bataille et « n'a d'autre choix que de croupir dans une mortelle et ruineuse oisiveté », est la vraie conseillère du roi. Il faut redonner aux pairs le lustre qu'avaient sous Saint Louis les barons.

Défenseur de son ordre, « devenu un autre peuple », Saint-Simon est pourtant sensible aux misères des petites gens. Il regrette l'impuissance des rois à les soulager, parle de « multiplier les taillables », de limiter les dépenses de la cour et le nombre des offices inutiles. Réformes timides, sans doute, mais dont l'idée fait honneur à un homme qui par ailleurs aurait tout sacrifié à son rang.

Ses audaces d'écriture

La véritable audace de Saint-Simon est la plus involontaire de toutes : celle de l'écrivain. Lui-même s'est montré sévère pour son style auquel il reproche « sa négligence », les « répétitions trop prochaines de mêmes mots, quelquefois de synonymes trop multipliés » et surtout « l'obscurité qui naît souvent de la longueur des phrases ». Mais cette hâte, cette irrégularité donnent l'impression de la vie et ont quelque chose de fulgurant. Comme l'a dit Chateaubriand, Saint-Simon « écrit à la diable pour l'immortalité ».

Le mausolée de la famille de Bourgogne lors de la cérémonie funèbre (février 1712). (B. N. Paris.)

BIBLIOGRAPHIE

ÉDITIONS : L'édition « définitive » des *Mémoires* de Saint-Simon a été établie par Chéruel en 1856-1858. On se reportera à celle qu'a établie Gonzague Truc pour la « Bibliothèque de la Pléiade », éd. Gallimard, 7 vol. — Extraits dans les classiques Bordas, Larousse, Hachette, Hatier.

ÉTUDES : François-Régis BASTIDE, *Saint-Simon par lui-même*, Seuil, coll. « Écrivains de toujours », n° 15 (un essai stimulant). — Yves COIRAULT, *L'optique de Saint-Simon*, A. Colin (la thèse d'un érudit dont les travaux ont renouvelé notre connaissance de Saint-Simon).

LES HÉSITATIONS DU ROMAN

Le développement du roman dans la première moitié du XVIIIe siècle (1) est lié à l'ascension de la bourgeoisie dont il est à la fois le divertissement et le miroir. On sent vite pourtant les limites d'une explication de type sociologique : outre les contradictions de la pensée bourgeoise, les influences étrangères entrent en ligne de compte (celle de l'Espagne sur Lesage; de l'Angleterre sur Prévost, qui traduit, ou plutôt adapte, la *Pamela* de Richardson), ainsi que la force des traditions qui encombrent de conventions et de poncifs les transformations d'un genre essentiellement fluent.

Vérité et fiction

Point d'hésitation plus grande, peut-être, que celle qui balance le roman entre « la vérité » et « la fable ».

La fiction régnait en maîtresse dans le roman historique et galant, plus soumis que les autres aux conventions héritées du XVIIe siècle, dans une « narration fabuleuse » (2) comme le *Télémaque* de Fénelon (dont la première édition authentique date de 1717) ou, à plus forte raison, dans les contes de fées à la mode depuis Perrault et Madame d'Aulnoy (3).

La vérité tend à reprendre ses droits dans le roman assez improprement qualifié de « réaliste ». Le héros s'y trouve mêlé aux mille et un incidents du monde et doit affronter des problèmes d'action. Il peut être de naissance noble comme le d'Artagnan de Courtilz de Sandras (4), le comte de..., dont les *Mémoires* attribués à Saint-Évremond semblent dus en réalité à l'abbé de Villiers (1), ou le comte de Grammont dont Antoine Hamilton, Anglais de France, a présenté avec beaucoup d'esprit les aventures guerrières et galantes (2). Il peut aussi être gueux comme le Gil Blas de Lesage, même si la fortune dont il est le jouet lui donne parfois l'illusion de sortir de sa condition de domestique.

Romans d'aventures et d'aventuriers, ces ouvrages « réalistes » mêlent l'observation à l'extravagance et bien souvent font franchir la limite qui sépare le réel de l'imaginaire. Même Robert Chasles (1659-v.1725), l'auteur des *Illustres Françaises* (1713), soucieux de raconter des « vérités (...) qui ont leurs règles toutes contraires à celles des romans », avoue qu'il ignore qui sont ses héros et héroïnes, et distingue soigneusement sa tâche de celle de l'historien. On frôle parfois la fantasmagorie, et l'abbé Prévost, montrant un « opérateur » (3), dans les *Mémoires*

Le sentimentalisme vu par Watteau. Détail de *L'amour paisible*. (Palais Neuf de Potsdam.)

1. 946 titres dénombrés de 1700 à 1750 contre 1 200 pour le XVIIe siècle tout entier.
2. Définition due à Fénelon lui-même qui évitait d'employer, à propos de son livre, le terme de roman. Sur *Télémaque*, voir plus haut, p. 269.
3. Voir plus haut, p. 270.
4. C'est bien à cet auteur, semble-t-il, qu'il convient d'attribuer les *Mémoires de d'Artagnan* (1709) où puisera Dumas pour composer *Les trois mousquetaires.*

1. *Les mémoires de la vie du comte de ... avant sa retraite rédigés par M. de Saint-Évremond.* L'ouvrage a parfois été attribué également à Courtilz de Sandras.
2. *Mémoire de la vie du comte de Grammont contenant particulièrement l'histoire amoureuse de la cour d'Angleterre sous le règne de Charles II* (1713). Hamilton (1645?-1720) a longtemps vécu en France et a écrit son ouvrage en français.
3. Charlatan.

d'un homme de qualité, nous laisse hésiter entre une explication naturelle et une explication occulte.

Ici et là, la « vérité » et la « fable » se mêlent, et Bayle, qui en 1697 protestait contre cette union à propos de Mme de Villedieu ([1]), aurait vu sans plaisir s'augmenter l'« infinité de livres nouveaux » où elle s'opère. Cette confusion est sans doute un des aspects de la « crise de la conscience européenne » que Paul Hazard a située entre 1680 et 1715. Elle est plus particulièrement sensible dans le roman parce que ce genre lui-même passe par une crise esthétique.

Problèmes de technique romanesque

Dans la première moitié du XVIIIe siècle, les critiques reprochent souvent au roman de n'avoir pas de place fixe dans la hiérarchie des genres littéraires. Il est tenu en si piètre estime par les gens de goût (entendez : les tenants du goût aristocratique) que les auteurs, n'espérant point tirer gloire de leur écrit, se contentent la plupart du temps de l'anonymat. Il faudra attendre Diderot et Rousseau pour voir s'émanciper le goût bourgeois.

Sans doute les romanciers auraient-ils pu revenir, pour satisfaire les gens de goût, à la formule « classique », — la longue nouvelle développant avec rigueur une action unique. Mais elle semble appartenir au passé et *L'histoire du chevalier des Grieux et de Manon Lescaut*, le chef-d'œuvre de l'abbé Prévost, n'est elle-même qu'un exemple fallacieux, puisqu'elle faisait partie en réalité d'un ensemble plus vaste, *Mémoires et aventures d'un homme de qualité*.

Que sont ces « aventures »? Des mémoires plutôt. D'ailleurs, ces deux termes reviennent très fréquemment dans les titres. De pseudo-mémoires, bien sûr, à la différence de ceux de Saint-Simon et de Casanova. Le procédé est présenté par les auteurs comme une garantie de véracité. Disons qu'il est propre à créer l'illusion romanesque, sur laquelle le romancier, on peut le penser, ne se fait guère d'illusion lui-même. Il permet surtout d'enchaîner librement les épisodes, le lien essentiel étant celui du « je » du narrateur, dont le point de vue se substitue à celui du romancier omniscient, et qui parfois (comme dans *Gil Blas*) est lui-même le héros principal de l'aventure.

1. Voir plus haut, p. 265.

Car, en cette première moitié du XVIIIe siècle, le roman se plaît encore à multiplier les tiroirs, à greffer sur l'histoire du héros principal celle de tel ou tel personnage de rencontre. *Gil Blas* en est un exemple parfois irritant, d'autant que Lesage s'est plu à l'alourdir encore à la fin de sa vie. Au livre V, le narrateur écoute l'histoire du brigand don Raphaël (qui l'a dupé autrefois et qu'il vient de retrouver déguisé en ermite), lequel est amené à raconter comment il écouta sa mère lui raconter son histoire : véritable composition-gigogne dont l'auteur, un peu embarrassé, finit par s'excuser :

> Quand don Raphaël eut achevé de conter son histoire, *dont le récit me parut un peu long*, don Alphonse, par politesse, lui témoigna qu'elle l'avait fort diverti. (V, 2)

Il peut même arriver que le roman se réduise à un enchaînement d'anecdotes, comme *Le diable boiteux* de Lesage. Enfin, bien souvent, presque lassé lui-même, l'écrivain laisse son œuvre

Frontispice pour l'édition originale du *Diable boiteux* de Lesage (1707) : l'écolier Cléofas et le diable visitant la maison de l'apothicaire (chap. III).

inachevée : c'est le cas pour *Les égarements du cœur et de l'esprit* de Crébillon fils et les deux romans de Marivaux.

« Marianne n'a point songé à faire de roman. [...] Marianne n'a aucune forme d'ouvrage présente à l'esprit », écrit Marivaux en guise de préambule à sa *Vie de Marianne* (1731). Ce roman qui se moque du roman se moque-t-il autant de l'ordre qu'il le dit? On a l'impression, bien plutôt, qu'il est à la recherche d'un ordre. Déjà, dans *Les illustres Françaises*, Robert Chasles avait découvert une solution ingénieuse pour souder les sept histoires qu'il présentait : il ne suffit plus, comme dans l'*Heptaméron* de Marguerite de Navarre ([1]), que des « devisants » les racontent tour à tour devant une petite société d'amis. Mais auditeurs et narrateurs sont eux-mêmes acteurs dans ces histoires. Bien plus, elles ne trouvent leur dénouement véritable que dans les circonstances où elles sont racontées.

Plus souvent, la progression de l'œuvre sera assurée par le progrès moral du personnage : tel est l'ordre véritable vers lequel semblent tendre un Marivaux, un Prévost, un Lesage.

Roman et morale

Mais tout ne va pas bien dans le ménage du roman et de la morale. Il y a même une querelle au sujet de la valeur morale du roman. En 1755, l'un des adversaires les plus acharnés du genre, l'abbé Juquin, dans son *Entretien sur les romans*, l'accuse de favoriser le libertinage, de confondre le vice et la vertu. Et l'abbé de conclure :

> Puisque les romans ont toujours été inutiles pour les belles-lettres, dangereux pour l'esprit, plus dangereux encore pour le cœur, la Religion, les mœurs et les sciences sont également intéressées à les rejeter; il est de la sagesse du gouvernement et de la vigilance des magistrats de les proscrire; il est enfin du devoir des parents de veiller avec la dernière attention, pour en empêcher la lecture à leurs enfants.

C'est que les romanciers vont dans le sens de la philosophie et expriment les tendances modernes. Les passions sont réhabilitées. Vauvenargues, au même moment, reconnaît qu'elles « ne sont pas distinctes de nous-mêmes » et qu'« il y en a qui sont tout le fondement et toute la substance de notre âme » ([1]). Duclos affirme que « la sensibilité fait l'homme vertueux » ([2]), et Diderot va découvrir que le cœur pousse à faire « de bonnes actions » ([3]). Le bonheur est un devoir, et la vertu n'est peut-être qu'une des façons d'y parvenir. En fait, certains sentaient bien les dangers d'une pareille assimilation. Le Des Grieux de Prévost, par exemple :

> Prédicateurs, qui voulez me ramener à la vertu, dites-moi qu'elle est indispensablement nécessaire, mais ne me déguisez pas qu'elle est sévère et pénible.

D'autre part, le « réalisme » conduit le roman à exposer ce qu'il n'approuve pas nécessairement. On peut peindre le vice et être du côté de la vertu. Bien plus, la peinture du vice et de ses conséquences funestes peut contenir une leçon de vertu. C'est du moins ce que tente de démontrer Crébillon dans la préface des *Égarements du cœur et de l'esprit :* un roman est un « tableau de la vie humaine » (« un tableau des mœurs du siècle », disait Lesage à propos du *Diable boiteux*) et présente des « exemples » concrets supérieurs à tous les principes abstraits. Et cet auteur, prétendu libertin parce qu'il a peint des libertins, est en fait un fougueux défenseur de la morale. « L'instruction des mœurs », tel est encore le but que se fixe Prévost dans *L'histoire du chevalier des Grieux et de Manon Lescaut :* « l'ouvrage entier est un traité de morale réduit agréablement en exercice ».

Mais n'entre-t-il pas beaucoup de complaisance dans cette formule? Le roman peut bien se présenter comme le compte rendu d'une longue expérience qui conduit à la vertu (roman d'apprentissage). Le récit n'en est pas moins une manière de revivre cette expérience, qu'il ne serait pas si déplaisant de recommencer...

1. Voir plus haut, p. 109.

1. Vauvenargues, *Introduction à la connaissance de l'esprit humain* (1746).
2. Duclos, *Considérations sur les mœurs de ce siècle* (1751).
3. Diderot, *Éloge de Richardson* (1762).

LESAGE (1668-1747)

Lesage romancier semble avoir été bridé par les conventions du genre et par l'usage presque constant du masque espagnol. D'une lecture agréable, l'œuvre paraît trop souvent indirecte, même si le diable soulève les toits pour mieux nous faire voir...

Né dans une famille bretonne de bonne bourgeoisie, Alain-René Lesage perdit très tôt ses parents et sa fortune. Reçu avocat en 1692, mais plus attiré par la littérature que par le barreau, il doit écrire sans relâche pour assurer l'existence de sa femme et de ses enfants. Traducteur du théâtre espagnol du Siècle d'Or, il devient auteur dramatique à son tour. *Le point d'honneur* (1702) n'est encore qu'une adaptation de Rojas. *Don César Ursin* (1707) échoue. Mais, la même année, *Crispin rival de son maître* obtient au Théâtre-Français un succès de bon augure. Malheureusement, autour de *Turcaret* (1709), qui évoque avec âpreté le monde de l'argent, une cabale se forme. Lesage sera contraint à ne plus écrire que des divertissements pour le théâtre de la foire.

Le roman va lui offrir une autre voie. L'Espagne à la mode et un auteur d'outre-Pyrénées, Luis Velez de Guevara, se trouvent encore à la source d'un livre qui, en 1707, fait courir tout Paris : *Le diable boiteux*. Espagnole aussi, l'*Histoire de Gil Blas de Santillane* qui paraît en livraisons successives : 1715 (livres I à VI), 1724 (livres VII, VIII, IX), 1735 (livres X, XI, XII). Les autres œuvres romanesques de Lesage sont moins originales : l'*Histoire de Guzman d'Alfarache* (1732) est une adaptation libre du célèbre roman picaresque de Mateo Aleman. L'*Histoire d'Estevanille Gonzalès, surnommé le garçon de bonne humeur* (1734) est plutôt le résultat de la compilation de sources diverses. *Les aventures de Monsieur Robert Chevalier dit de Beauchêne, capitaine de flibustiers dans la nouvelle France* (1732) mêlent assez maladroitement un roman de la flibuste, un roman exotique et un roman passionnel. Même *Le bachelier de Salamanque* (1738), où Lesage se montre plus libre à l'égard de ses sources, n'atteint pas à la réussite de *Gil Blas*, que l'auteur se croit d'ailleurs obligé d'alourdir de « tiroirs » nouveaux à l'occasion de la nouvelle édition de 1747.

Il est vrai qu'à cette date, Lesage était très diminué. Après la mort de son fils aîné, il s'est retiré en 1743 avec sa femme chez le second de ses enfants, chanoine à Boulogne-sur-mer. C'est là qu'il devait mourir.

Une revue satirique : « Le diable boiteux »

« Quoique le monde soit toujours le même, il s'y fait une succession continuelle d'originaux, qui semble y apporter quelque changement » (Préface de 1726). Pour présenter cette galerie d'originaux, Lesage aurait pu se contenter de juxtaposer des portraits, des « caractères » à la manière de La Bruyère. Il a préféré la forme romanesque mais en faisant preuve, semble-t-il, de beaucoup de méfiance à l'égard de cette forme elle-même.

Dans la première version (1707) il se contentait en effet, après le déclic initial (l'amitié de don Cléofas, écolier d'Alcala, et d'Asmodée, le « diable boiteux » qu'il a délivré) d'enchaîner épisodes et anecdotes. En 1726, il introduit un élément de continuité, bien insuffisant et conventionnel d'ailleurs, en prêtant à don Cléofas lui-même une histoire : abandonné soudain par Asmodée, que le magicien réintroduit dans la bouteille, il fait un riche mariage et entre dans la haute société.

L'intérêt essentiel de l'ouvrage est celui du regard critique que l'auteur jette sur ses semblables. Le plus direct des regards? Non, car Lesage a besoin du truchement de son personnage : le diable enlève les toits des maisons pour montrer à don Cléofas ce qui se passe à l'intérieur. Sans doute finit-on par se lasser du catalogue des « sottises humaines ». Mais c'est que, comme le reconnaît Lesage, elles constituent « une source de tomes inépuisable ». Et le moraliste, après s'être un instant attendri sur l'histoire du savetier qui préfère le travail à l'oisiveté dorée (chap. VIII), en vient à se demander si même les actions généreuses ne cachent pas des motifs inavouables. La conclusion pratique est celle de la *conformidad* picaresque : accepter la vie telle qu'elle est en évitant le plus possible de s'y salir les mains.

« Gil Blas », le roman d'une vie qui se fait

Don Cléofas n'était guère qu'un spectateur. Gil Blas est au contraire lancé dans l'existence. A peine pourvu des premiers principes de la

Portrait gravé de Lesage. (B. N. Paris.)

philosophie, par le docteur Godinez, « qui passait pour le plus habile pédant d'Oviedo », il descend dans la rue pour engager la discussion. Mais le monde est un autre lieu de dispute où la parole ne suffit plus, où il faut savoir jouer des coudes, se faufiler entre les nantis et ceux qui les exploitent.

La comédie du monde. Pourtant, Gil Blas est encore un témoin, et le miroir du monde dans lequel il promène sa destinée errante. Promenade dans l'espace.

D'Oviedo, Gil Blas doit se rendre à Salamanque pour étudier à l'université. Mais il se retrouve à Valladolid et y exerce même quelque temps la médecine (II, 5). De Valladolid, il part pour Madrid en passant par Oviedo (II, 6 à III, 1). Il quitte Madrid pour Tolède (IV, 9) d'où il gagne, après la rencontre d'un étrange ermite (le brigand Rolando) sur la route de Cuenca, le royaume de Valence (VI, 1). Grenade l'attire bientôt (VII, 2). Il revient à Madrid en passant par Tolède (VII, 11). Son séjour dans la capitale est entrecoupé par un emprisonnement à la tour de Ségovie (IX, 4). Gil Blas fait un voyage aux Asturies pour y revoir sa famille (X, 1). D'Oviedo, il rejoint sa terre de Llirias, dans le royaume de Valence (X, 3). Après la mort de sa femme, il hante de nouveau la cour (XI, 1). Le comte-duc d'Olivarès, le ministre son maître, l'envoie pour une mission délicate à Tolède (XII, 1). Après la disgrâce du comte-duc, il l'accompagne jusqu'à sa mort dans le château de Loeches (XII, 9). Alors il revient, par Madrid, dans sa terre de Llirias.

Promenade dans le temps aussi. Les aventures de Gil Blas (qui, si l'on calcule bien, devrait avoir quelque 80 ans quand il se marie avec Dorothée à la fin du livre) se déroulent sous les règnes de Philippe III et de Philippe IV, donc au XVIIe siècle espagnol. En fait, c'est son pays et son époque que décrit Lesage. Les scandales du gouvernement du duc de Lerme (livres VIII et IX) sont ceux du gouvernement de l'abbé Dubois sous la Régence. A ce régime pourri succède une tentative de sage réorganisation, sous la houlette du cardinal Fleury, — ou du comte-duc Olivarès. Cette superposition explique certaines incohérences du livre, où abondent les anachronismes.

Comme dans *Le diable boiteux*, Lesage nous fait pénétrer dans tous les milieux et il excelle dans l'art du portrait, qui, cependant, tourne trop souvent à la caricature. Du moins sait-il se garder de la tentation réaliste. Il évite avec soin de décrire tout ce que voit son héros.

La double ascension de Gil Blas. En Gil Blas, Lesage a sans doute mis aussi beaucoup de lui-même. A première vue, ce personnage central apparaît comme un héros moyen, et même médiocre, qui se laisse ballotter par les vagues de la fortune. La passivité du personnage est, il est vrai, plus sensible dans les six premiers livres, les plus « picaresques ». Mais « Gil Blas ne retombe pas exactement au niveau dont il était chaque fois parti » ([1]). Il connaît une double ascension.

Une ascension sociale : tout d'abord. Gil Blas est le domestique de petites gens. Progressivement, il passe dans un milieu supérieur et occupe des emplois de plus en plus importants : il est secrétaire de l'archevêque de Grenade (VII), du duc de Lerme (VIII-IX), homme de confiance du comte-duc d'Olivarès (XI-XII) et précepteur de son fils don Henri. En cours de route, il s'est enrichi, il a obtenu la terre et le château de Llirias, il a été anobli par Olivarès quelques jours avant le mariage de don Henri (XII, 6). Anobli malgré lui, d'ailleurs, car il proteste contre cet honneur dont il se juge indigne :

« Je suis fils d'une duègne et d'un écuyer; ce serait, ce me semble, profaner la noblesse que de m'y agréger. »

1. Henri Coulet, *op. cit.*

Mais les services éminents qu'il a rendus à l'État, et surtout sa valeur morale, permettent de lever l'obstacle.

Car Gil Blas connaît également une ascension morale. Cette valeur, il l'a patiemment acquise, passant, là encore, par des hauts et des bas. Il a aidé le docteur Sangrado à duper et à exécuter ses pratiques. Il a eu des liaisons peu glorieuses. Il a favorisé celles du futur roi. Il s'est montré ingrat quand il était au faîte de la fortune (VIII, 10, 13). Il a même été entraîné à rançonner son prochain. Mais sa conscience morale lui a évité de tomber dans l'abîme.

Le prix de cette vertu, c'est la sagesse, et finalement un bonheur à la Candide, dans son bon château de Llirias, auprès d'une épouse qu'il dit vertueuse. S'il en était absolument sûr [1], il aurait perdu son ironie et il ne serait plus Gil Blas. Car, selon Lesage, l'expérience peut améliorer les êtres, elle ne les transforme point.

1. Voir la dernière phrase du livre : « Pour comble de satisfaction, le ciel a daigné m'accorder deux enfants, dont l'éducation va devenir l'amusement de mes vieux jours, et dont je crois pieusement être le père ».

L'ABBÉ PRÉVOST (1697-1763)

Pour rendre vraisemblables ses récits, l'abbé Prévost s'est plu à les présenter comme relatant des faits authentiques. Peine inutile, car son œuvre est marquée du sceau de l'authenticité, celle que lui confère la présence de l'auteur, l'un des plus attachants qui soient.

Un abbé libertin

Originaire de l'Artois, Antoine-François Prévost fut très tôt destiné à la prêtrise. Mais, dès ses années de noviciat chez les Jésuites de La Flèche et de Rouen, il s'échappa par deux fois, plus épris de gloire militaire ou d'aventures amoureuses que de religion. Admis en 1721 chez les Bénédictins de Saint-Maur, il semble pourtant se soumettre, et il est ordonné prêtre. Après avoir fait paraître en Hollande les deux premiers tomes des *Mémoires et aventures d'un homme de qualité*, sous l'anonymat, il quitte son couvent en octobre 1728 sans avoir obtenu toutes les autorisations nécessaires. Menacé par sa congrégation, il s'enfuit à l'étranger.

L'Angleterre l'accueille d'abord. Précepteur dans une riche famille, il a le loisir de travailler à *Cleveland* et d'achever les *Mémoires et aventures d'un homme de qualité*. Le septième tome de cet ouvrage ne paraîtra qu'en 1731 en Hollande, où Prévost vient de s'installer : c'est *L'histoire du chevalier des Grieux et de Manon Lescaut*. En janvier 1733, il quitte les Pays-Bas dans des circonstances mystérieuses. Revenu en Angleterre, il y est emprisonné quelque temps

L'abbé Prévost en 1745. (B. N. Paris.)

pour escroquerie. Mais il a eu le temps de lancer une gazette dont il est le seul rédacteur, le *Pour et Contre*.

En 1734, un bref papal l'ayant relevé des vœux qu'il avait prononcés, il peut rentrer en France. Son œuvre, elle, n'échappe pas à l'autorité : *L'histoire du chevalier des Grieux et de Manon Lescaut* est condamnée à être brûlée. Entré au service des Conti, Prévost travaille à une histoire de la famille, mais aussi à des romans, dont *Le doyen de Killerine* et *L'histoire d'une Grecque moderne*. Ayant gagné quelque argent grâce à d'innombrables travaux de librairie (traductions de Richardson, *Histoire générale des voyages*)

Prévost passe ses dernières années dans la retraite et meurt d'un coup de sang en 1763.

Le romancier des passions fatales

Le chevalier des Grieux avoue à son ami Tiberge qu'il est poussé vers Manon Lescaut par « un de ces coups particuliers du destin, qui s'attache à la ruine d'un misérable, et dont il est aussi impossible à la vertu de se défendre qu'il l'a été à la sagesse de les prévoir ». De fait, elle est bien fatale, cette passion qui pousse un jeune homme de dix-sept ans vers une inconnue plus jeune encore, rencontrée par hasard dans la bonne ville d'Amiens. Cette Manon est fort éprise de lui sans doute, mais incapable de résister aux avances d'un amant plus fortuné. Pour la suivre, le chevalier ne secoue pas seulement la tutelle paternelle et l'éducation donnée par les Jésuites : il est bientôt entraîné au jeu, au vol, au meurtre même.

En s'étendant sur les péripéties de cette aventure, Prévost prétend servir la morale et donner au lecteur une salutaire leçon :

> [...] l'expérience n'est point un avantage qu'il soit libre à tout le monde de se donner; elle dépend des situations différentes où l'on se trouve placé par la fortune. Il ne reste donc que l'exemple qui puisse servir de règle à quantité de personnes dans l'exercice de la vertu. C'est précisément pour cette sorte de lecteurs que des ouvrages tels que celui-ci peuvent être d'une extrême utilité, du moins lorsqu'ils sont écrits par une personne d'honneur et de bon sens. Chaque fait qu'on y rapporte est un degré de lumière, une instruction qui supplée à l'expérience; chaque aventure est un modèle, d'après lequel on peut se former; il n'y manque que d'être ajusté aux circonstances où l'on se trouve (1).

Alors pourquoi brûler le livre? Les juges ne s'y sont pas trompés, qui ont bien senti l'excuse et l'artifice de la thèse construite pour justifier une œuvre où le vice garde son charme et dont les héros expient lors même qu'ils cherchaient à se réconcilier avec la religion. « [Le ciel] m'avait souffert avec patience tandis que je marchais aveuglément dans la route du vice; et ses plus rudes châtiments m'étaient réservés lorsque je commençais à retourner à la vertu », constate des Grieux avec quelque amertume à son retour d'Amérique, où Manon a expiré dans ses bras.

Cette amertume, à n'en pas douter, est celle de Prévost. Il a mis beaucoup de lui-même dans

1. « Avis de l'auteur » des *Mémoires et aventures d'un homme de qualité.*

Gravure pour *Manon Lescaut* (1753). (B. N. Paris.)

cette histoire, même s'il n'est pas avéré qu'il y ait transposé sa passion pour cette Lenki dont il était si follement épris que « pour ne pas la désobliger, il se brouilla avec tous ceux qu'il avait lieu d'estimer ». L'auteur n'a le courage de condamner ni son héros — une grande âme égarée — ni l'amour, « passion innocente », mais dont le charme est si puissant qu'il entraîne les pauvres humains dans le désespoir et dans la faute.

Les souffrances des âmes passionnées constituent le sujet de presque tous les romans de Prévost. L'écrivain semble toutefois chercher de plus en plus à conduire ses héros vers l'apaisement. Cleveland le trouve au terme d'une sombre odyssée. Le doyen de Killerine parvient à conduire au bien ceux qui ont connu des passions qu'il ignore. Le chevalier de Malte, contrairement à des Grieux, rompt un attachement qui devait le conduire à l'abîme (1). En est-il plus estimable pour autant? Prévost n'en semble pas sûr...

L'art de l'incertitude

Cette incertitude est rendue sensible par la structure même des romans de l'abbé Prévost. Les plus longs « ont toujours quelque chose d'incomplet, de hasardeux, dans la composition » (2). Ce sont « des interrogations, et non des démonstrations ». Quand plusieurs intrigues

1. *Histoire de la jeunesse du commandeur.*
2. Henri Coulet.

se mêlent, comme dans les *Mémoires et aventures d'un homme de qualité*, l'une peut nuancer l'autre. Même à l'intérieur d'une composition beaucoup plus rigoureuse parce que plus brève, comme *L'histoire du chevalier des Grieux et de Manon Lescaut*, à laquelle on accorde si volontiers l'épithète de « classique », l'incertitude subsiste, chaque épisode venant détruire l'effet du précédent, remettant tout en jeu; l'alternance illustre, mieux encore que les paroles, l'idée que des Grieux se forme du Destin :

Le ciel a toujours choisi, pour me frapper de ses plus rudes châtiments, le temps où la fortune me semble le mieux établie.

Prélude : comment l'homme de qualité rencontra par deux fois des Grieux.

Première partie du récit de des Grieux	
BONHEUR	MALHEUR
1. Des Grieux rencontre Manon Lescaut à Amiens et l'enlève à son vieux « conducteur ».	2. Des Grieux trouve Manon avec le vieux M. de B. Le chevalier est enlevé sur l'ordre de son père. Sa « conversion ».
3. Manon retrouve des Grieux à Saint-Sulpice. Nouvel enlèvement. Installation à Chaillot : « Mon bonheur me parut (...) établi d'une manière inébranlable. »	4. Un incendie ruine les amants dont le frère de Manon avait déjà entamé la fortune.
5. Tiberge prête cent pistoles à des Grieux qu'enrichissent bientôt ses gains frauduleux au jeu.	6. Des Grieux est volé par son valet, Manon par sa femme de chambre. Par l'entremise de son frère, elle devient la maîtresse de M. de G... M..., « vieux voluptueux qui payait prodigieusement ses plaisirs ».
7. Se faisant passer pour le frère de Manon, des Grieux est introduit chez M. de G... M... à qui il enlève sa maîtresse et l'argent qu'il lui avait donné.	8. Ils sont arrêtés, saisis au lit sur l'ordre de M. de G... M..., des Grieux est emprisonné à Saint-Lazare, Manon à l'Hôpital Général.
9. Evasion de des Grieux, libération de Manon avec l'aide de M. de T... le fils.	10. Mort du frère de Manon.

Interlude : l'homme de qualité prie des Grieux « de prendre un peu de relâche et de (lui) tenir compagnie à souper ».

Deuxième partie du récit de des Grieux	
BONHEUR	MALHEUR
1. La vie heureuse à Chaillot.	2. Le jeune G... M... (présenté à des Grieux par leur ami commun M. de T...) s'éprend de Manon et l'enlève.
3. Stratagème qui permet à des Grieux d'éloigner le jeune G... M... de son propre logis et de s'y installer avec Manon.	4. Le vieux M. de G... M..., averti par un laquais, les fait arrêter dans la chambre de son fils.
5. Libération de des Grieux.	6. Manon, condamnée à partir pour l'Amérique. Des Grieux échoue dans sa tentative pour la libérer et décide de la suivre dans le Nouveau Monde.
7. Des Grieux s'étant fait passer pour le mari de Manon, le gouverneur du Nouvel Orléans les laisse vivre ensemble : « C'est au Nouvel Orléans qu'il faut venir, disais-je souvent à Manon, quand on veut goûter les vrais joies de l'amour. »	8. Synnelet, neveu du gouverneur, tombe amoureux de Manon. Quand des Grieux, voulant épouser Manon, dévoile la supercherie, le gouverneur, à l'instigation de son neveu, lui oppose un refus.
9. Victoire de des Grieux dans le duel qui l'oppose à Synnelet, laissé pour mort sur le terrain.	10. Fuite de Manon et de des Grieux. Mort de Manon.

On trouverait d'autres signes de l'incertitude dans l'œuvre romanesque de l'abbé Prévost : le mélange de l'ordinaire et de l'extraordinaire, par exemple, du connu et de l'exotique; l'hésitation entre le « je » du romancier et le « je » du narrateur qu'il choisit comme truchement, donc entre ce qu'il appelle lui-même « le récit réglé par le temps des connaissances » et « la narration suivant l'ordre des événements ». Il en résulte une subtilité d'autant plus admirable que l'écrivain use d'un style « sans jargon, ni affectation, ni réflexions sophistiquées ». Il reconnaît lui-même qu'il « ne court point après l'esprit ». C'est ainsi qu'il le trouve.

CRÉBILLON FILS ET LE ROMAN LIBERTIN

Le roman libertin a une longue carrière au XVIIIe siècle. On sait que le grave président de Montesquieu lui-même n'a pas dédaigné de l'illustrer avec *Le temple de Gnide*. Pourtant, la première moitié du siècle reste le temps des apprentissages. Le Faublas de Louvet de Couvray ([1]) atteindra d'emblée à la maîtrise. Le Meilcour ([2]) de Crébillon fils, au contraire, rougit longtemps d'une inexpérience qu'il perd lentement. Le roman du roué n'est encore que le roman du futur roué. Sur le plan de l'art, il n'est pas encore parvenu non plus à la maîtrise et semble hésiter entre le roman galant et le roman cynique.

Roman cynique et roman galant

Le roman cynique fait tomber le décor et le masque (Fougeret de Monbron, *Margot la ravaudeuse*, 1750). Moins âpre, le roman galant se déroule souvent dans un Orient de fantaisie que conservera encore Diderot pour *Les bijoux indiscrets*, — l'un des chefs-d'œuvre du genre. A côté du célèbre *Sopha* de Crébillon fils, il faut citer *Acajou et Zirphile* (1744) de Duclos, qui nous fait assister à la conquête d'une princesse, soumise aux sortilèges d'une méchante fée, par un prince que protège la bonne fée Ninette, *Angola, histoire indienne* (1746) du chevalier de La Morlière (1701-1785) dont Nerval et Gautier feront leurs délices, et les contes de Charles de Voisenon (1708-1775). Mais le roman galant touche aussi au roman de mœurs. Il est peut-être essentiellement marqué par un scepticisme moral, une étrange hésitation entre la sagesse et la passion, dont Duclos et Crébillon fils nous offrent l'exemple le plus frappant.

Duclos (1704-1772)

De son vrai nom Charles Pinot, ce Breton fort déluré deviendra secrétaire perpétuel de l'Académie Française sans renoncer pour autant à la liberté de mœurs dans laquelle il s'est toujours plu. Polygraphe infatigable, il ne mériterait guère d'échapper à l'oubli s'il n'avait donné des romans : l'*Histoire de Madame de Luz, anecdote du règne de Henri IV* (1740), les *Confessions du comte de**** (1742) que viendront compléter les *Mémoires pour servir à l'histoire des mœurs du XVIIIe siècle* (1751). On assiste ici à la chute d'une épouse honnête qui se sacrifie pour son mari, là aux progrès d'un libertin sous l'égide d'une femme vertueuse. Il est vrai que le bien semble triompher à la fin, comme s'il fallait épuiser la dissipation pour y parvenir. Mais il est difficile d'oublier « la part du feu ».

1. Dans *Les aventures du chevalier de Faublas*, p. 367.
2. Dans *Les égarements du cœur et de l'esprit*. Voir p. 313.

Crébillon fils (1707-1777)

L'auteur le plus marquant est Crébillon fils. Son succès fut considérable, et durable. A la fin du siècle, toute bibliothèque mondaine se devait de contenir ses œuvres.

Fils du poète tragique ([1]), il préféra à la compagnie des Jésuites, ses maîtres, les milieux libertins. Mme de Pompadour ayant jugé ses livres immoraux, il fut exilé, ce qui ne l'empêcha de devenir quelque temps après censeur royal. Aimant à la fois le délicat et le graveleux, il semble marqué par une contradiction, ou du moins par une duplicité qu'atteste également son œuvre.

Œuvre remarquable en vérité, moins par son abondance que par la diversité des formes utilisées par l'écrivain : narration « objective » à la troisième personne (*Les heureux orphelins, histoire imitée de l'anglais*, 1754), mémoires fictifs (*Les égarements du cœur et de l'esprit, ou mémoires de M. de Meilcour*, 1736), dialogue (*La nuit et le moment*, 1755; *Le hasard du coin du feu*, 1763), lettres (*Lettres de la marquise de M*** au comte de R****, 1732; *Lettres de la duchesse de *** au duc de****, 1768; *Lettres athéniennes*, 1771), conte oriental (*L'écumoire ou Tanzaï et Néadarné, histoire japonaise*, 1734; *Le sopha, conte moral*, 1740; *Ah! quel conte!* 1751).

L'intrigue se trouve parfois réduite à fort peu de chose (la duchesse de*** ne rencontre le duc de*** qu'une fois; la marquise de M*** meurt d'être séparée du comte de***), et le dénouement importe si peu à Crébillon qu'il lui arrive de laisser son roman inachevé (c'est le cas des *Égarements du cœur et de l'esprit*, de *Ah! quel conte!*, des *Heureux orphelins*). Parfois, même,

1. Voir p. 314.

on a du mal à dire si le point final n'est qu'un point de suspension *(Lettres athéniennes)*.

C'est que l'intérêt du romancier — et donc l'intérêt du roman — est ailleurs. « Vous ne montrez que l'extérieur de l'homme », reproche-t-il à ses illustres confrères : « moi, c'est le cœur que je développe » (1). Encore ne faut-il pas confondre ce « cœur » avec l'apologie du sentiment. Crébillon n'entend pas être un romancier sentimental, comme Marivaux ou Prévost. Il veut être un romancier psychologue toujours prêt à dénoncer l'imposture des passions. Le sentiment n'étant qu'un nom noble dont on se sert pour déguiser le désir, le désir physique pur apparaissant comme vulgaire et dégradant, reste le plaisir du roué qui déploie toutes les ressources de son intelligence pour dominer les femmes et conquérir la réputation d'originalité. Pour faire carrière, le libertin doit sacrifier son être au paraître. Mais, prenant l'air d'un monde qu'il méprise, il ne peut s'empêcher d'évoquer avec nostalgie les « temps d'ignorance ». Le bonheur est-il, en définitive, à chercher dans la vertu? Tel est le point vers lequel semble vouloir nous diriger, sans jamais nous y conduire, celui qui a consacré tant de pages à peindre le vice.

1. Chester, dans *Les heureux orphelins.*

Deux écrivains « libertins » : Duclos (à gauche) par Quentin de La Tour (musée de Saint-Quentin) et Crébillon fils, l'auteur du *Sopha* (musée de Versailles). Deux auteurs qui, selon l'expression de Diderot, « menacent de survivre à leur réputation ».

BIBLIOGRAPHIE

ÉDITIONS : *Le diable boiteux* et *Gil Blas*, dans *Romanciers du XVIII*e *siècle*, éd. Étiemble, Gallimard, coll. « Bibliothèque de la Pléiade », t. I, 1960.

Édition critique de *L'histoire du chevalier Des Grieux et de Manon Lescaut*, par F. DELOFFRE et R. PICARD, Garnier, 1965; par G. MATORÉ, Droz, 1953. — *Œuvres choisies*, 39 vol., Amsterdam et Paris, 1783-1785.

ÉTUDES : Deux études essentielles : Georges MAY, *Le dilemme du roman au XVIII*e *siècle. Études sur les rapports du roman et de la critique (1715-1763)*, P.U.F., 1963. — Henri COULET, *Le roman jusqu'à la Révolution*, A. Colin, coll. « U », 1967.

L'ouvrage essentiel est celui de Roger LAUFER, *Lesage et le métier de romancier*, Gallimard, coll. « Bibliothèque des Idées », 1971.

Pour une initiation, l'étude, vieillie, d'Henri RODDIER, *L'abbé Prévost, l'homme et l'œuvre*, Hatier, coll. « Connaissance des lettres », 1955; et surtout l'excellent chapitre de Henri COULET dans *Le roman jusqu'à la Révolution*, pp. 352-364. — Pour une étude approfondie, l'ouvrage capital de Jean SGARD, *Prévost romancier*, Corti, 1968, et les actes du Colloque d'Aix-en-Provence, décembre 1963, *L'abbé Prévost.*

LE THÉATRE DES BONNES INTENTIONS

Idolâtré au XVIIe siècle, le théâtre ne le fut pas moins au XVIIIe. Mais l'héritage classique était si lourd que ce temps semble avoir favorisé les épigones en laissant trop peu de chances aux tempéraments vraiment originaux. On en appréciera davantage le mérite de Marivaux.

LA TRAGÉDIE

On connaît la déclaration fracassante de Crébillon père (1674-1762) :

Corneille avait pris le ciel, Racine la terre; il ne me restait plus que l'enfer.

Elle lui a valu, plus que son œuvre proprement dite, la réputation d'un dramaturge de la cruauté, ou du moins du sang versé. Sans doute multiplie-t-il les haines domestiques dans *Rhadamiste et Zénobie* (1711). Sans doute arrive-t-il qu'Atrée présente à son frère Thyeste une coupe pleine du sang de son fils (*Atrée et Thyeste*, 1717), que Tullie, la fille de Cicéron, soulève un voile pour découvrir la tête tranchée de son père (*Le Triumvirat*, 1754). Mais, le plus souvent, Crébillon oscille entre ses deux illustres devanciers : écolier de Racine à ses débuts au point de le plagier

« O toi, qui vois la peine où ce feu me réduit,
Vénus, suis-je d'un sang que ta haine poursuit? »
(*Idoménée*, 1705, acte II, sc. 1),

il revient à Corneille après l'échec de *Pyrrhus* (1726) et prête à Catilina la roideur du jeune Horace :

CATILINA
Mais parmi tant d'objets cités pour m'émouvoir
Vous en oubliez un.
PROBUS
Quel est-il?
CATILINA
Mon devoir.
(*Catilina*, I, 2)

En fait, plus qu'à la cruauté, son goût va à la tendresse. C'est pourquoi il charge de passions parfois inopportunes les sujets qui en sont traditionnellement les plus démunis : Électre et Oreste deviennent amoureux l'un du fils d'Égisthe, Itys, l'autre de sa fille, Iphianasse (*Électre*, 1709). Il doit aussi son très grand succès à la manière dont il charge l'intrigue.

Glorification de Crébillon père, par Boucher. (B. N. Paris.)

A ce moment-là, en effet, on demande plus de mouvement sur la scène tragique. Les Campistron ne satisfont plus ([1]) et l'on fait grise mine aux poèmes du baron de Longepierre ([2]), jugés trop pauvres. Houdar de La Motte (1672-1731), porte-parole des Modernes, fait le procès des unités et de la froide déclamation. De fait, son *Inès de Castro* (1723) obtient un grand succès, pâle cependant à côté de celui qu'a obtenu l'*Œdipe* de Voltaire. Car seul Voltaire peut faire figure de nouveau Racine en suivant d'autres voies, aussi diverses qu'il le peut, sauf, à dire vrai, celles qui conduisent à l'immortalité.

LA COMÉDIE

Depuis quelques années déjà, la cour délaisse la comédie au profit de l'opéra. Malgré l'interdit qui les a frappés quelque temps, les Italiens ont tenu mieux que les autres et l'influence de ce théâtre, où le type l'emporte sur le caractère et où la satire ne s'élève guère au-dessus de la parodie narquoise, est déterminante sur les successeurs de Molière : Dancourt (1661-1725), le « Teniers de la comédie », habile à peindre les petites gens et à utiliser la banalité d'un fait divers; Du Fresny (1648-1724), bohème aussi « négligent » que tel de ses personnages; Regnard (1655-1709), qui passe du théâtre italien au théâtre français, du fourbe Arlequin à l'étude plus poussée de caractères : *Le joueur*, *Le distrait* et, surtout, *Le légataire universel* (1708) où, malgré les fourberies du valet Crispin, un vieillard cacochyme, Géronte, ne se décide pas à mourir pour laisser à son neveu Éraste sa fortune et la jeune fille auprès de laquelle ils sont rivaux.

Mais, bientôt, la comédie se fait volontiers moralisante. Lesage, dans *Turcaret*, dénonce après La Bruyère les traitants « à l'âme de boue ».

Cette comédie en cinq actes, qui date de 1709, est un des chefs-d'œuvre de la comédie de mœurs. Ancien laquais, Turcaret, à la suite d'opérations malhonnêtes, est devenu l'un des financiers les plus opulents. Il éloigne sa femme en province pour mieux pouvoir courtiser une jeune baronne auprès de laquelle il se fait passer pour célibataire. La coquette est également aimée d'un chevalier qui veut ruiner Turcaret, et y parvient. Mais il est lui-même la proie du valet Frontin dont il s'était acquis les bons offices et qui sort vainqueur de l'aventure en criant : « Voilà le règne de M. Turcaret fini, le mien va commencer! »

D'Allainval (1700?-1753) déplore dans *L'école des bourgeois* (1729) que les nobles, « de si aimables petits hommes, soient si scélérats, dans le fond ». Destouches (1680-1754), protégé du Régent, affirme, dans la Préface du *Glorieux* (1732), que « l'art dramatique n'est estimable qu'autant qu'il a pour but d'instruire en divertissant » et oppose à l'exemple à ne pas suivre — la vanité du comte de Tufières —, l'exemple à suivre : la grandeur d'âme de Lycandre, trempé par l'épreuve. Piron (1689-1754), son admirateur et à beaucoup d'égards son disciple, se contente de représenter dans *La métromanie* (1738) un « original » dont la folie semble bien inoffensive. Et il ne semble guère dangereux non plus, Cléon, *Le méchant* (1747), de Gresset (1709-1777), simple maniaque emporté par

(le) goût de troubler, de détruire,
Le talent de brouiller, et le plaisir de nuire.

L'écueil du genre, c'est la froideur didactique. Destouches, volontiers sentencieux et prodigue en dissertations, ne l'évite pas. Gresset non plus quand, par la voix du sage Ariste, il oppose à « l'esprit méchant » celui qui doit triompher à la fin, « le véritable esprit [qui] marche avec la Bonté ».

Dans ces pièces aux trop bonnes intentions le comique était bien affaibli. Il disparaît de la « comédie larmoyante », genre nouveau et sérieux dont Nivelle de La Chaussée (1692-1754) est le créateur. L'intrigue romanesque permet de présenter des situations émouvantes : dans *La fausse antipathie* (1753), Léonore reconnaît en celui qu'elle aime son époux disparu. Les sentiments naturels finissent toujours par triompher des « préjugés à la mode » — celui qui voulait, par exemple, qu'un mari ne parût pas épris de sa femme — et, d'une manière générale, des contraintes que la société impose à la sensibilité.

1. Campistron (1656-1723) fut un pâle imitateur de Racine.
2. Le baron de Longepierre (1659-1721), auteur entre autres d'une *Électre*.

N'avoir qu'un sentiment, qu'un plaisir uniforme,
Être toujours soi-même? Y peut-on résister?
Est-ce là vivre? Non. C'est à peine exister.

Souvent brocardé, Nivelle de La Chaussée introduit pourtant au « genre dramatique sérieux » que défendront plus tard Diderot et Beaumarchais. Mais, contrairement à eux, il reste un farouche défenseur du vers dans son *Epître à Clio*.

En dépit de la diversité des genres, on peut tenter de dégager les caractéristiques communes des comédies du début du XVIIIe siècle [1].

1° La chaîne des variations sur le thème du mariage contrarié par les parents (conflit des générations) et arrangé par les valets (il est rare que le valet travaille pour soi comme dans la comédie de Lesage *Crispin rival de son maître*). Ce thème est prétexte à une débauche d'invention romanesque (fausse mort, mariage secret).

2° Les distinctions sociales y sont nettement soulignées. Si la noblesse de rang ne va pas toujours avec la noblesse de cœur, du moins ne s'achète-t-elle pas, en dépit des ambitions grandissantes que suscite le règne de l'argent : la « bourgeoise de qualité » de Dancourt, Madame Blandineau, ne saurait devenir que « baronne de Boistordu ». Les hommes d'affaires n'ont pas toujours la vilenie du Turcaret de Lesage et, devant la progressive réhabilitation du financier, on peut se demander si la littérature comique ne se laisse pas gagner par l'argent. Les valets, défenseurs effrontés de la morale de l'intérêt, s'acquièrent d'ailleurs les sympathies du spectateur. Forts du rôle essentiel qu'ils ont à jouer, ils s'aperçoivent qu'il n'y a pas entre eux et leur maître de « différence essentielle ». Il est rare que celui-ci en convienne à moins d'être, comme le comte de Sanspair dans la comédie de Destouches, un *Homme singulier*.

3° L'âme sensible occupe, dans toutes ces comédies, une place fort importante. Damis, le « métromane » de Piron, n'est pas seul à déclarer : « La sensibilité fait tout notre génie ». Nivelle de La Chaussée s'emploie à le prouver. La nature féminine s'enrichit ainsi de précieuses nuances. Nul sans doute n'y a plus contribué que Marivaux. Le mystère de la jeune fille et de son ingénuité vraie ou fausse, l'énigme de la femme constituent un centre d'intérêt constant et sont prétextes à mainte situation compliquée : Angélique, dans *La fausse Agnès* de Destouches, feint la bêtise et la folie pour éloigner des Mazures, prétendant ridicule que sa mère veut lui imposer; Constance, par soumission à son époux infidèle, est prête à passer pour infidèle à son tour, dans *Le préjugé à la mode*, de Nivelle de La Chaussée.

4° La comédie hésite entre le rire et les larmes, l'idéal étant la comédie tempérée, volontiers didactique. Philippe Poisson (1682-1743) l'exprime assez bien dans son *Impromptu de campagne* (1733) :

La comédie enfin, par d'heureux artifices,
Fait aimer les vertus et détester les vices,
Dans les âmes excite un noble sentiment,
Corrige les défauts, instruit en amusant,
En morale agréable en mille endroits abonde,
Et pour dire le vrai : c'est l'école du monde.

1. Voir Jacques Vier, *La littérature française au XVIIIe siècle.*

Bibl. Arsenal. © Coll. L. B.

BIBLIOGRAPHIE

TEXTES ET ÉTUDES : LESAGE, *Turcaret*, en classiques Bordas; *Théâtre du XVIIIe siècle*, t. I, coll. « Bibliothèque de la Pléiade », 1973. — Jacques VIER, *La littérature française au XVIIIe siècle*, A. Colin, 1971 (étude ample, riche, qui permet bien des découvertes).

MARIVAUX (1688-1763)

L'archevêque de Sens accueillit Marivaux à l'Académie française en ces termes :

Ce n'est point tant à vos ouvrages que vous devez notre choix qu'à l'estime que nous avons faite de vos mœurs, de votre bon cœur, de la douceur de votre société, et, si j'ose le dire, de l'amabilité de votre caractère.

Ce portrait semble celui d'un petit maître aimable. Mais l'éloge va plus loin. Il nous laisse deviner une modestie qui est plus qu'une qualité de cœur : la qualité d'un écrivain conscient d'avoir entrepris une tâche difficile.

Une vie grise

La malchance, plus qu'une vocation impérieuse, a poussé Marivaux à écrire. Nonchalant, facilement découragé, il n'a pas cherché à donner à sa carrière tout l'éclat dont il était capable. Sa vie privée n'échappe pas davantage à la grisaille, comme s'il se méfiait de tout entraînement passionnel. Ce qui ne signifie pas qu'il ait fait fi du bonheur : « Parmi les hommes, a-t-il écrit, je n'ai trouvé que la joie de raisonnable, parce que les gens qui aiment la joie n'ont point de vanité ».

Le mondain bel esprit. Pierre Carlet de Chamblain de Marivaux, fils d'un magistrat, est né à Paris. Après avoir étudié le droit, il se range parmi les Modernes et, de 1717 à 1720, collabore à leur organe, *Le nouveau Mercure.* Il fréquente les salons de Mme de Tencin et de Mme de Lambert où la vivacité de son esprit est fort appréciée. Il s'essaie au genre du roman précieux avec *Les aventures de M*** ou les effets surprenants de la sympathie*, ou à sa parodie avec *Pharsamon ou les folies amoureuses.* Son *Télémaque travesti* (composé en 1714) et son *Iliade travestie* (1717) s'inscrivent dans la tradition burlesque maintes fois illustrée au XVIIe siècle.

L'homme de lettres professionnel. En 1720, Marivaux se trouve ruiné à la suite de la banqueroute de Law. Prenant modèle sur le *Spectator* de l'Anglais Addison, il va publier des périodiques : *Le spectateur français* (1721-1724), *L'indigent philosophe* (1727), *Le cabinet du philosophe* (1734). Mais la production est irrégulière et il semble y avoir mis fin de lui-même.

© Arch. E. B.

Portrait de Marivaux en 1753 par Van Loo. La carrière du grand écrivain est alors pratiquement achevée.

C'est que le théâtre le retient d'une manière plus durable. Dès l'âge de 18 ans, Marivaux a, dit-on, fait jouer une première comédie. Mais c'est surtout la réouverture du Théâtre-Italien, en 1716, qui lui a donné l'occasion favorable pour le développement de son talent : une scène plus libre, une troupe de qualité, et surtout une interprète idéale en la personne de Giovanna-Rosa Benozzi, la célèbre Silvia. Sur ses 27 comédies, écrites de 1722 *(La surprise de l'amour)* à 1746 *(Le préjugé vaincu)*, dix-huit ont été composées pour le Théâtre-Italien. Le romancier

	THÉÂTRE	ROMANS	PARODIES	JOURNAUX
		1714 *La voiture embourbée*	1714 *Télémaque travesti*	
1720	*Annibal* *Arlequin poli par l'amour*			
				1721-1724 *Le spectateur français*
1722	*La surprise de l'amour*			
1723	*La double inconstance*			
1724	*Le prince travesti*			
1725	*L'île des esclaves*			
1727	*La seconde surprise de l'amour*			1727 *L'indigent philosophe*
1728	*Le triomphe de Plutus*	1728-1742 *La vie de Marianne*		
1730	*Le jeu de l'amour et du hasard*			
1732	*L'école des mères* *Le triomphe de l'amour*			
		1734-1735 *Le paysan parvenu*		1734 *Le cabinet du philosophe*
1735	*La mère confidente*			
1737	*Les fausses confidences*			
1739	*Les sincères*			
1746	*Le préjugé vaincu*			

n'a pas pour autant cessé de produire; mais il a laissé inachevés (1) *La vie de Marianne* (1728-1742) et *Le paysan parvenu* (1734-1735).

La demi-retraite. Cette intense activité littéraire n'aurait pas permis à Marivaux de surmonter la gêne s'il n'avait été soutenu, à partir de 1733, par Mme de Tencin. En 1743, sa protectrice facilita son élection à l'Académie française, contre Voltaire. Dès lors il consacra le plus clair de son activité à assister aux séances académiques. Son épouse était morte en 1723. Sa fille unique, Colombe-Prospère, entra au couvent en 1745 : il en eut du chagrin. Resté seul, il prit pension chez une vieille demoiselle, Mlle de Saint-Jean. Il mourut près d'elle, à demi oublié, et lui laissa son médiocre héritage.

Marivaux romancier

L'œuvre de Marivaux romancier semble s'ouvrir sur une critique du romanesque : c'est vers elle que convergent les excès des *Effets surprenants de la sympathie*, les extravagances de *Pharsamon* et la fiction incohérente qu'improvisent les voyageurs arrêtés par l'accident de *La voiture embourbée* (1714). Pourtant on devine déjà les deux traits principaux qui feront l'originalité des deux grandes œuvres ultérieures : l'étude de la sensibilité des âmes tendres, qui se cache aussi bien dans une paysanne que dans « une belle et grande princesse »; le réalisme des mœurs.

Une âme délicate : Marianne. « La coquetterie permet d'avoir la clef des hommes » : mais ce n'est pas la simple curiosité qui a poussé Marianne à cette attitude de réserve. Affaire de prudence, car il faut que la jeune orpheline, placée d'abord chez une marchande de linge, puis sous la protection de personnes de qualité (Mme de Miran, Mme Dorsin), se tire indemne de mainte situation délicate : un protecteur suspect, M. de Climal, dont les douteuses circonlocutions ne parviennent pas à l'abuser; un amant sincère, mais faible et léger, le jeune comte de Valville. A dire vrai, cette prudence est la force de Marianne. « L'activité » de Marianne est de dire *non* dans des situations essentielles [...] : elle dira non au poste de domestique qu'on lui offre, non aux propositions louches de M. de Climal, non à un mari impossible que les parents de Valville lui offrent, non au mariage avec le bien-aimé dès qu'elle en envisage les conséquences pour sa bienfaitrice, non au mariage hâtif

1. Mme Riccoboni a donné une suite à *La vie de Marianne* en 1751; un auteur anonyme a achevé *Le paysan parvenu*.

proposé par l'officier, non au cloître. Ce sont ces réponses négatives aux tentations du hasard qui constituent les étapes de son chemin labyrinthique qu'elle poursuit imperturbable, comme guidée par un fil d'Ariane ou une étoile mystique intérieure » ([1]).

Il faut pourtant se garder de faire une apologie trop solennelle de Marianne. Elle nous en avertit elle-même : « Faites-vous ici un spectacle de ce cœur naturel, que je vous rends tel qu'il a été, c'est-à-dire avec ce qu'il a eu de bon et de mauvais. » Elle a des défauts : outre la coquetterie (car c'en est un parfois), un brin de rouerie (elle accepte l'habit de M. de Climal tout en sachant fort bien qu'elle refusera ce dont il est le prix); elle est parfois ingrate, méprisante avec ses inférieurs, trop empressée avec ceux dont elle a quelque chose à attendre, une « dangereuse petite fille », comme le dit Mme de Miran elle-même.

« Le paysan parvenu » et le regard de Marivaux. La vie de Marianne ne présente pas seulement une analyse minutieuse du cœur humain. Elle nous promène dans les lieux les plus divers, du couvent à la belle société, sans oublier ce petit monde de Paris dont Marivaux nous donne une peinture d'autant plus vive qu'elle vient d'une « âme qui ne sait jamais rien, qui n'a jamais rien vu, qui est toujours neuve ».

Cette peinture, le romancier l'a reprise dans *Le paysan parvenu.* Le sujet s'y prêtait davantage encore. A peu près au même âge que Marianne, Jacob, paysan champenois, est venu dans la capitale pour porter du vin dans la demeure de son seigneur. On le trouve beau garçon, et il voit dans cet avantage naturel une chance de réussite. Son plus bel exploit est de parvenir à s'introduire dans la maison de deux bourgeoises riches et dévotes, les demoiselles Habert, de leur plaire et d'épouser l'une d'elles pour ses écus. Désormais, il peut s'infiltrer partout, augmenter considérablement sa fortune. Devenu contrôleur général des fermes dans sa province natale, et seigneur de son village, il va se consacrer au bien public.

On est déconcerté, dans ce livre, par la manière dont Marivaux évite de porter le moindre jugement sur ses personnages et en particulier sur le héros de l'aventure, paysan parvenu par les femmes, et par les femmes mûres. Complaisance, complicité de l'auteur ([2])? Curiosité plutôt à l'égard de Jacob que le regard de Marivaux suit partout, du logis de l'entremetteuse à la chambre conjugale, de l'office au château. S'il s'arrête au seuil de la vie brillante qui attend désormais son personnage, c'est probablement qu'elle l'intéresse moins. Que l'ancien paysan y aille; lui, il tourne les talons.

1. Léo Spitzer, *Études de style*, p. 372.
2. Voir Marcel Arland, préface de l'édition de la Pléiade, p. XL.

Marivaux dramaturge

La première caractéristique qu'il faut savoir reconnaître au théâtre de Marivaux, bien qu'elle lui soit souvent refusée, est la variété. Sans parler de sa tragédie d'*Annibal* (1720), il faut souligner les nuances qui existent entre la comédie héroïque (*Le prince travesti*, 1724; *Le triomphe de l'amour*, 1732), la comédie pathétique (*La mère confidente*, 1735), la comédie philosophique (*L'île des esclaves*, 1725), la comédie mythologique (*Le triomphe de Plutus*, 1728), la comédie de mœurs (*L'école des mères*, 1732) et la comédie proprement psychologique (*La surprise de l'amour* 1722; *La double inconstance*, 1723; *Le jeu de l'amour et du hasard*, 1730; *Les fausses confidences*, 1737).

Il n'en reste pas moins que Marivaux est surtout, au théâtre comme dans *La vie de Marianne*, l'analyste de l'âme féminine. La femme est reine dans ses comédies et il a su, mieux que tout autre, évoquer sa « figure enchanteresse » habillée par « l'Amour et les Grâces » (c'est le misogyne Lélio lui-même qui le reconnaît au début de *La surprise de l'amour*).

Le peintre de l'amour naissant. Son projet, Marivaux l'a lui-même parfaitement exprimé en ces termes :

> J'ai guetté dans le cœur humain toutes les niches différentes où peut se cacher l'amour lorsqu'il craint de se montrer, et chacune de mes comédies a pour objet de le faire sortir d'une de ses niches ([1]).

La baguette du dramaturge-magicien trace les lignes du hasard dont le jeu est inséparable du jeu de l'amour. Et cela, non seulement dans la pièce ([2]), où deux jeunes gens, Dorante et Silvia, empruntent, pour s'étudier l'un l'autre, les vêtements de leurs serviteurs, Arlequin et Lisette. Déjà dans *Arlequin poli par l'amour* (1720), où Silvia l'emporte sur la fée; dans *La surprise de l'amour* (1722) où se trouvent fortuitement

1. Cité par d'Alembert dans son *Éloge de Marivaux.*
2. *Le jeu de l'amour et du hasard.*

liés par le voisinage, avant de l'être par le mariage, une veuve éplorée (la comtesse) et un jeune homme abandonné (Lélio), qui, tous deux, avaient juré de ne plus aimer.

Plus on est en garde contre la surprise, plus elle vous surprend. C'est pourquoi les pères de Silvia et de Dorante, avertis du double déguisement, lui font confiance et la laissent mener le jeu de l'amour et du hasard. Choisit-on la sincérité des aveux au lieu du masque, comme Ergaste et la marquise qui croyaient avoir du penchant l'un pour l'autre, la surprise s'en mêle encore : Ergaste épousera Araminte et la marquise épousera Dorante (*Les sincères*, 1739). Et Lucile et Damis, qui avaient fait vœu de ne point s'aimer, ne peuvent que s'aimer un jour malgré eux (*Les serments indiscrets*, 1732).

C'est que l'amour naît brusquement, que « le feu [...] prend vite », comme le dit M. Rémy dans *Les fausses confidences.* Si l'on n'est pas toujours long à le deviner, on met souvent bien du temps à se l'avouer, et plus de temps encore à l'avouer à l'autre et aux autres. L'épreuve est sérieuse pour l'amour-propre de Silvia, dans *Le jeu de l'amour et du hasard :* amoureuse de celui qu'elle prend pour un valet, Bourguignon (Dorante), elle est irritée « jusqu'aux larmes » sans parvenir à en vouloir à ce « pauvre garçon », sans oser non plus aller au-delà de ce « tu ne me déplais point » qu'elle se reproche déjà. Combat contre le préjugé de naissance sans doute (« Je t'aimerais, si je pouvais »), mais surtout combat dans les ténèbres du « je ne sais quoi ». Le murmure d'amour de Silvia est aussi un murmure de soulagement, une fois que Bourguignon lui a révélé sa véritable identité : « Ah! je vois clair dans mon cœur! » Quand cesse le désarroi, quand l'esprit cesse d'être la dupe du cœur, la pièce est achevée pour les personnages.

L'amour évite chez Marivaux de se décorer de noms pompeux. Celui de « passion » soulève chez la marquise des *Sincères* un mouvement de protestation :

Passion! J'ai vu ce mot-là dans *Cyrus* ou *Cléopâtre* (1)... Je n'ai jamais pu me fier à votre amour; je n'y ai point de foi, vous l'exagérez trop, il révolte la simplicité de caractère que vous me connaissez. (sc. 2)

D'une manière générale, les sentiments sont tamisés, ce qui ne signifie pas qu'ils soient affaiblis.

1. Romans du XVIIe siècle, l'un de Mlle de Scudéry, l'autre de La Calprenède.

Portrait de l'actrice Gianetta Benozzi dite Silvia, par Van Loo. Étoile de la troupe des acteurs italiens, elle fut l'interprète féminine préférée de Marivaux.

Le miroir d'une société. Avec ses personnages-types qui reparaissent de pièce en pièce, le théâtre de Marivaux peut sembler hors du temps. On y trouverait néanmoins, furtives sans doute, et légères, des allusions contemporaines : l'envers du décor politique dans *Le prince travesti*, la satire de la faveur et des places dans *La double inconstance.*

La société reste en tout cas fortement hiérarchisée, même si cette hiérarchie est simplifiée : maîtres et serviteurs. Dans *Le jeu de l'amour et du hasard*, Silvia s'estime protégée par son mépris pour la gent domestique. Mais parfois les valets laissent échapper un cri de révolte. Bien avant Figaro, Trivelin, dans *La fausse suivante*, est choqué par le « son disgracieux » du titre dont on le décore : « Son valet! Le terme est dur [...] Ne purgera-t-on jamais le discours de ces noms odieux? » C'est encore Trivelin qui règne sur *L'île des esclaves* et, après le renversement qui a suivi le naufrage (les maîtres, Iphicrate et Euphrosine, sont devenus esclaves, et les valets, Arlequin et Cléanthis sont émancipés), c'est lui qui en tire la leçon : « La différence des conditions n'est qu'une épreuve que les dieux font sur nous ». Plus clairement encore, Cléanthis a déclaré : « N'est-ce pas le hasard qui fait tout? »

On aurait tort pourtant de vouloir forcer ces touches légères. Prudemment, Marivaux reste dans le royaume d'utopie et il ne tardera pas à renoncer à de telles hardiesses. Dans *Le jeu de l'amour et du hasard*, Arlequin a beau se déguiser en gentilhomme, on n'a pas de mal à deviner en lui le valet, dès son entrée fracassante. Il suffit de voir comment il fait la cour à la fausse Silvia (Lisette) :

> Cher joujou de mon âme! cela me réjouit comme du vin délicieux. Quel dommage de n'en avoir que roquille [1]!

En revanche, Dorante, dans *Les fausses confidences*, paraît bien supérieur aux fonctions d'intendant qu'il a accepté d'exercer pour être plus proche d'Araminte et évincer son rival le comte.

Les valets sont-ils les seuls à se montrer intéressés par l'argent? Si la Marton des *Fausses confidences* paraît terriblement âpre au gain, on peut en dire autant de Madame Argante qui voit surtout dans le mariage de sa fille avec le comte un beau placement. Sans doute Araminte dédaignera-t-elle finalement l'argent au profit de l'amour. Mais toutes les héroïnes de Marivaux ne sont pas aussi désintéressées : qu'on songe à Hortense, dans *Le legs*, qui veut à la fois se débarrasser du marquis et toucher la somme qu'il doit lui verser s'il rompt sa promesse de mariage. *Le triomphe de Plutus*, le dieu de l'argent, sur Apollon, le dieu de l'amour, a la valeur d'une constatation qui ne semble pas même amère.

Le « marivaudage » préciosité et naturel

Diderot songeait peut-être à Marivaux quand il écrivait, au sujet des « écrivains qui ont l'imagination vive » : « Les situations qu'ils inventent, les nuances délicates qu'ils aperçoivent dans les caractères, la naïveté des peintures qu'ils ont à faire, les écartent à tout moment des façons de parler ordinaires, et leur font adopter des tours de phrases qui sont admirables toutes les fois qu'ils ne sont ni précieux ni obscurs » [1].

La préciosité, à dire vrai, Marivaux s'en défie pour l'avoir à la fois pratiquée et parodiée. Mercure, dans *La réunion des amours*, fait le procès de ce mode d'expression qui n'explique l'âme qu'à la faveur du corps [2]. Il est l'apanage des valets quand ils veulent jouer le rôle des maîtres, comme Arlequin dans *Le jeu de l'amour et du hasard :*

> Madame, je me meurs; mon bonheur me confond, j'ai peur d'en courir les champs. Vous m'aimez! cela est admirable!

Pourtant, le frère de Silvia, Mario, feignant de s'étonner des expressions délicates employées par Bourguignon, le faux Dorante, lui dit : « Vous avez le langage bien précieux pour un garçon de votre espèce » (III, 2). C'est dire que s'il existe une préciosité ridicule, il existe aussi une bonne préciosité qui est un mode d'expression naturel dans la bouche d'un homme du monde.

Le « marivaudage » apparaît comme « une préciosité nouvelle » [3]. Entendons un langage dont la subtilité n'est nullement gratuite, mais propre à traduire toutes les nuances de l'émotion, à rendre compte de tous les mouvements de l'âme, « la subtile rhétorique des cœurs qui apprennent ou réapprennent à battre » [4]. Tel Damis dans *Les serments indiscrets :*

> J'ai de l'amour ou je n'en ai point, je n'ai pas juré de n'en point avoir, mais j'ai juré de ne le point dire en cas que j'en eusse, et d'agir comme s'il n'en était rien. (II, 8)

Mais que le personnage sorte du labyrinthe et son aveu, cessant d'être coutourné, aura la pureté des sources :

« Je rougis, chevalier, c'est vous répondre » (la marquise, dans *La seconde surprise de l'amour*, III, 15).

« Ah! je vois clair dans mon cœur! » (Silvia, dans *Le jeu de l'amour et du hasard*, II, 12).

Aussi faut-il croire Marivaux quand il défend

1. Entendez : quelques gouttes.

1. Dans la *Lettre sur les aveugles*.
2. Voyez la scène 5.
3. Voir la thèse de Frédéric Deloffre sur *Le marivaudage*.
4. Jacques Vier, *Histoire de la littérature française au XVIII*[e] *siècle*, t. II, p. 123.

le naturel de son style : « Ce n'est pas moi que j'ai voulu copier, c'est la nature », déclare-t-il. Ou encore : « j'ai tâché de saisir le langage des conversations et la tournure des idées familières et variées qui y viennent [1]. Il est vrai, — et il le reconnaît encore —, que ce sont conversations de gens d'esprit [...] dans le monde ». Plus vraies précisément parce qu'elles sont plus raffinées et que dans leur transparence elles laissent non seulement voir l'image d'un siècle, mais reconnaître la vérité éternelle du cœur humain.

1. Avertissement des *Serments indiscrets*.

Jean-Baptiste Albouy dit Dazincourt (1747-1809) dans le rôle de Dubois des *Fausses confidences*. Gravure de Chaponnier. (B. N. Paris.)

BIBLIOGRAPHIE

ÉDITIONS : Éditions scolaires, en Classiques Bordas : *Les fausses confidences*, *Le jeu de l'amour et du hasard*. — Éditions courantes : Dans la « Bibliothèque de la Pléiade », *Théâtre complet* et *Romans*, avec dans les deux cas une introduction de Marcel Arland. — Éditions critiques : le *Télémaque travesti*, éd. F. Deloffre, Droz, 1956. — *La vie de Marianne*, éd. F. Deloffre, Garnier, 1957-1963. — *Le paysan parvenu*, éd. F. Deloffre, Garnier, 1959. — *Théâtre complet*, 2 vol., éd. F. Deloffre, Garnier, 1968.

ÉTUDES : Pour une initiation : Marcel ARLAND, *Marivaux*, Gallimard, 1950. — Paul GAZAGNE, *Marivaux par lui-même*, Seuil, coll. « Écrivains de toujours », 1954. — Claude ROY, *Lire Marivaux*, 1947. — Pour une réflexion plus approfondie : Georges POULET, « Marivaux », chap. I de *La distance intérieure*, Plon, 1952 (Marivaux écrivain de l'instantané et de la successivité pure). — Léo SPITZER, « A propos de *La vie de Marianne* » dans *Études de style*, Gallimard, 1970, pp. 367-396 (contestation courtoise du point de vue de G. Poulet; l'étude insiste au contraire sur la continuité dans la force du caractère de Marianne). — Jean ROUSSET, « Marivaux et la structure du double registre », chap. III de *Forme et signification*, José Corti, 1962. — Pour une étude de détail : Frédéric DELOFFRE, *Une préciosité nouvelle*, *Marivaux et le marivaudage*, étude de la langue et du style, Les Belles Lettres, 1955 (fondamental). — Gustave LARROUMET, *Marivaux, sa vie et ses œuvres*, 1882 (utile quoique vieilli).

MONTESQUIEU (1689-1755)

On a voulu voir en Montesquieu le précurseur et le maître à penser des révolutionnaires. C'est fort inexact : homme de discours, et non homme d'action, il a laissé une leçon d'intelligence politique plus qu'une théorie politique. Et, si théorie il y a, elle a été interprétée et utilisée en des sens très divers. Plutôt que la rigueur d'une quelconque doctrine, il faut souligner les contradictions de Montesquieu, dût-on découvrir quelques rides sur son masque romain et quelque incertitude dans sa démarche.

FIDÉLITÉ ET MULTIPLICITÉ

Dans la vie

La vie de Charles-Louis de Secondat, baron de La Brède et de Montesquieu, n'est pas sans rappeler celle de Montaigne. Comme lui, il est originaire de Guyenne et d'une ancienne famille de robe. Sa vie privée a donc pour cadre son manoir provincial, le château de la Brède; sa vie publique le Parlement de Bordeaux où son oncle lui cède par testament, en 1716, une charge de président à mortier.

Cette fidélité n'exclut pourtant ni le goût de la multiplicité, ni la tentation de l'aventure. En cela encore, Montesquieu ressemble à Montaigne. A cette différence près que la capitale de la Régence exerce quelque temps sur lui un pouvoir de fascination qu'elle n'avait pas au XVIe siècle. Après avoir beaucoup parlé de Paris dans ses *Lettres persanes* (1721), le seigneur de la Brède va, en 1722, se demander, sur place, comment on peut être parisien : il fréquente les réunions littéraires de l'hôtel Soubise, le Club de l'Entresol, les « mardis » de Madame de Lambert, antichambres de l'Académie Française où il est admis en 1727, bien qu'il en ait dit et écrit autrefois beaucoup de mal. La galanterie elle-même ne le laisse pas tout à fait indifférent : il compose *Le temple de Gnide* (1725), un ouvrage licencieux pour Mademoiselle de Clermont, « la muse merdeuse du temps ».

Mais, Montesquieu ne saurait devenir parisien. Comme Montaigne, il entreprend un tour d'Europe (1728-1731) qui le conduit en Autriche, en Hongrie, en Italie, en Allemagne, en Suisse, en Hollande, en Angleterre surtout. Si l'illustre Albion est « faite pour y penser », la France est « faite pour y vivre ». Paris et La Brède vont donc se partager les jours de celui qui a renoncé à sa charge juridique pour mieux réfléchir sur l'esprit des lois. Les mondains applaudissent à la publication de ses ouvrages les plus austères et, quand ils ne les comprennent pas, s'en tirent par un mot qu'ils croient bon : Madame de Tencin salue du nom de « petit Romain » l'auteur des *Considérations sur les causes de la grandeur des Romains et de leur décadence* (1734); Madame du Deffand ne trouve dans *De l'esprit des lois* (1747) que « de l'esprit sur les lois ».

Le temps des critiques et des réfutations est proche. Montesquieu, presque aveugle, s'acharne à défendre son livre capital, mis à l'Index, et aussi à répondre aux sollicitations de ses admirateurs. A la demande de d'Alembert, il écrit l'*Essai sur le goût* qui paraîtra dans l'*Encyclopédie*.

Au début de l'année 1755, il n'échappe pas à l'épidémie de fièvre maligne qui s'est déclarée à Paris. Clercs et philosophes se pressent à son chevet. Il meurt après avoir « satisfait à tous ses devoirs » à l'égard de « l'Être éternel » (1) qui n'était pas nécessairement le Dieu des chrétiens. Du moins ne s'était-il pas départi de cette sérénité qui reste le trait dominant de sa personne.

1. Ces expressions sont empruntées à l'*Éloge de Montesquieu* par d'Alembert.

Portrait de Montesquieu (Musée Carnavalet).

« Je m'éveille le matin avec une joie secrète », avait-il confié à ses cahiers intimes, « je vois la lumière avec une espèce de ravissement. Tout le reste du jour je suis content. Je passe la nuit sans m'éveiller; et, le soir, quand je vais au lit, une espèce d'engourdissement m'empêche de faire des réflexions. » Sa mort ne fut qu'un engourdissement plus long.

Dans l'œuvre

Montesquieu lui-même a fait converger toutes les expériences de sa vie vers une seule œuvre, *De l'esprit des lois.* Il aurait commencé à y travailler « au sortir du collège ». Les *Considérations* ne sont qu'un chapitre, publié à part, du grand livre futur. Les *Carnets de voyages* rassemblent la documentation qu'il utilisera pour le composer. Les *Lettres persanes* elles-mêmes, avec l'apologue des Troglodytes, annoncent la description qu'il fera du régime démocratique.

Cette vue n'est pourtant pas parfaitement exacte. La fidélité à l'intention, là encore, ne doit pas nous cacher la multiplicité des intentions dont témoignent des projets abandonnés ou des délassements littéraires. « Mon âme se prend à tout », écrivait-il le 25 novembre 1746 à Maupertuis. Parisien et vigneron, grave ou frivole, il est philosophe non seulement malgré cette dualité, mais peut-être à cause de cette dualité : rien ne doit lui rester étranger.

Philosophe, c'est-à-dire homme d'esprit. Et avec Montesquieu cette expression prend un sens fort. Il ne s'est pas contenté de lancer des pointes spirituelles contre ses ennemis ou de relever ses traités de formules piquantes : il a voulu « être ami de tous les esprits », vivre avec les intelligences, et tenter « d'être sage quand tout le monde est fou ».

La sagesse commence avec la prudence. Montesquieu a fait paraître sous l'anonymat et les *Lettres persanes*, et les *Considérations*, et *De l'esprit des lois.*

SÉVÉRITÉ ET COMPLAISANCE

Pour faire la satire des modes occidentales, (lettres 99, 100) et plus particulièrement des modes parisiennes, Montesquieu lui-même sacrifie à la mode : il écrit un roman oriental par lettres. Ce sont les *Lettres persanes.*

L'intrigue

Depuis les turqueries de Molière, la curiosité suscitée par l'Orient n'a cessé de croître. L'intrigue persane des *Lettres*, pimentée par des aventures de harem, explique mieux que toute autre chose l'immense succès qu'elles connurent à leur apparition.

En quittant Ispahan pour l'Europe, en compagnie de son ami Rica, le seigneur persan Usbek a confié les femmes de son sérail à la garde du premier eunuque noir. Pendant son absence, les captives se révoltent. Usbek donne de loin les ordres les plus rigoureux dans des lettres qui doivent être « comme la foudre qui tombe au milieu des éclairs et des tempêtes » (lettre 154), mais demeurent sans effet. Les châtiments ne font qu'irriter les rebelles. La favorite Roxane, qui semblait être restée fidèle au maître absent, se révèle comme étant l'âme du complot. Se sachant perdue, elle écrit, avant de s'empoisonner, une lettre — la dernière des *Lettres per-*

sanes — qui est un cri revendicatif et une apologie de la liberté :

Comment as-tu pensé que je fusse assez crédule pour m'imaginer que je ne fusse dans le Monde que pour adorer tes caprices? que, pendant que tu te permets tout, tu eusses le droit d'affliger tous mes désirs? Non! J'ai pu vivre dans la servitude, mais j'ai toujours été libre : j'ai reformé tes lois sur celles de la Nature, et mon esprit s'est toujours tenu dans l'indépendance (lettre 161).

La satire

En Europe, les Persans vont de surprise en surprise. Ce « regard étranger », procédé déjà maintes fois utilisé avant Montesquieu, lui permet d'exprimer ses propres critiques. Toute une galerie de portraits passe devant nos yeux : un fermier général ([1]), qui n'a pu acquérir la politesse en même temps que la fortune; un directeur de conscience qui « en sait plus que les maris »; un poète parasite; un vieux guerrier en retraite qui « racontera ses aventures le reste de ses jours »; un homme à bonnes fortunes qui n'est assidu auprès des dames que pour « faire enrager un mari ou désespérer un père » (lettre 48). Tour à tour l'auteur se moque de la badauderie des Parisiens, qui considèrent leur ville comme le centre du monde (lettre 30), de la futilité des beaux esprits qui passent leur temps au café (lettre 31), des femmes décrépites qui croient encore pouvoir jouer de leurs charmes (lettre 52), de l'ignorance des magistrats (lettre 68); de la vie des courtisans qui se tuent en visites de toutes sortes (lettre 87).

La satire des mœurs s'élève jusqu'à la satire des institutions : l'Académie Française, la justice, la monarchie absolue, le roi, ce « grand magicien » qui peut faire croire à ses sujets « qu'un morceau de papier est de l'argent » (lettre 24), le pape « vieille idole, qu'on encense par habitude » (lettre 29), les lois qui interdisent le suicide (lettre 76), les colonies dont l'effet ordinaire est « d'affaiblir les pays d'où on les tire, sans peupler ceux où on les envoie » (lettre 121).

L'ambiguïté

Sans doute est-ce bien Montesquieu lui-même qui s'exprime par le truchement de ses deux Persans. Et l'on découvrirait aisément les prémices de sa pensée politique dans ces lettres, plus parisiennes à dire vrai que persanes, en particulier l'idée selon laquelle la monarchie « dégénère toujours en despotisme ou en république », l'équilibre entre le peuple et le prince étant trop difficile à garder (lettre 102).

Mais un pareil message est-il bien placé dans la bouche de purs représentants du despotisme oriental? Surtout si le despotisme du harem n'est que la transposition dans une Perse imaginaire des tyrannies d'Occident! Et est-il interdit de supposer, avec Jean Starobinski, « quelque plaisir complice », de la part de Montesquieu, « à être spectateur des événements du harem »? La sévérité de la critique est assurément tempérée par la complaisance du regard, peut-être, précisément, parce que Montesquieu et ses Persans ne sont que regard et se refusent à toute intervention dans l'ordre des choses, sauf — dans le cas des Persans — quand elle va dans le sens de la tyrannie.

POINT DE VUE EXPLICATIF ET POINT DE VUE NORMATIF

Ce regard veut tout embrasser, mais il veut aussi être exact : en décrivant la « nature des choses », Montesquieu ne s'interdit pas de porter un jugement sur elles et de conduire son lecteur à une norme.

Expliquer

Dans les *Considérations*, il donne une leçon d'intelligence historique. Sans nul souci d'érudition, il s'interroge, à propos de l'histoire romaine, sur les « causes générales, soit morales, soit physiques, qui agissent dans chaque monarchie, l'élèvent, la maintiennent, la précipitent ». Il se garde bien de les confondre dans un providentialisme à la Bossuet : l'enchaînement nécessaire des événements ne suppose aucune intervention divine. Pourtant le destin de Rome, que l'excès de sa grandeur même précipita dans la décadence, n'est pas sans rappeler le mythe médiéval de la roue de la Fortune et, de la pensée théologique, survit l'idée de la constance éternelle de la loi causale.

1. Les fermiers généraux s'enrichissaient à percevoir les impôts en versant au roi une somme forfaitaire.

Dans *De l'esprit des lois*, il donne une leçon d'intelligence politique. Pas plus que les faits, les lois ne sont laissées au gré d'une fortune capricieuse : elles sont « les rapports nécessaires qui dérivent de la nature des choses » (Livre I). Les causes qui font varier les lois, il va les chercher :

1° dans la nature du gouvernement (Livres II-XIII) qui peut être despotique, monarchique ou républicain;

2° dans le climat et la nature du sol (Livres XIV-XVIII);

3° dans l'esprit général d'une nation : la religion, les traditions, les mœurs, les manières, les conditions démographiques (Livres XIX-XXVI);

4° dans le moment : Montesquieu retrouve l'Histoire dans une série finale d'études consacrées aux lois romaines, aux lois féodales et au droit français (Livres XXVII-XXXI).

Cette somme des « lois, coutumes et divers usages de tous les peuples de la Terre » rompt avec tant de traités abstraits sur la société en général. Sauf dans les derniers livres peut-être, la matière immense est admirablement dominée : le philosophe a vu les « cas particuliers » se plier comme d'eux-mêmes aux « principes » généraux qu'il avait posés.

Deux des 2204 notes manuscrites conservées à la Bibliothèque municipale de Bordeaux et regroupées sous le titre de *Mes pensées*. (Bibl. Bordeaux.)

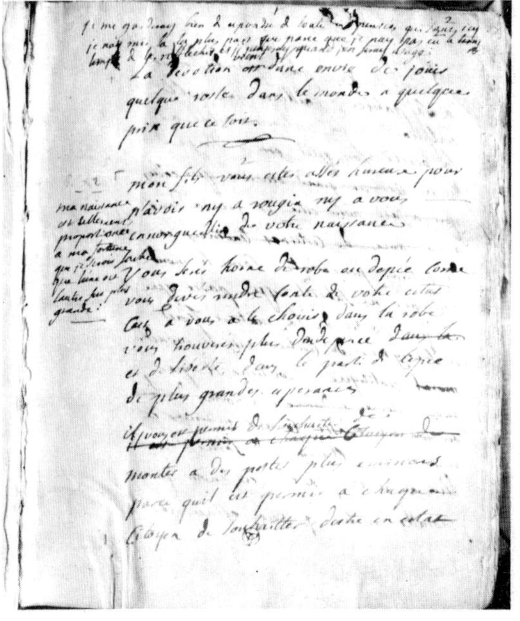

C. Biraben.

Ordonner

Mais Montesquieu, non content de décrire la loi telle qu'elle est, indique quelle elle doit être. Cette substitution du point de vue normatif au point de vue explicatif, déjà sensible dans les *Considérations*, devient plus nette encore dans *De l'esprit des lois*.

1° Le principe général, qui découle de la description elle-même, est la nécessaire adaptation des lois aux conditions générales du pays : « il faut que les lois se rapportent à la nature et au principe du gouvernement qui est établi ou qu'on veut établir » (Livre I).

2° Le législateur doit cependant faire preuve de « modération » en s'efforçant de concilier la nature des choses et les aspirations de l'homme, en particulier son aspiration au bonheur : « le bien politique, comme le bien moral, se trouve toujours entre deux limites » (Livre XXIX). La tolérance religieuse est l'une des formes de cette modération.

3° Les lois doivent être relatives au principe de chaque gouvernement : la vertu dans la démocratie, l'honneur dans la monarchie, la crainte dans le régime despotique. Si ce principe vient à se corrompre, le régime s'effondre.

Proposer

A dire vrai, ajoute Montesquieu, le principe du gouvernement despotique « se corrompt sans cesse, parce qu'il est corrompu par sa nature » : lui qui avait refusé de faire de son livre un tribunal, qui avait voulu, non « censurer ce qui est établi dans quelque pays que ce soit », mais faire aimer à chacun les lois de sa patrie en les lui expliquant, il ne peut s'empêcher de juger et d'exprimer ses propres préférences.

Ennemi de la tyrannie (dont la monarchie absolue qu'il a connue est une des formes), sceptique sur les chances de réalisation de l'idéal démocratique (« le temps des Républiques est passé »), il ne cache pas son goût pour une monarchie à l'anglaise. Il en retient :

1° le principe de la séparation des pouvoirs (Livre XI) : la puissance législative, la puissance exécutrice des choses qui dépendent du droit des gens (pouvoir exécutif), et la puissance exécutrice de celles qui dépendent du droit civil (pouvoir judiciaire). Ce principe n'a d'ailleurs pas, chez Montesquieu, la rigueur qu'on lui a prêtée;

2º la création de corps intermédiaires entre le souverain et le peuple : ils sont « naturellement » la noblesse d'épée et la noblesse de robe (Livre II).

Loin d'être l'ancêtre des républiques, Montesquieu apparaît donc bien plutôt comme un aristocrate, voire comme un féodal qui résiste à la naissance de l'État moderne.

LES ANTINOMIES DE LA LIBERTÉ

En gros, pourtant, « l'idéal de Montesquieu est bien l'organisation de la liberté » (1) dont l'État modéré, — la monarchie à l'anglaise — est le plus sûr garant. Sur cette notion fondamentale, il brode des variations qui ne vont pas sans quelques contradictions (2).

La liberté du regard ironique

Les *Lettres persanes* étaient le triomphe de l'ironie, acte libérateur de l'intelligence, même si, pour lever les masques, elle usait de personnages masqués. Détruire les préjugés, faire prendre conscience de la relativité des choses, dire non, autant d'actes de cette liberté qui semble pourtant se refuser à l'action. A tel point que la révolte se trouve transférée à Ispahan, dans l'univers de la fiction romanesque.

Condamnation de la licence

C'est que Montesquieu se méfie des excès de la liberté quand elle n'a pas d'autre but qu'elle-même et dégénère en licence. Il en a vu le honteux spectacle à Venise :

Quant à la liberté, on y jouit d'une liberté que la plupart des honnêtes gens ne veulent pas avoir : aller de plein jour voir des filles de joie; se marier avec elles; pouvoir ne pas faire ses pâques; être entièrement inconnu et indépendant dans ses actions : voilà la liberté que l'on a. Mais il faut être gêné : l'homme est comme un ressort, qui va mieux, plus il est bandé.

(Voyage en Italie).

1. G. Vedel.
2. Soulignées par J. Starobinski dans *Montesquieu par lui-même*.

La contrainte, condition de la liberté

Cette contrainte, la loi la fournira en nous faisant retrouver, de gré ou de force, l'ordre raisonnable, en assurant la sécurité de chacun et en délimitant le champ de notre liberté. La liberté, « ce bien qui fait jouir de tous les autres biens », ne consiste point à faire ce que l'on veut. « Dans un État, c'est-à-dire dans une société où il y a des lois, la liberté ne peut consister qu'à pouvoir faire ce que l'on doit vouloir, et à n'être point contraint de faire ce que l'on ne doit pas vouloir. » Et voici la formule décisive : « La liberté est le droit de faire tout ce que les lois permettent. »

La formule serait satisfaisante si partout et toujours l'organisme social se développait selon ses lois. Mais, précisément, Montesquieu a montré que tout pouvoir, par définition, tendait à devenir abusif. Perpétuellement menacée, la liberté ne peut être sauvegardée qu'au prix d'une vigilance qui n'est pas fort éloignée de la servitude.

BIBLIOGRAPHIE

ÉDITIONS : *Œuvres complètes* de Montesquieu, préface de G. Vedel, présentation et notes de Daniel Oster, Seuil, coll. « L'Intégrale », 1964.

ÉDITION CRITIQUE : *Lettres persanes*, éd. A. Adam (Droz, 1954); P. Vernière (Garnier, 1960).

ÉTUDES : Louis ALTHUSSER, *Montesquieu — la politique et l'histoire*, P.U.F., coll. « Initiation philosophique », 1959, rééd. 1964 (interprétation marxiste). — Georges BENREKASSA, *Montesquieu*, P.U.F., 1968. — Jean EHRARD, *Politique de Montesquieu*, A. Colin, 1965 (anthologie). — *Montesquieu critique d'art*, P.U.F., 1965 (un aspect peu connu de Montesquieu). — Jean STAROBINSKI, *Montesquieu par lui-même*, Seuil, coll. « Écrivains de toujours », nº 10, 1961 (brillant portrait de Montesquieu).

VOLTAIRE (1694-1778)

© Roger-Viollet.

Le propre de Voltaire est d'avoir suscité des réactions à l'image de son tempérament : violemment partisanes. On connaît la célèbre apostrophe de Musset sur le « hideux sourire » du patriarche de Ferney. Comment expliquer qu'après avoir été adulé comme nul autre de son vivant, Voltaire soit devenu depuis le XIXe siècle l'auteur le plus décrié de son temps : est-il victime du revers de sa légende? La proximité de Diderot ou de Rousseau suffit-elle à rendre compte de l'éclipse de son œuvre? Ou bien faut-il considérer sa pensée comme représentative de la « fin d'un monde » et par conséquent caduque à notre époque? Sans doute convient-il de nuancer ce jugement pour s'attacher à découvrir, derrière les multiples masques qu'il revêtit, le véritable tempérament de cet « infatigable lutteur ».

« UNE TEMPÊTE CONTINUELLE »

Dernier enfant d'une famille parisienne de notaires, François-Marie Arouet fait de solides études chez les Jésuites avant de connaître les premiers succès mondains et littéraires au sein de la libertine Société du Temple ([1]). Après un bref séjour en Hollande, il est incarcéré à la Bastille pour avoir publié des libelles injurieux contre le pouvoir : il y rédige le poème de *La Ligue* ainsi qu'une tragédie, *Œdipe*, qui sera jouée avec succès à sa libération en 1718. Dès lors, le jeune Arouet est célèbre et signe du pseudonyme de Voltaire ([2]).

En 1726, à la suite d'une altercation avec le chevalier de Rohan, Voltaire fait un nouveau séjour à la Bastille, puis part en exil pour l'Angleterre (1726-1729) : au milieu d'une vie agréable, il découvre les institutions britanniques et les compare à celles de son pays — au détriment de celles-ci. De retour en France, il publie une *Histoire de Charles XII* (1731), la tragédie de *Zaïre* (1732), et surtout la « bombe » des *Lettres philosophiques* (1734).

Craignant d'être poursuivi pour cet ouvrage, Voltaire se réfugie auprès de Madame du Châtelet qui l'initie aux sciences dans son château de Cirey : provisoirement sans soucis, il écrit *Le mondain* et le *Discours en vers sur l'homme*, longs poèmes où s'expriment l'épicurisme et le bien-être.

De 1744 à 1753, Voltaire connaît une vie agitée durant laquelle alternent les périodes de gloire et de déception : un temps en faveur à la cour de Versailles (il est historiographe de Louis XV en 1745), disgrâcié peu après, on le retrouve à Lunéville chez le roi Stanislas où il rejoint Madame du Châtelet. A la mort de sa protectrice, Voltaire, cédant aux offres de Fré-

1. La Société du Temple était un rassemblement de « viveurs en retraite » épris d'épicurisme et de libre pensée, « sans philosophie proprement dite : un salon plus qu'une académie » (R. Naves).
2. Anagramme probable d'AROVET L[e] J[eune].

déric II, rejoint la cour de Prusse (1750) : accueilli triomphalement, il goûte quelque temps la faveur princière, publie *Le siècle de Louis XIV* (1751) et *Micromégas* (1752), mais se brouille rapidement avec son hôte et doit regagner la France.

A la recherche d'un toit, il s'installe aux Délices, près de Genève (1755-1759) d'où il publie l'*Essai sur les mœurs* (1756), avant de se fixer définitivement au château de Ferney : c'est là qu'il va passer les dernières années de sa vie en « seigneur éclairé », entouré de sa nièce (Mlle Denis), de ses amis et de ses villageois, continuant de déployer une intense activité : littéraire (*Candide*, 1759 et *L'ingénu*, 1767), économique (création d'une fabrique de montres, de bas de soie, d'une tannerie...), politique (affaires Calas, Sirven, Lally-Tollendal...) et philosophique (pamphlets divers, *Traité sur la tolérance*, 1763 et *Dictionnaire philosophique*, 1769).

Revenu à Paris en 1778 pour assister à la représentation de sa tragédie d'*Irène*, il meurt brisé par la fatigue et l'émotion, peu de temps après avoir été élu à la direction de l'Académie.

	Contes et récits	Œuvres philosophiques	Œuvres historiques	Œuvres dramatiques	Œuvres poétiques
1718				*Œdipe*	
1723					*La Ligue* (ép.)
1728					*La Henriade* (ép.)
1731			*Histoire de Charles XII*		
1732				*Zaïre*	
1734		*Lettres philosophiques*			
1736		*Discours en vers sur l'homme*			*Le mondain*
1742				*Mahomet*	
1743				*Mérope*	
1747	*Zadig*				
1751			*Le siècle de Louis XIV*		
1752	*Micromégas*				
1756			*Essai sur les mœurs et l'esprit des nations*		*Poème sur le désastre de Lisbonne*
1759	*Candide*				
1763		*Traité sur la tolérance*			
1764		*Dictionnaire philosophique*			
1767	*L'ingénu*				
1768	*L'homme aux quarante écus*				
1772					*Épître à Horace*
	Une correspondance de plus de dix mille lettres.				

« VOLTAIRE, CORRESPONDANT DE L'UNIVERS » (LAMARTINE)

Plus de sept cents correspondants, plus de dix mille lettres font de Voltaire le plus grand épistolier de son siècle et peut-être de la littérature universelle. Si nous voyons dans cette correspondance « le siècle des Lumières s'animer sous nos yeux », nous y découvrons surtout les multiples visages d'un tempérament mobile entre tous.

Le reflet d'une époque

La multiplicité et la diversité des correspondants obligent Voltaire à aborder toutes sortes de sujets, depuis la futile narration d'un fait privé jusqu'à l'ébauche d'un programme de politique éclairée.

Au sommet de l'échelle sociale, les gouvernants reçoivent des lettres de politesse ou d'apparat parfois teintées de conseils pratiques que seule la personnalité de l'auteur pouvait faire passer :

C'est à vous de détruire l'infâme politique qui érige le crime en vertu. Le mot *politique* signifie dans son origine primitive *citoyen;* et aujourd'hui grâce à notre perversité il signifie *trompeur de citoyens.* Rendez-lui, Monseigneur, sa vraie signification.
(au prince royal de Prusse)

A l'autre bout se trouvent les proches de Voltaire, amis de toujours (Damilaville, Thiériot, Colini). Il les entretient des menus faits qui préoccupent sa vie de tous les jours. Entre ces deux pôles, on trouve les confidents spirituels de l'écrivain; il échange avec eux les propos qui nous importent le plus. Peu à peu se dessine un portrait intellectuel de Voltaire homme d'action, philosophe ou critique littéraire, portrait irremplaçable qui conserve les traits de la vie sans figer le modèle aux yeux de la postérité.

Les goûts de Voltaire

Toute l'œuvre retrace les combats incessants menés par Voltaire dans les domaines les plus divers : aussi n'est-il pas étonnant de voir revenir sans cesse dans sa correspondance l'allusion au « jardin » de Candide :

Si j'ai encore quelque temps à vivre, je le passerai à cultiver mon jardin comme Candide : j'ai assez vécu comme lui. *(à d'Alembert)*

Ce repli de l'homme sur son petit arpent de terre ne représente-t-il que le niveau dérisoire des possibilités humaines? Est-ce une fuite salutaire pour retrouver la source tarie de la pensée ?

Paris est une ville assiégée où la nourriture de l'âme n'entre plus. Je finis comme Candide, en cultivant mon jardin, c'est le seul parti qu'il y ait à prendre
(Ibid.)

Ou bien faut-il y chercher l'amertume désabusée d'un homme devant l'impuissance relative de la lutte ?

Puisse seulement notre petit troupeau demeurer fidèle! Mon cœur est desséché quand je songe qu'il y a dans Paris une foule de gens d'esprit qui pensent comme nous, et qu'aucun d'eux ne sert la cause commune. Il faudra donc finir comme Candide par cultiver son jardin! *(à Damilaville)*

Toujours est-il que malgré ces doutes, Voltaire n'aura pas de préoccupation plus constante que d'agir (« *Au fait!* est ma devise » déclare-t-il à ses amis) pour « Ecra. l'Inf. » (Écraser l'Infâme), c'est-à-dire l'injustice sous toutes ses formes. Ce désir de lutter pour défendre l'humilié illustre l'un des aspects les plus importants du caractère de Voltaire, même s'il n'apparaît pas clairement dans certains de ses ouvrages : la sensibilité. En cela, l'homme est bien de son siècle. D'ailleurs Diderot ne s'y était pas trompé qui notait :

Il faut que cet homme ait de l'âme, de la sensibilité. [...] Quand il y aurait un Christ, je vous assure que Voltaire est sauvé!

Mais l'écrivain se dérobe constamment derrière l'ironie et le masque de ses personnages :

Je me moque un peu du genre humain, et je fais bien; mais avec cela comme mon cœur est sensible! comme je suis pénétré de vos bontés! comme j'aime mes anges! *(à Mme d'Argental)*

Homme de son temps par son « engagement », Voltaire demeure par ses attitudes littéraires un représentant « de ce grand siècle dont un souffle avait passé sur son berceau » (Sainte-Beuve). En réalité, il convient de nuancer son « classicisme » : certes il admire les écrivains du XVIIe siècle et se réfère aux mêmes modèles :

Ces deux auteurs [Virgile et Homère] sont mes dieux domestiques. *(à Thiériot)*

Mais la découverte de l'Angleterre et de ses lettres a orienté l'écrivain vers un mélange de rigueur et de « préceptes philosophiques » : cet aménagement de la tradition, issu d'un cosmopolitisme qui débouche sur un certain relativisme du goût, n'en demeure pas moins « le bilan du classicisme parvenu à la conscience et au bilan de sa propre réussite » (1). D'où ce sévère jugement porté à la fin de sa vie par un Voltaire plus classique que jamais :

La canaille se mêle de vouloir avoir de l'esprit : elle fait taire les honnêtes gens et les gens du goût. Vous buvez la lie du détestable vin produit dans le siècle qui a suivi le siècle de Louis XIV. Si j'avais quelques bouteilles de l'ancien temps, je voudrais les boire avec vous. *(au censeur Marin)*

1. Raymond Naves, *Voltaire, l'homme et l'œuvre*, Hatier, p. 123.

« L'ÉPIQUE EST MON FAIT, OU JE SUIS BIEN TROMPÉ »

Ce conservatisme littéraire se manifeste dans la véritable création littéraire de Voltaire et dans le choix des genres d'expression : la tragédie et le poème.

Le théâtre voltairien : de la tragédie au drame

Admirateur critique des œuvres de Shakespeare, Voltaire n'en demeure pas moins attaché aux « valeurs » traditionnelles du classicisme :

> Il a manqué jusqu'à présent à presque tous les auteurs tragiques de votre nation cette pureté, cette conduite régulière, ces bienséances de l'action et du style, cette élégance, et toutes ces finesses de l'art qui ont établi la réputation du théâtre français

écrit-il à Mylord Bolingbroke dans son *Discours sur la tragédie* (1731). Mais il ajoute :

> vos pièces les plus irrégulières ont un grand mérite, c'est celui de l'action.

Le vocabulaire ne trompe pas : on le croirait sorti de la bouche de quelque Boileau. Le théâtre de Voltaire sera donc une œuvre d'esprit classique (respect des règles — qu'il appelle « beautés » —, utilisation du vers) renforcée par des situations propres à susciter « la crainte et la pitié ». L'écrivain rêve d'un théâtre d'équilibre entre la régularité française et le « chaos » du drame élisabéthain, qui permette d'illustrer sur la scène ses principales idées.

Malgré son désir, Voltaire a précipité la chute de la tragédie plus qu'il n'a contribué à prolonger son existence en tentant de la renouveler : le goût de la couleur locale et la complexité d'une intrigue chargée d'événements tirent la tragédie vers le drame, — mais un drame affadi par les dernières lueurs d'un classicisme déclinant.

Vaguement inspirée de l'*Othello* de Shakespeare, *Zaïre* (1732) illustre bien l'échec des ambitions du dramaturge.

Zaïre, captive depuis son enfance des Turcs, est amoureuse du sultan Orosmane qu'elle doit épouser. Un chevalier chrétien, Nérestan, apporte une rançon pour obtenir la libération des prisonniers : Orosmane en libère cent, mais refuse de rendre Lusignan, un vieillard de sang royal, et Zaïre. Celle-ci intervient auprès du sultan et obtient la liberté de l'aïeul qui reconnaît en Zaïre sa fille et son fils en Nérestan. La jeune fille accepte alors de revenir à la religion de ses ancêtres et se confie à Nérestan. Orosmane croyant à une intrigue entre le frère et la sœur poignarde Zaïre puis, découvrant sa méprise, se tue après avoir libéré les prisonniers.

Pour remédier à la froideur de la tragédie classique, Voltaire compte trop sur des éléments extérieurs : il entend réveiller la sensibilité du spectateur grâce au pathétique, aux effets mélodramatiques. D'où un affadissement général de la psychologie : les personnages sont dominés par la « générosité » et ne sont plus du tout des individualités fortement dramatiques. Du classicisme, Voltaire a retenu la technique du personnage moyen, sans grande vérité,

Zaïre : décors, costumes et attitudes classiques. (B. N. Paris.)

Mon Dieu qui me la rens me la
rens-tu chrétienne ?

© Arch. E. B.

Voltaire et son « hideux sourire ». (B. N. Paris.)

Généreux, bienfaisant, juste, plein de vertus,
S'il n'était né chrétien, que serait-il de plus?

toujours prêt à formuler ses sentiments dans un vers digne de Corneille :

Je sais vous estimer autant que je vous aime.

Ce tragique dégénéré est symbolisé par le nouveau héros voltairien, indifférent à l'idéal gréco-romain, mais soumis à la *vertu* de la poésie chevaleresque.

Voltaire poète : « une famille qui n'est pas la sienne » (1).

Voltaire a usé de tous les genres poétiques pour exprimer ses sentiments et ses idées dans leurs plus intimes secrets. Si *La Henriade* demeure une épopée manquée, si les *Discours en vers sur l'homme*, inspirés de Pope, nous paraissent aujourd'hui d'un intérêt didactique faible, si *Le mondain* expose un bien-être de circonstance :

Regrettera qui veut le bon vieux temps [...]
Moi je rends grâce à la nature sage
Qui pour mon bien m'a fait naître en cet âge [...]
J'aime le luxe et même la mollesse [...]
Le paradis terrestre est où je suis.

c'est que la poésie ne correspond pas véritablement à son tempérament : obligé de se plier à des lois rigides, il ne peut donner toute la mesure de sa fougue. Encore Voltaire a-t-il eu soin de délaisser l'alexandrin pour cultiver le décasyllabe, plus souple et plus mobile (la césure est irrégulière et « projette le vers en avant »).

Son œuvre poétique la plus vivante est celle qu'on a pu qualifier de « fugitive (1) » : épigrammes, rondeaux, piécettes rapidement tournées au gré de la fantaisie ou de l'humeur de l'écrivain. Car « sa vraie voix de poète est cette voix de fausset où grince l'allégresse chétive de l'homme » (2). Témoins ces deux coups de patte à ses deux grands ennemis : Le Franc de Pompignan

Savez-vous pourquoi Jérémie
A tant pleuré pendant sa vie?
C'est qu'en prophète il prévoyait
Qu'un jour le Franc le traduirait.

et le journaliste antiphilosophique Fréron :

L'autre jour, au fond d'un vallon,
Un serpent mordit Jean Fréron.
Que pensez-vous qu'il arriva?
Ce fut le serpent qui creva!

1. R. Pomeau.

1. Raymond Naves, *op. cit.*, p. 84.
2. René Pomeau, *Voltaire par lui-même*, Le Seuil, p. 63.

« L'HISTOIRE DE L'ESPRIT HUMAIN »

Voltaire est, selon l'expression de M.-J. Chénier, « le premier des modernes » dans la science historique. Si l'on excepte Montesquieu, il est vrai que le genre n'est guère représenté auparavant que par des historiographes ou des mémorialistes.

Une méthode scientifique

Le travail préparatoire de Voltaire est fondé sur les documents et les relations des témoins; écoutons-le parler de « l'assemblage de ses matériaux » pour *Le siècle de Louis XIV* :

Je n'ai d'autres mémoires pour l'histoire générale qu'environ deux cents volumes de mémoires imprimés que tout le monde connaît [...] J'ai, pour la vie privée de Louis XIV, les mémoires de M. Dangeau (3) [...]; j'ai ce que j'ai entendu dire à de vieux courtisans, valets, grands seigneurs et autres [...].

Mais cet énorme travail ne serait pas véritablement probant s'il n'était soumis à une critique sévère, en particulier si Voltaire ne confrontait pas ses sources :

Quand des contemporains, comme le cardinal de Retz et le duc de la Rochefoucauld, ennemis l'un de

3. Sur ces *Mémoires*, voir plus haut, p. 302.

l'autre, confirment le même fait dans leurs mémoires, ce fait est indubitable; quand ils se contredisent, il faut douter.

Cependant, une méthode qui vise au « respect de la vérité » pose le problème de l'impartialité de l'historien : or, malgré des scrupules qui l'obligent à publier ses volumes sans subvention pour être plus libre dans ses propos, Voltaire s'engage dans l'Histoire comme il s'est toujours engagé dans la littérature. Il défend une thèse philosophique en fonction de laquelle il organise ses arguments.

Une philosophie de l'Histoire

Tel est le titre de la longue méditation historique qui précède l'*Essai sur les mœurs* et dans laquelle Voltaire prétend vouloir « instruire » son lecteur. Et cette instruction va prendre l'apparence de ses convictions.

Répondant à la Providence de Bossuet ou à la Logique de Montesquieu, le Hasard est le véritable meneur de jeu de l'histoire voltairienne. Un tel point de vue pessimiste ne serait pas en accord avec le tempérament de lutteur du personnage. Aussi le corrige-t-il par une ferme croyance dans le progrès qui « adoucit les mœurs des hommes ». Mais ce progrès n'est pas continu : l'Histoire hoquette, oscillant entre la barbarie et l'état social.

Il faut donc encore une fois avouer, avouer qu'en général toute cette histoire est un ramas de crimes, de folies, et de malheurs, parmi lesquels nous avons vu quelques vertus, quelques temps heureux, comme on découvre des habitations répandues çà et là dans les déserts sauvages.

Enfin, Voltaire croit aux « grands sages » (Charlemagne, Saint Louis, le pape Alexandre III, Henri IV, Louis XIV) qui dirigent les peuples vers les sciences et les arts et font de leur temps un modèle de civilisation.

Une matière élargie, un art vivant

Voltaire n'a pas conçu d'emblée l'Histoire comme l'œuvre « d'un citoyen et d'un philosophe » : il s'est d'abord tourné vers la monographie (*Histoire de Charles XII*, 1731) puis a étendu ses recherches à un genre (*Le siècle de Louis XIV*, 1751) qui lui permette de mêler les chapitres narratifs et la réflexion philosophique. Enfin, dans l'*Essai sur les mœurs et l'esprit des nations* (1756), il a réalisé les véritables ambitions d'une histoire de « l'esprit humain ».

Tout en soumettant l'Histoire à une thèse, Voltaire n'oublie pas qu'il est « le peintre qui cherche à représenter d'un pinceau faible, mais vrai » l'aventure humaine. Il entend donner à son travail l'aspect d'une fresque dramatique :

Il faut une exposition, un nœud et un dénouement dans une histoire comme dans une tragédie.

« LE REPOS RAISONNABLE DES GENS QUI ONT COURU EN VAIN »

C'est ainsi que Voltaire définit la philosophie dans l'article « Faculté » de son *Dictionnaire philosophique*. Puis il ajoute :

et après tout, philosophie paresseuse vaut mieux que théologie turbulente et chimères métaphysiques.

La formation anglaise

Conçues et rédigées durant l'exil britannique, les *Lettres philosophiques* (1734) furent publiées clandestinement à Paris et condamnées pour subversion.

Voltaire passe en revue les diverses institutions anglaises, tant religieuses (I-VIII) que politiques (VIII-IX) ou socio-économiques (X). Puis il étudie le caractère anglais, qu'il juge dénué de tout préjugé (XI) et s'attache à montrer l'attitude réaliste de la philosophie et de la science anglaises (XII-XVII). Enfin, abordant le domaine des arts, il souligne l'esprit de liberté et de considération dans lequel travaillent les écrivains anglais (XVIII-XXIV). Dans des remarques sur les *Pensées* de Pascal, qui viennent compléter ces lettres, il s'efforce de réconcilier l'homme avec la vie terrestre (XXV).

Presque tous les thèmes de la philosophie voltairienne sont réunis dans ce premier grand ouvrage, qui tient à la fois du reportage et de la satire. Il s'agit avant tout pour l'auteur de susciter chez le lecteur une confrontation du système anglais avec en contrepoint le système français, de sorte que ce dernier apparaisse comme inadapté, inefficace, contraignant. Car l'idée de liberté domine l'ouvrage : c'est elle que l'on retrouve tant à propos de la religion,

C'est ici le pays des Sectes. Un Anglais, comme homme libre, va au Ciel par le chemin qui lui plaît,

que de la politique

Ce peuple n'est pas seulement jaloux de sa liberté, il l'est encore de celle des autres.

Cette liberté fait ressortir la servitude des Français, prisonniers, non comme les Britanniques des traditions, mais des préjugés. Ainsi en est-il de l'inoculation préventive de la petite vérole qui, « peut-être dans dix ans », franchira la Manche « si les curés et les médecins le permettent »!

Tout en approuvant les conditions de vie anglaises, l'auteur n'en relève pas moins avec ironie les défauts et les ridicules de ses modèles : ainsi les jeunes Quakers, « enrichis par l'industrie de leurs pères, veulent jouir, avoir des honneurs, des boutons et des manchettes; ils sont honteux d'être appelés Quakers, et se font Protestants pour être à la mode. »

L'ensemble n'a pas pour but de proposer un modèle à imiter aveuglément, mais de réveiller la torpeur française, de forcer le lecteur à construire un bonheur relatif, à son propre usage; aussi ne doit-on pas s'étonner de trouver à la suite de ces lettres une réfutation de Pascal dont le système enferme l'homme, selon Voltaire, dans un pessimisme radical :

J'ose prendre le parti de l'humanité contre ce misanthrope sublime; j'ose assurer que nous ne sommes ni si méchants, ni si malheureux qu'il le dit.

Par la suite, il continuera de développer ces thèmes, tant dans les ouvrages proprement philosophiques *(Poème sur le désastre de Lisbonne, Dictionnaire philosophique)* que dans les contes.

Métaphysique et religion

Homme d'action tourné vers la vie pratique, Voltaire condamne les systèmes métaphysiques qui veulent éclairer « la nuit profonde » de l'homme, mais ne lui sont qu'une source d'ennuis et de désolation. D'ailleurs, à toutes les questions que peut formuler le Philosophe, il n'est pas d'autre réponse que celle de la nature :

Oh! va interroger celui qui m'a faite!

La meilleure attitude est donc le silence : le derviche le recommande à Pangloss, pour mettre fin à ses vaines interrogations. Une telle sagesse pragmatique est la doctrine de Voltaire en face des systèmes qui tendent à ériger une conception (optimiste ou pessimiste) de la vie. La même attitude le conduit, par-delà les dogmes, à croire à « l'éternel géomètre », « intelligence supérieure », divinité non d'une secte privilégiée, mais « Dieu de tous les êtres, de tous les mondes, et de tous les temps ». A une morale imposée de l'extérieur, il substitue une morale régie par l'estime de soi :

Vis comme en mourant tu voudrais avoir vécu; traite ton prochain comme tu veux qu'il te traite.

Vie sociale et politique

Car l'homme est fait pour vivre en société, dans un État gouverné par quelques hommes « éclairés » : il ne s'agit pas d'attendre « un lieu de délices où l'on ne doit avoir que du plaisir »; il faut plutôt essayer de rendre notre monde supportable en luttant contre les fléaux sociaux : la guerre, le fanatisme, la misère, l'injustice et l'arbitraire. Pour cela, Voltaire croit en la mission civilisatrice des arts et de la philosophie qui, en « adoucissant » les esprits, éloignent la superstition et l'ignorance. Mais comment réaliser politiquement un tel programme : aura-t-on recours à une monarchie de droit divin? certes non! d'ailleurs les rois ont-ils quelque chose de plus que les autres hommes? Fera-t-on appel à la démocratie? Voltaire la croit réalisable dans les petits États seulement, et de ce fait ne lui accorde pas de mission civilisatrice. Là encore l'idéal réalisable lui paraît être la monarchie anglaise dans laquelle le roi « tout puissant pour faire le bien, est impuissant pour faire le mal », car il est surveillé par les classes éclairées de la nation. Toutes ces idées se trouvent éparses dans une œuvre diffuse : mais c'est encore dans les contes que s'orchestrent avec le plus de brio les idées du Philosophe.

« L'ŒUVRE DU CAUSEUR » : LE CONTE PHILOSOPHIQUE

Malgré son mépris pour le genre romanesque, Voltaire a écrit plus de vingt-cinq contes ou « histoires » philosophiques. Apparemment sans lien aucun, ces « facéties », assez tardives dans l'œuvre de leur auteur (*Zadig*, le premier conte publié, date de 1747), témoignent de la diversité de la lutte engagée par l'écrivain et illustrent son tempérament de « causeur ». On y trouve la meilleure expression du « propos voltairien » (1). Propos variable selon le « moment » où il se situe.

La formule du conte : « Micromégas » (1739-1752)

Publiée en 1752, cette « fadaise philosophique » avait été rédigée en 1739 pour Frédéric II et porte la marque des préoccupations d'un Voltaire installé dans un bonheur temporaire au château de Cirey.

Personnage doué d'intelligence et de bon sens, le géant Sirien Micromégas (= petit-grand) est condamné par les doctes de sa planète pour ses audaces scientifiques. Exilé, il voyage de globe en globe et fait la connaissance du directeur de l'Académie de Saturne auquel il donne une leçon de relativisme. Ensemble ils poursuivent leur odyssée et parviennent sur la terre tandis qu'une équipe de savants explore le cercle polaire : une conversation s'engage alors entre les deux voyageurs et les terriens, aboutissant à l'idée du relativisme universel et de la vanité des systèmes philosophiques.

---

1. René Pomeau, Introduction à *Candide*, Nizet, p. 59.

Micromégas et le « nain de Saturne » se saisissant du vaisseau et de sa « volée de philosophes ».

Ce conte a été écrit sous l'influence des théories scientifiques auxquelles Voltaire venait d'être initié par Mme du Châtelet. On y sent aussi l'emprise qu'exerçait alors sur l'écrivain l'œuvre de Locke et de Pope. Surtout on y découvre un schéma que les autres contes permettront de retrouver, même si le ton doit varier.

Le récit est composé d'une suite de tableaux dont l'unité est assurée par la présence constante du Sirien : celui-ci, comme tous ses frères à venir, est doué d'un esprit voltairien que dominent la sensibilité et l'intelligence :

> Il sait beaucoup de choses, il en a inventé quelques-unes.

Surtout, la structure du conte paraît dirigée comme la vie de Voltaire par l'expérience du voyage : reprise du *Gulliver* de Swift (et peut-être de Rabelais?) cette tradition se double d'une signification philosophique. L'espace se réduit de l'infiniment grand à l'infiniment petit, symbolisant ainsi la morale pratique que Micromégas offre aux « petits animalcules » que sont les hommes :

> ... vous devez sans doute goûter des joies bien pures sur votre globe; car, ayant si peu de matière et paraissant tout esprit, vous devez passer votre vie à aimer et à penser.

Ainsi, derrière l'ironie du récit se cachent un optimisme et une confiance dans la nature humaine et dans le progrès que traduisait déjà *Le mondain* deux ans plus tôt.

Doutes et déceptions : « Zadig » (1747)

D'abord publié en Hollande en 1747 sous le titre de *Memnon*, puis l'année suivante à Paris, *Zadig* correspond au début de la grande crise de la vie de Voltaire : quittant la petite « cour » de Cirey, le Philosophe retrouve le tourbillon de la vie et les difficultés de s'y fixer.

Riche et sage Babylonien, Zadig (= celui qui dit la vérité) a une confiance sans bornes dans le destin, malgré l'inconstance des femmes et l'ingratitude des hommes à son égard. Remarqué par le roi, il devient quelque temps un ministre « éclairé » et se proclame « enfin heureux ». Mais son amour pour la reine Astarté l'oblige à prendre la fuite.

Parvenu en Égypte, il devient esclave du marchand Setoc dont il gagne la confiance : il s'oppose aux coutumes barbares, démontre à des hommes de races et de religions différentes qu'ils « sont tous du même avis ». Une telle sagesse le désigne aux coups des fanatiques, et de nouveau Zadig doit prendre le chemin de l'exil. Sur la route de Babylone en révolte, il retrouve Astarté esclave et participe au combat qui doit désigner le nouveau roi : victorieux, il ne peut prouver son exploit, son armure lui ayant été dérobée. Finalement, l'ange Jesrad l'invite à se soumettre aux desseins de la Providence. Zadig se fait alors reconnaître de ses compatriotes, épouse Astarté, devient roi et découvre le bonheur.

Si l'intrigue Zadig-Astarté fournit la trame majeure du conte, il faut bien reconnaître qu'il n'y a aucune unité dans la conduite du récit. Aussi Voltaire a-t-il pris soin d'intervenir fréquemment par des réflexions pour lier artificiellement les divers épisodes entre eux. C'est que l'unité profonde du conte est dans la signification même des propos, non dans leur expression. Voltaire découvre ici une nouvelle technique romanesque qu'il réutilisera dans les ouvrages suivants : la quête d'un bonheur qui se refuse d'étape en étape, entraînant le héros dans les péripéties d'un voyage, pour le faire revenir au point de départ, vivre heureux et « éclairé ». L'accumulation incohérente des événements ne tend qu'à mimer la vie dans ses aspects les plus absurdes afin de conduire Zadig vers une sagesse pratique, c'est-à-dire à la mesure de l'homme :

> Il n'y a point de hasard; tout est épreuve, ou récompense, ou punition, ou prévoyance.

Que l'homme admette donc l'existence d'une Providence supérieure, mais ne s'y soumette pas aveuglément : par son travail et son intelligence il pourra changer le cours des choses et faire naître le bonheur. *Zadig* exprime les espoirs de Voltaire en une civilisation « éclairée » qu'il appelle de tous ses vœux mais qui se dérobe devant ses pas, de la cour de Versailles au cours étrangères.

Candide et les horreurs de la guerre : « le héros s'enfuit au plus vite dans un autre village ». (Coll. Rothschild.)

« *La tentation du désespoir* » (1)

Le chef-d'œuvre du conte voltairien reprend les techniques déjà essayées dans les récits antérieurs, et approfondit les thèmes chers à l'écrivain.

Le jeune Candide, disciple du philosophe optimiste Pangloss, est amoureux de Cunégonde; mais, ne pouvant prouver sa noblesse, il est chassé du « paradis de Thunder-ten-tronckh ». Enrôlé de force par l'armée bulgare, il parvient à s'échapper en Hollande où il retrouve Pangloss misérable. Ensemble ils rejoignent Lisbonne que secoue un tremblement de terre et sont condamnés par l'Inquisition. Sauvés par Cunégonde, ils s'enfuient en Amérique, abordent à Buenos Aires : mais, poursuivi par les inquisiteurs, Candide gagne le Paraguay, retrouve et tue le frère de sa bien-aimée. Enfin il arrive dans le paradis d'Eldorado, pays de rêve où il ne séjourne que quelques jours. Il repart pour l'Europe accompagné du savant Martin, un homme désabusé et « revenu de tout » : ils séjournent à Paris, voient fusiller l'amiral Byng à Londres, rencontrent au carnaval de Venise de moroses rois déchus. Enfin ils atteignent Constantinople, retrouvent Cunégonde vieillie et acariâtre, achètent une petite métairie et rendent par le travail leur vie supportable.

La structure de ce conte reflète les divers sentiments qui animent Voltaire en 1758. Le récit se divise en trois grands moments qui sym-

1. Jacques Van den Heuvel, *Voltaire dans ses contes*, *op. cit.*

© Coll. L. B.

Les mille visages du patriarche de Ferney. (B. N. Paris.)

bolisent trois tentations de l'esprit : de part et d'autre de l'épisode d'Eldorado, image d'un idéal inaccessible, Candide subit dans la première partie la tentation des chimères que résume le château de Thunder-ten-tronckh, avant de se résoudre à accepter l'idéal limité du « jardin » de Propontide. Cette évolution donne à l'ensemble du conte l'allure d'un roman d'éducation : Candide ne devient lui-même qu'aux dernières pages du livre; entre temps il a écarté les solutions que lui offraient Pangloss pour lequel

> ceux qui ont avancé que tout est bien ont dit une sottise : il fallait dire que tout est au mieux

et Martin dont le pessimisme aboutit à une alternative sans solution :

> ... l'homme est né pour vivre dans les convulsions de l'inquiétude, ou dans la léthargie de l'ennui.

On comprend que la réponse aux interrogations de l'un ne puisse être fournie par les raisonnements de l'autre : d'où la nécessité de produire une morale qui condamne le dogmatisme quel qu'il soit et propose à l'homme, non un paradis utopique, mais une position de repli pratique :

> Travaillons sans raisonner; c'est le seul moyen de rendre la vie supportable.
> Le travail éloigne de nous trois grands maux, l'ennui, le vice et le besoin.

Tout autant que par son contenu, *Candide* mérite de retenir l'attention du lecteur par la parfaite maîtrise de l'art voltairien. Autour du personnage principal, les silhouettes pullulent : un trait appuyé, un tic de langage souligné suffisent à donner une épaisseur aux marionnettes déjà caractérisées par le subtil jeu des noms et des surnoms. De même, l'organisation générale du récit échappe à la construction classique : « cette désinvolture dans la conduite de l'intrigue, ces caprices d'itinéraires, de séparations, de retrouvailles, sont autant de moyens d'imposer dans toute son ampleur l'image du désordre de la vie » (1). Et, de fait, il se dégage spontanément de ce chaos une sorte de poésie de l'absurde qui débouche sur l'édification d'une personnalité. Successeur de Scarmentado (2) qui, à la suite des mêmes aventures, ne découvre que l'ironie amère — « Je résolus de ne plus voir que mes pénates. Je me mariai, chez moi, je fus cocu et je vis que c'était l'état le plus doux de la vie » — Candide, liquidant illusions et chimères, parvient au bout de sa quête à réinventer l'homme en lui offrant une sagesse à son échelle.

Candide est le dernier grand cri de désespoir de Voltaire — même s'il est étouffé par la parabole du jardin : les contes suivants, rédigés dans la retraite de Ferney, marqueront la réconciliation de l'écrivain avec la nature et la société, et affirmeront sa confiance dans les générations nouvelles, celles-là mêmes que le combat mené depuis une cinquantaine d'années aura contribué à engendrer.

1. J. Van den Heuvel, *op. cit.*
2. Héros du conte homonyme.

VOLTAIRE AUJOURD'HUI

De tous les écrivains de son siècle Voltaire est celui qui a été le plus durement remis en question : face à Rousseau, toujours étudié, et à Diderot redécouvert par la critique matérialiste, le patriarche de Ferney semble quelque peu délaissé. Baudelaire déjà l'attaquait dans *Mon cœur mis à nu :* « Voltaire ou l'anti-poète, le roi des badauds, le prince des superficiels, l'antiartiste, le prédicateur des concierges. » Il ne semble pas qu'aujourd'hui l'opinion générale soit plus favorable au Philosophe : on lui reproche son manque de profondeur, son ton badin. Surtout, il pâtit de l'engagement politique du monde moderne : à travers lui ce qu'on décrie, c'est la pensée de la grande bourgeoisie qui a confisqué à son profit les mouvements révolutionnaires de 1789.

Une telle critique procède sans doute d'une analyse superficielle. Reprenant les propos de Raymond Naves, le critique marxiste Jean Varloot a eu raison de préciser que « ce que nous retenons de la philosophie de Voltaire, c'est l'appel lucide à l'action ».

En effet, derrière les mots qui sans doute ont vieilli, la pensée voltairienne demeure actuelle par la mobilisation constante des forces contre l'arbitraire et les restrictions à la liberté individuelle. Un éminent spécialiste de Voltaire, René Pomeau, va même plus loin en affirmant que « la pensée de Voltaire ne peut s'installer dans un succès définitif » :

Ce sont des politiques qui au XXe siècle fanatisent les masses. Quiconque pendant une crise ne participe pas à la fureur commune risque gros. Contre ce traître on déchaîne les nouveaux théologiens et les inquisiteurs. [...] Mais regardons autour de nous : il ne s'agit pas seulement de politique. Quelle turpitude pire que celle de ces petits esprits qui se pavanent dans leur petite sphère! Il est si fatigant de réfléchir! N'exigez pas que ces âmes mortes examinent une fois leurs bonnes pensées : bonnes, puisqu'elles sont traditionnelles, et qu'elles servent leurs intérêts.

BIBLIOGRAPHIE

ÉDITIONS SAVANTES : Il n'existe aucune édition moderne des œuvres complètes de Voltaire, la dernière publiée date de 1883 (52 vol. chez Garnier par Molland). Aussi aura-t-on recours à des études critiques séparées. *Œuvres historiques,* Gallimard, coll. « Bibliothèque de la Pléiade », éd. Pomeau, 1967. — *Correspondance* (11 vol. parus), Gallimard, coll. « Bibliothèque de la Pléiade », éd. Bestermann, 1964 et *sq.* — *Mélanges,* Gallimard, coll. « Bibliothèque de la Pléiade », éd. Van den Heuvel, 1961. — *Romans et conters,* Garnier, éd. Bénac, 1960 — et, en éditions séparées : *Candide,* Nizet, éd. Pomeau, 1959; *Micromégas,* Princeton University Press, éd. Ira O. Wade, 1950; *Zadig,* Droz, éd. V.-L. Saulnier, 1946. — Les textes de l'*Affaire Calas* ont été rassemblés par Jacques Van den Heuvel en Folio.

ÉDITIONS COURANTES : Les *Contes* figurent en Garnier-Flammarion et en Folio. Garnier-Flammarion propose aussi les *Lettres philosophiques,* le *Dictionnaire philosophique, Le siècle de Louis XIV* (2 vol.) et l'*Histoire de Charles XII.* Par ailleurs, il existe dans les séries classiques quelques petits volumes pratiques : *Correspondance, Candide* (très bonne étude critique) en Classiques Bordas; choix de textes de l'*Essai sur les mœurs* (avec une bonne introduction) dans les « Classiques du peuple », aux Éditions sociales.

ÉTUDES : La critique voltairienne est immense, nous en extrayons cinq ouvrages importants : Raymond NAVES, *Le goût de Voltaire,* Garnier, 1938 (capital pour comprendre la position de la littérature voltairienne). — Raymond NAVES, *Voltaire, l'homme et l'œuvre,* Hatier, 1942, rééd. en 1957 et 1969 (clair et précis, ce petit ouvrage pose les problèmes essentiels de la lecture de Voltaire et tente de les résoudre avec habileté). — René POMEAU, *Voltaire par lui-même,* Seuil, 1955 (complément moderne du précédent). — René POMEAU, *La religion de Voltaire,* Nizet, 1956 (ouvrage difficile, mais fondamental, qui apporte des réponses nouvelles à l'un des problèmes les plus importants de la pensée voltairienne). — Jacques Van den Heuvel, *Voltaire dans ses contes,* A. Colin, 1968 (la première véritable étude des contes dans leurs rapports avec l'évolution du philosophe). — Pour une mise au point permanente de l'immense bibliographie voltairienne, on consultera les *Studies on Voltaire and the Eighteenth Century* que publie la *Voltaire foundation* à Oxford. Les *Studies* préparent d'ailleurs une biographie de Voltaire en plusieurs volumes pour remplacer les 8 tomes du *Voltaire et la société du dix-huitième siècle* (Didier, 1867-1876) de G. DESNOIRESTERRES.

DIDEROT (1713-1784)

Esprit universel et ondoyant, Diderot est l'une des figures les plus attachantes de son siècle. Outre la grande aventure de l'*Encyclopédie* qu'il fut chargé de mener à bien, il n'est guère de domaine que son génie n'ait approché. Théoricien dramatique, critique d'art, épistolier, essayiste, romancier, il fut tout cela à la fois. Son œuvre, comme son esprit, peut faire songer à un bouillonnement désordonné. Ce n'est là qu'apparence : hors de tout système, « avec une rapidité surprenante dans les mouvements, dans les désirs, dans les projets, dans les fantaisies, dans les idées », elle tend, par le moyen de vastes synthèses, vers l'unité philosophique, savant équilibre de la raison et d'un cœur sensible.

« PLUTÔT S'USER QUE SE ROUILLER »

Fils aîné d'une famille catholique aisée de couteliers langrois, Denis Diderot était destiné par les siens à l'état ecclésiastique : il fut tonsuré à l'âge de 12 ans. Après quelques années indisciplinées chez les Jésuites, il poursuit de brillantes études au Collège d'Harcourt, d'où il sort maître ès-arts en 1732.

Entré chez un procureur pour apprendre le droit, il éprouve le désir de connaître le monde et décide de s'enfuir. Sa famille lui ayant coupé les vivres, il vient mener une existence bohème à Paris : pour subsister, il a recours à de nombreux expédients. On le voit dans les cafés littéraires (le Procope, la Régence) fréquenter les célébrités à la mode. C'est l'époque où il se lie avec Jean-Jacques Rousseau, Grimm, d'Alembert. En 1743 il épouse, contre le consentement paternel, Antoinette Champion, lingère modèle mais « pie-grièche et harangère ». L'union ne sera pas sans nuages et Diderot se consolera, entre autres, avec Mme de Puisieux et Mme de Meaux; par bonheur lui naîtra une fille, Angélique, pour laquelle il sera un père modèle.

Diderot se lance alors dans les lettres : il adapte des œuvres de Shaftesbury [1], publie des *Pensées philosophiques* (1746), un roman libertin, *Les bijoux indiscrets* (1747), et surtout la *Lettre sur les aveugles à l'usage de ceux qui voient* qui, jugée irrévérencieuse à l'égard de la religion, lui vaut une incarcération de quelques mois au fort de Vincennes (1749). Événement d'importance qui enseigne à Diderot la prudence. D'autant plus que cet emprisonnement a failli interrompre définitivement l'entreprise commencée en 1746 : l'*Encyclopédie*. Cette tâche écrasante va l'occuper de longues années durant, mais il pourra la supporter avec constance grâce à la compagnie de Sophie Volland, avec laquelle il se lie et échange une vibrante correspondance.

Malgré l'*Encyclopédie*, Diderot continue d'écrire. Pour le théâtre d'abord, il compose *Le fils naturel* (1757) et *Le père de famille* (1758), deux

1. Le philosophe anglais Shaftesbury (1671-1713) défendit dans ses ouvrages philosophiques des thèses moralisantes, issues, non d'un dogme imposé, mais d'une réflexion personnelle.

drames qu'il accompagne de textes théoriques. A la demande de son ami Grimm, il devient en 1759 le critique d'art de la revue *La correspondance littéraire :* jusqu'en 1781 il rendra compte du salon biennal du Louvre. Pour se distraire, il écrit des dialogues et des récits qui ne seront publiés qu'après sa mort, tels *La religieuse* et surtout *Le neveu de Rameau* qu'il entreprend en 1762. Enfin, il rassemble ses idées philosophiques dans des essais comme *Le rêve de d'Alembert.*

Entré en relation avec la tzarine Catherine, qui lui avait acheté sa bibliothèque, Diderot se décide, une fois la publication de l'*Encyclopédie* terminée, à partir pour Saint-Pétersbourg. Comblé durant son séjour, il revient en 1774, enchanté par son hôtesse, « âme de Brutus avec les charmes de Cléopâtre »! Entre temps il a rédigé un dernier roman, *Jacques le fataliste*, et un essai philosophico-dramatique : le *Paradoxe sur le comédien.* C'est dans le calme et l'étude que se passent ses dernières années : grâce aux pensions que lui accorde Catherine, il ignore les soucis matériels. Il meurt le 30 juillet 1784, suivant de quelques mois la fidèle Sophie Volland qui fut « tout le bonheur de sa vie ».

	Œuvres romanesques	Œuvres philosophiques	Œuvres esthétiques	Œuvres dramatiques
1746		*Pensées philosophiques*		
1748	*Les bijoux indiscrets*			
1749		*Lettre sur les aveugles*		
1751		*Lettre sur les sourds-muets*		
1757				*Le fils naturel*
1758				*Le père de famille*
1759			*Premier Salon*	
1763			*Troisième Salon*	
1767			*Cinquième Salon*	
1769		*Le rêve de d'Alembert*		
1771	*Jacques le fataliste*		*Septième Salon*	
1773		*Paradoxe sur le comédien*		
1781			*Neuvième Salon*	

Nombreux articles pour l'*Encyclopédie* dont il assume la direction.
Publication posthume de deux « romans » : *La religieuse* et *Le neveu de Rameau.*

« MES PENSÉES, CE SONT MES CATINS »

Nulle phrase ne saurait définir avec autant de bonheur le caractère de Diderot : cet incessant dévergondage de l'esprit, qui le conduit à aborder en quelques lignes une foule de sujets différents, se reflète dans sa correspondance avec Sophie Volland. Comme dans un « journal », Diderot laisse apparaître ses contradictions, dont il avait parfaitement conscience quand il déclarait à Mme de Meaux :

J'enrage d'être empêtré d'une diable de philosophie que mon esprit ne peut s'empêcher d'approuver et mon cœur de démentir.

Cette lutte du cœur et de l'esprit est bien le trait dominant de Diderot. Impulsif, il suit les soubresauts de sa sensibilité, abandonnant comme le philosophe du *Neveu de Rameau* « son esprit à tout son libertinage ». Ainsi s'explique le retour des images de la « girouette » et du « vent » dans les autoportraits de l'écrivain. Entraîné par sa fougue, Diderot vibre avec intensité à la vue d'un tableau, à la pensée de revoir Sophie; le vocabulaire trahit l'outrance de sa sensibilité :

Si le spectacle de l'injustice me transporte quelquefois d'une telle indignation que j'en perds le jugement, et que dans ce délire je tuerais, j'anéantirais, aussi celui de l'équité me remplit d'une douceur, m'enflamme d'une chaleur et d'un enthousiasme où la vie, s'il fallait la perdre, ne me tiendrait à rien. [...] J'ai peine à respirer; il s'excite à toute la surface de mon corps comme un frémissement...

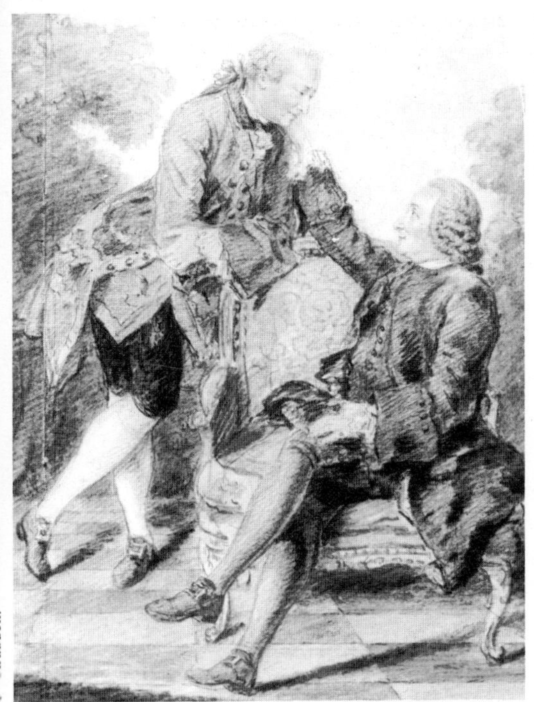

Diderot et son ami Grimm, par Carmontelle.

Mais, en même temps, cette âme sensible est douée d'une grande imagination : lorsque la « fibre » ne s'échauffe pas, son esprit se met en branle, entrechoque les mots à la manière du neveu de Rameau. Et Diderot peut écrire dans l'*Essai sur la peinture :*

Les hommes froids, sévères et tranquilles observateurs de la nature, connaissent souvent mieux les cordes délicates qu'il faut pincer : ils font des enthousiastes sans l'être.

Cette contradiction explique sans doute dans une large mesure le choix du dialogue comme mode d'expression littéraire privilégié : Diderot peut ainsi montrer tour à tour les multiples visages de sa personnalité, moins pour tenter d'en résoudre les antinomies que pour les formuler. « J'avais cent physionomies diverses en une journée », confesse-t-il en 1767 pour souligner l'extrême mobilité de son tempérament.

Cette variabilité d'humeur ne l'empêche pas d'être d'une parfaite constance dans ses rapports avec ses proches : ce n'est pas « un vain simulacre » qui l'attache à son ami Grimm, mais une « violente et douce passion ». De même avec Sophie Volland : qu'importent les fugues d'un instant en regard d'un sentiment qu'une correspondance de quelque quinze années suffiront à peine à épuiser! Diderot y laisse libre cours à son naturel : ici fougueux, comme dans l'ivresse du premier moment, là rêveur, composant un hymne au sentiment. Parfois, comme dans cette page du 10 juin 1759, il réussit l'harmonieuse synthèse de son imagination et de son cœur :

J'écris sans voir. [...] Je vous écris que je vous aime, je veux du moins vous l'écrire; mais je ne sais si la plume se prête à mon désir. [...] Voilà la première fois que j'écris dans les ténèbres, [...] et je continue de vous parler, sans savoir si je forme des caractères. Partout où il n'y aura rien, lisez que je vous aime.

Homme expansif, Diderot n'en reste pas moins désireux de solitude, et trouve dans la nature un apaisement à nul autre pareil :

Il semble que tout nous berce dans les champs. Toutes les douleurs ici finissent par être lentes et mélancoliques. D'instinct on s'assied, on se repose, on regarde sans voir, on abandonne son âme, son esprit, ses sens, à toute leur liberté : c'est-à-dire qu'on ne fait rien, pour être au ton de tous les êtres.

On sent passer dans ces phrases un souffle nouveau qui inspirera toute une génération nouvelle.

LE THÉORICIEN DE LA « TRAGÉDIE DOMESTIQUE ET BOURGEOISE »

Dès 1748, dans les divertissants *Bijoux indiscrets*, Diderot interrompait son récit pour introduire au chapitre XXXVIII un sérieux « Entretien sur les lettres ». On entendait Mirzoza la favorite formuler des réserves sur la tragédie classique, puis esquisser les principes d'une dramaturgie nouvelle :

Je n'entends point les règles, et moins encore les mots savants dans lesquels on les a conçues; mais je sais qu'il n'y a que le vrai qui plaise et qui touche. Je sais encore que la perfection d'un spectacle consiste dans l'imitation si exacte d'une action, que le spectateur, trompé, sans interruption, s'imagine assister à l'action même.

De telles idées n'allaient pas rester lettre morte. Diderot les précise dans ses écrits théoriques, les *Entretiens sur le fils naturel* (1757) et le *Discours de la poésie dramatique* (1758), qui, publiés à la suite du *Fils naturel* et du *Père de famille*,

« offrent la plus cohérente démonstration du nouvel art dramatique » ([1]).

Un théâtre du réalisme

Rompant avec les nobles sujets de la scène classique, Diderot veut s'attacher à peindre l'humble condition des hommes de son siècle :

Ce ne sont plus, à proprement parler, les caractères qu'il faut mettre sur la scène, mais les conditions.

C'est là un renversement total des perspectives dramatiques : l'auteur ne s'astreindra plus, en effet, à construire son intrigue en fonction d'un caractère; mais, après avoir poli une « esquisse » de situation, il s'emploiera à créer des « caractères différents », qui lui permettront de composer des tableaux dignes de retenir l'attention du spectateur. Cela suppose un principe directeur : et, là encore, Diderot s'oppose aux classiques, car, si comme eux il entend atteindre le « vrai », ce n'est plus un concept philosophique qu'il cherche à illustrer, mais la réalité qu'il veut peindre :

Ce qui montre surtout combien nous sommes encore loin du bon goût et de la vérité, c'est la pauvreté et la fausseté des décorations, et le luxe des habits.

Ainsi l'équation vérité = réalité l'entraîne-t-elle à bannir de la scène tout ce qui n'a point place naturellement dans la vie. Première condition : l'abandon de la forme versifiée; et Diderot de réclamer « le premier poète qui nous fera pleurer avec de la prose ». Dans le domaine scénique surtout, outre le réalisme du détail, Diderot prétend introduire la pantomime :

J'ai dit que la pantomime est une portion du drame; que l'auteur s'en doit occuper sérieusement; que si elle ne lui est pas familière et présente, il ne saura ni commencer, ni conduire, ni terminer sa scène avec quelque vérité; et que le geste doit s'écrire souvent à la place du discours.

Une esthétique morale de la sensibilité

Le public auquel s'adresse Diderot n'a rien de commun avec l'aristocratique parterre de Versailles :

C'est toujours la vertu et les gens vertueux qu'il faut avoir en vue quand on écrit.

Le dramaturge veut présenter à ces spectateurs diverses leçons morales sous le couvert de l'attendrissement et rendre meilleur le truand par le seul secours des pleurs :

Le méchant s'irrite contre des injustices qu'il aurait commises [...] et sort de sa loge, moins disposé à faire le mal, que s'il eût été gourmandé par un orateur sévère et dur.

Toute pièce doit entonner un hymne à cette vertu qui se confond avec la nature, et traduire ainsi les aspirations majeures des Philosophes, soucieux de substituer aux dogmes et aux préjugés une morale naturelle, à la fois rationnelle et instinctive.

L'échec de Diderot dramaturge : « Le fils naturel »

Écrit en 1756, joué seulement, et une seule fois, en 1771, *Le fils naturel* constitue un exemple caractéristique du théâtre que prétendait instaurer Diderot. Sans doute *Le père de famille* aura-t-il plus de chance; mais avec ses qualités et surtout ses défauts la première pièce de Diderot explique à la fois les ambitions et les limites du genre.

Diderot résume ainsi la trame de sa pièce dans son « Prologue » : c'est l'histoire « de l'homme rare qui avait eu, dans un même jour, le bonheur d'exposer sa vie pour son ami, de lui sacrifier sa passion, sa fortune et sa liberté ».

Ainsi présentée, l'aventure paraît édifiante certes, mais ne rend nullement compte de l'aspect romanesque et de l'intention moralisante que souligne le sous-titre de la pièce : « *Les épreuves de la vertu* ». De la première ligne à la dernière, la vertu dirige l'âme de Dorval, homme « sombre et mélancolique [...] à moins qu'il ne parlât de la vertu ». Un tel didactisme fige la pièce et ralentit l'action qui progresse — si l'on peut dire — par une suite d'effondrements moraux des personnages.

Le ton, uni et sérieux qui souligne la dégradation de la situation, puis le revirement final sont conformes aux intentions morales. La pantomine, variable en importance selon les scènes, intervient fréquemment pour rendre avec plus de force les moments pathétiques (I, 2; V, 3). Quant aux caractères, ils présentent un mélange de démesure et de quotidien qui gêne l'effet théâtral.

Ainsi, à côté des jugements enthousiastes de la coterie philosophique, celui de Voltaire paraît le plus pertinent : prétendre que l'ouvrage est « plein de vertu, de sensibilité et de philosophie » n'est-ce pas, implicitement, montrer l'échec du *Fils naturel* en tant qu'œuvre dramatique...?

1. Michel Lioure, *Le drame*, A. Colin, coll. « U », p. 10.

« ... L'ÉCOLE OÙ L'ON APPREND À SENTIR »

Sensibilité et technique

Toucher la sensibilité du spectateur, tel est donc le projet du dramaturge. Mais, cette émotion, la doit-on aux transports sincères de l'acteur qui vit son rôle plus qu'il ne le joue?

La réponse de Diderot sera un paradoxe : le talent de l'acteur « consiste non pas à sentir, comme vous le supposez, mais à rendre si scrupuleusement les signes extérieurs au sentiment, que vous vous y trompiez ».

Ainsi, tous les éléments de la mimique ou de l'intonation ne sont que « grimaces pathétiques, singeries sublimes » pendant lesquelles l'acteur garde « toute la liberté de son esprit ». La source de l'art serait-elle, comme le laisse entendre le *Paradoxe sur le comédien*, la réflexion lucide, le calcul minutieux? Le poète lui-même se contente-t-il de simuler des sentiments qu'il n'éprouve pas? Le croire serait ignorer la nature du génie.

Une extrême sensibilité, l'enthousiasme au contact de la nature : tels sont les traits de Dorval, présenté dans les *Entretiens sur le fils naturel* comme l'auteur de la pièce où il raconte sa propre histoire. Diderot le rencontre au coucher du soleil :

> Il s'était abandonné au spectacle de la nature. [...] Je suivais sur son visage les impressions diverses qu'il en éprouvait; et je commençais à partager son transport, lorsque je m'écriai, presque sans le vouloir : « il est sous le charme ».

Le génie franchit donc les bornes étroites de la raison; bien mieux, plus le spectacle sera violent, plus l'inspiration sera forte :

> La poésie veut quelque chose d'énorme, de barbare, de sauvage. C'est lorsque la fureur de la guerre civile ou du fanatisme arme les hommes de poignards, et que le sang coule à grands flots sur la terre que le laurier d'Apollon s'agite et verdit.

Une critique dramatique et morale

Lucidité de l'homme de métier, enthousiasme de l'être sensible : la contradiction s'atténue au fur et à mesure que le portrait de l'artiste se nuance et s'enrichit. En effet, de 1759 à 1771 puis en 1775 et 1781, Diderot, à la demande de Grimm, rédige pour les lecteurs de *La correspondance littéraire* un compte rendu des *Salons* de peinture qui se tiennent à Paris tous les deux ans. La revue s'adresse à des gens qui ne peuvent voir les tableaux : aussi Diderot s'emploie-t-il à les décrire; le sujet de l'œuvre lui importe surtout. S'il s'oppose à la froideur académique héritée d'un Lebrun, les scènes galantes de Boucher ou de Baudoin le lassent :

> Je ne suis pas un capucin : j'avoue cependant que je sacrifierais volontiers le plaisir de voir de belles nudités si je pouvais hâter le moment où la sculpture et la peinture plus décentes et plus morales songeront à concourir avec les autres beaux-arts à inspirer la vertu et à épurer les mœurs. Il me semble que j'ai assez vu de tétons et de fesses.

L'art est donc lié à la morale : il doit contribuer au bien. On comprend l'admiration du critique pour l'œuvre de Greuze, — ou plutôt son émotion, tant il est vrai que là encore les larmes conduisent à la vertu : le tableau est à ses yeux une scène de théâtre et c'est en psychologue qu'il analyse le spectacle.

Dès le *Salon de 1765* cependant, un *Essai sur la peinture* manifeste l'intérêt de Diderot pour l'homme de métier, pour l'artisan que chaque grand peintre recèle en lui : « Mon ami, transportez-vous dans un atelier, regardez travailler l'artiste. »

Vernet : La bergère des Alpes (Musée de Tours).

L'imitation de la nature

Diderot admire les qualités d'observation et l'art du coloriste chez Chardin qui figure, avec Vernet et Robert, parmi ses peintres préférés. Il montre comment le pinceau exprime la personnalité de l'artiste :

Éclairez vos objets selon votre soleil, qui n'est pas celui de la nature; soyez le disciple de l'arc-en-ciel, mais n'en soyez pas l'esclave.

Si le « soleil » de l'artiste n'est pas « celui de la nature », c'est que l'art n'est pas une plate reproduction du monde extérieur. La nature, en effet, produit « tous ses ouvrages viciés », car ils sont déformés ou enlaidis par les vicissitudes de l'existence. Seuls quelques rares génies éliminent les imperfections par une longue observation et parviennent « à l'image intellectuelle, [...] au vrai modèle idéal de la beauté, à la ligne vraie ».

L'artiste n'imite pas la nature, mais tente de rivaliser avec elle pour atteindre une vérité idéale.

Diderot fréquente non seulement les peintres, mais aussi les sculpteurs et les musiciens : il pense que tous les arts, réunis dans un système total, constitueraient le beau, lié indissolublement au bien et au vrai.

LE PREMIER ROMANCIER MODERNE?

Déconcertant, déroutant, Diderot l'est plus que partout ailleurs dans sa production romanesque : hormis *La religieuse* dont la structure, hésitant entre le présent et le passé, entre le roman pur et le journal intime, traduit déjà une certaine gêne à l'égard du genre, il n'est pas de véritable roman signé de sa main.

Son attitude théorique est déjà passablement floue : de l'*Éloge de Richardson* à la «Postface » aux *Deux amis de Bourbonne*, des contradictions surgissent. Toutefois, l'art voulu par le Philosophe est avant tout un art réaliste : grâce au « détail » pittoresque la vérité doit être stylisée. Diderot, en accusant les gestes et les attitudes de ses personnages, leur donne un relief suffisant pour dominer la complexité de ses compositions. Mais ce réalisme caricatural reste fort éloigné de la réalité véritable.

« *Le neveu de Rameau* » *:* [...] *Une bombe au beau milieu de la littérature* » *(Goethe)*

Le manuscrit du *Neveu de Rameau* a connu une aventure étonnante : entrepris dès 1762, remanié jusqu'en 1779, l'ouvrage resta inconnu du public, du vivant de son auteur. Il fut publié pour la première fois dans l'adaptation allemande de Goethe en 1805, et parvint en France retraduit du texte allemand en 1821. Ce n'est qu'en 1891 qu'un érudit découvrit sur les quais un manuscrit autographe de Diderot et publia le texte authentique du *Neveu*.

Un « après dîner » Monsieur le Philosophe *(Moi)* rencontre au Café de la Régence Jean-François Rameau *(Lui)*, « étrange composé de hauteur et de bassesse », bohème et musicien. La conversation s'engage, chaotique en apparence, fourmillante de paradoxes, entrecoupée de pantomimes. Divers sujets sont abordés : rôle du génie, éducation des enfants, théories musicales, problèmes moraux...

Ce court dialogue constitue, comme l'indique le sous-titre, une « satire », c'est-à-dire « un pot-pourri de libres propos » (1). Pourtant se laisser aveugler par l'incohérence superficielle

1. Jean Fabre, édition critique du *Neveu de Rameau*, Droz, p. XLII.

La leçon de clavecin du *Neveu de Rameau*, gravure de F. A. Milius.

de la conversation serait méconnaître les « chaînons imperceptibles » dont parle Diderot lui-même. Pour les trouver, il convient d'isoler méthodiquement les divers éléments qui s'enchaînent dans le dialogue.

La première remarque qui s'impose concerne l'ensemble de l'œuvre : dans cette conversation à bâtons rompus chacun des deux interlocuteurs prend tour à tour le dessus, imprimant au récit l'allure d'une courbe :

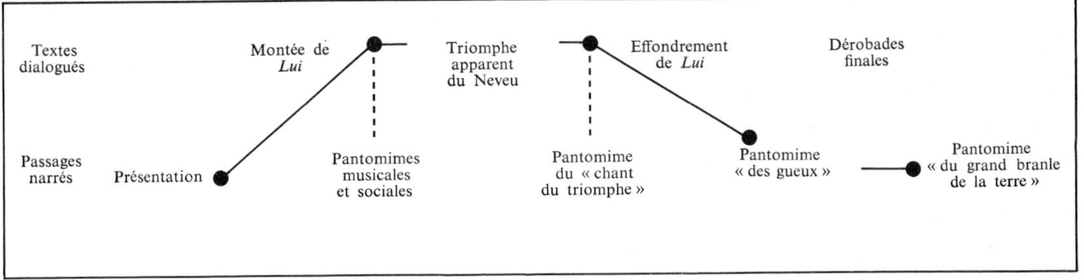

Schéma d'ensemble du *Neveu de Rameau*

Le rapide croquis ci-dessus montre clairement les deux veines du texte : les passages dialogués qui font progresser l'action, et les passages « narrés » qui constituent en quelque sorte des « charnières » et orientent la conversation sur un thème différent. Il convient aussi de s'arrêter sur les parties que Diderot intercale pour laisser *Moi* juger son interlocuteur : ces séquences se situent aux moments de bascule du dialogue et permettent au lecteur de faire le point sur la situation. Le plus long de ces jugements ouvre le récit : le Philosophe nous présente d'emblée son interlocuteur sous deux aspects — insistant sur la personnalité de Rameau (« C'est un composé de hauteur... ») et sur sa position sociale (« Je n'estime point ces originaux-là »). Ces deux remarques servent de point de départ aux thèmes essentiels de la conversation, même s'ils sont abordés par le biais de la morale ou de la musique : comment concilier l'état de « gueux » avec le sentiment de « hauteur », comment préserver son « originalité » au milieu de la société? Notons que cette ambiguïté fondamentale du *Neveu* sera le point d'intérêt principal de *Moi*, et reflétera la gêne du Philosophe devant les propos de *Lui*.

Le dialogue se déploie lui-même selon une courbe, une boucle même : en effet, le thème du génie qui ouvre le dialogue sert également de conclusion. Mais entre les deux épisodes la conversation a changé le visage de Rameau : il ne peut plus tenter, à la fin, de grotesques synthèses du génie et du mal et doit assumer une médiocrité qu'il s'est en quelque sorte révélée à lui-même. La symétrie du dialogue n'est qu'apparente : on est passé de l'aspect théorique à l'application pratique des thèmes étudiés.

L'organisation interne du *Neveu de Rameau* (les chiffres indiquent l'ordre des « séquences » dans le dialogue)

	Aspect théorique : triomphe de *Lui*	Aspect pratique : effondrement du Neveu	
1 ↓	Le génie : ses rapports avec la société et la morale	Retour au génie : pourquoi Rameau, malgré ses aptitudes, n'est-il qu'un raté?	6 ↑
2 ↓	Éloge de la musique	Discussion sur la morale : l'éducation de Rameau	5 ↑
3 ↓	Morale : éloge de l'hypocrisie. Théorie du « sublime en mal »	Esthétique : Rameau et le « beau » artistique	4 ↑

Au terme de cette analyse, *Le neveu de Rameau* apparaît comme un dialogue d'un type particulier : il n'y a en réalité aucun vainqueur et chacun retourne à ses occupations, le Philosophe dans ses « rêves », Rameau à sa « gueuserie ». Pouvait-il en être autrement : les options fondamentales sont identiques (chacun veut conserver son originalité et sa liberté), mais les moyens

© Giraudon.

Frontispice de l'édition de 1797 de *Jacques le Fataliste.*

diffèrent pour parvenir au but. Sans doute peut-on voir chez *Lui* tout autant que chez *Moi* une tentation du caractère de Diderot, un dialogue de la bonne conscience et de l'aventure.

« *Jacques le fataliste* » : « *Un énorme festin* »

C'est ainsi que Goethe a défini *Jacques le fataliste*, l'œuvre de Diderot la plus déroutante qui soit. Quel que soit le côté par lequel on l'aborde, ce « roman » n'apparaît pas comme un ouvrage unique, mais comme la juxtaposition d'intentions et de structures diverses. Extérieurement d'abord, il n'y a pas un, mais quatre niveaux de narration : à côté du récit des aventures de Jacques (I) et de son dialogue avec son Maître (II), Diderot introduit, du début à la fin de l'ouvrage, un dialogue avec le lecteur (III) et en profite pour mêler artificiellement trois nouvelles au corps même de son récit (IV).

Il en va de même pour les thèmes que l'on rencontre au cours des divers épisodes : à la trame centrale d'allure picaresque viennent se superposer une intention romanesque (les amours de Jacques) et une conversation philosophique sur le fatalisme. Bien plus, ce dernier motif n'est jamais introduit que par l'intermédiaire des deux autres comme le laisse deviner la présentation du récit, tant sous l'angle du roman de voyage

Comment s'étaient-ils rencontrés? Par hasard comme tout le monde. Comment s'appelaient-ils? Que vous importe. D'où venaient-ils? Du lieu le plus prochain. Où allaient-ils? Est-ce que l'on sait où l'on va...

que dans l'amorce des aventures sentimentales de Jacques

Un coup de feu au genou; et Dieu sait les bonnes et mauvaises aventures amenées par ce coup de feu. Elles se tiennent ni plus ni moins que les chaînons d'une gourmette. Sans ce coup de feu par exemple, je crois que je n'aurais été amoureux de ma vie.

De cet enchevêtrement des thèmes et des formes romanesques les héros de Diderot tirent leur vie : l'auteur ne les décrit jamais, laissant au dialogue le soin de réaliser les personnages.

Mais la grande originalité de Diderot vient du dialogue qu'il entretient avec le lecteur et qui a pu faire écrire à certains que *Jacques le fataliste* était un anti-roman : devant la fuite incessante de l'auteur qui dérobe le récit attendu, le lecteur se sent gêné. D'autant plus que le narrateur prétend agir par amour de la vérité : cette vérité du récit, où est-elle en réalité? Et la leçon du dialogue, quelle est-elle? Dans une magistrale pirouette, Diderot échappe une dernière fois avec malice aux poursuites du lecteur, pour affirmer sa liberté de créateur :

Eh bien! reprenez son récit où il l'a laissé et continuez-le à votre fantaisie.

MONSIEUR LE PHILOSOPHE

Incohérent pour certains, ambigu pour d'autres, Diderot est essentiellement un personnage complexe : refusant l'esprit de système, il abandonne sa pensée au gré de ses impulsions. Cela ne signifie pas qu'il faille renoncer à trouver une unité dans la mouvance de ses idées : bien au contraire, à travers les méandres de son imagination, il convient de s'engager à la suite du Philosophe dans « le chemin de Diderot » (1).

1. Nous reprenons le titre d'un article de Jean Fabre, paru dans le numéro spécial de la revue *Europe*, 1963, pp. 1-5.

Diderot et la religion

Catholique d'éducation, Diderot évolua du théisme à l'athéisme. Lorsqu'en 1745 il traduit l'Anglais Shaftesbury, il ne s'agit pas pour lui de prouver l'existence de Dieu, mais d'assurer les fondements d'une morale :

Le but de cet ouvrage est de montrer que la vertu est presque indivisiblement attachée à la connaissance de Dieu.

Car cet *Essai sur le mérite et la vertu* marque une attitude critique à l'égard de la religion établie : l'existence d'une divinité suffit à diriger le croyant dans sa morale; il n'est nul besoin d'un sentiment de crainte, puisque « craindre un Dieu, ce n'est pas avoir pour cela de la conscience ». Dès ce premier ouvrage éclate l'enthousiasme du Philosophe pour la nature, ainsi que sa haine de l'intolérance et du fanatisme.

Mais, l'année suivante, Diderot évolue vers le déisme : « J'écris de Dieu » note-t-il en préambule aux *Pensées philosophiques*. Cette religion séduit notre homme, parce qu'elle nie la Révélation :

Je la crois bonne autant qu'il est possible à quiconque n'a jamais eu aucun commerce immédiat avec la Divinité.

En face de l'ascèse chrétienne, l'athée oppose son raisonnement à Diderot, mais ce dernier n'use pour prouver l'existence de Dieu d'aucun argument théologique. Il a recours à l'observation :

L'intelligence d'un premier Être ne m'est-elle pas mieux démontrée dans la nature, par ses ouvrages, que la faculté de penser dans un philosophe par ses écrits?

On voit poindre le matérialisme de Diderot, et la « Pensée XXI » confirme cette évolution en admettant que le mouvement est une propriété de la matière :

Vous voulez bien convenir avec moi que la matière existe de toute éternité, et que le mouvement lui est essentiel.

Nouvelle étape dans la pensée de Diderot avec *La promenade du sceptique* écrite en 1747 : recourant à l'allégorie, le Philosophe oppose l'Allée aux Épines suivie par les chrétiens à l'Allée aux Fleurs que fréquentent les athées, et s'engage dans l'Allée des Marronniers, séjour des penseurs, libéré du « bandeau » (entendons la foi) qui lui masquait la vérité : le déisme de Diderot sort ébranlé de ces pages et se fond dans un panthéisme plus séduisant (« l'Univers est Dieu »), mais aussi précurseur de l'athéisme.

Deux ans plus tard, le pas est franchi avec la *Lettre sur les aveugles :* élargissant un fait divers (la guérison d'un aveugle-né par Réaumur) Diderot développe une polémique antireligieuse :

Si vous voulez que je croie en Dieu, il faut que vous me le fassiez toucher du doigt,

déclare sur son lit de mort l'aveugle Saunderson, balayant du même coup les arguments utilisés naguère par Diderot pour soutenir son déisme. En effet,

Le mécanisme animal, qu'a-t-il de commun avec un être souverainement intelligent? S'il vous étonne, c'est peut-être parce que vous êtes dans l'habitude de traiter de prodige tout ce qui paraît au-dessus de vos forces.

Voilà Diderot résolument engagé dans la voie du rationalisme comme le prouvent les additions aux *Pensées philosophiques* rédigées en 1762 :

Lorsque Dieu dont nous tenons la raison en exige le sacrifice, c'est un faiseur de tours de gibecière qui escamote ce qu'il a donné.

Matérialisme et morale

L'athéisme est une attitude négative; aussi Diderot se tourna-t-il vers le matérialisme, d'abord expérimental ainsi que le définit l'ouvrage *De l'interprétation de la nature.*

Trois grandes idées dominent, qui seront approfondies par *Le rêve de d'Alembert.*

1. Loin d'être inerte, la matière est « un flux perpétuel » qui conduit le Philosophe à admettre une vie libérée de toute conception théologique :

Et la vie? La vie est une suite de réactions et [d'actions.
[...] Naître, vivre et passer, c'est changer de [formes.

2. Mais ce mouvement n'est pas anarchique : il procède d'une unité secrète de l'organisme que nous nommons « âme » ou « conscience ».
3. D'où finalement l'existence d'une « sensibilité de la matière, [...] qualité essentielle et générale ».

Postuler de tels principes, c'est admettre que l'homme n'est plus un jouet entre les mains d'une divinité, mais devient responsable de sa propre vie et de celle des autres. Le Neveu avait assimilé ces idées à sa façon lorsqu'il exposait sa théorie des « idiotismes moraux » :

Nous n'apportons en naissant qu'une similitude d'organisation avec d'autres êtres, les mêmes besoins, de l'attrait vers les mêmes plaisirs, une aversion commune pour les mêmes peines : voilà ce qui constitue l'homme, ce qu'il est, et doit fonder la morale qui lui convient.

PRÉSENCE DE DIDEROT

Les Goncourt ont les premiers signalé la modernité de Diderot comme romancier et comme critique d'art. Les études contemporaines ne semblent pas devoir les démentir : il est vrai que l'homme, tout autant que l'écrivain et le Philosophe, a de quoi séduire notre époque.

Longtemps écrasé entre Voltaire et Rousseau, Diderot a retrouvé aujourd'hui toute sa force et apparaît comme la charnière du « siècle des Lumières » :

> Placé au carrefour de deux époques où s'entrecroisent les influences, le plus souvent contradictoires et antagonistes, de Voltaire et Rousseau, il oriente d'un geste spontané et sûr le génie moderne vers les grands horizons de l'avenir (1).

Véritable tempérament cosmopolite, infatigable remueur d'opinions, Diderot s'accorde bien aux préoccupations modernes : sans jamais conclure, il éprouve l'incessant besoin de soulever tous les voiles de la connaissance humaine pour donner naissance à un homme nouveau. Michelet, dans une page célèbre, a chanté les mérites de ce « vrai Prométhée » qui

> [...] fit plus que des œuvres. Il fit des hommes. Il souffla sur la France, sur l'Allemagne. [...] Grand spectacle de voir le siècle autour de lui. Tous venaient à la file puiser au puits de feu. Ils y venaient d'argile, ils en sortaient de flamme. Et, chose merveilleuse, c'était la libre flamme de la nature propre à chacun (1).

De Taine (2) à Anatole France (3) s'élabore peu à peu la tradition d'un Diderot humaniste malgré les grincements d'un Barbey ou d'un Barrès. Et les modernes y souscrivent volontiers en songeant à la maïeutique du philosophe :

> ... une sagesse qui ne manque pas de se moquer de la philosophie. Une sagesse qui fut celle de Socrate. Diderot, un Socrate des « Lumières »? Pourquoi pas (4)?

1. Hubert Gillot, *Denis Diderot : ses idées philosophiques, artistiques et littéraires*, Georges Courville.

1. Michelet, *Histoire de France*, « Louis XV ».
2. *Les origines de la France contemporaine*, « Ancien Régime ».
3. *Cahiers de la quinzaine*, II, 7.
4. René Pomeau, *Diderot*, P. U. F., p. 47.

BIBLIOGRAPHIE

ÉDITIONS : Depuis l'édition Assézat-Tourneux (Garnier, 1875-1877, 20 vol.) qui a beaucoup vieilli, il n'existe aucune édition des œuvres complètes de Diderot. On trouvera néanmoins dans l'édition des *Œuvres complètes* qu'a dirigée R. LEWINTER (15 vol., Club français du livre, 1969-1973) l'essentiel de la production de l'écrivain, regroupé par ordre chronologique et préfacé par les meilleurs spécialistes. Les éditions Hermann ont entrepris une édition en 33 volumes dont 15 sont aujourd'hui disponibles. Les éditions Garnier proposent quatre volumes sérieux : *Œuvres politiques,* 1963. — *Œuvres esthétiques,* 1959 (édition de Paul Vernière). — *Œuvres philosophiques,* 1956. — *Œuvres romanesques,* 1950 (édition d'Henri Bénac). — Pour la correspondance, on se reportera aux volumes de la *Correspondance complète* procurée par G. Roth (Paris, éd. de Minuit, 1955-1969) ou, à défaut, aux deux tomes des *Lettres à Sophie Volland* fournis par A. Babelon (Gallimard, 1938). — Enfin, pour toute étude véritable sur *Le neveu de Rameau* (et sur Diderot en général), on lira la belle édition critique procurée par Jean Fabre (Droz, 1950). — Un certain nombre d'œuvres de Diderot sont accessibles en format de poche : *Le neveu de Rameau, Jacques le Fataliste, La religieuse, Le rêve de d'Alembert, Entretiens sur le Fils naturel, Paradoxe sur le comédien, Les bijoux indiscrets* ainsi que les *Lettres à Sophie Volland* (Folio, G.-F.).

ÉTUDES : Jean THOMAS, *L'Humanisme de Diderot,* Les Belles Lettres, 1933 (un ouvrage sérieux et capital pour comprendre la morale de Diderot). — Henri LEFEBVRE, *Diderot,* Éditeurs français réunis, 1949 (approche stimulante de l'œuvre par la méthode marxiste). — Yvon BELAVAL, *L'esthétique sans paradoxe de Diderot,* Gallimard, 1950 (analyse philosophique des idées artistiques de Diderot et de leur influence sur la création de l'écrivain). — Charly GUYOT, *Diderot par lui-même,* Seuil, 1953 (brève étude intéressante avec de bons choix de textes). — René POMEAU, *Diderot,* P.U.F., coll. « Philosophes », 1967 (pénétrante approche de la philosophie de Diderot avec des extraits regroupés par rubriques). — Daniel COUTY, *Le neveu de Rameau,* coll. « Profil d'une œuvre », Hatier, 1972 (une synthèse rapide sur une œuvre difficile). — Le petit livre de Jacques PROUST, *Lectures de Diderot,* A. Colin, 1974, offre un panorama de la critique diderotienne jusqu'à cette date, panorama qui est encore de mise aujourd'hui.

JEAN-JACQUES ROUSSEAU (1712-1778)

Rousseau est l'un des écrivains classiques dont la fascination sur le monde moderne ne cesse de croître. « Prophète » (1), selon l'expression du grand poète allemand Hölderlin, il le fut par ses visions de morale politique et sociale. Mais tout autant que le penseur, c'est Jean-Jacques l'homme qui se masque — ou plus exactement s'offre à nous derrière Rousseau l'écrivain : tel qu'en lui-même, « seul sur la terre » comme il se plaisait à le dire, avec pour fidèles compagnons les « rêveries » et les « chimères » qui devaient séduire les générations suivantes.

UNE EXISTENCE SINGULIÈRE

Ayant perdu sa mère à sa naissance, le jeune Jean-Jacques passe les premières années de sa vie dans la protestante République de Genève : d'abord avec son père, un fantasque horloger, puis chez un pasteur de Bossey (1722). Entré en apprentissage chez le graveur Ducommun, il se révolte et s'enfuit de Genève un soir de mars 1728. Errant sur les chemins de Savoie, il est recueilli à Annecy par Mme de Warens, qui le convertit au catholicisme. Puis, tout en accomplissant divers métiers, il reprend sa route en compagnie d'un autre chemineau. Mais il revient toujours vers sa protectrice qu'il appelle « maman », et poursuit dans le calme des Charmettes, non loin de Chambéry, son éducation religieuse et littéraire, s'initie à la musique... Années heureuses, qui prendront fin avec l'apparition d'un jeune rival en 1737, puis avec la rupture définitive en 1740.

Précepteur chez un seigneur lyonnais, professeur de musique (Jean-Jacques inventa même un nouveau système de notation), secrétaire d'ambassade à Venise, Rousseau se lie avec un petit noyau d'artistes, fréquente les Encyclopédistes et Diderot. Mais sa maladresse et sa timidité l'excluent du grand monde dans lequel il cherche pourtant à pénétrer malgré son désir d'indépendance. En 1745, il se lie avec Thérèse Levasseur, une servante d'auberge dont il aura cinq enfants, tous confiés aux Enfants trouvés.

1. Hölderlin, « Rousseau », traduction de Gustave Roud.

Le *Discours sur les sciences et les arts* (1750) est couronné par l'Académie de Dijon et rend le nom de Jean-Jacques Rousseau célèbre du jour au lendemain. Poussant plus loin ses thèses, il publie cinq ans plus tard le *Discours sur l'origine de l'inégalité* et revient au protestantisme.

Rousseau, par La Tour (Musée de Saint-Quentin).

Sur l'invitation de Mme d'Epinay, Rousseau séjourne deux années à l'Ermitage, près de Montmorency (1756-1757) : il y mène une vie champêtre, traversée par la passion pour Mme d'Houdetot, les brouilles (avec Diderot) et les rancœurs. Recueilli par le maréchal de Luxembourg, il passe quatre années à Montmorency où il rédige la *Lettre à d'Alembert* (1758), *La nouvelle Héloïse* (1759), *Émile* et le *Contrat social* (1762). Condamné par le Parlement de Paris pour sa « Profession de foi du vicaire savoyard (1) », il s'exile successivement en Suisse à Môtiers (qu'il quittera en 1765, « lapidé » par une population hostile dressée contre lui par le pasteur), puis en Angleterre chez le philosophe Hume. Enfin, en 1770, il revient se fixer à Paris, pauvre et solitaire : il termine la rédaction des *Confessions*, des *Dialogues* et des *Rêveries du promeneur solitaire*, qu'il achève peu de temps avant sa mort dans la propriété du marquis de Girardin, à Ermenonville (2) où se trouve son tombeau.

	Textes théoriques	Œuvres romanesques	Récits autobiographiques
1750	*Discours sur les sciences et les arts*		
1755	*Discours sur l'origine de l'inégalité*		
1758	*Lettre à d'Alembert sur les spectacles*		
1761		*La nouvelle Héloïse*	
1762	*Du Contrat social* *Émile*		
1765-70			*Les confessions* (publiées entre 1782 et 1789)
1772-76			*Les dialogues* (publiés entre 1780 et 1782)
1776-78			*Rêveries du promeneur solitaire* (publiées en 1782)

ROUSSEAU ET « LE COMPLOT » : L'AUTOBIOGRAPHIE

La vocation autobiographique de Rousseau tient à la fois de la confession publique et du journal intime : Jean-Jacques veut se justifier aux yeux du monde, et plus encore mettre de l'ordre dans son esprit « inquiet de tout », faire la lumière sur ces « mille choses cruelles » qu'il entrevoit « sans rien voir distinctement ».

Le regard de Narcisse : « Les confessions »

Rédigés entre 1765 et 1770 avec une interruption de « deux ans de silence et de patience », les douze livres des *Confessions* retracent la carrière de Jean-Jacques de sa naissance à l'exil anglais. Selon la volonté de leur auteur, elles ne furent publiées qu'après sa mort, en 1782 pour la « Première partie » (livres I-VI) et en 1789 pour la « Seconde partie » (livres VII-XII). Telles qu'elles s'offrent au lecteur, *Les confessions* apparaissent comme un témoignage, un plaidoyer et une œuvre d'art.

L'auteur : un être singulier. Son dessein : un projet d'exception qui « mène au seuil de l'Apocalypse » :

> Je forme une entreprise qui n'eut jamais d'exemple et dont l'exécution n'aura point d'imitateur. Je veux montrer à mes semblables un homme dans toute la vérité de la nature; et cet homme ce sera moi.

Car l'ambition de Rousseau ne s'arrête pas à la seule narration de sa vie : il entend faire œuvre de moraliste, et montrer à ses hypocrites lecteurs que « tout intérieur humain, si pur qu'il puisse être [...] recèle quelque vice odieux ». On voit comment Jean-Jacques entend construire son œuvre : face au complot qu'il sent tramé contre lui — complot né d'événements objectifs, comme les brouilles ou l'hostilité de certains milieux, mais fortement entretenu par son goût morbide

1. Une partie de l'*Émile*, où Rousseau expose d'audacieuses conceptions religieuses (voir p. 357).
2. En Ile-de-France.

pour l'auto-persécution —, il va tenter d'établir son innocence en accusant la société et la destinée. Très révélatrice est, à cet égard, l'incessante quête du paradis perdu menée par le narrateur : chassé au moment de trouver l'apaisement, il en vient à s'enfermer dans un réseau inextricable (1). C'est que, pour lui, l'écriture de sa vie prend valeur de purification, au sens religieux du terme : l'homme traqué qu'il est trouve dans la contemplation de ses malheurs la certitude de sa supériorité au milieu de la médiocrité qui l'environne.

Peut-on dire cependant que le monde revécu par la mémoire ait suffi à calmer le solitaire de Montmorency? Certes non, puisqu'il faudra encore les *Dialogues* et les *Rêveries* pour que se manifeste la sérénité de l'écrivain. Du moins Rousseau aura-t-il découvert que le chemin que doit emprunter l'apaisement passe par le souvenir, qu'il s'agisse de faits réels ou d'événements inventés par l'écrivain pour soutenir ses thèses. Dès lors, la sincérité n'a plus de sens, seule compte la fidélité de Rousseau à lui-même.

Quelque indifférence qu'il ait manifestée à l'égard du métier d'écrivain, le choix des épisodes, leur agencement, l'éclairage des tableaux, l'organisation interne des scènes accusent une réelle volonté de frapper l'imagination et la sensibilité du lecteur. D'autant que le style, souple et mobile, s'adapte aux circonstances, puisant dans le récit l'attendrissement lyrique ou le pathétique de l'inquiétude.

Du regard du juge à l'apaisement final

Le monde refusant de l'écouter, Rousseau décide de s'offrir en victime. Plus exactement, il écrit, pour répondre au silence hostile de ses contemporains, trois *Dialogues* (2) pour s'expliquer fictivement avec les personnages qu'il se crée. Cette conversation à trois (le Français, Rousseau et Jean-Jacques le « monstre ») est le plus pathétique effort d'un homme en lutte contre l'absurdité, à la recherche de ses propres richesses et finalement confiant dans la conscience humaine (3).

1. Voir à ce propos la magistrale étude de Jean Starobinski : *Jean-Jacques Rousseau, la transparence et l'obstacle*, Gallimard, 1971.
2. Également intitulés *Rousseau juge de Jean-Jacques.*
3. Michel Foucault, dans l' « Introduction » aux *Dialogues*, Paris, A. Colin, 1962, écrit de ces textes qu'ils sont « un langage qui essaye en vain de solliciter le langage ».

La naissance du désir : « Que mes lèvres ne sont-elles des cerises! Comme je les leur jetterais de bon cœur! » Passage des *Confessions* (livre IV) caractéristique des chimères vertueuses de Rousseau.

Malgré le pessimisme tragique de l'ensemble, les *Dialogues* conduisent Rousseau vers « son » salut : à l'impossible conversation des trois personnages succède en effet le monologue paisible des dix *Rêveries* composées dans la tranquillité du parc d'Ermenonville. Existait-il une meilleure issue? La réponse semble être : non, puisque Jean-Jacques, retiré en lui-même, est assuré de « jouir de son innocence ».

Aucune unité entre ces « promenades », sinon celle de leur créateur : le temps est brisé, aboli dans sa durée, donnant ainsi à l'auteur l'illusion finale de se posséder. Toutes les idées développées méthodiquement dans les œuvres antérieures sont ici reprises et parées des prestiges du lyrisme. Nature, bonheur et liberté ne sont plus des concepts : intégrés dans les paysages et les souvenirs, ils deviennent un des éléments essentiels du décor intérieur apaisé que recherchait Rousseau. Les formes se sont estompées, les couleurs se sont adoucies, les bruits du monde se sont feutrés comme pour témoigner de la « paix de l'âme » retrouvée. Plus que jamais, voici Rousseau face à lui-même.

Rousseau et l'autobiographie : un « dangereux pacte »

Parler de soi n'est pas nouveau, mais avec Rousseau le climat est différent dans la mesure où l'autobiographie est à la fois au cœur d'une expérience humaine, philosophique et littéraire.

Que Rousseau soit « débordé par l'affaire Rousseau » ([1]), nul ne le conteste; toutefois, l'intérêt serait moindre si Jean-Jacques n'avait éprouvé le besoin de s'offrir comme modèle à ses semblables, même à ceux des générations postérieures, et s'il n'était allé par l'autobiographie à l'essentiel de la littérature. L'autobiographie se trouve, en effet, au centre du système philosophique de Rousseau : en face du « paraître » sur lequel s'est établie, pour le malheur de l'homme, la civilisation, Jean-Jacques se présente comme l'exemple de la « transparence » salvatrice venue racheter l'opacité de la société.

Mais, dans le même temps, ce « cœur transparent comme le cristal » découvre une dimension nouvelle de son existence : en se mirant dans sa propre écriture, Rousseau a trouvé salut et apaisement dans l'autobiographie.

LE ROMAN D'UN CITOYEN : « LA NOUVELLE HÉLOÏSE »

La nouvelle Héloïse est née d'un rêve compensateur :

> L'impossibilité d'atteindre aux êtres réels me jeta dans le pays des chimères, et ne voyant rien d'existant qui fût digne de mon délire, je le nourris dans un monde idéal que mon imagination créatrice eut bientôt peuplé d'êtres selon mon cœur.

Cet aspect de fiction philosophique explique le succès dont jouit ce roman depuis sa publication en 1761 : si « l'imagination créatrice » sut séduire les contemporains, il semble que la critique moderne se préoccupe tout autant du « monde idéal » que des techniques narratives.

Une « longue romance »

La nouvelle Héloïse se présente avant tout comme un roman et c'est ainsi qu'il convient d'abord de juger cet ouvrage. Malgré sa longueur, l'ensemble donne une impression d'équilibre et de légèreté que l'on ne s'attendait pas à trouver. Si *Julie* « unit l'abondance baroque de l'*Astrée* à la rigueur classique de *La princesse de Clèves* » ([2]), c'est dans l'organisation mélodieuse des thèmes qu'il faut rechercher l'aspect musical souligné par l'auteur et la plupart de ses critiques.

Les six parties peuvent se grouper en deux grands moments que dominent la passion et la vertu. Dans cet ensemble, la lettre 18 de la troisième partie joue un rôle capital : elle explique le passé, plongeant le lecteur dans l'amour dégradé, mais ouvre le chemin aux consciences apaisées des derniers livres. Ainsi se justifient le choix du roman épistolaire et sa longueur;

Le rêve d'amour de Saint-Preux devant le portrait de Julie. (B. N. Paris.)

1. Jean Starobinski *op. cit.*, p. 239, note à ce propos que Rousseau a été « le premier à vivre d'une façon exemplaire le dangereux pacte du *moi* avec le langage, la nouvelle alliance dans laquelle l'homme se fait verbe ».
2. Henri Coulet, *Le roman avant la Révolution*, tome 1, A. Colin, 1967, p. 404.

le temps n'existe que projeté dans les dimensions hors de l'instant, comme le traduit la lettre de Saint-Preux qui ouvre la seconde partie : son amour vit dans « un passé qui lui donne des forces pour un avenir éternel ».

Les lettres donnent son véritable « tempo » au roman. Le mouvement qui entraîne les personnages n'a rien de logique ni de rationnel. Il est lyrique, épousant les soubresauts de l'âme de chacun des correspondants, et conférant à l'ensemble ce rythme de la vie intérieure avec ses accalmies et ses déchaînements. Quant à la longueur du récit, elle s'explique par la conception rousseauiste du roman : par opposition au schématisme classique, Rousseau estime — et l'avenir lui donnera raison — que le roman ne doit pas « seulement raconter et décrire, mais aussi expliquer et discuter » ([1]). Une telle opinion impose donc de n'accorder qu'un intérêt restreint aux péripéties pour porter toute son attention sur la transcription de la rêverie et des chimères de l'auteur.

La rêverie romanesque : amour et vertu

La nouvelle Héloïse n'est peut-être que la réapparition du mythe de Tristan, « alangui, honteux et confus » derrière son « voile de larmes vertueuses » ([2]). La passion qui enchaîne Julie et Saint-Preux tout au long du livre possède bien ce caractère de fatalité qui pèse sur les amants du Moyen Age : on y parle du « poison qui corrompt » et de l'amour « chaque jour plus mortel ». Mais l'histoire se passe au XVIIIe siècle, et l'homme se trouve prisonnier d'une société qui refuse la transparence des cœurs. L'amour *doit* donc se voiler, sous peine d'engendrer le remords. De là ce renoncement à la possession physique, ou plus exactement à la jouissance qu'elle procure : chaque étreinte, chaque baiser est aussitôt analysé et suivi du regret. A l'image du « temps du bonheur passé comme un éclair », la passion satisfaite n'a qu'une durée brève.

Pourtant, le livre est un chant triomphal à l'amour; et « l'illusion » de bonheur tranquille qu'entrevoit Julie après son mariage avec Wolmar n'est en fait qu'une hibernation de sa passion pour Saint-Preux. Dès lors, le roman de Rousseau se différencie du *Tristan* : grâce au mariage,

1. Henri Coulet, *op. cit.*, p. 406.
2. Denis de Rougemont, *L'amour et l'Occident*, coll. 10/18, 1962, p. 183.

Madame de Wolmar, Saint-Preux et le décor savoyard. (B. N. Paris.) L'union de la vertu et d'un paysage cher au pré-romantisme.

Jean-Jacques fait triompher « le monde sanctifié par le christianisme, alors que la légende glorifiait dans la mort l'entière dissolution des liens terrestres » ([1]).

Plus profondément, Rousseau a tenté d'unir la passion et la vertu : Julie, devenue Mme de Wolmar, peut écrire à son ancien amant un hymne à la vertu et chanter le calme retrouvé :

> Se voir, s'aimer, le sentir, s'en féliciter, passer les jours ensemble dans la familiarité fraternelle et dans la paix de l'innocence, s'occuper l'un de l'autre, y penser sans remords, en parler sans rougir [...] O ami! quelle carrière d'honneur nous avons déjà parcourue! (VI, 6).

La passion vertueuse (l'amour-passion) triomphe dans son ultime lettre : « Non je ne te quitte pas, je vais t'attendre. La vertu qui nous sépara sur la terre va nous unir dans le séjour éternel. » (VI, 8). Du moins cette réunion de « belles âmes » aura-t-elle permis à Rousseau de se délivrer de certaines de ses chimères politiques, sociales ou économiques.

1. Denis de Rougemont, *op. cit.*, p. 185.

Le rêve philosophique : nature et société

En effet, par le biais de cette même vertu, l'auteur introduit le « monde » dans son roman. Le cadre campagnard choisi n'est pas indifférent; il symbolise la transparence et s'oppose de ce fait à la vie policée, représentée par Paris, qui renverse l'ordre des sentiments naturels. A mi-chemin du second *Discours* et du *Contrat social*, la société établie à Clarens offre le modèle illusoire de la réconciliation de l'état de nature avec la civilisation : « Il semble que tout l'ordre des sentiments naturels soit ici renversé... Les hommes y deviennent autres que ce qu'ils sont et la société leur donne pour ainsi dire un être différent du leur », écrit Saint-Preux dans son exil parisien. Paris, c'est l'anti-Clarens! L'épisode de la « fête » des vendanges marque justement les limites de cet équilibre : il ne dure que le temps des réjouissances et ne menace en aucune façon l'ordre normal du domaine garanti par la domination (même masquée) et l'obéissance. Tout se passe comme si le petit monde de Clarens était un domaine isolé et ignorant de ce qui l'entoure, la transposition économique de l'homme Rousseau.

Par-delà les utopies et les symboles, *La nouvelle Héloïse* s'affirme comme une œuvre-clé : le paradis terrestre de Clarens fondé sur la famille, la nature et la limpidité des cœurs est en fait une transcription poétique des théories de Rousseau, et le catalyseur de sa pensée.

ROUSSEAU FACE À LA SOCIÉTÉ : LA POLITIQUE

« La douce égalité qui règne ici rétablit l'ordre de la nature », fait remarquer Saint-Preux au sujet du domaine de Clarens. « Égalité » et « nature » : autour de ces deux notions s'organise la réflexion politique de Rousseau, une réflexion qui, surmontant les contradictions apparentes, constitue un système cohérent.

Les faits : le « Discours sur les sciences et les arts »

Par deux fois, en 1749 et en 1753, Rousseau rédigea des mémoires sur les sujets mis au concours par l'Académie de Dijon. Le premier *Discours* fut couronné, mais le second effraya les notables bourguignons par ses audaces. En fait, les deux œuvres étaient étroitement liées, et le *Discours sur l'origine de l'inégalité* ne faisait que reprendre, en les élargissant, les idées développées dans le *Discours sur les sciences et les arts.*

L'idée de « vertu » est au centre du premier *Discours :* le dévouement naturel de l'homme pour ses semblables est en danger dans un monde que gouvernent le luxe et la corruption, dans une société qui pousse l'homme à « s'enrichir à quelque prix que ce soit ». Peu à peu, la nature humaine s'est voilée; l'homme est devenu un être opaque, incapable même de juger de son état. N'ont-ils pas l'illusion de la liberté, ces peuples esclaves d'eux-mêmes, chargés de chaînes « sur lesquelles les sciences et les arts étendent des guirlandes de fleurs »? Mais il y a plus grave : l'individu est devenu étranger à ses semblables, « n'osant plus paraître ce qu'il est », dressant un obstacle infranchissable pour une véritable vie sociale.

L'analyse : le « Discours sur l'origine de l'inégalité »

Cette opposition de l'être et du paraître, sur laquelle s'établit la société, fournit l'argumentation centrale du second *Discours.* Mais, cette fois, Rousseau ne se contente plus de critiquer les effets; il entend remonter à la source du mal :

> O homme, [...] voici ton histoire, telle que j'ai cru la lire, non dans les livres de tes semblables qui sont menteurs, mais dans la nature qui ne ment jamais.

Cette histoire présente deux moments : « l'état naturel » et « la société commencée ».

Toute la première partie est placée sous le signe de la solitude et de la forêt. Elle nous présente un monde d'innocence, d'où le mal est exclu. Car le propos de Jean-Jacques est avant tout moral. Dès lors, le développement historique se confond avec le progrès du mal, qui « a une histoire », alors que « le bien n'en a pas. Ou plutôt, le mal *est* l'histoire, le bien ce qui la refuse » (1).

Toute la dialectique rousseauiste de l'inégalité se fonde sur le regard : en le portant sur lui-même, l'homme fait naître « le premier mouve-

1. Jacques Roger, « Introduction » aux *Discours* dans l'éd. Garnier-Flammarion.

Le mythe du « bon sauvage » : retour chez les égaux. (B. N. Paris. Frontispice de l'édition originale d'Amsterdam, 1755.)

ment d'orgueil »; puis « chacun commenc[e] à regarder les autres et à vouloir être regardé soi-même » : l'engrenage est implacable, le paraître l'emporte peu à peu sur l'être, détruisant l'harmonie d'une vie bâtie sur l'insouciance. Préfigurant les philosophies modernes, Rousseau fait donc une analyse existentielle de l'inégalité : origine et aboutissement du mal, l'homme doit trouver en lui-même la solution de ses malheurs.

La conclusion politique : le « Contrat social »

Les *Discours* montraient la dénaturation de l'homme par la société; le *Contrat social* tente de déterminer les bases d'une société politique dans laquelle l'homme jouisse de ses droits et soit garanti contre l'oppression (1).

L'organisation rigoureuse du volume s'appuie sur une idée-force : puisque l'homme est bon par nature, le mal est à rechercher « non dans les individus, mais dans les peuples », et plus exactement chez « l'homme mal gouverné ».

1. Un tel projet hantait Rousseau depuis de longues années : dès 1751, il envisageait de rédiger un traité des *Institutions politiques*, qu'il abandonna vers 1758 pour faire place au *Contrat* de 1762.

Livre I : le pacte social. Après avoir réfuté les fausses solutions (monarchie divine, paternalisme, esclavage), Rousseau propose le « contrat social » : « chacun de nous met en commun sa personne et toute sa puissance sous la suprême direction de la volonté générale; et nous recevons en corps chaque membre comme partie indivisible du tout. »

Livre II : la souveraineté. Ses caractères abstraits : elle est inaliénable, indivisible et doit respecter la liberté individuelle. Son mode d'action : « Quand tout le peuple statue sur tout le peuple, c'est cet acte que j'appelle la loi. J'appelle donc République tout état régi par des lois. Tout gouvernement légitime est républicain. »

Livre III : le gouvernement. Il n'est que le serviteur du peuple, qui est la souveraineté. Définition de l'état idéal.

Livre IV : fonctionnement. Rome exemple des rouages politiques. La religion civile « bienfaisante, pourvoyante, tolérante. »

La lecture du *Contrat* appelle trois grandes remarques :

— 1° L'enchaînement méthodique des idées confirme que Rousseau mêle intimement morale et politique : « l'homme est un être moral auquel il faut une morale faite pour l'humanité ».

— 2° Les principes définis ne s'appliquent pas indifféremment à tous les États : il s'agit avant tout de préserver les pays neufs, les « pays rustiques », de la servitude, du despotisme et de la ruine auxquels sont condamnées les vieilles civilisations.

— 3° Enfin, Rousseau établit une distinction fondamentale entre la volonté générale qui est la souveraineté, et la volonté de tous, somme de volontés parfois déchaînées, d'où émane le gouvernement. Mais, au terme de son analyse politique, Rousseau donne à l'homme une nouvelle nature. En perdant son état originel, l'homme devient un citoyen, et retrouve par le « contrat » l'équivalent de ce qui lui a été ôté : à l'état libre de nature équivaut dans l'état social la liberté fondée sur le contrat, véritable « autonomie de la volonté ». L'idée de possession naturelle se change en concept de propriété de biens nécessaires que garantit la loi; l'individualisme physique en individualité morale, pour aboutir à la notion même de citoyen. L'inégalité naturelle se dissout au profit de l'égalité de droit de tous devant la loi. La nature et ses caprices se voient remplacés par une volonté quasi divine, sorte de providence politique : la souveraineté. L'homme se trouve refaçonné par l'art politique.

Plus qu'un traité abstrait, le *Contrat social* est donc « l'acte de fondation d'une cité » [1]. En cela, la pensée de Rousseau demeure fidèle à elle-même : loin de se contredire, elle tente une subtile et harmonieuse conciliation à partir de la réalité. L'homme naturel est un « mythe » que l'auteur a utilisé pour développer ses projets : il serait faux de prétendre qu'il y ait cru et qu'il ait souhaité l'imposer comme un modèle. Plutôt qu'une union irréalisable de l'homme civilisé et de la vie de nature, Rousseau cherche à résoudre la question fondamentale : « Comment dénaturer l'homme civilisé puisqu'il est impossible de civiliser l'homme naturel? » [1].

Il ne restait plus qu'à trouver un prologue pour amener l'enfant à la dignité du citoyen.

ROUSSEAU FACE À L'HOMME : « ÉMILE » (1762)

Ce prologue est un gros volume d'éducation destiné à préserver l'homme de la corruption. Les récents travaux ont montré que l'*Émile* devait être lu comme un « tout complet » avec le *Contrat social* et non comme l'ouvrage de repentir d'un « père dénaturé ». De fait, l'idée d'un traité d'éducation a toujours hanté l'esprit de Rousseau : ses divers préceptorats le disposaient à organiser ses idées en matière de pédagogie. Puis, tout naturellement, il en vint à intégrer l'éducation dans le corpus de son système fondé sur l'homme libre et non corrompu.

La structure et le style

« Recueil de réflexions sans ordre et presque sans suite » au dire de son auteur, l'*Émile* apparaît au lecteur attentif comme savamment organisé : les propos s'enchaînent logiquement, s'appelant les uns les autres.

Livre I : « l'âge de nature ». Les devoirs du père et de la mère. Un « élève imaginaire » : Émile, orphelin. La première éducation : « Avant de parler, avant d'entendre, on s'instruit déjà » : les sensations.

Livre II : « l'âge de nature » (2 à 12 ans). Éducation de la sensibilité : « le bien-être de la liberté », « la dépendance des choses ». Éducation morale : pas de discours. Éducation intellectuelle : partir des choses sensibles, pas de livres. Éducation physique et préceptes d'hygiène. Éducation des cinq sens.

Livre III : « l'âge de force » (13 à 15 ans). Éducation intellectuelle à partir d'expériences. Un seul livre : *Robinson Crusoë*. Éducation sociale et manuelle : choix d'un métier, critique des préjugés. « Émile a peu de connaissances, mais celles qu'il a sont véritablement siennes. »

Livre IV : « l'âge de raison et des passions » (15 à 20 ans). Éducation de l'être moral (problèmes sexuels, moraux, politiques, sociaux). L'éducation religieuse : *Profession de foi du vicaire savoyard*. La religion naturelle, les religions révélées. Reprise de l'éducation morale (problèmes affectifs, mondains et esthétiques).

Livre V : « l'âge de la sagesse et du mariage ». Sophie ou « la femme » : son éducation et son caractère. Émile et Sophie. Les voyages. Conclusion : « Riche ou pauvre, je serai libre... Partout où il y a des hommes je suis chez mes frères... Donnez-moi Sophie et je suis libre. »

L'impression de « fourre-tout » que laisse l'ouvrage à la première lecture tient essentiellement au style de Rousseau : l'auteur varie le rythme de sa phrase selon les besoins précis. Tantôt il cherche à toucher la sensibilité : Jean-Jacques reprend alors la palette du romancier pour peindre paysages et portraits, rêves et anecdotes; tantôt il lui faut au contraire frapper l'imagination : pour cela, paradoxes et raccourcis forcent la réflexion.

La méthode

« Rêveries d'un visionnaire sur l'éducation », les cinq livres de l'*Émile* sont un ouvrage théorique. La démarche même du précepteur Rousseau qui se choisit un élève et dirige — ou plus exactement protège — ses pas, correspond à une « expérience vécue » et « plus uniquement encore à une expérience imaginée » [2].

Tout commence par la connaissance de l'enfance. « On ne connaît point l'enfance », car on « cherche toujours l'homme dans l'enfant ». Abandonnant les préjugés de l'adulte, Rousseau, va, lui, s'efforcer de préserver l'intégrité de l'âme enfantine, c'est-à-dire respecter les lois de la nature :

1. Pierre Burgelin, « Introduction » à l'éd. Garnier-Flammarion du *Contrat social*, p. 19.

1. Jean Fabre, « Jean-Jacques Rousseau » dans l'*Histoire des littératures*, Encyclopédie de la Pléiade, tome III, p. 763.
2. George May, *Rousseau par lui-même*, Le Seuil, p 89.

La première éducation doit donc être purement négative. Elle consiste, non point à enseigner la vertu et la vérité, mais à garantir le cœur du vice et l'esprit de l'erreur.

Jean-Jacques retrouve ainsi l'utopie du second *Discours :* n'écrit-il pas au début du Livre I qu'il « faudrait connaître l'homme naturel »? L'attitude du pédagogue est donc protectrice et s'adresse exclusivement aux sens jusqu'à l'âge de 12 ans. Avec l'âge de raison apparaît l'éducation positive qui rend au précepteur son rôle actif : omniprésent dans la vie de son élève, c'est lui qui oriente ses questions, suscite les notions morales, éveille la curiosité et le goût dans les domaines les plus divers.

Former un homme et un citoyen

« Il faut étudier la société par les hommes, et les hommes par la société » prétend Rousseau au Livre II, justifiant par là-même les rapports du *Contrat social* avec l'*Émile.* Car, s'il s'agit de faire d'Émile un homme, il s'agit encore plus d'en faire un homme libre. On s'attachera à le traiter en égal et en être responsable : les notions de liberté et de servitude seront alors une réalité pour lui.

De même, Émile se devra d'apprendre un métier manuel dont l'utilité assurera son indépendance : travaillant avec les autres, il aura le respect de son prochain et se conduira en citoyen, puisqu'il aura « ressenti par lui-même l'inégalité des conditions ».

Fidèle à ses idées, Rousseau a mené de front l'éducation politique et morale de son élève, tout en préservant son âme native :

> Nous travaillons de concert avec la nature, et tandis qu'elle forme l'homme physique, nous tâchons de former l'homme moral.

Dès lors, la *Profession de foi du vicaire savoyard* ne doit plus être considérée comme un hors-texte, mais comme un élément essentiel de l'éducation d'Émile.

Frontispice pour l'*Émile.* Gravé sur la colonne le mot de Juvénal : « Consacrer sa vie à la vérité. »

La religion de Rousseau

Une chose frappe d'emblée à la lecture des propos du vicaire : il n'entend pas convaincre, il « expose » seulement ce qu'il « pense dans la simplicité de son cœur ». C'est dire que la position de Rousseau est ici personnelle et n'entend point être élevée au rang d'argument.

Le sentiment religieux de Rousseau est une réponse au doute stérile de la philosophie. Plutôt que de chercher une réponse dans les systèmes existants, Jean-Jacques adopte une attitude qui lui est familière : il se renferme en lui-même, se met à l'écoute de lui-même et consulte « sa lumière intérieure », sa conscience, guide infaillible. Pourquoi s'épuiser à comprendre le monde, à rechercher des raisons ou des preuves matérielles de l'existence de Dieu, à s'imaginer sa nature? Ne suffit-il pas de le sentir au fond de son cœur en admirant les merveilles de la création!

Les « preuves » de cette religion naturelle soulèvent immédiatement deux questions : l'existence du mal et des religions révélées. Reprenant les arguments des *Discours*, Rousseau balaye le problème du mal : s'il existe ce n'est pas à la Providence qu'il faut s'en prendre, mais à l'homme lui-même dont les progrès et la vie sociale ont peu à peu détruit l'harmonie originelle. Les diverses religions ne l'arrêtent guère plus : devant l'impossibilité de choisir la meilleure (« Que d'hommes entre Dieu et moi ! »), mieux vaut se contenter de croire en sa conscience e d'adorer humblement l'Être suprême, que qu'il soit.

ROUSSEAU NOTRE CONTEMPORAIN

La rhétorique par laquelle il avait ému son siècle a pu vieillir, mais sa poésie et sa pensée gardent une force intacte (1).

De fait, il convient de distinguer dans la postérité de Jean-Jacques l'influence de l'écrivain et l'apport du philosophe. Une telle attitude ne serait pas concevable si elle n'était justifiée par l'histoire littéraire et politique.

Rousseau et le romantisme

Toute une génération s'est formée dans la lecture des *Confessions*, des *Rêveries* ou de *La nouvelle Héloïse :* pour la première fois le *moi* prenait la première place dans l'œuvre littéraire et devenait le sujet d'un livre. Par-delà, c'est toute une nouvelle sensibilité qui se libère, ouvrant la voie à l'exploration de domaines jusqu'alors inconnus :

Mais Rousseau, en cherchant dans l'abandon aux forces de l'inconscient le moyen de surmonter l'angoisse de la créature en proie au temps, ouvre la voie à cette lente évolution qui permettra l'éclosion du rêve (2).

Parallèlement à cet apport capital, Rousseau a véritablement donné son essor au romantisme : nul écrivain qui, entre 1800 et 1830, n'ait été enthousiasmé par *La nouvelle Héloïse*, même si quelques années plus tard le jugement se faisait plus sévère :

Aujourd'hui cet ouvrage me semble pédantesque, et je ne puis en lire vingt pages de suite (3),

prétendra Stendhal comme en écho à Lamartine :

Ce fut une ivresse qui dura un demi-siècle mais qui ne laisse, maintenant qu'elle est dissipée, que des pages froides dans des esprits vides (4).

1. Jean Fabre, « Jean-Jacques Rousseau », dans l'*Histoire des littératures*, Encyclopédie de la Pléiade, tome III p. 770.
2. A. Béguin, *L'âme romantique et le rêve*, Corti, rééd. 1963, p. 336.
3. Stendhal, *Vie de Henry Brulard.*
4. Lamartine, *Cours familier de littérature*, entretien LXV.

De nos jours, l'importance de Rousseau écrivain est reconnue de tous : le sentiment de la nature, l'évasion dans les chimères et l'exaltation de la passion continuent de faire le bonheur des commentateurs. Mais la critique moderne découvre surtout dans *La nouvelle Héloïse* un roman total :

Et si *La nouvelle Héloïse* est devenue un modèle du genre romanesque, c'est sans doute parce que délibérément elle en faisait craquer les limites, et parce qu'on n'y trouvait pas seulement un auteur avec ses fantaisies, mais un homme avec ses inquiétudes, avec les problèmes de son temps (1).

1. Michel Launay, « Introduction » à *La nouvelle Héloïse*, Garnier-Flammarion, 1967, p. XIV.

Initiation au sentiment moral par le respect du travail. Gravure de Moreau le Jeune pour l'*Émile*. (B. N. Paris.) La mise en pratique par une pédagogie vivante, des principes issus des *Discours*.

Une œuvre source

Inspirateur des Jacobins, Rousseau l'est autant par son style que par ses idées :

C'est en effet le feu de son éloquence, le frémissement de sa poésie qui pouvait entraîner les masses démocratiques. L'arme favorite de Voltaire est l'ironie; celle de Rousseau est l'éloquence. Ce changement marque une étape nouvelle dans la préparation de la Révolution ([1]),

souligne Jean-Louis Lecercle qui ajoute pertinemment que Rousseau est un de ceux « qui ont donné aux aspirations démocratiques l'expression littéraire la plus durable » ([2]).

Très longtemps, les critiques ont jugé « incohérent » le développement de la pensée du philosophe : Daniel Mornet et Émile Faguet trouvaient contradictoires les propos des *Discours* et du *Contrat social*. Ernst Cassirer, reprenant les commentaires de son compatriote

1. J.-L. Lecercle, « Introduction » au *Discours sur l'inégalité*, Éd. Sociales, 1971, p. 24.
2. J.-L. Lecercle, « Jean-Jacques Rousseau » in *Histoire littéraire de la France*, Éd. Sociales, 1969, p. 481.

Kant, a le premier affirmé l'unité de la pensée rousseauiste :

D'un bout à l'autre de son œuvre, l'intérêt et la passion de Rousseau se portent exclusivement à la science de l'homme. Mais il en était arrivé à comprendre que la question « Qu'est-ce que l'homme? » ne peut être séparée de cette autre question : « Que doit-il être? » ([1]).

De son côté, Jean Starobinski voit dans l'enfance le fondement de l'expérience de Jean-Jacques : le thème du bonheur perdu est indissociable de l'homme naturel et de l'enfant :

Rousseau est l'un des premiers écrivains (il faudrait dire poètes) qui ait repris le mythe platonicien de l'exil et du retour pour l'orienter vers l'état d'enfance et non plus vers une patrie céleste ([2]).

C'est sans doute là ce qui, au fond de son cœur, unissait pour Rousseau ses œuvres biographiques et romanesques à sa production philosophique.

1. Ernst Cassirer, *Le problème de J.-.J Rousseau.*
2. Jean Starobinski, *La transparence et l'obstacle*, p. 22.

BIBLIOGRAPHIE

Éditions : On aura intérêt à se référer aux *Œuvres complètes* publiées dans la « Bibliothèque de la Pléiade » (1961 à 1971); tome I, *Œuvres autobiographiques;* tome II, *La nouvelle Héloïse*, *Théâtre*, *Poésies*, *Essais littéraires;* tome III, *Du contrat social*, *Œuvres politiques;* tome IV, *Émile;* tome V (à paraître), *Correspondance* (chaque volume est abondamment annoté et préfacé par les plus grands spécialistes de Rousseau). — On trouvera des éditions séparées d'œuvres de Rousseau dans diverses collections (Garnier, Classiques du peuple), y compris des collections de poche (Folio, Garnier-Flammarion).

Études : Jean Rivelaygue, *Rousseau*, Didot et Didier, 1970 (un choix intelligent des meilleures critiques suscitées par l'œuvre de Rousseau, regroupées par grands problèmes). — Jean Guéhenno, *Jean-Jacques*, Gallimard, 1948-1952, 3 vol. (une fine et pénétrante analyse du personnage et de son œuvre, devenue classique). — Pierre Burgelin, *La philosophie de l'existence de J.-J. Rousseau*, P.U.F., 1952 (une analyse complète des problèmes soulevés par les ouvrages politiques de Jean-Jacques). — Jean Starobinski, *La transparence et l'obstacle*, Plon, 1957 [rééd. augmentée, Gallimard, 1971 et coll. « Tel », 1976] (une magistrale étude thématique de l'œuvre qui replace la « maladie » dans la production de Rousseau). — Georges May, *Rousseau par lui-même*, Seuil, 1961 (un survol rapide, mais original, qui éclaire intelligemment l'œuvre et le caractère du « prétendu monstre »). — Jean-Louis Lecercle, *Rousseau*, coll. « Thèmes et textes », Larousse, 1973 (une lecture universitaire classique qui tient compte des derniers acquis de la critique rousseauiste). — Les *Annales J.-J. Rousseau* publiées à Genève fournissent études et bibliographies chaque année.

FIGURES PRÉ-ROMANTIQUES : BERNARDIN DE SAINT-PIERRE ET SENANCOUR

De Bernardin de Saint-Pierre à Senancour, il y a toute l'étendue qui sépare le roman descriptif des « songes libres et incorrects d'un homme souvent isolé » : l'un rappelle Rousseau et la philosophie vertueuse des Lumières, l'autre annonce Chateaubriand et les tourments de la conscience. Tous deux représentent néanmoins les pôles du pré-romantisme : aux décors, aux passions, à l'amour de *Paul et Virginie*, *Oberman* ajoute le héros et l'ambition de la nouvelle littérature.

BERNARDIN DE SAINT-PIERRE (1737-1814) : « PASTORALE » ET VERTU

Né au Havre en 1737, Bernardin de Saint-Pierre effectue son premier grand voyage à l'âge de douze ans. A son retour de la Martinique, il reprend ses études et devient en 1757 élève de l'École des Ponts et Chaussées; il en sortira ingénieur. Mais son tempérament exalté l'entraîne dans de nombreux voyages (Malte, Hollande, Russie, Pologne) avant sa nomination comme capitaine-ingénieur du roi dans l'île de France (1768-1771). Revenu à Paris, il se lie avec Rousseau, puis se consacre à la littérature : en 1784 il publie ses *Études de la nature* dont le quatrième volume raconte les aventures de *Paul et Virginie* (1788). Ces ouvrages ont immédiatement un grand succès, qui délivre Saint-Pierre de ses soucis d'argent. Intendant du Jardin des Plantes sous la Révolution, puis professeur de morale à l'École normale supérieure, il meurt en 1814 dans sa propriété, à « sept lieues et demie de Paris ».

De caractère chimérique (il imaginera en 1763 une république modèle), nerveux et passionné, Bernardin fut comme son maître Rousseau un misanthrope : aussi se tourna-t-il vers la nature comme vers un paradis perdu.

« Une histoire générale de la nature »

Lorsqu'il entreprit ses *Études de la nature*, Bernardin se proposait de « représenter les trois états successifs par où passent la plupart des nations : celui de barbarie, de nature et de corruption ».

En réalité, il comptait surtout prouver l'existence d'une Providence bienfaisante en considérant les principales merveilles de la nature. S'il s'oppose par sa pensée profondément religieuse à la philosophie de son siècle, Bernardin en retrouve l'esprit dans la mesure où son attitude est fondée sur le regard et l'émotion.

Il n'y a que la religion qui donne à nos passions un grand caractère.

En fait, Bernardin conduit son raisonnement à la manière d'un super-Pangloss : accumulant « preuves sur preuves » dans une cascade de causes finales, il s'efforce de justifier par tous le

Bernardin de Saint-Pierre (Musée de Versailles).

moyens la bonne organisation de la nature. Ainsi, le charançon existe « pour empêcher l'avare de garder son blé », le pou est blanc et la puce noire car ils se distinguent mieux « le premier sur les cheveux, la seconde sur la blancheur de la peau »!

Une telle analyse tourne rapidement au ridicule. Dans un siècle marqué par les débuts de la science sérieuse, « il fallait un certain courage pour retarder ainsi délibérément ». En fait, l'intérêt des *Études* ne réside pas dans la thèse philosophique qui est fort mauvaise, mais dans l'art de Bernardin : il orchestre en effet avec sensibilité une nouvelle poésie du paysage, y mêlant ruines et tombeaux. C'est là qu'était sa véritable voie : plus que la vertu et la bonté de la nature, Bernardin se devait de peindre la nature elle-même, sans autre souci didactique.

« *Un génie virgilien* » *(Sainte-Beuve)*

D'abord inséré dans le quatrième volume des *Études*, *Paul et Virginie* fut en 1789 publié à part et obtint tout de suite un énorme succès. L'objet de cette « espèce de pastorale » était de montrer que notre « bonheur consiste à vivre selon la nature et la vertu ».

Près du Port-Louis dans l'île de France, le narrateur rencontre un vieillard qui lui raconte l'histoire de Paul et Virginie. En 1726, une jeune aristocrate, Mme de la Tour qui vient de perdre son mari, se retire dans un cirque rocheux avec une esclave : elle y rencontre Marguerite, jeune Bretonne qui vit réfugiée en ces lieux en compagnie de son fils Paul et d'un esclave. Bientôt, Mme de la Tour donne naissance à une fille, Virginie. La petite société s'organise (les esclaves se marient) et vit heureuse dans la contemplation de la nature. On esquisse des projets pour les enfants, lorsque Virginie doit partir pour l'Europe faire son éducation chez une tante. Paul se désespère. Mais la jeune fille revient. Malheureusement son navire, le *Saint Géran*, fait naufrage : Virginie périt. Inconsolable, Paul meurt de chagrin, suivi par toute la société qui l'entourait.

Il n'y a pas à proprement parler d'intrigue dans ce petit récit, mais une succession de scènes (promenade des deux enfants, crise du départ, naufrage...) qui servent de prétexte à l'évocation de sentiments simples, élémentaires ([1]) et aux descriptions du paysage :

> Nos poètes ont assez reposé leurs amants sur le bord des ruisseaux [...] J'en ai voulu asseoir sur le rivage de la mer, au pied des rochers, à l'ombre des cocotiers, bananiers, et des citronniers en fleurs.

La grande trouvaille de Bernardin consiste en effet à dépayser le lecteur (utilisation de noms de plantes exotiques) tout en stylisant le récit de manière à ne pas choquer ses habitudes : il a ainsi été possible de déceler divers niveaux d'écriture depuis la forme « Louis XVI et néo-classique » jusqu'à la symbolique de « l'idylle » en passant par le mythe des « enfants de la nature » ([2]).

Paul et Virginie est bien le fruit de la fin du XVIIIe siècle. Tout comme Rousseau et même Diderot, Bernardin pense que « l'homme naît bon : c'est la société qui fait les méchants et c'est votre éducation qui les prépare ». Aussi son roman entend-il « réunir à la beauté de la nature sous les tropiques la beauté morale d'une petite société ».

Par là s'esquissait le besoin d'évasion que la littérature romantique allait combler sous les formes les plus diverses. Il ne restait plus qu'à trouver le personnage nouveau, le type dans lequel se fondraient les aspirations multiples de l'âme moderne.

SENANCOUR (1770-1846) : « TOUT M'APPELLE ET TOUT M'ABANDONNE »

Fils de parents assez âgés, le jeune Étienne de Senancour eut une enfance triste et terne. A l'époque de ses 19 ans, il part pour la Suisse où il contracte un mariage malheureux. Revenu en France, il se renferme dans la solitude, n'acceptant que la compagnie de sa fille Eulalie. Tourmenté par les soucis financiers, torturé par la maladie, il meurt presque inconnu en 1846.

Épris de liberté et de vérité, Senancour laisse un chef-d'œuvre : *Oberman*, rédigé de 1799 à 1801, et publié en 1804. Mais ce n'est pas là son

1. Fidèle à la théorie en vogue du drame larmoyant, Bernardin disait de ses lecteurs : « J'eus la satisfaction de leur voir verser des larmes. »
2. Robert Mauzi, « Introduction » à *Paul et Virginie*, Garnier-Flammarion.

seul ouvrage : quelques années auparavant il avait écrit *Adolmen*, dont le sous-titre est « le bonheur dans l'obscurité », première ébauche d'*Oberman ;* de même, à la fin de sa vie il donnera avec *Isabelle* un « pâle reflet féminin » de son héros. Ainsi, malgré la diversité des œuvres, on peut dire que Senancour est l'homme d'un seul sujet : le drame d'une conscience solitaire à la recherche de l'absolu.

A la suite des remarques que formule Senancour dans les « Observations » qui précèdent son récit, les critiques se sont interrogés sur la manière de lire *Oberman*. André Monglond a fort justement montré qu'il fallait voir dans cet ouvrage un véritable journal intime; c'est la même opinion que soutient Gaëtan Picon lorsqu'il prétend que « le roman naît aux antipodes de l'imagination romanesque : de l'autobiographie ».

Oberman est une suite de 89 lettres adressées dix années durant par le narrateur — dont le nom signifie « homme des hauteurs » — à un ami dont nous ignorons le nom. Après avoir expliqué les raisons de son départ, Oberman analyse son inadaptation au monde social (an I). Puis viennent les aventures avec Mme Del. (an II et III), et la longue crise qui assaille le héros pendant les deux années suivantes (an IV et V). Un moment, il croit retrouver l'équilibre (an VI et VII), mais doit finalement assumer son destin solitaire.

Pour justifier son entreprise, Senancour avertit son lecteur :

> Il n'y a point de mouvement dramatique, d'événements préparés et conduits, point de dénouement. [...] On y trouvera des descriptions, [...] des passions, [...] de l'amour, [...] des contradictions.

C'est dire qu'*Oberman* concentre la plupart des thèmes de la littérature qui va suivre : mieux, il les combine de manière que la vie, les sentiments, les paysages ramènent le narrateur et le lecteur au héros. Ainsi, dans la lettre VI, une simple rêverie nocturne permet une analyse approfondie de son « moi ».

> Vaste conscience d'une nature partout accablante et partout impénétrable, passion universelle, sagesse avancée, voluptueux abandon; tout ce qu'un cœur mortel peut contenir de besoins et d'ennuis profonds, j'ai tout senti, tout éprouvé dans cette nuit mémorable.

Senancour annonce Chateaubriand : que l'on relise le célèbre passage de la grive de Montboisier [1], on y retrouvera le même sentiment de tristesse « voluptueuse » et la même angoisse devant la fuite du temps. Ici et là, une même ambition de l'écrivain : dévoiler ce qui, en lui, était resté un secret pour lui-même.

> Je dois rester, quoi qu'il arrive, toujours le même et toujours moi, non pas précisément tel que je suis dans des habitudes contraires à mes besoins, mais tel que je me sens. Tel que je veux être, tel que je suis dans cette vie intérieure, seul asile de mes tristes affections.

Pour rester lui-même, Oberman tente d'échapper aux conditions matérielles de la vie : non point, comme Bernardin, en s'évadant vers des pays lointains, mais en transcendant l'espace et le temps pour accéder au monde de l'éternité.

1. Voir p. 417.

BIBLIOGRAPHIE

ÉDITION SAVANTE : L'édition d'*Oberman* de G. Michaut (Droz, 2 vol., 1931) est aujourd'hui introuvable. En revanche, on trouve *Paul et Virginie* dans une édition de qualité chez Garnier, avec une substantielle préface de P. Trahard.

ÉDITIONS COURANTES : Trois éditions de *Paul et Virginie :* l'une chez Garnier-Flammarion avec une préface de Robert Mauzi; une deuxième en Folio avec une remarquable préface de Jean Erhard; la dernière aux éditions Bordas (le texte est suivi d'une autre nouvelle, *La chaumière indienne*). — *Oberman,* longtemps introuvable, est aujourd'hui présent en Livre de poche (éd. B. Didier) et Folio (éd. J.-M. Monnoyer).

ÉTUDES : Jean FAVRE, « *Paul et Virginie,* pastorale », in *Lumières et romantisme,* Klincksieck, 1963 (remarquable étude sur la situation de l'art et de la pensée de Bernardin). — André MONGLOND, *Le journal intime d'Oberman,* Grenoble, Arthaud, 1947 (un ouvrage capital pour comprendre et lire avec profit l'œuvre de Senancour). — Du même auteur on pourra consulter la thèse consacrée au *Préromantisme français* (Corti, rééd. 1967); ses deux volumes constituent la meilleure introduction à la nouvelle sensibilité. — Béatrice LE GALL, *L'imaginaire chez Senancour,* 2 vol., José Corti, 1966. On pourra compléter par Marcel RAYMOND, *Senancour, sensations et révélations,* Corti, 1965, et par les deux excellents volumes publiés par Béatrice DIDIER en 1985 (Champion-Slatkine et S.E.D.E.S.).

LA POÉSIE AU XVIIIe SIÈCLE

Pour un moderne épris de poésie, le XVIIIe siècle français est un désert. Les « métromanes » pullulent, mais on cherche en vain les vrais poètes, à l'exception d'André Chénier peut-être et des grands prosateurs. L'important reste que cette situation de crise ait été ressentie, à l'époque même, par certains et que d'autres aient eu le pressentiment de l'avenir.

LA CRISE DE LA POÉSIE

Le désert poétique

La pratique de la versification n'est pas négligée, loin de là ! Chacun y va de son ode, de son élégie, de son épigramme. Les genres restent traditionnels.

ÉPOPÉE, en déclin : *La Henriade* (1728) de Voltaire.

POÉSIE DESCRIPTIVE : *Les saisons* (1769) de Saint-Lambert, *Les mois* de Roucher, *Les jardins* de Delille.

ODE : Louis Racine, Jean-Baptiste Rousseau, Lefranc de Pompignan, Lebrun-Pindare, Gilbert.

ÉLÉGIES : Bertin, Léonard, Parny, Millevoye (1).

FABLES : Florian.

POÈMES MYTHOLOGIQUES : Malfilatre.

POÉSIE FANTAISISTE ET SPIRITUELLE : *Vert-Vert* de Gresset (1734).

PARAPHRASE DES PSAUMES : Le Franc de Pompignan, *Ode imitée de plusieurs psaumes* (1780) de Gilbert.

Toutes ces œuvres sont soit entachées de didactisme, soit pauvres et frivoles. La plupart du temps, elles ne témoignent que d'un formalisme désuet. Quand il s'exprime, le sentiment ne brise pas le carcan et ne trouve pas le langage adéquat.

La conscience de la crise

Les esprits du temps ont eu conscience de cette crise de la poésie. « Peut-être qu'il y a de bons poètes français », note Montesquieu, « mais que la poésie française est mauvaise ! » Devant cette situation, deux attitudes sont possibles :

Le regret. Dans sa *Lettre à l'Académie* (1714), Fénelon dénonce la sclérose d'une poésie réduite, depuis Malherbe, à une pure technique, et souligne les méfaits de la rime. Il souhaite que le beau « s'empare du cœur, pour le tourner vers le but légitime d'un poème ». Même chose dans les *Réflexions critiques sur la poésie et la peinture* (1719) de l'abbé Du Bos.

Le contentement. D'autres, au contraire, s'acheminent vers l'abolition de la poésie. Pour Houdar de la Motte, l'éloquence est le « seul usage légitime d'une langue », et il n'hésite pas à réduire en prose les tragédies de Racine pour montrer qu'elles n'y perdent point en beauté. La poésie n'est qu'un décor inutile. Si elle est davantage, elle devient dangereuse, et il convient de la proscrire.

Rivarol, dans son *Discours sur l'universalité de la langue française* (1784), se félicite de voir que « le français, par un privilège unique, est seul resté fidèle à l'ordre direct, comme s'il était toute raison ».

Le débat de la raison et de la folie

C'est que ce siècle de la raison a, comme l'a montré Michel Foucault, la hantise de la folie. Et il existe, dès cette époque, un mythe du poète fou. Même Diderot établit une opposition entre la folie du poète et le génie du philosophe qui est sagesse, lucidité suprême, victoire sur les passions et sur la sensibilité.

Cette sensibilité, pourtant, reprend ses droits, surtout dans la seconde moitié du siècle. Jean-Jacques Rousseau, défenseur de la musique

1. Voir le chapitre d'introduction au romantisme, p. 407.

italienne, passionnée, contre celle de Rameau, trop froidement construite, démontre, dans son *Essai sur l'origine des langues* que l'art de parler n'est que l'art de raisonner :

> les passions arrachèrent les premières voix [...]; pour émouvoir un jeune cœur, pour repousser un agresseur injuste, la nature dicte des accents, des cris, des plaintes.

Il vante les vertus d'une qualité nouvelle du style, la chaleur, même si pour lui, l'exigence de clarté demeure primordiale.

Diderot semble être allé plus loin encore. Dans son essai *De la poésie dramatique* (1757), il prophétise l'avènement d'une poésie qui « veut quelque chose d'énorme, de barbare et de sauvage ». Elle viendra après « des temps de désastre », dans le halètement universel, et peindra des « choses inconnues ». Dans le *Salon de 1767* il lance aux poètes un mot d'ordre nouveau : « Soyez ténébreux ». Car « le soleil de l'art n'est pas celui de l'univers » : il est peut-être « le soleil noir » qui apparaîtra à Gérard de Nerval (1).

Paradoxalement, c'est la prose qui semble devoir se charger de la révolution poétique. Non point celle des médiocres poèmes en prose qui fleurissent tout au long du XVIIIe siècle, dans le sillage des *Idylles* du Zurichois Gessner. Mais celle d'un Jean-Jacques Rousseau, d'un Diderot ou même d'un Beaumarchais.

ANDRÉ CHÉNIER (1762-1794) : TRADITION ET AVENIR

Auteur d'une œuvre fragmentaire, suite d'ébauches et de projets d'un vaste dessein irréalisé, Chénier fut annexé par les romantiques qui virent en lui le précurseur de la « nouvelle poésie » : en réalité, nul mieux que lui n'a représenté la fin de ce siècle philosophe, alliance de raison et de sensibilité, confluent de deux mondes en lutte.

Du destin du poète à la destinée de l'œuvre

André Chénier naquit « Français dans le sein de Byzance », d'un père consul et d'une mère qui se vantait d'avoir du sang grec. En 1765, il vient en compagnie de sa mère et de ses frères habiter Paris : études au Collège de Navarre, éveil de sa vocation littéraire au contact des poètes qui fréquentent le salon maternel, rapide séjour à l'armée (1782), voyages en Suisse et en Italie, ambassade britannique (1787). Déjà il esquisse ses théories poétiques et compose divers tableaux de genres (*Idylles* et *Bucoliques* en 1785).

Séduit par la Révolution, il rentre en France et fonde la *Société de 1789*. Mais il s'oppose aux excès montagnards et devient suspect après l'exécution de Louis XVI pour avoir collaboré à sa défense. Arrêté en mars 1794, il est incarcéré à Saint-Lazare (où il compose des *Odes* et des *Iambes*) puis guillotiné deux jours avant la chute de Robespierre. Hormis des articles politiques et deux poèmes inspirés par l'actualité, Chénier ne publia rien de son vivant. Quelques pièces — « La jeune captive », « La jeune Tarentine » — connurent une publication séparée dans les revues peu après sa mort, mais il fallut attendre 1819 pour voir paraître ses *Œuvres complètes*, saluées à l'unanimité par l'école romantique (2).

La poétique de Chénier

Chénier a longuement réfléchi sur le métier de poète tant dans les notes de l'*Essai sur les causes de la perfection et de la décadence des arts* que dans l'*Épître sur ses ouvrages*, et surtout dans *L'invention* qui constitue, en 392 vers, son manifeste littéraire.

Après un prélude invocatoire aux Antiques (v. 1-24), Chénier appelle ses contemporains à « inventer » sans « blesser la vérité » (v. 25-56). Il développe ensuite ce que cette « invention » doit produire dans les divers genres (v. 57-90), quels doivent être ses thèmes (v. 91-153) et son action dans l'art en général (v. 154-184). Enfin, le poète répond aux objections aussi bien théoriques (rapports poésie/vérité, travail/inspiration) que techniques (aptitudes de la langue française au discours poétique) et proclame sa confiance dans le génie national (v. 185-392).

---

1. Voir le sonnet « El Desdichado » *(Les chimères.)*
2. Témoins les hommages rendus par les écrivains au cœur même de leur œuvre : c'est Chénier que lisent Rubempré et Séchard dans les *Illusions perdues*, c'est Chénier auquel s'identifie Joseph Delorme et que chante Hugo dans le « Groupe des Idylles » de *La légende des siècles*.

Visages poétiques des Lumières : Antoine de Rivarol *(à gauche)* et le fabuliste Florian *(à droite)*. (B. N. Paris.) Deux hommes tournés vers le XVIIe siècle sans aucun regard vers l'avenir.

La grande idée de Chénier tient dans un vers célèbre :

Sur des pensers nouveaux faisons des vers antiques.

Il y a là une esthétique très proche des conceptions qu'exposait La Fontaine dans son *Épître à Huet;* d'autant plus proche si l'on compare ce que chacun d'eux dit de son attitude à l'égard des modèles : au « Mon imitation n'est point un esclavage » du fabuliste, Chénier répond que

L'esclave imitateur naît et s'évanouit!

Ainsi Chénier ne serait-il rien d'autre qu'un classique attardé, soucieux de conserver l'héritage gréco-latin si cher au XVIIIe siècle, s'il ne concevait la poésie comme le reflet de son époque et ne souhaitait composer une Encyclopédie versifiée du savoir humain :

Tous les arts sont unis : les sciences humaines
N'ont pu de leur empire étendre les domaines,
Sans agrandir aussi la carrière des vers.
Quel long travail pour eux a conquis l'Univers!

Mais ces « pensers nouveaux » ne sauraient être réduits à des vers scientifiques : il souffle dans ses pages un vent de lyrisme jusqu'alors inconnu (et c'est là le seul aspect de Chénier qu'ont retenu les romantiques). Le poète se sent désormais sujet de son œuvre tout autant que le monde qui l'entoure et s'attache à

Refeuilleter sans cesse et son âme et sa vie.

De cette dualité d'inspiration naissent deux poésies différentes, l'une tournée vers le didactisme, l'autre vers l'exploration lyrique de l'individu.

De l'attention à l'émotion

L'ambition de Chénier était d'écrire de grands poèmes philosophiques dont *L'invention* est en quelque sorte le portique : *Hermès*, projeté dès 1782, mais dont quelques fragments seulement furent rédigés, devait retracer l'histoire de la matière, de la pensée et de l'humanité de sorte que son

[...] vol, armé des ailes de Buffon,
Franchît avec Lucrèce, au flambeau de Newton,
La ceinture d'azur sur le globe étendue.

De même *L'Amérique* était-elle conçue comme une épopée du génie et du savoir humains, comme une dénonciation du fanatisme et de l'esclavage. Dans sa poésie d'observation, Chénier se voulait le vulgarisateur des idées de son siècle : comme Voltaire qui avait aussi souhaité unir le Philosophe et le poète, il échouera dans cette tentative; mais son tempérament profond le destinait avant tout à se raconter :

L'art ne fait que des vers, le cœur seul est poète.

Portrait du seul poète authentique du siècle : André Chénier, dont Gautier a pu dire qu'il était « le père de la poésie moderne ».

D'un badinage léger dans les *Élégies*, le ton s'élève à un véritable lyrisme dans les *Odes* et les *Iambes :* « la force de Chénier vient de cette identification qui convertit le thème ou l'objet extérieur en un moment de sa vie, en une figure de son âme » (1), de cette âme qu'il « trouve partout », dans les fleurs, les vallons et les bois, et tend à devenir le seul sujet de sa poésie.

A ceux qui lui objectent que le français n'est pas une langue poétique, Chénier répond que

Ce langage, armé d'obstacles indociles,
Lutte et ne veut plier que sous des mains habiles.

Cet hommage rendu à la technique ne doit cependant pas faire illusion : Chénier n'a jamais été meilleur que lorsqu'il a laissé se déployer son chant, ample et musical, dans l'ouverture de « La jeune Tarentine », par exemple :

Pleurez doux alcyons, ô vous, oiseaux sacrés,
Oiseaux chers à Thétis, doux alcyons, pleurez.
Elle a vécu, Myrto, la jeune Tarentine.
Un vaisseau la portait aux bords de Camarine.

La position littéraire de Chénier est donc ambiguë : rappelant les classiques par la conception de « l'imitation inventrice », homme de son temps par le désir de mettre « son siècle en dépôt » dans sa poésie, il annonce le XIXe siècle par la libération du vers, la plastique d'ensemble de ses poèmes et l'omniprésence du créateur dans son œuvre. Plus que tout autre, il semble avoir ressenti la crise poétique de son époque : une crise que son génie lui a permis de résoudre, lui évitant ainsi de sombrer dans l'oubli auquel ses médiocres contemporains paraissent condamnés.

1. Gaëtan Picon, *Histoire des littératures*, Encyclopédie de la Pléiade, tome III, p. 891.

Nymphes, de Fantin Latour. Lithographie illustrant une édition des *Bucoliques* de Chénier.

BIBLIOGRAPHIE

ÉTUDES SUR L'ENSEMBLE DE LA PÉRIODE : Maurice ALLEM, *Anthologie poétique française du XVIIIe siècle*, Garnier-Flammarion, 1966. — Émile FAGUET, *Histoire de la poésie française de la Renaissance au Romantisme* (t. VI à IX), Paris, 1932-1935 (avec des dithyrambes qui nous semblent aujourd'hui délirants). — Michel FOUCAULT, *Histoire de la folie à l'âge classique*, Plon, 1961 [rééd. en coll. « 10-18 » en 1965 et 1971] (l'analyse de la rupture du dialogue entre la folie et la raison au XVIIIe siècle). — Jacques DERRIDA, *De la grammatologie*, éd. de Minuit, 1967 (met en valeur l'importance de l'ouvrage de Rousseau sur l'*Origine des langues*). — Sylvain MENANT, *La chute d'Icare*, Droz, 1980 (une thèse importante qui renouvelle l'étude de la poésie au XVIIIe s.).

ÉTUDES SUR CHÉNIER : On se reportera aux *Œuvres complètes*, Gallimard, coll. « Bibliothèque de la Pléiade », 1940 (avec rééd. nombreuses). — Jean FABRE, *Chénier*, Hatier (coll. « Connaissance des lettres »), 1955 [rééd. 1965] (un ouvrage très maniable et remarquable par le fourmillement des détails qui n'empêche nullement les grandes synthèses).

LA LITTÉRATURE ET LES MŒURS : LACLOS, RESTIF, SADE

La littérature romanesque de la fin du XVIIIe siècle subit en contrepoint l'influence de *La nouvelle Héloïse* (1761). Mais de l'immense production presque entièrement oubliée aujourd'hui (1) ne subsistent que quelques ouvrages que la pudeur et la censure empêchent de lire en profondeur. Des *Liaisons dangereuses* aux écrits de Sade, le problème moral se trouve au cœur de la littérature, comme l'a fort bien montré Giraudoux dans un article consacré à Laclos (2) : Alors que certains moralistes dénoncent le mal pour l'isoler, certains autres pour vivre dans son voisinage, que d'autres encore considèrent qu'il faut, pour l'exercer, des capacités et des vices particuliers refusés à la plupart des individus, la variété Laclos au contraire estime que la réputation du mal est surfaite...

Il y a dans ce jugement un panorama raccourci — et schématique — qui incite à percer « les secrets de la virulence » d'une littérature trop souvent stigmatisée sans raison justifiée.

LACLOS (1741-1803) OU LA DÉLATION DE LA CORRUPTION

Œuvre ambiguë, *Les liaisons dangereuses* eurent à leur publication un succès de scandale qui pèse encore sur elles. Cependant, à la suite de Baudelaire, la critique s'est attachée à rechercher les causes de la fascination exercée par ce roman.

« *Bon fils, bon père, excellent époux* »

La vie de Choderlos de Laclos n'offre rien de comparable avec celle de son héros Valmont. De garnison en garnison, il devient capitaine, grade le plus haut auquel sa naissance lui permît d'accéder. Peu de faits retiennent l'attention dans sa carrière : en 1786, sa *Lettre sur l'éloge de Vauban* — pamphlet et projet de défense moderniste — lui vaut d'être exilé à Toul. Militant bourgeois dès les premiers jours de la Révolution, promu général après Valmy, Laclos paraît suspect aux Montagnards : emprisonné, il ne doit son salut qu'à la chute de Robespierre le 9 Thermidor. Devenu général d'Empire, il meurt à Tarente en 1803.

1. Seuls demeurent encore connus parmi ces oubliés Baculard d'Arnauld, Marmontel, Loaisel de Tréogate et surtout Louvet de Couvray par *Les amours du chevalier de Faublas*, roman libertin plein de verve et d'entrain.
2. Article repris dans *Littérature*.

Ce ne sont donc pas les faits militaires qui ont rendu Laclos célèbre, mais la publication en 1772 des *Liaisons dangereuses*. Près de cinquante éditions vont se succéder jusqu'en 1815.

Le vicomte de Valmont a décidé de séduire la prude Présidente de Tourvel. Il fait part de son projet à la Marquise de Merteuil, sa complice en débauche et son égale en libertinage. Celle-ci va mener le jeu et diriger à distance les aventures de Valmont, le sommant de respecter le « code » libertin. Elle lui offre de séduire la jeune Cécile de Volanges, récemment sortie du couvent pour épouser Danceny qui jadis l'avait abandonnée. Double conquête pour Valmont qui se laisse même attendrir par l'amour de la Présidente. La Marquise l'ayant obligé à rompre, il écrit une lettre mortelle à Madame de Tourvel, puis se révolte contre son démon. La lutte devient inévitable : la Merteuil révèle alors à Danceny le rôle ignoble joué par Valmont auprès de Cécile. Les deux hommes se battent en duel : Valmont est blessé mortellement. Quant à la Marquise, défigurée par la petite vérole, elle terminera sa vie à l'écart de la société.

La technique romanesque

Ce recueil de lettres est bien, comme le souligne l'« Avertissement de l'Éditeur », un « roman » : fréquent dans la littérature de la

Choderlos de Laclos : de la stratégie amoureuse à l'art d'éduquer. (B. N. Paris.)

seconde moitié du XVIIIe siècle, le mode épistolaire est ici utilisé avec talent et originalité. En effet, loin d'être un simple moyen permettant à l'auteur de disserter ou de moraliser, la lettre est un élément même de l'intrigue. De ce fait, Laclos réduit le décalage entre la matière de sa fiction et la présentation de l'ensemble. Les lettres jouent un rôle complexe : bulletins de victoires, comptes rendus de défaites, elles traduisent aussi le caractère particulier des libertins qui est de se conduire en spectateurs de leurs propres actes. Mais, par là-même, la correspondance crée l'atmosphère du roman : seuls les deux « roués » possèdent le recul suffisant pour n'être pas dupes de la cruauté qui imprègne l'ouvrage.

Un style réaliste

Cette utilisation du mode épistolaire pose le problème de la vérité romanesque. L' « Avertissement de l'Éditeur » prétend que

> l'auteur, qui paraît pourtant avoir cherché la vraisemblance, l'a détruite lui-même et bien maladroitement par l'époque où il a placé les événements qu'il publie.

Loin de masquer la réalité, au profit de thèmes divers, comme dans les ouvrages de Richardson (1), les lettres servent ici à la renforcer : ce n'est pas Laclos qui parle, mais bien chacun des interlocuteurs, dans son propre langage. Grimm soulignait déjà à ce propos qu' « il n'y a pas moins de variété dans le style de ces lettres qu'il n'y en a dans les différents caractères des personnages : [...] elles n'ont d'autre rapport ensemble que celui d'être également vraies, également originales ». De ce fait, les héros de Laclos deviennent de véritables types, « rassemblant dans un même personnage les traits épars du même caractère ».

L'écrivain démonte ainsi de manière implacable un « monde », et analyse avec une étonnante lucidité ce que Roger Vailland appelle « le jeu dramatique » du libertin (1).

Un « jeu de société » : le libertinage

Plus qu'un jeu de salon gratuit, le libertinage s'offre comme un drame social divertissant, « avec des figures bien déterminées, aboutissant au moment de vérité et à la mise à mort » (2). Et de fait, rien ne donne plus l'impression d'un mécanisme impitoyablement réglé que la correspondance des *Liaisons*. Les relations des deux maîtres-libertins, madame de Merteuil et Valmont, forment la trame centrale du récit : ils sont les véritables moteurs d'une action qui ne progresse que par les décisions qu'ils prennent. On aboutit ainsi à distinguer le monde actif des libertins de celui des victimes, passives et souffrantes :

« action » des [« roués »]	→ 1. choix	2. séduction	4. rupture
« passion » des [victimes]	→	3. refus puis chute	

Les chiffres indiquent l'ordre des séquences.

Tout paraît parfaitement huilé : du premier moment

> Vous connaissez la Présidente de Tourvel, sa dévotion, son amour conjugal, ses principes austères. Voilà ce que j'attaque; voilà l'ennemi digne de moi; voilà le but où je prétends atteindre (Lettre IV).

jusqu'à la rupture finale cyniquement ponctuée par le retour du « ce n'est pas ma faute » :

> Adieu, mon Ange, je t'ai prise avec plaisir, je te quitte sans regret : je te reviendrai peut-être. Ainsi va le monde. Ce n'est pas ma faute (Lettre CXLI).

Le drame de Laclos se construit donc avec méthode : c'est une tragédie « qui ne mélange

1. Samuel Richardson (1689-1761), romancier anglais dont les œuvres *(Pamela, Clarisse Harlowe)* relèvent du réalisme moralisateur prôné par Diderot qui, d'ailleurs, écrivit un *Éloge* de son modèle britannique.

1. Roger Vailland, *Laclos par lui-même*, Le Seuil, p. 55.
2. *Ibid.*, p. 51.

pas, qui ne bégaye pas, qui ne transige pas, qui ne cèle pas », une véritable mécanique racinienne comme le souligne Giraudoux, un modèle d'analyse et de cruauté.

Des personnages « possédés »

Baudelaire, qui se demande « comment la brouille vient entre Valmont et la Merteuil », a défini ces « deux scélérats » par de saisissantes formules [1].

Madame de Merteuil, qui lui paraît à juste titre être le véritable meneur de jeu du récit, devient « un Tartuffe femelle, tartuffe de mœurs, tartuffe du XVIIIe siècle ». Pour vrai que cela puisse être, ce n'est pas le trait qui frappe d'emblée le lecteur. On est plutôt sensible à l'extraordinaire lucidité de la Marquise, à la conscience qu'elle a de son « métier » (le mot est d'elle). Dans sa grande lettre à Valmont (LXXXI), elle expose le lent et patient travail qui a fait d'elle cette « Ève satanique » : tout son vocabulaire traduit le désir et la fierté d'être « un personnage un instant maître de son destin » [1]. Un effort constant, quasi inné

> Je n'avais pas quinze ans, je possédais déjà les talents auxquels la plus grande partie de nos politiques doivent leur réputation

lui impose de taire sa passion pour se vouer tout entière à l'étude « de la science » qu'elle veut « acquérir ». Ainsi, parlant de sa nuit de noces, elle explique :

> [elle] ne me présentait qu'une occasion d'expérience : douleur et plaisir, j'observai tout exactement, et ne voyais dans ces diverses sensations que des faits à recueillir et à méditer.

Trônant au sommet de l'Olympe de l'intelligence, la Merteuil surpasse ses victimes ainsi que son complice. Car Valmont n'est qu'un pion qu'elle guide à distance : malgré les innombrables relations de sa « technique », en dépit des formules cyniques qu'il emploie (« ce n'est pas assez pour moi de la posséder, je veux qu'elle se livre », Lettre CX), le vicomte n'a pas réussi à se composer un masque aussi imperméable à l'amour que sa prestigieuse compagne. Lorsqu'il revient de séduire la Présidente de Tourvel, il confesse :

> même après nous être séparés, son idée ne me quittait point, et j'ai eu besoin de me travailler pour m'en distraire (Lettre CXXV).

Le rôle des deux libertins dépasse leur propre jeu; et il s'agit, une fois de plus, d'un rôle moral. Laclos entreprend dans *Les liaisons dangereuses* la peinture révélatrice d'un comportement humain (le libertinage), symbole d'une société en déclin (l'aristocratie), qui démasque la véritable nature des relations sociales (hypocrisie, conventions, conformismes). Aussi doit-on considérer également la Présidente de Tourvel comme une « possédée ». A la différence des deux libertins, le mal ne constitue pas le fond de sa conduite, mais il s'insinue sourdement en elle jusqu'à faire éclater son tempérament profond (sensualité, volupté) et à causer sa perte :

> C'est donc à votre neveu que je me suis consacrée; c'est pour lui que je me suis perdue (Lettre CXXVIII)

avoue-t-elle à la fin du récit.

La stratégie du libertin : « J'ai trouvé plaisant d'envoyer à ma belle dévote une lettre écrite du lit d'une fille ». (B. N. Paris.)

1. Baudelaire, « Notes sur *Les liaisons dangereuses* ».

1. André Malraux, « Laclos » dans *Tableau de la Littérature française*, Gallimard, p. 419.

Le jeu libertin a aliéné la vie des personnages normaux, mais en même temps il condamne les deux héros à l'échec : leur absence de sentiment les oblige à renoncer à une vie commune. Ainsi, en ruinant les « prestiges de cette mythologie de l'intelligence » (1), Laclos affirme que la vie est plus forte que le système qui la nie.

RESTIF DE LA BRETONNE (1734-1806) ET « L'ANATOMIE MORALE »

A ceux qui voient en Restif un écrivain réaliste — « le Pithécanthrope de Balzac » —, un romancier de mauvais compagnie — « le Jean-Jacques du ruisseau » —, ou même un théoricien de bas étage — « le Voltaire des concierges » —, Nerval a opposé dans *Les illuminés* « les qualités précieuses de l'imagination », « le cœur chaud » et « la plume pittoresque » de Monsieur Nicolas.

Une vie « d'espion romanesque » (1)

Nicolas Restif (2) naquit en 1734 dans une famille de laboureurs aisés de Sacy, dans l'Yonne. Attiré de bonne heure par la galanterie, il interrompt ses études, entre en apprentissage chez un imprimeur d'Auxerre (1751-1755) et devient ouvrier typographe. Il gagne alors Paris, travaille chez divers éditeurs, épouse en 1760 Agnès Lebègue (3) et décide de « devenir auteur » : en 1767, il publie *La famille vertueuse* dont l'honnête succès l'incite à persévérer. Dès lors il inonde le public d'ouvrages dans lesquels il raconte la vie paysanne (4). Dans le même temps, il inaugure la curieuse série des *Idées singulières* à travers laquelle il souhaite réformer la société.

Menant une vie libertine, il rencontre Beaumarchais qui l'introduit dans le salon de Madame de Beauharnais : c'est là un nouveau terrain d'investigation pour le romancier qui publie, de 1780 à 1788, le groupe des *Contemporaines*.

Accablé d'infirmités, miné par le labeur, il s'attache dans les dernières années de sa vie extravagante à « disséquer » sa propre existence et rédige son *Monsieur Nicolas ou le cœur humain dévoilé* (1794-1797). Il meurt à Paris dans la misère à l'âge de soixante-douze ans.

1. L'expression est de Nerval.
2. « Notre nom s'écrit indifféremment *Restif*, *Rectif* ou *Retif;* cependant je préfère le premier eu égard à l'étymologie, [...] le mot de *Restif* venant de *rester* [sic]. »
3. Il eut quatre enfants, mais se sépara puis divorça de son épouse en 1794. Sur la vie sentimentale de Restif voir Nerval qui a « romancé une biographie déjà très romancée ».
4. Citons surtout *Le paysan perverti ou les dangers de la ville* (1775) et *La vie de mon père* (1779).

Dans cette œuvre volumineuse, trois grandes orientations méritent de retenir l'attention : l'une bien distincte, comprend les écrits d'utopie politique; les deux autres, indissolublement liées, rassemblent les récits d'idylle moralisateurs et les ouvrages autobiographiques.

© Bulloz.

Restif de la Bretonne. (B. N. Paris.)

Restif, prophète et moraliste social

Romancier, Restif fut également un écrivain philosophique. Comme les penseurs de son siècle, il a expliqué le monde par un jeu subtil d'éclosions et de transformations :

> Tout est substance dans la nature.
> La Terre est un être vivant, et si vivant que de sa surabondance de vie, de ses sécrétions, résultent toutes les exigences minérales, végétales, animales.

Il définit ainsi un cycle de métamorphoses dans lesquelles vient peu à peu se fondre l'Être-Principe, et d'où naît l'évolution lente de l'espèce. Cette Genèse cosmogonique semble proche de celle que formulera Fourier cinquante ans plus tard.

1. L'expression est d'André Malraux.

« Tant pis pour Fourier! », s'écriera le socialiste Pierre Leroux dans un vibrant hommage à Restif, « ce dernier homme résume et incarne en lui ce besoin de dissolution de la société. [...] Il fut l'expression la plus caractérisée de ce besoin de mourir, c'est-à-dire de renoncer à toutes les vieilles croyances, et par conséquent de ce besoin de renaître à une vie nouvelle. »

Si Nerval a pu écrire que le système de Restif est « tout simplement communiste », c'est qu'il se fondait sur la maxime

> la propriété est la source de tout vice, de tout crime, de toute corruption

que *Les idées singulières* ont développée, non dans une perspective d'ensemble, mais par une suite de réformes de détail : *Le pornographe* expose un projet de réglementation de la prostitution pour le bien commun des filles et de la société; *Le mimographe* entend, dans la veine du drame bourgeois, proposer la création d'un théâtre d'éducation populaire; *Les gynographes* et *L'andrographe* donnent curieusement la réforme du couple par la vie communautaire; enfin, dans *Le thesmographe*, Restif se montre résolument progressiste en prônant le partage des terres et en organisant une nouvelle société selon des principes socialistes.

Toutes ces œuvres traduisent une volonté de réforme de la société et des mœurs : le monde que Restif se propose d'édifier a pour fondement la vie champêtre et la destruction des cités, lieux de corruption des individus.

L'œuvre romanesque : confession et moralisme

Fils de paysan, paysan lui-même, Restif a d'abord éprouvé le besoin de raconter la saine vie des campagnes. On retrouve dans ses pages le souffle communautaire qui inspirait les écrits politiques :

> Les habitants du même bourg, ceux avec qui, chaque dimanche, on se trouve réunis, comme une seule famille, dans la maison d'actions de grâces! avec qui l'on mange un pain que le ministre de Dieu a béni et qui est distribué en signe de communion et de fraternité.

Cet incessant retour aux idées morales gêne le lecteur moderne qui ne cherche dans les romans de Restif que le témoignage d'une vie rustique. Tel passage de *La vie de mon père* décrit avec simplicité le rythme du travail champêtre et la

Estampe pour *La Paysanne pervertie* : les attitudes, le cadre, l'atmosphère pourraient convenir à l'illustration des romans sadiens. (B. N. Paris.)

paisible existence d'une famille heureuse que la grand-ville n'a pas souillée et s'oppose aux propos du *Paysan perverti* :

> « Ah! que je me suis trompé! ah! que j'ai été faible! ah! que j'ai été lâche! »

Ces paroles du héros trahissent la constante présence du narrateur derrière — ou plus exactement dans — ses personnages.

Déçu par une vie pénible et corrompue, Restif décida un beau jour d'imiter son maître Rousseau :

> Je veux devenir misanthrope. Je veux fuir tous les hommes puisqu'ils sont également nuisibles, amis ou ennemis.

Que lui reste-t-il alors sinon se peindre sans cesse lui-même, s'analyser de façon quasi scientifique pour composer dans de multiples volumes un « utile complément » aux travaux d'*Histoire naturelle* de Buffon. Là encore, Restif entend faire œuvre d'éducation : s'il accepte de « se dévêtir devant nous », c'est pour « nous instruire à ses dépens »,

> nous faire comparer nos semblables à nous-même, puis nous-même à nous-même.

Mais il y a plus : avec *Monsieur Nicolas* naît une nouvelle littérature, une fonction moderne de l'écriture. L'autobiographie poursuit ici un double but : satisfaire chez le narrateur un goût maladif du passé, et surtout atteindre par l'œuvre une manière de survie :

> Lorsque tu tiendras [ce livre], lecteur, je ne serai plus. Mais je vivrai cependant avec toi, par le mélange de mes pensées avec les tiennes : je remuerai encore ton âme et nous existerons ensemble.

Survie de Restif

L'immensité de son œuvre fait obstacle à la gloire de Restif : en dehors de *La vie de mon père* et de *Monsieur Nicolas*, l'ensemble de sa production demeure enfoui au fond des bibliothèques, malgré le souhait de Baudelaire qui réclamait « d'excellents et ravissants extraits », malgré les belles pages que lui a consacrées Nerval. Peut-être faut-il chercher l'origine de ce long purgatoire dans ces quelques lignes écrites à la fin du XVIIIe siècle :

> [...] un style bas et rampant, des aventures dégoûtantes, toujours puisées dans la plus mauvaise compagnie; nul autre mérite enfin que celui d'une prolixité... dont les seuls marchands de poivre le remercieront.

Qui parle ainsi de Nicolas Restif? Est-ce un quelconque censeur? Non point, mais le marquis de Sade!

SADE (1740-1814) ET « L'ÉVANGILE DU MAL »

Cent cinquante ans après la mort de l'écrivain, l'œuvre de Sade fait encore des ravages : il suffit qu'un éditeur ose la publier pour se voir condamner à une amende sévère et entendre comme sous l'Inquisition le tribunal « ordonner la confiscation et la destruction des ouvrages saisis. » Pourtant, malgré la clandestinité dans laquelle on l'enferme, Sade apparaît comme l'un « des grands inspirateurs de nos modernes » ([1]) : cette vitalité doit justement obliger le lecteur, favorable ou non, à pénétrer dans l'étrange univers du « divin marquis ».

« Je suis un libertin, mais... »

Sans être aussi effrénée que celle de ses héros, la vie de Sade illustre cependant à merveille « ce chef-d'œuvre de l'infamie et de la débauche » ([2]).

Donatien de Sade est né à Paris dans une vieille famille provençale. Après quelques années chez les Jésuites de Louis-le-Grand (1750-1754), il fréquente le Collège de cavalerie royale d'où il sort lieutenant pour participer à la guerre de Sept Ans (1756-1763). A la fin des hostilités, il retrouve la vie civile, épouse par raison Renée de Montreuil, de noblesse de robe récente, puis est emprisonné une quinzaine de jours pour « débauche outrée ». C'est là le début de ses multiples liaisons, de ses libertinages divers et de ses longues et nombreuses incarcérations. 1768 : affaire Keller à Arcueil (flagellation), huit mois de prison. 1772 : débauche marseillaise (flagellation, homosexualité, sodomie... et bonbons empoisonnés), nouveau séjour en prison, évasion puis voyage en Italie. En 1777, sa belle-mère le fait enfermer à Vincennes : il y séjournera jusqu'en 1784, date à laquelle il sera transféré à la Bastille. Dans son cachot, il termine divers ouvrages : *Les 120 journées de Sodome* (1785), *Les infortunes de la vertu* (1787). Le 4 juillet 1789, il est interné à Charenton : mais l'abolition des lettres de cachet par la Constituante lui rend sa liberté quelques mois plus tard. Dans la tourmente, il participe au comité révolutionnaire de la Section des Piques : son « modérantisme » lui vaut toutefois d'être à nouveau emprisonné, de décembre 1793 à octobre 1794. Libéré, il publie *La philosophie dans le boudoir*, *Aline et Valcour* (1795), *La nouvelle Justine* (1797), *Les crimes de l'amour* (1800) : certains ouvrages font scandale, et l'auteur de « l'infâme Justine » se retrouve interné par le régime bonapartiste d'abord à Sainte-Pélagie, puis à Bicêtre, enfin à Charenton, — jusqu'à la fin de ses jours. C'est en effet au milieu des malades, avec lesquels il montait des représentations théâtrales, qu'il mourut misérablement à la fin de 1814.

Ce rapide aperçu biographique laisse voir une figure peu commune, mais ne donne qu'un côté de l'homme : autant qu'à ses ouvrages

1. La formule est de Sainte-Beuve : mais à voir l'intérêt qu'ont porté à Sade Apollinaire, Cocteau, Breton, Blanchot; à constater le renouveau des études sadiennes depuis Maurice Heine et Gilbert Lely, on ne peut s'empêcher de l'appliquer à « nos » contemporains.

2. Maurice Blanchot, « La Raison de Sade » in *Lautréamont et Sade*, Éditions de Minuit, p. 18.

composés, c'est à ses journaux et à sa correspondance qu'il convient de demander les visages cachés de Sade. Lui-même a reconnu sans doute l'aspect maladif de son expérience ([1]) tout en réclamant dans la belle lettre — « ma grande lettre » — qu'il adressa à sa femme du donjon de Vincennes le 20 février 1791, d'être considéré comme un « coupable de pur et simple libertinage ».

> Chacun a ses défauts; ne comparons rien : mes bourreaux ne gagneraient peut-être pas au parallèle. Oui, je suis libertin, je l'avoue : j'ai conçu tout ce qu'on peut concevoir dans ce genre-là, mais je n'ai sûrement pas fait tout ce que j'ai conçu et ne le ferai sûrement jamais. Je suis un libertin, mais je ne suis pas *un criminel* ni *un meurtrier* [...] Je suis un libertin, mais j'ai sauvé [...] Je suis un libertin, mais je n'ai jamais compromis la santé de ma femme. [...] Je n'ai point eu toutes les autres branches du libertinage souvent si fatales à la fortune des enfants.

Ces lignes, rythmées par la cadence initiale, traduisent bien le tempérament d'écrivain de leur auteur.

Sade et le roman

Car Sade est homme de lettres : il a même défini dans sa préface aux *Crimes de l'amour* son *Idée sur les romans*. Trois sujets y sont abordés : l'étymologie même du terme de « roman », un panorama rapide du genre permettant de situer l'auteur dans la production romanesque de son temps, « les règles qu'il faut suivre pour arriver à la perfection de l'art d'écrire ». Parmi ces règles, quatre principes méritent de retenir l'attention car ils éclairent la production du marquis.

1. Loin d'être un simple passe-temps, la littérature devient un moyen de connaissance privilégié « des mœurs séculaires » : si le peintre ne saisit que le « masque » de l'individu et tombe ainsi dans l'erreur ([2]),

> le pinceau du roman, au contraire, le saisit dans son intérieur [...], le prend quand il quitte ce masque, et l'esquisse bien plus intéressante est en même temps bien plus vraie.

2. Le romancier doit donc être un analyste, car

> la connaissance la plus essentielle qu'il exige est bien certainement celle du cœur de l'homme.

1. « L'homme doué de goûts singuliers est un malade », écrit-il à un correspondant.
2. Le peintre ne représente l'homme que « lorsqu'il se fait voir; et alors ce n'est plus lui; l'ambition, l'orgueil couvrent son front d'un masque qui ne nous représente que ces deux passions, et non l'homme ».

3. On doit rejeter les procédés traditionnels de l'art romanesque (« les fastidieuses langueurs de l'amour ou les ennuyeuses conversations des ruelles ») qui plongent le lecteur dans la somnolence. L'auteur doit avoir certains égards pour son public et « soutenir l'intérêt jusqu'à la dernière page ».

4. Pour cela, il donnera le primat à l'imagination sans toutefois « s'écarter de la vraisemblance ».

« *La raison de Sade* »

Comment l'écrivain va-t-il séduire, s'il veut emprunter de nouveaux chemins? Ici, la pensée et la littérature se confondent en une nouvelle dimension qui veut

> offrir partout le Vice triomphant et la Vertu victime de ses sacrifices, [...] dans la seule vue d'obtenir l'une des plus sublimes leçons de morale que l'homme ait encore reçue : c'était, on en conviendra, parvenir au but par une route peu frayée jusqu'à présent.

Ce « but » est cependant bien différent de celui que poursuivaient les prédécesseurs de Sade : refusant « l'afféterie de la morale », le marquis en arrive à élaborer « la théorie la plus folle du despotisme le plus absolu » ([1]).

Le vertige qui l'entraîne donne l'impression du complet désordre; pourtant, tout s'enchaîne et un système véritable se découvre, fondé sur une logique particulière : « cette pensée est l'œuvre d'une folie, [...] elle a eu pour moule une dépravation [...] et prétend transposer en une vue du monde complète l'anomalie la plus répugnante » ([2]).

La philosophie de Sade s'organise autour de l'idée de plaisir : seul le plaisir (et en particulier le plaisir sexuel) est à même de fournir à l'homme le bonheur qu'il recherche. Ce qui différencie radicalement les héros sadiens de leurs frères du siècle, c'est l'absence totale de frein à leur plaisir et l'indifférence à l'égard des interdits traditionnels :

> Adoptez pour base de vos conduites et pour règle de vos mœurs ce qui vous paraîtra le plus analogue à vos goûts, sans vous inquiéter si cela s'accordera ou non avec nos coutumes. [...] Jouis mon ami, jouis et ne juge pas, jouis te dis-je.

Cette quête du plaisir n'est toutefois pas gratuite : elle repose sur une morale a-sociale, totalitaire :

1. Maurice Blanchot, *op. cit.*, p. 44.
2. *Ibid.*, p. 47.

© B. N. Paris.

Frontispice de l'édition originale des *Crimes de l'amour* du Marquis de Sade. (B. N. Paris.)

> Que désire-t-on quand on jouit? Que tout ce qui vous entoure ne s'occupe que de vous, ne pense qu'à vous, ne soigne que vous,

égoïste enfin, puisque « toute jouissance partagée s'affaiblit ».

Mais, dira-t-on, à qui Sade rend-il des comptes? A Dieu? certes pas : le ciel lui apparaît vide et sans secours : « Dieu est mort parce qu'il n'a jamais existé », et de ce fait, les notions de bien et de mal se trouvent sans contenu. S'il se réfère à une autorité, le héros de Sade calque son attitude sur la nature qui « nous commande de jouir et de jouir sans cesse [et] exige que nous y parvenions par tous les moyens ».

« Par tous les moyens » : c'est dans ce « jusqu'au-boutisme » de la liberté que se manifeste clairement le *sadisme* avec ses perversions sexuelles et son attrait pour la cruauté. La domination sadique n'est en effet qu'une longue succession de viols, d'incestes, de monstruosités sexuelles alliés à de multiples scènes où la férocité ajoute au plaisir voluptueux du libertin.

Le système prouvé : « Les infortunes de la vertu »

Rédigé en quinze jours à la Bastille en 1787, ce conte philosophique fut repris par deux fois et aboutit finalement à *La nouvelle Justine ou les malheurs de la vertu*, « œuvre monumentale » qui paraît vouée à l'Enfer des bibliothèques. Tous les thèmes de Sade apparaissent déjà dans l'ouvrage initial : l'amplification et la démesure s'y ajoutant donneront au roman définitif un volume quinze fois supérieur !

Dans un « cahier préparatoire », Sade a résumé le schéma de son récit :

> Deux sœurs, l'une très libertine [Juliette] vit dans le bonheur, dans l'abondance et la prospérité, l'autre extrêmement sage [Justine] tombe dans mille panneaux qui finissent par entraîner sa perte. Leur fortune délabrée les oblige à prendre des métiers, l'aînée se fait catin, la cadette travaille; l'aînée prospère, la cadette devient de plus en plus malheureuse.

Comme à son habitude, Sade a également tracé rapidement le portrait de ses nombreux personnages et catalogué les « vertus vexées » de Justine : on retrouve d'ailleurs dans le cours du récit cet aspect d'inventaire propre au roman sadien. Jean Paulhan a souligné, chez Sade, ce mode de la répétition qui « fait songer aux livres des grandes religions » (1). L'auteur, voulant prouver que la vertu est la seule raison du malheur de son héroïne, est amené à user de l'accumulation et du rabâchage, faisant alterner les scènes d'orgie et les « dissertations », de sorte que le lecteur puisse suivre l'écho produit par chaque scène dans la conscience de Justine :

> Toujours entre le vice et la vertu, faut-il donc que la route du bonheur ne s'ouvre jamais pour moi qu'en me livrant à des infamies!

Justine est aux yeux de Sade et de ses adeptes le personnage le plus excitant qui puisse exister : victime obstinée qui refuse de changer sa vision du monde, elle oblige ceux qu'elle rencontre à faire le mal et justifie, en avouant éprouver quelque plaisir aux ignominies qu'on lui fait subir, l'entreprise libertine contre laquelle elle s'insurge.

1. Jean Paulhan, « La douteuse Justine », reproduit en préface aux *Infortunes de la vertu*, Livre de Poche, p. 17.

Situation de Sade

Redécouvert et admiré pour les raisons les plus diverses (politiques, religieuses), le marquis de Sade exerce une fascination sur les nouvelles générations. Sans doute son anarchisme intellectuel — « l'esprit le plus libre qui ait encore existé » disait Apollinaire — séduit-il, mais il faut se garder de tout jugement excessif qui tendrait à faire de l'auteur de *Justine* le père commun de la révolution politique, sociale ou même freudienne. Ce qui donne au « divin marquis » sa valeur irremplaçable, c'est l audace de son entreprise : au mépris des contraintes traditionnelles, il a « osé aller au bout de sa nuit », révélant ainsi un aspect fondamental que chaque individu enfouit au fond de son être. Par là-même, « il nous oblige à remettre en question le problème essentiel qui, sous d'autres figures, hante ce temps : le vrai rapport de l'homme à l'homme », comme l'indique Simone de Beauvoir reprenant la conclusion de l'essai de Maurice Blanchot. La pensée de Sade « nous montre qu'entre l'homme normal qui enferme l'homme sadique dans une impasse et le sadique qui fait de cette impasse une issue, c'est celui-ci qui en sait le plus long sur la vérité et la logique de sa situation et qui en a l'intelligence la plus profonde, au point de pouvoir aider l'homme normal à se comprendre lui-même, en l'aidant à modifier les conditions de toute compréhension » (1).

1. Maurice Blanchot, *op. cit.*, pp. 48-49.

BIBLIOGRAPHIE

Sur l'ensemble de l'évolution du genre romanesque au cours de cette période, on consultera l'ouvrage de Henri COULET, *Le roman jusqu'à la Révolution* (t. I), A Colin, coll. « U », 1967.

ÉDITIONS ET ÉTUDES : LACLOS : On se reportera aux *Œuvres complètes,* Gallimard, coll. « Bibliothèque de la Pléiade ». *Les liaisons dangereuses* ont été publiées en Folio (avec une préface d'André Malraux) et en Garnier-Flammarion. — Roger VAILLAND, *Laclos par lui-même,* Seuil, 1953 (une analyse de l'homme et de l'œuvre par un « nouveau libertin » : il démonte avec précision le mécanisme du libertinage). — Jean-Luc SEYLAZ, *Les liaisons dangereuses et la création romanesque chez Laclos,* Paris et Génève, Minard et Droz, 1958, étude universitaire qui s'attache à tous les aspects de l'œuvre : forme, fond, personnages). — Jean GIRAUDOUX , « Laclos », in *Littérature,* Grasset, 1941 [rééd. dans la coll. « Idées », N.R.F., 1967] (Laclos ou le nouveau Racine). — Laurent VERSINI, *Laclos et la tradition,* Klincksieck, 1968 (une vue complète des techniques littéraires du roman). — René POMEAU, *Laclos,* coll. « Connaissance des lettres », Hatier, 1975 (le seul ouvrage de vulgarisation consacré à l'auteur des *Liaisons* par la critique universitaire : remarquable et stimulant). — Tzvetan TODOROV, *Littérature et signification,* Larousse (une analyse de « narratologie » désormais classique).

RESTIF DE LA BRETONNE : On trouvera actuellement peu d'œuvres de Restif en librairie. *Monsieur Nicolas* a été réédité par J.-J. Pauvert en 1959 (6 vol.) et *La vie de mon père* a fait l'objet d'une édition critique dans les Classiques Garnier (1970). On trouvera en « 10/18 » *Le paysan perverti, Ingénue Savancour* et *Le ménage parisien.* — Marc CHADOURNE, *Restif de La Bretonne ou le siècle prophétique,* Hachette, 1958 (étude superficielle mais bien documentée). — Pierre TESTUD, *Restif de la Bretonne et la création littéraire,* Droz, 1977 (un ouvrage complet et moderne, déjà le « classique » des études rétiviennes).

SADE : Il existe deux éditions des *Œuvres complètes* de Sade. L'une est coûteuse (Cercle du Livre précieux, 1962-1964, 15 vol.); l'autre, plus accessible, comporte de nombreuses préfaces intéressantes (Paris, J.-J. Pauvert, 1953-1970, 25 vol.). Par ailleurs, les catalogues des collections de poche (Folio, G.-F. et « 10-18 ») proposent maintenant nombre de textes longtemps frappés de censure, avec souvent des préfaces très intéressantes. — Gilbert LELY, *Sade,* Gallimard, coll. Idées, 1964 (abrégé de la volumineuse *Vie du marquis de Sade* qui constitue la bible de toute personne qui étudie l'œuvre du marquis). — Maurice BLANCHOT, « La raison de Sade », dans *Lautréamont et Sade,* éd. de Minuit, 1963 [rééd. 1969] (brillante interprétation de la folie de Sade expliquée comme fondement d'une pensée et d'une morale nouvelles). — Jean-Jeacques BROCHIER, *Sade,* Éditions universitaires, 1966 (très bonne introduction en quelques pages à l'univers sadien). — Pierre KLOSSOWSKI, *Sade mon prochain,* Seuil, 1945 [rééd. 1967] (interprétation qui tend à faire de Sade un chrétien qui s'ignore). Deux ouvrages ont renouvelé la lecture de l'œuvre sadienne : Le *Sade, Fourier, Loyola* de Roland BARTHES (Le Seuil, 1971) qui adopte une perspective théorique et *L'invention du corps libertin* de M. MENAFF (P.U.F., 1978), plus philosophique. — La création romanesque a été étudiée par A.-M. LABORDE dans *Sade romancier* (Neuchâtel, La Baconnière, 1974).

BEAUMARCHAIS (1732-1799)

Dans le tableau critique de la littérature dramatique que constitue la « Préface » de *Cromwell*, Hugo désigne en Beaumarchais « l'un des trois grands génies caractéristiques de notre scène ». Et d'ajouter que l'auteur du *Mariage de Figaro* « était digne de hasarder le premier pas vers ce but de l'art moderne [...] qui résulte d'une action vaste, vraie, multiforme ». Juste hommage rendu par le théoricien du drame romantique aux exceptionnelles qualités de celui qui, venu au théâtre par délassement, avait exprimé avec un rare bonheur les aspirations et les contradictions de son siècle, créé une œuvre révolutionnaire tout autant par ses ambitions littéraires que par la portée de la satire, et surtout avait donné naissance à un fils immortel, Figaro.

« *Une bizarre suite d'événements* »

Issu d'une famille de modestes horlogers, Pierre-Augustin Caron quitte le lycée à l'âge de treize ans pour s'initier au métier paternel : en 1751, il met au point un nouveau mode d'échappement ([1]) qui le rend célèbre à la cour. C'est ainsi qu'il devient successivement contrôleur d'office, maître de harpe des filles du roi et qu'il s'initie sous la conduite éclairée du financier Paris-Duverney au monde de l'intrigue et de l'argent. Marié et veuf en l'espace de quelques mois, il prend le surnom de Beaumarchais (d'une terre de sa femme). Anobli par l'achat d'une charge, il part pour l'Espagne secourir l'honneur d'une de ses sœurs avec l'espoir de réaliser une lucrative affaire coloniale. De retour à Paris, il songe au théâtre et donne successivement *Eugénie* et *Les deux amis*, illustrations de l'*Essai sur le genre dramatique sérieux* (1767). Ces deux pièces n'obtiennent qu'un faible succès et marquent le début d'une difficile période pour leur auteur. Remarié en 1768, Beaumarchais se retrouve veuf pour la seconde fois deux année plus tard.

1. L'échappement est le mécanisme régulateur qui permet de transmettre aux rouages le mouvement du ressort.

En 1770 meurt également Paris-Duverney don le légataire universel, le comte de La Blache accuse Beaumarchais d'avoir falsifié les papier testamentaires. Il s'ensuit un procès que notr auteur gagne. La Blache fait alors appel e charge de sa défense le conseiller Goëzman à la suite d'une rocambolesque histoire « d'épi ces » ([1]), Beaumarchais se déchaîne contre l justice en publiant quatre *Mémoires* pleins d verve « destinés à fixer l'opinion flottante d public ». Finalement, le Parlement condamn Goëzman et blâme Beaumarchais.

Désireux de se faire oublier pour rentrer e grâce, notre homme accomplit d'incroyable missions secrètes en Angleterre et en Allemagne En 1775, il fait jouer *Le barbier de Séville*, qu obtient un grand succès, et recouvre ses droit civiques. Dès lors c'est le triomphe : Beaumar chais multiplie ses activités. Armateur pour l compte des *insurgents* américains, éditeur de œuvres complètes de Voltaire à Kehl, fondateu de la Société des Auteurs dramatiques, il connaît l plus grand triomphe de sa carrière le 27 avril 178 lors de la représentation du *Mariage de Figaro*

Enrichi par son succès et ses affaires, Beau marchais paraît suspect quand éclate la Révo lution : il doit s'exiler en Allemagne après un représentation de sa dernière pièce, *La mèr coupable*, pour ne revenir qu'en 1796 finir un vie bien remplie.

D'un caractère enjoué, cet énigmatique e infatigable brasseur d'affaires est bien le repré sentant d'un XVIIIe siècle divisé entre les qualité du cœur et l'immoralisme de l'intrigue. Deu traits que son théâtre se plaît à réunir!

1. Les « épices » étaient un présent (en nature ou e espèces) que les plaideurs offraient à leurs juges durant o avant un procès. Beaumarchais, soucieux de son intérê rencontra deux fois l'épouse du conseiller et lui offrit e « épices » argent et bijoux. Or, celle-ci se ravisant, lu restitua le tout à l'exception de 15 louis destinés, à l'origine au secrétaire.

Beaumarchais arborant le sourire roublard de Figaro. Portrait du dramaturge en 1755, par Nattier.

Je me délasse des affaires avec les belles-[illegible]ttres... »

Parmi les nombreuses activités de Beaumar-[illegible]ais on trouve la littérature : outre les *Mémoires* [illegible]vers (auxquels il convient d'ajouter de nom-[illegible]eux textes pamphlétaires), il rédigea des parades [illegible]enre littéraire fort à la mode dans la seconde [illegible]oitié du siècle, se réduisant à quelques saynettes [illegible]scènes), trois drames larmoyants, un écrit [illegible]éorique (l'*Essai sur le genre dramatique sérieux*), [illegible]mposa un opéra *(Tarare)* et surtout fit jouer [illegible]ux comédies auxquelles il doit sa célébrité : [illegible] *barbier de Séville* (1775) et *Le mariage de* [illegible]*garo* (1784) ([1]). L'ensemble fait donc bien [illegible]nser à « l'œuvre inégale d'un amateur » ([2]).

Dans la version en quatre actes que nous [illegible]nnaissons aujourd'hui, la trame du *Barbier* [illegible]raît dénuée d'originalité. « Un vieillard [illegible]noureux [Bartholo] prétend épouser demain [illegible] pupille [Rosine]; un jeune amant plus adroit [illegible] prévient [le comte Almaviva], et ce jour même en fait sa femme, à la barbe et dans la maison du tuteur ». Ainsi condensée par les soins de l'auteur, l'œuvre ne se différencie guère des comédies traditionnelles. Et pourtant, si « les pièces en sont vieilles, la partie en est toute neuve », notait un critique qui assimilait l'œuvre à un jeu d'échecs. Par-delà les traditions, l'auteur retrouvait en effet les secrets de la joyeuse comédie d'intrigue; mais ses personnages cessaient d'être des mécaniques de théâtre pour se teinter des couleurs de la vie, interrompaient çà et là leurs manœuvres pour se permettre quelques « morceaux de bravoure » satiriques. Beaumarchais venait de trouver les fondements d'une dramaturgie comique nouvelle, alliant dans un harmonieux dosage la satire à l' « imbroille » ([1]), qu'il devait porter au sommet de la réussite dans *Le mariage de Figaro.*

Présentée par Beaumarchais lui-même comme le « sixième acte » du *Barbier*, cette *Folle Journée* (c'est là le sous-titre de la comédie) ne triompha le 27 avril 1784 qu'après une longue campagne menée contre l'aveuglement des privilégiés et la censure royale qui jugeaient cette comédie dangereuse. Cependant, réduire *Le mariage* à une simple pièce à thèse serait faire un contresens et oublier que son originalité vient dans une large mesure de sa structure. Que l'on jette un regard sur ce que Beaumarchais appelle lui-même « la plus badine des intrigues! » « Un grand seigneur espagnol [le comte], amoureux d'une jeune fille [Suzanne] qu'il veut séduire, et les efforts que cette fiancée, celui qu'elle doit épouser [Figaro] et la femme du seigneur [l'ex-Rosine] réunissent pour faire échouer dans son dessein un maître absolu que son rang, sa fortune et sa prodigalité rendent tout-puissant pour l'accomplir. Voilà tout, rien de plus. »

Résumé qui est loin de traduire l'originalité du *Mariage :* il ne faut en effet pas moins de 92 scènes pour que Beaumarchais vienne à bout des multiples intrigues que nouent et dénouent les nombreux héros de sa comédie. Certains existaient déjà, mais depuis le *Barbier* trois années se sont écoulées, et leurs caractères ont évolué; le centre d'intérêt s'est déplacé pourrait-on dire d'Almaviva à Figaro; les tirades, plus nombreuses, révèlent l'âme des personnages, permettent au spectateur de souffler et précisent le sens de l'œuvre. Et puis, il y a Chérubin, créa-

[illegible]1. Une troisième comédie mélodramatique s'ajoutera [illegible]x deux chefs-d'œuvre (*La mère coupable*, 1788) pour [illegible]re la trilogie du triomphe de *Figaro*.
[illegible]2. René Pomeau, *Beaumarchais, l'homme et l'œuvre*, [illegible]tier, p. 6.

1. Beaumarchais se sert de la forme francisée de l'italien *imbroglio* qui désigne proprement une situation embrouillée, puis par dérivation, une pièce dont l'intrigue est fort compliquée.

tion neuve de Beaumarchais, ce page qui symbolise les premiers émois du cœur amoureux, et fait planer sur la pièce une ombre de romantisme. Il y a enfin, et surtout, cette « folle gaîté » qui est la marque propre du tempérament et du style de Beaumarchais.

Un style de théâtre

Homme de son siècle, Beaumarchais le fut non seulement dans son goût de l'intrigue, mais aussi par ses aspirations littéraires. Comme ses amis philosophes, c'est un défenseur du dram bourgeois; mais ses vues vont encore plus loin Aux traditionnelles unités scéniques il oppos l'unité globale du théâtre : « Le genre d'un pièce [...] dépend moins du fond des choses qu des caractères qui les mettent en œuvre ». Loi de concevoir la scène comme un simple lieu d délassement, il défend le théâtre « engagé » « Le théâtre est un géant qui blesse à mort tou ce qu'il frappe. On doit réserver ses grand coups pour les abus et pour les maux publics » Le corollaire de ce dernier trait est de faire un dramaturgie morale : la « Préface » du *Mariag* précise que le but de l'auteur est d' « amuser e instruisant ».

Alliant ainsi les principes de la comédie d'intrigue à l'esthétique du drame, Beaumarcha créait un théâtre moderne dans le fond comm dans la forme.

L'acteur Baptiste dans le rôle de Bazile du *Barbier de Séville*. (B. N. Paris.)

« La critique d'une foule d'abus qui désolen la société »

Réduite à quelques tirades dans *Le barbie* la satire sociale envahit *Le mariage :* le suj même de la pièce, assez hardi en lui-même, laiss supposer que l'auteur va se livrer à une sér de règlements de compte avec les institutions e place. Comment ne pas reconnaître sous grotesque Brid'Oison le juge Goëzman? Comment ne pas entendre Beaumarchais en personn dans les divers propos tenus sur la vénali judiciaire? Mais, par-delà les problèmes personne, la comédie s'élève à la hauteur de tribune lorsque Figaro (V, 3) fait l'éloge c mérite personnel, lorsque Marceline (III, 1 dénonce la situation féodale de la femme. Ce so là des idées que le siècle a développées sans rel che : le mérite de Beaumarchais est peut-être les avoir formulées de façon percutante. Et n'est pas un vain honneur!

« Une folle gaîté »

Cependant, c'est d'une autre « espèce de no veauté » que Beaumarchais tient sa place da l'Olympe dramatique : en ramenant « au théâ l'ancienne et franche gaieté, et en l'alliant av le ton léger de notre plaisanterie actuelle », renouvelait en réalité un genre traditionnel l'orientait dans de nouvelles directions. Cer ses comédies empruntent aux devanciers (M lière, Scarron, Sedaine) la plupart de leu intrigues : cela ne les empêche nullement d'être originales.

Grâce au style d'abord. Vif, percutant, allant parfois jusqu'à la facilité du mot d'auteur, souvent poétique, il porte en lui-même l'absurdité des situations,

« C'est sur ma joue qu'il l'a reçu : voilà comme les grands font justice » déclare Figaro d'un soufflet qui ne lui était pas destiné,

et révèle le caractère profond des personnages,

LE COMTE. — ... Autrefois tu me disais tout.
FIGARO. — Et maintenant je ne vous cache rien.

Dans l'agencement de l'intrigue ensuite : invraisemblable à la lecture, l'enchaînement des péripéties « passe » bien la rampe. Linéaire dans *Le barbier*, l'action se démultiplie à l'extrême dans *Le mariage* : entraînée par le rythme du style, elle n'accorde aucun répit au spectateur... ni aux personnages. Car ceux-ci doivent compter avec le véritable meneur de jeu : le Hasard. C'est lui qui donne naissance à ce comique d'absurde et d'imprévu dont les deux plus belles scènes sont sans doute l'entrée de Bazile (*Barbier*, III, 11) et les explications de Figaro (*Mariage*, III, 21).

Par le réalisme enfin qui nous vaut des personnages vrais et vivants. Non pas des caractères stylisés comme chez Molière, mais des héros autonomes qui tout au long de l'œuvre restent fidèles à leurs propres préoccupations. Plus que des travers de l'esprit, ce sont des mouvements de l'âme qui émanent des créations de Beaumarchais. La comtesse pathétique, Suzanne enjouée, Chérubin « espiègle et brûlant », le comte galant et désabusé sont bien des hommes de leur siècle : tous aiment le libertinage et « chacun guigne son plaisir » (1).

A ce jeu, Figaro n'est pas le dernier! Héritier des valets de comédie, il leur est bien supérieur par sa vérité : vivant d'une vie bien à lui, avec intensité, il ne se contente plus d'être la doublure plus ou moins brillante d'un maître. Même si l'action ne s'organise pas autour de lui (comme c'est le cas dans *Le mariage*), il n'en reste pas moins le véritable héros de la pièce, le chef d'orchestre de la révolte : « le trait principal de son caractère, c'est peut-être l'énergie, la *virtù* stendhalienne, cette force déjà romantique » (2).

Modernité de Beaumarchais?

Deux siècles après, que reste-t-il de Beaumarchais? Un personnage énigmatique sans doute dont nul n'a pu débroussailler de façon satisfaisante les multiples intrigues. Une œuvre tout aussi diversement interprétée : révolutionnaire pour certains (« Figaro a tué la noblesse », affirmait Danton), traditionaliste pour d'autres (« satirique à la vieille mode », constate Bainville), ses comédies ont surtout ouvert la voie à la comédie moderne et au vaudeville de la fin du XIXe siècle. Le style de Beaumarchais est en effet le seul point d'accord de la critique qui reprend en écho ce qu'écrivait Hugo : « Tout frémit! » (*La légende des siècles*, XXXVI).

1. René Pomeau, *op. cit.*, p. 194.
2. Annie Ubersfeld « Introduction » au *Mariage de Figaro*, Éditions Sociales, p. 50.

BIBLIOGRAPHIE

ÉDITIONS : Éditions de poche du *Théâtre* (Garnier-Flammarion, Livre de Poche). — Édition du *Théâtre complet* (suivi de *Lettres relatives au théâtre*) dans la collection « Bibliothèque de la Pléiade », Gallimard, 1934.

ÉTUDES : R. POMEAU, *Beaumarchais*, Hatier, coll. « L'Homme et l'œuvre », 1956 (un petit livre fourmillant d'aperçus critiques originaux... devenus classiques). — J. SCHÉRER, *Dramaturgie de Beaumarchais*, Nizet, 1954 (important, mais parfois contestable). — G. CONESA, *La trilogie de Beaumarchais*, P.U.F., 1985 (étude dramaturgique qui prolonge et modernise la précédente).

BILAN DU XVIIIe SIÈCLE : LES LUMIÈRES ET LA TOURMENTE

La Révolution de 1789, qui clôt le XVIIIe siècle par un bouleversement social et politique, apporte finalement à la France les principes de la liberté individuelle, de conscience (donc de religion, ce qui mettra longtemps à entrer réellement dans la mentalité) et d'expression (donc de presse, ce qui gênera tous les gouvernements ultérieurs peu désireux de laisser le champ libre à l'opposition); l'idée que les peuples doivent disposer d'eux-mêmes (ainsi s'expliquent les guerres contre une Europe monarchique menées par les révolutionnaires et continuées par Napoléon, où commence de se forger l'idéologie nationaliste qui éclatera en 1848); l'égalité — du moins de droit — au niveau fiscal, civil, administratif et économique. Les privilèges sont tombés, mais la société n'est pas pour autant devenue démocratique. La Révolution marque plutôt l'avènement de la bourgeoisie : elle confisque le rôle dirigeant — après s'être fait aider par les classes populaires — rôle qu'avait tenté d'accaparer la noblesse les années précédentes. L'œuvre révolutionnaire est en effet une œuvre de classe : sur le plan politique, la conception du gouvernement national est restreinte et appartient, selon les moments, à ceux seulement qui possèdent l'argent, la culture ou la stabilité : en fin de compte, ce sont désormais les bourgeois — mais assistés des anciens privilégiés — qui détiennent un pouvoir politique refusé (sauf pendant la brève période du Comité de Salut public en 1793-1794) aux tout petits bourgeois besogneux, aux masses rurales et à une population urbaine où le nombre des ouvriers ne va cesser de croître.

Sur le plan social, la loi Le Chapelier de 1791, supprimant les associations ouvrières et les règlements de contrôle sur le travail et la qualité de l'ouvrage, laisse en fait tout pouvoir au patron sur l'ouvrier et ouvre à la bourgeoisie libérale la perspective de l'essor capitaliste ultérieur.

Pour établir ce nouveau mode socio-politique, il a fallu la tourmente révolutionnaire. Les réformes entreprises pendant le règne de Louis XVI — maladroites du reste, et indécises — n'ont pas suffi. La tumultueuse et brusque explosion de 1789 semble marquer l'échec des philosophes dans leur tentative pour concilier progrès et pacifisme.

Les grandes figures du siècle n'avaient pas prévu la flambée révolutionnaire, à l'exception de Jean-Jacques Rousseau, isolé comme toujours dans ses intuitions, qui notait dans l'*Émile :* « Nous approchons de l'état de crise et du siècle des révolutions ». Nombreux pourtant avaient été les appels à la révolte : de Rivarol (1753-1801), qui souhaite la réorganisation complète d'une monarchie dans laquelle « personne n'est à sa place », à Chamfort (1741-1794), en quête d'une « sainteté désespérée » ([1]), réclamant un puissant mouvement en faveur des opprimés, tous désirent un changement dont ils redoutent toutefois les excès, inévitables maintenant.

L'influence de toute la littérature éclairée du XVIIIe siècle a du reste été déterminante, et elle a forgé les grands thèmes qu'ont ensuite défendus dans la rue et à l'Assemblée les révolutionnaires. De la révolution nobiliaire à la Terreur, de 1789 à 1791, l'action ne se réclame pas des mêmes philosophes : aux premières journées marquées par les idées de Montesquieu, à l'enthousiasme bouillant des Girondins, puisé dans Diderot, répondent les vibrants discours de Robespierre et Saint-Just imprégnés par la « vénération » qu'ils portaient au citoyen de Genève. Mais il ne saurait être question d'une filiation directe : les écrivains apportent des schémas théoriques que les révolutionnaires adaptent à la situation du moment, tant dans l'esprit que dans la forme.

Au cours de la Révolution elle-même, l'action absorbe trop les énergies pour que l'esprit engendre des chefs-d'œuvre littéraires. Cependant, si l'on ne peut parler de littérature révolutionnaire (aucune œuvre de talent n'est restée

1. L'expression est d'Albert Camus.

des innombrables pièces créées dans la tourmente), on ne saurait passer sous silence les genres annexes : la chanson, colportée de bouche à oreille, suffit à assurer l'immortalité à un Fabre d'Églantine *(Il pleut, il pleut, bergère!)*, tandis qu'un Rouget de Lisle donne en quelques couplets la mesure de l'émotion épique chez des soldats va-nu-pieds. Le journalisme, en dehors de ses chroniques traditionnelles, trouve dans les émeutes matière à enflammer les cœurs à travers une langue vigoureuse qui n'échappe pas toujours à la trivialité. Les éphémères publications disparaissent en même temps que celui qui les animait, assurant ainsi un renouvellement constant du témoignage journalistique révolutionnaire.

Mais l'éloquence demeure à juste titre le grand genre révolutionnaire : la nécessité politique du moment impose aux tribuns improvisés ou aux politiciens de trouver les mots et les rythmes capables d'assurer le lien entre l'action et la parole, de convaincre une assemblée indécise. Mirabeau, Danton, Robespierre et Saint-Just sont les plus brillants orateurs de cette époque.

De Mirabeau (1749-1791), Chateaubriand a laissé un portrait qui condense en traits bien marqués les aspects aristocratiques et démocratiques : « Il avait du Gracchus et du Don Juan, du Catilina et du Gusman d'Alfarache, du roué de la Régence et du sauvage de la Révolution. » Par la vigueur d'un style calculé, il a su orchestrer aux premiers jours de la lutte l'âme nationale et ses aspirations : interrogations, exclamations, répétitions visent à imprimer une réalité profonde dans l'esprit de ses auditeurs. Sa phrase, calquée sur la période de la rhétorique classique, se distingue radicalement de la structure simpliste des discours de Danton (1759-1794), plus soucieux d'efficacité et d'improvisation que d'art véritable.

Avec Robespierre (1758-1794) et Saint-Just (1767-1794), l'éloquence devient à la fois pensée et action : plus que des discours en situation, leurs proclamations marquent l'aboutissement doctrinal de tout un siècle. Cohérents dans leur mystique révolutionnaire jusqu'aux limites de l'humain, ils ont également su lier les mots aux faits : si l'on a pu dire de Saint-Just que ses « paroles étaient comme des haches », c'est que, délaissant l'emphase ou l'emporte-pièce, il est parvenu à réduire en formules saisissantes un contenu théorique qu'il souhaitait imposer dans toute son ampleur.

Le jeune tribun affirmait que « la Révolution ne doit s'arrêter qu'à la perfection du bonheur ». Le temps des violences passé, celui des bilans arrive, et l'on se trouve, bien sûr, loin de ce but idéal. Aussi, méfiante pour quelque temps à l'égard des idées généreuses et abstraites, n'espérant plus trouver dans le cadre de la vie sociale la réalisation parfaite de l'homme, la pensée va se renouveler. C'est vers la littérature que se tournent de nouveau les écrivains : délaissant la philosophie qui s'était emparée d'elle pendant tout un siècle, la vie littéraire va être dominée par un nouveau thème, vécu non plus comme jusqu'alors de l'extérieur, mais au contraire de l'intérieur : le sentiment. Dans le même temps, et en réaction contre l'omniprésente raison, se développent les courants illuministes et les littératures de l'étrange (le plus célèbre exemple étant, avant même la Révolution, *Le diable amoureux* de Cazotte, 1772). Sentiment et besoin d'irrationnel : il n'en fallait pas plus pour que vînt éclore une nouvelle littérature. La plume et la parole étaient aux hommes de génie... que le XVIIIe siècle venait de réhabiliter!

BIBLIOGRAPHIE

Les « Classiques du peuple » (Éditions sociales) offrent de nombreux extraits des principaux orateurs révolutionnaires (Danton, Saint-Just, Robespierre, Marat, Babeuf), avec des introductions d'inspiration marxiste.

Les deux visages du XIXe siècle : un orateur ouvrier applaudi pendant une réunion de conservateurs. Incohérence significative ou supercherie endormante? (B.N. Paris.)

ANNEXES

INDEX

Sont imprimés en italique les noms d'écrivains de langue étrangère. Pour ne pas alourdir cet index, nous n'avons pas mentionné les auteurs des ouvrages critiques cités.

© Coll. L.B.

© Harlingue-Viollet.

© Archives E.B.

TABLE DES MATIÈRES

LE MOYEN ÂGE

LE XVIe SIÈCLE

L'AGE DE RABELAIS

L'AGE DE RONSARD

L'AGE DE MONTAIGNE

LE XVIIe SIÈCLE

LE SIÈCLE DE LOUIS XIII

LE SIÈCLE DE LOUIS XIV

LE XVIIIe SIÈCLE

Berger-Levrault, Nancy – 779330-9-1987
Dépôt légal 1re édition : septembre 1977
Dépôt légal de ce tirage : septembre 1987